DIAS GOMES
TEATRO REUNIDO

Obras do autor publicadas pelo Grupo Editorial Record:

O pagador de promessas
A invasão
O bem-amado
O berço do herói
O santo inquérito
As primícias
O rei de Ramos
Campeões do mundo
Sucupira, ame-a ou deixe-a
Odorico na cabeça
Apenas um subversivo

BERTRAND BRASIL
Apresenta

DIAS GOMES
TEATRO REUNIDO

VOLUME 01

1ª edição

BERTRAND BRASIL
Rio de Janeiro | 2022

CIP-BRASIL. CATALOGAÇÃO NA PUBLICAÇÃO
SINDICATO NACIONAL DOS EDITORES DE LIVROS, RJ

G613t   Gomes, Dias, 1922-1999
v. 1   Teatro reunido, volume 1 / Dias Gomes. – 1. ed. – Rio de Janeiro : Bertrand Brasil,
            2022.

            ISBN: 978-65-5838-133-4

            1. Teatro brasileiro. I. Título.

22-79319   CDD: 869.2
                                   CDU: 82-2(81)

Meri Gleice Rodrigues de Souza – Bibliotecária – CRB-7/6439

Copyright © Dias Gomes (*Pé-de-Cabra*, © 1994; *Eu acuso o céu*, © 1994; *Os cinco fugitivos do Juízo Final*, © 1994; *O pagador de promessas*, © 1959; *A invasão*, © 1959; *A revolução dos beatos*, © 1963; *O bem-amado*, © 1962)

Design de box e capa: Alexandre Venancio

Texto revisado segundo o novo Acordo Ortográfico da Língua Portuguesa.

Todos os direitos reservados.
Não é permitida a reprodução total ou parcial desta obra, por quaisquer meios,
sem a prévia autorização por escrito da Editora.

Direitos exclusivos de publicação em língua
portuguesa somente para o Brasil adquiridos pela:
EDITORA BERTRAND BRASIL LTDA.
Rua Argentina, 171 — 3º andar — São Cristóvão
20921-380 — Rio de Janeiro — RJ
Tel.: (21) 2585-2000

Seja um leitor preferencial.
Cadastre-se no site www.record.com.br
e receba informações sobre nossos lançamentos e
nossas promoções.

Atendimento e venda direta ao leitor:
sac@record.com.br

sumário

o assombroso e cotidiano Dias Gomes   7
nota da edição   10
notas do autor   11
pé-de-cabra   23
eu acuso o céu   75
os cinco fugitivos do juízo final   136
o pagador de promessas   198
a invasão   288
a revolução dos beatos   382
o bem-amado   471

o assombroso e cotidiano
Dias Gomes

Dias Gomes (Alfredo de Freitas D. G.), romancista, contista e teatrólogo, nasceu em Salvador, na Bahia, em 19 de outubro de 1922, falecendo em São Paulo, em 18 de maio de 1999. E não morreu, usando a frase de Guimarães Rosa, "se encantou", sendo esta publicação da obra reunida a prova de que está na luz e muito acordado.

Estreou no teatro profissional em 1942, com a comédia "Pé-de-Cabra", encenada no Rio de Janeiro e depois em São Paulo, no teatro Procópio Ferreira, com quem assinou contrato de privacidade para a montagem de várias peças subsequentes.

Em 1944, a convite de Oduvaldo Vianna (pai) foi trabalhar na Rádio Pan-Americana de São Paulo, fazendo adaptações de peças, romances e contos. Casou-se com Janete Clair (Janete Emmer), viajou à União Soviética, com uma delegação de escritores. Ficou famoso com *O Pagador de Promessas*, que virou filme e andou pelo mundo, tendo as peças traduzidas em vários idiomas.

Em 1964, participou de inúmeras manifestações contra a censura e pela liberdade. Foi reconhecido autor de novelas da Globo, o que o popularizou.

Conheci Dias Gomes, quando foi acolhido na Academia Brasileira de Letras. Pessoa fraterna, jovial, de excelente convívio. Simples, generoso, ainda que famoso na mídia, era modesto, sem pose. Bastava-lhe o assombro de viver.

Agora, em boa hora, a Editora Bertrand Brasil publica a reunião de suas peças.

Algumas mais divulgadas, outras menos, marcadas pela genialidade de Dias Gomes, capaz de tornar fantástico o cotidiano, com alegria e reflexão que têm nos ajudado a sobreviver em tempos sombrios ou amenos.

Eis o elenco de peças editadas nestes dois volumes: *Pé-de-cabra*; *Eu acuso o céu*; *Os cinco fugitivos do Juízo Final*; *O pagador de promessas*; *A invasão*; *A revolução dos beatos*; *O Bem-Amado*; *O berço do herói*; *O santo inquérito*; *Vargas*; *Amor em campo minado*; *As primícias*; *O rei de Ramos*; *Campeões do mundo*; *Meu reino por um cavalo*. Todas essas peças preciosas integram o Teatro Reunido de Dias Gomes, que a Editora Bertrand apresenta ao público leitor, de importância fundamental para a cultura brasileira e para o teatro contemporâneo.

Dias Gomes não sabia tanto de sua grandeza, como a grandeza sabia dele, um dos nossos maiores teatrólogos, ao lado de Nelson Rodrigues. Se a ele era comparável pela criação inesquecível de tipos, ou pela comunicação com o leitor, Nelson se caracterizava pelo trágico ou por um lado bestial ou de loucura dos seres, enquanto Dias Gomes se inclinava pela ironia, às vezes, sarcasmo, com o bondoso riso sobre poderosos, ou crenças, fanatismos, com o ridículo humano exposto com apurada inteligência.

Sim, Dias Gomes sabia retratar, como poucos, a vida do povo interiorano, ou mesmo um cemitério que custou a ser povoado, com aspectos da humana espécie, debruçando-se numa fala que se alça inventiva, mágica e de alta voltagem comunicadora. Acreditava, com razão, que o popular, ao ser entendido de alma, alcançava igualmente o mágico. E no mágico, o romântico e poético.

Tinha a astúcia do observador que recolhia as minúcias nas estórias, como se descobrisse a senha do destino, ou devagar o selasse na metáfora. E era destino o sábio diálogo, entre os seres, que nos surpreendem, percebendo o cotidiano do fantástico e o fantástico no quotidiano do mundo, arrebatando-nos a uma nova realidade.

Ou seja, a arte de civilizar com o teatro e o enredo com a singeleza de água de fonte que corre do alto da montanha. Outras vezes narra como se tocasse na raiz do sonho, sempre com a visão de quem se envolve na prática social, no movimento coletivo, em certo ponto, como crítico dos hábitos e costumes. Ou como proverbial defensor da liberdade de uma consciência que não se rende aos subterfúgios do poder ou do comodismo. E nisso Dias Gomes como intérprete da existência, é universal. Conhecendo a verdadeira imortalidade que se mede e se aprofunda na palavra. Onde amor e liberdade se ombreiam e não precisam pedir licença para revelar na verdade, o segredo de estar vivo. E continuar cada vez mais presente na criação. Mostrando que o poder misterioso da palavra não erra. Nem dentro ou fora.

Casa do Vento, Rio, Flamengo, 27 de agosto de 2022.
Carlos Nejar é escritor da Academia Brasileira de Letras e
Presidente Emérito da Academia Brasileira de Filosofia

nota da edição

Dias Gomes incluiu uma nota introdutória na primeira edição de algumas de suas peças publicadas individualmente pela editora Bertrand Brasil. Reunimos neste Volume 1 do Teatro Reunido Dias Gomes todas essas notas, que abarcam tanto peças contidas aqui quanto outras presentes no Volume 2.

notas do autor

1. O PAGADOR DE PROMESSAS (1959):

O homem, no sistema capitalista, é um ser em luta contra uma engrenagem social que promove a sua desintegração, ao mesmo tempo que aparenta e declara agir em defesa de sua liberdade individual. Para adaptar-se a essa engrenagem, o indivíduo concede levianamente, ou abdica por completo de si mesmo. *O Pagador de Promessas* é a estória de um homem que não quis conceder — e foi destruído. Seu tema central é, assim, o mito da liberdade capitalista. Baseada no princípio da liberdade de escolha, a sociedade burguesa não fornece ao indivíduo os meios necessários ao exercício dessa liberdade, tornando-a, portanto, ilusória. Claro, há também a intolerância, o sectarismo, o dogmatismo, que fazem com que vejamos inimigos naqueles que, de fato, estão do nosso lado. Há, sobretudo, a falta de uma linguagem comum entre os homens. Tudo isso tornando impossível a dignidade humana. São peças da engrenagem homicida.

Como Zé do Burro, cada um de nós tem suas promessas a pagar. A Deus ou ao Demônio, a uma Ideia. Em uma palavra, à nossa própria necessidade de entrega, de afirmação. E cada um de nós tem pela frente o seu "Padre Olavo". Ele não é um símbolo de intolerância religiosa, mas de intolerância universal. Veste batina, podia vestir farda ou toga. É Padre, podia ser dono de um truste. E Zé do Burro, crente do interior da Bahia, podia ter nascido em qualquer parte do mundo, muito embora o sincretismo religioso e o atraso social, que provocam o conflito ético, sejam problemas locais, façam parte de uma realidade brasileira. *O Pagador de Promessas* não é uma peça anticlerical — espero que isso seja entendido. Zé do Burro é trucidado não pela Igreja, mas por toda uma organização social, na qual somente o povo das ruas com ele confraterniza e a seu lado se coloca, inicialmente por instinto e finalmente pela conscientização produzida pelo impacto emocional de sua morte. A invasão final do templo tem nítido sentido de vitória popular e destruição de uma engrenagem da qual, é verdade, a Igreja, como instituição, faz parte.

O Pagador de Promessas é uma fábula. Sua estória é inteiramente imaginária, não obstante esteja toda ela construída sobre elementos folclóricos ou sociológicos que exprimem uma realidade. O sincretismo religioso que dá motivo ao drama é fato comum nas regiões brasileiras que, ao tempo da escravidão, receberam influências de cultos africanos. Não podendo praticar livremente esses cultos, procuravam os escravos burlar a vigilância dos senhores brancos, fingindo cultuar santos católicos, quando, na verdade, adoravam deuses nagôs. Assim, buscavam uma correspondência entre estes e aqueles — Oxalá (o maior dos orixás) identificou-se com Nosso Senhor do Bonfim, o santo de maior devoção da Bahia; Oxosse, deus da caça, achou o seu símile em São Jorge; Exu, orixá malfazejo, foi equiparado ao Diabo cristão. E assim por diante. Por isso, várias festas católicas, na Bahia (como em vários estados do Brasil), estão impregnadas de fetichismo, com danças, jogos e cantos de origem africana. Entre elas a de Santa Bárbara (Iansã na mitologia negra), que serve de cenário ao drama. É evidente que a Igreja Católica reage a esse sincretismo. E a posição de Padre Olavo é perfeitamente lógica dentro dos princípios de defesa da religião cristã, muito embora revele uma intolerância também inerente a esse culto.

Mas o que nos interessa não é o dogmatismo cristão, a intolerância religiosa — é a crueldade de uma engrenagem social construída sobre um falso conceito de liberdade. Zé do Burro, por definição, é um homem livre. Por definição, apenas. O que nos importa é a exploração de que ele é vítima — exploração que constitui também um dos alicerces da sociedade em que vivemos.

O Pagador de Promessas nasceu, principalmente, dessa consciência que tenho de ser explorado e impotente para fazer uso da liberdade que, em princípio, me é concedida. Da luta que travo com a sociedade, quando desejo fazer valer o meu direito de escolha, para seguir o meu próprio caminho e não aquele que ela me impõe. Do conflito interior em que me debato permanentemente, sabendo que o preço da minha sobrevivência é a prostituição total ou parcial. Zé do Burro faz aquilo que eu desejaria fazer — morre para não conceder. Não se prostitui. E sua morte não é inútil, não é um gesto de afirmação individualista, porque dá consciência ao povo, que carrega o seu cadáver como bandeira.

2. O BEM-AMADO (1962) — NO PROGRAMA DO ESPETÁCULO CARIOCA:

De todas as minhas peças, foi esta a que teve vida mais acidentada. Sua primeira versão data de 1962. Do tempo em que escrever uma peça com 15 personagens e esperar que ela fosse encenada não era, como hoje, sinal evidente de desajustamento ou debilidade mental, reclamando para o seu autor internamento urgente numa clínica especializada. Hoje, os empresários não leem mais peças, contam as personagens. E quando estas excedem de três, olham para nós com cara de espanto:

— Para que tudo isso? Quer que haja mais gente no palco do que na plateia?

E devolvem a peça, obrigando-nos a pedir desculpas pelo nosso delírio de grandeza.

— Quinze personagens! Por que você não escreve uma ópera? Teatro é a arte da síntese!

E o Teatro Brasileiro parece que caminha brilhantemente para a síntese total: todas as personagens numa só. E não está longe o dia em que, na plateia, haverá também um único espectador — a maravilhosa síntese de todos os outros! Teremos então alcançado a perfeição.

Por isso, como *Odorico* não foi encenada imediatamente — vendi o seu argumento para um filme que nunca foi feito —, passados oito anos, parecia antediluviano sobrevivente de uma idade perdida quando surgiu um jovem e audaz produtor querendo levá-la à cena. Confesso que, a princípio, não acreditei. Naturalmente ia me pedir para fundir todas as personagens em duas ou três etc. Mas não, permitiu até que entrasse mais uma, um vira-lata. Espantoso! E tudo isso acontecendo no estado da Guanabara, onde o Teatro é olhado como uma praga que é preciso extinguir, coisa que ofende mais as narinas de certas pessoas que os peixes que morrem diariamente na lagoa. Fantástico.

Bem, mas aí está *Odorico* em cena, por mais fantástico que pareça. Esta peça pertence a uma fase em que a dramaturgia brasileira procurava pesquisar nossa realidade, fazendo uma espécie de tipificação do nosso povo. Odorico Paraguaçu é um tipo de político que — embora a prática das eleições pareça já coisa do passado — é bastante comum, não só no interior como nas grandes cidades. É claro que o grau de demagogia e paranoia é variável. Mas o processo é o mesmo. E não se pense que a proibição do povo de eleger livremente seus candidatos nos livra dos Odoricos provincianos ou citadinos, estaduais ou federais. Eles existem e continuarão existindo, com maior ou menor extroversão, porque são frutos não da prática da democracia, mas da alienação e do oportunismo dos governantes, eleitos ou nomeados, escolhidos ou impostos.

3. O SANTO INQUÉRITO (1966):

Esta peça teve já várias edições e várias montagens teatrais. A última versão cênica estreou em São Paulo, no dia 25 de agosto de 1977, com direção de Flávio Rangel. A presente edição, que considero definitiva, adota alguns cortes que fiz no texto e segue as rubricas sugeridas por aquele espetáculo.

4. AMOR EM CAMPO MINADO (1969):

A primeira versão de *Amor em campo minado* é de 1970. Chamava-se então *Vamos soltar os demônios*, título com que foi publicada dois anos mais tarde.* Estávamos em pleno governo Médici, aquele general que não perdia um jogo do Flamengo no Maracanã, enquanto o DOI-CODI realizava experiências sobre a capacidade de resistência da criatura humana aos métodos mais sofisticados de tortura. O país, ainda alienado do que se passava nos subterrâneos dos órgãos de repressão, vivia a ilusão do "milagre brasileiro" e vibrava com o tricampeonato do mundo. A esquerda se dividia entre o caminho pacífico e a luta armada, esta

---

* Teatro de Dias Gomes — Ed. Civilização Brasileira, 1972 (esgotado).

última um "milagre" às avessas. A camarilha militar que empolgara o poder (todos nós julgávamos que não ia aguentar-se por mais de seis meses) já dava mostras de que iria permanecer por vinte anos. Mas poucos acreditavam nisso. Poucos viam a realidade e estavam dispostos a encará-la de frente.

Lembro-me da reação de alguns companheiros à peça: oscilava entre a estranheza e a pura indignação. Para uns, eu tinha sido injusto com a intelectualidade de esquerda que, afinal de contas, com raras exceções, não se corrompera e lutava com a bravura possível contra o regime militar e autoritário estabelecido. Outros discordavam da oportunidade de se exorcizar publicamente nossos erros e contradições, "dando armas ao inimigo" para nos atacar. Não foi por essas discordâncias, surgidas à simples leitura, que a peça não pôde ser encenada. Foi pela discordância maior vinda da Censura Federal. Hoje, quatorze anos depois, já é possível superar esta última. Quanto às primeiras, imagino que os anos tenham levado a uma compreensão menos sectária do papel do intelectual como crítico de seu tempo. Posições como essa de não expor nossas deformações e fechar os olhos às contradições entre a teoria e a prática, a palavra e o gesto, quando isso ocorre em nossas fileiras, é que permitiram o aparecimento e a impunidade do stalinismo, exorcizado somente após a morte daquele que, enquanto viveu, foi para muitos (cientes ou não de seus crimes), o *pai*, o *guia genial*, libertador dos povos. É claro que não pretendo retratar em Sérgio Penafiel a intelectualidade de esquerda, mas apenas um certo tipo de intelectual que se diz de esquerda. Neste, a contradição entre pensamento e conduta é evidente. A prática é a negação da teoria. E a teorização de suas próprias deformações evidencia uma auto complacência de que são cúmplices todos aqueles que aceitam tacitamente esse tipo de empulhação sob a falsa justificativa de que estamos do mesmo lado, somos companheiros de viagem.

Embora escrita seis anos após o golpe de 64, a peça reflete ainda um estado de perplexidade e uma ânsia de compreender o que aconteceu. Por que os nossos sonhos de justiça social que pareciam tão solidamente enraizados numa realidade política que nos parecia real, desmoronaram em poucas horas ao sopro de ventos que talvez não dessem para derrubar nem mesmo um castelo de cartas? Partindo do pressuposto de que erramos, onde erramos? E quais as origens do erro?

No meu entender, não compete ao Teatro dar respostas a essas perguntas, mas apenas fornecer ao espectador elementos para que ele, fora do Teatro, possa chegar a elas. Por isso a peça propõe apenas uma reflexão através do relacionamento homem-mulher, enfocando política e sexo como polos que se interpenetram, usando o psicológico, mas ambicionando uma abrangência político-social. Ao retrabalhar o texto, agora, busquei dar menor ênfase à análise psicológica que, na versão original, eclipsava, até certo ponto, o enfoque político. Acredito que a encenação deva seguir o mesmo caminho. No mais, considerando que se passaram quatorze anos e que a plateia de hoje é consideravelmente mais desinformada, procurei acrescentar uma determinada soma de informações necessárias à compreensão do texto e à identificação do espectador com o clima da ação.

Se a peça propõe uma reflexão, hoje, decorridos vinte anos desde os acontecimentos que ela enfoca, isso é muito mais fácil. Sabemos o que aconteceu imediatamente depois, o fim pouco feliz dos diferentes "milagres", a trajetória das personagens, etc. *Companheiros de viagem*, como Sérgio Penafiel, com o passar do tempo e o transcorrer da viagem, mudaram o rumo de seus barcos e foram atracar em outros portos. É bem verdade que nem todos. Alguns ainda continuam enganando os incautos. Mas não por muito tempo. Daí a atualidade da peça.

5. AS PRIMÍCIAS (1977):

O Direito das Primícias, ou Direito de Pernada, ou Direito da Primeira Noite, (*jus primae noctis*) foi uma instituição que vigorou na Idade Média e que, em alguns países, como a França, chegou até à Revolução de 89 (Beaumarchais, *O Casamento de Fígaro*), havendo notícia de que tenha persistido na Itália (Sicília) até meados do século passado. Era o direito do senhor feudal de desvirginar as noivas na noite de sua boda. No Brasil colonial, como lei não escrita, semelhante direito foi largamente usado pelos senhores de engenho e pelos grandes senhores de terra de um modo geral, ainda que de maneira menos ostensiva, mais hipócrita, o que, entretanto, não lhe tirava o seu caráter de violentação da integridade da criatura humana. Aqui, quase sempre, o senhor não esperava pela boda, servindo esta apenas para acobertar a violência já cometida.

Embora a humanidade tenha evoluído a ponto de tornar inadmissível hoje a prática legal de tal costume, sabemos que outras formas do direito de violentar (quer seja essa violentação física, moral ou política) continuam em vigor em certos regimes ditos autoritários, servindo o Direito de Primícias de apropriada ilustração a uma legenda que pode falar de acontecimentos do nosso cotidiano.

6. O REI DE RAMOS (1978):

Lembro-me de que Vianna Filho, ainda na década de sessenta, tentou convencer-me da necessidade de pesquisar as tradições do nosso teatro musical (a burleta, a revista), a fim de salvá-lo da extinção e dele arrancar raízes populares para a nossa dramaturgia. Confesso que na época, voltado para outros projetos, a proposta não me entusiasmou. Mas o Vianna achava que havia aí um grande manancial e que a nossa geração tinha um compromisso histórico de não deixar morrer o que de mais próximo ao povo havia em nosso teatro urbano. Anos depois, algumas conversas com Paulo Pontes me levaram novamente a refletir sobre o assunto. Paulinho, que sempre foi apologista de um teatro de grande comunicação, chegou a me propor transformar *O pagador de promessas* num musical. Escrúpulos elitistas me fizeram recusar. Em 1975, Flávio Rangel — então dirigindo o Teatro da Manchete, me pediu para escrever uma comédia musical. Novamente estava colocado diante de mim o desafio e desta vez eu resolvi aceitá-lo. Foi assim que comecei a escrever *O rei de Ramos*. Era a minha primeira experiência no gênero e a ela eu me entreguei com entusiasmo. Infelizmente, quando já tinha mais da metade da peça pronta, Flávio deixou a direção do Teatro Adolfo Bloch e o projeto foi cancelado. Durante dois anos a peça dormiu no fundo de minha gaveta. Até que, em meados de 77, eu a li para um grupo de jornalistas e homens de teatro, no Teatro Casa Grande. A boa acolhida que o texto teve por parte da reduzida plateia me animou a terminá-lo. Um dos presentes era Chico Buarque, que aceitou escrever a música. Outro era o próprio Flávio Rangel. No dia 7 de julho de 77 estava terminada a primeira versão da peça e se iniciava uma longa batalha para encená-la. Se, no Brasil, a encenação de qualquer peça é uma batalha, em se tratando de uma comédia musical do porte de *O rei de Ramos* o projeto assume conotações visionárias, por incrível que isso seja. E eu quero registrar que, nessa primeira fase, foi fundamental o entusiasmo de um homem chamado Jorge Ayer, que se dispunha até a perder dinheiro para realizar o projeto. Por motivos de saúde, Jorge teve que passar o bastão a Sérgio Brito, que assumiu a responsabilidade da produção.

Nesses quase dois anos de luta para levar à cena *O rei de Ramos,* por várias vezes estivemos à beira de desistir do projeto, ora pelo seu alto custo e sua falta de viabilidade comercial, ora pela inexistência de um teatro apropriado (o João Caetano estava em obras e apenas mais uma ou duas casas poderiam receber adequadamente o espetáculo). Nós achávamos que o espetáculo só devia ser realizado no teatro certo, com o elenco certo, no momento certo. A conjugação de todos esses fatores não era fácil. Mas, por fim, foi conseguida.

Durante todo esse tempo eu trabalhei na peça. Mais precisamente nos últimos meses, aí já submetendo-a às exigências do espetáculo concebido por Flávio Rangel, que muito influiu em sua forma final. *O rei de Ramos* é, sobretudo, um trabalho de equipe, que se completa harmonicamente com a colaboração de Chico Buarque e Francis Hime. Ficaria muito feliz se o resultado final fosse, sob certo aspecto, uma volta às tradições do nosso teatro musical, que teve na própria Praça Tiradentes o seu reduto. Claro, *O rei de Ramos* não é uma revista. É uma peça onde a música desempenha um papel dramático, contribuindo para esclarecer e fazer andar a narrativa. Mas foi minha intenção, ao pesquisar e manipular aquelas raízes populares, como queria Vianna Filho, usar, de uma maneira apropriada ao nosso tempo, a dinâmica e a forma de comunicação direta que fizeram da revista, por várias décadas, o nosso teatro popular.

Até alguns anos atrás, eu tinha uma atitude, senão preconceituosa, pelo menos de firmada desconfiança em relação à comédia musical.

Acho que não só eu, de um modo geral todos os autores chamados "sérios", e, notadamente, os críticos alimentam, confessada ou inconfessadamente, preconceitos estéticos contra o gênero. De minha parte, eu achava que a música sempre concorria para amenizar e diluir o conteúdo de um texto político. É bem verdade que já fiz uso da música em algumas peças (a capoeira em *O pagador de promessas,* o samba composto por Vinícius e Tom para *A invasão,* a ilustração folclórica de *A revolução dos beatos,* ou o samba-enredo de *Dr. Getúlio),* mas em todas essas peças a música aparecia de uma maneira meramente incidental. Ultimamente, entretanto, uma reflexão maior sobre o assunto me fez mudar um pouco de posição. Afinal, embora não se possa considerar *A Ópera dos 3 Vinténs* ou *O Sr. Puntilha e seu criado Matti,* a rigor, comédias musicais, é preciso reconhecer que a força política desses textos de modo algum foi quebrada pela intromissão da música. E é inegável que Brecht se serviu da música para obter uma comunicação maior, resultado nada desprezível num teatro que se propõe a ser político e popular.

Mas *O rei de Ramos* é um texto político? Talvez não na acepção corrente do termo. Ou o é na medida em que todo teatro é político. Claro, a peça transmite uma visão de mundo, assume uma posição crítica e isso a faz política. Pode ser considerada uma comédia urbana bem carioca. Uns talvez a vejam, linearmente, apenas como uma sátira bem-humorada e até debochada. Outros poderão extrapolar sua crítica, vendo na luta pela conquista de "pontos" entre os banqueiros de bicho a redução da guerra suja pela conquista de mercados na sociedade competitiva. Afinal, em questões de ética, há muito em comum...

7. CAMPEÕES DO MUNDO (1979):

Esta peça foi escrita, evidentemente, em cima de fatos acontecidos e amplamente divulgados. Convém ressalvar, entretanto, que suas personagens são absolutamente fictícias e que a realidade foi manipulada e recriada segundo os interesses da ficção dramática. O fato de ter havido *realmente* o sequestro de um Embaixador norte-americano no Rio de Janeiro em 1969 pode levar o espectador a conferir datas e informações e a tentar identificar personagens. Isso o conduzirá a vários equívocos, além de redundar numa leitura errada da peça. Os dados, em muitos casos, foram propositadamente alterados. As personagens pouco têm a ver com os verdadeiros protagonistas daquela ação política. Não pretendi realizar uma obra jornalística nem histórica (na acepção rigorosa do termo), por isso não me considerei obrigado a reproduzir fotograficamente os fatos, o que limitaria muito o alcance da peça. Assim, o espectador mais informado verificará que incorporei dados de outros sequestros, como o do Embaixador alemão e do Embaixador suíço. E a pesquisa que realizei para poder escrever a peça se estendeu até a ações semelhantes executadas em outros países, já que o que importa é a essência do gesto e não o gesto em si. Também será um erro pensar que esta é uma peça sobre o sequestro (qualquer que ele seja). É, sim, uma reflexão sobre um comportamento político do qual o sequestro de personalidades, a ação espetacular, foi apenas um aspecto — bastante ilustrativo, sem dúvida — e por isso tomado aqui como síntese de uma visão histórica. É esse comportamento político como um todo, principalmente suas causas e seus efeitos, mais do que o grande gesto em si, que procuramos iluminar.

Utilizei depoimentos publicados ou que pude colher, pessoalmente, de pessoas que viveram, protagonizaram ou simplesmente testemunharam a grande crise político-social dos anos 1960 e 1970. Também me vali, basicamente, de minha experiência pessoal de militante político e não há dúvida de que aqui me coloquei por inteiro e sem ressalvas. Entretanto, procurei, neste pequeno mural histórico, muito menos impor a minha visão particular da realidade do que fornecer elementos para que o espectador conclua e formalize a sua própria visão, fazendo seu próprio julgamento; tentei apenas levantar questões, debatê-las, sem ser conclusivo, mas fornecendo dados suficientes para uma conclusão que vai depender da consciência, do condicionamento e da formação de cada um. No meu entender, não cabe ao teatro revelar ou ditar a verdade. Mesmo porque o palco é o reino da mentira. A verdade está fora dele. Mas o teatro pode conduzir a ela, armando o espectador para que ele possa, por si mesmo e fora do teatro, encontrá-la. Como diz Bernard

Dort,** "o objetivo da atividade teatral é cada vez menos o de trazer o mundo para o palco, dar deste mundo uma imagem perfeita e acabada, dizer sua verdade aos espectadores. Tende muito mais a colocar os espectadores no estado de poderem eles mesmos descobrir essa verdade fora do teatro. E a levá-los, pelo teatro, a ter um domínio sobre o mundo".

E, para não esconder nenhuma carta na manga, devo dizer, claramente, que isso só me parece possível se colocarmos em primeiro lugar, na ordem prioritária dos objetivos, a construção do edifício dramatúrgico, pois de sua solidez depende a eficácia de qualquer objetivo que ambicione ultrapassar as fronteiras do teatro.

8. VARGAS (1983) — PORQUE VARGAS:

Passaram-se 15 anos desde a primeira encenação desta peça, em produção do *Teatro Opinião* e com Direção de José Renato. E se a nossa visão histórica dos fatos aqui enfocados não mudou, ao contrário, foi reforçada pelo distanciamento que nos permite agora refletir com mais isenção, mais clareza, também é verdade que muita coisa se alterou em nosso país. *Dr. Getúlio, Sua Vida e Sua Glória* (título original) foi um dos últimos espetáculos, senão o último, de uma dramaturgia brasileira que surgiu em fins da década de 50 e que propunha um teatro político e popular de questionamento de nossa realidade. Esse caminho dramatúrgico foi violentamente bloqueado a partir de 68, com a promulgação do Ato Institucional nº 5 e com a violência que caracterizaria o regime militar vigente. E somente a partir dos anos 80 seria possível retomá-lo, com a abertura política. Assim, *Dr. Getúlio* volta à cena e encontra um país devastado pelos temporais e uma plateia nova, substancialmente distinta daquela de 68, como distinta é a realidade em que vivemos. Uma plateia composta, em sua quase totalidade, de pessoas que não viveram os acontecimentos aqui narrados e que deles têm pouquíssima informação. E também uma plateia já condicionada a um outro tipo de linguagem informativa decorrente dos novos meios de comunicação

---

** *O teatro e sua realidade*, Ed. Perspectiva, tradução de Fernando Peixoto.

de massa. "Se o nosso mundo atual já não se ajusta ao drama, então o drama deve se ajustar ao mundo", observou Brecht, certa vez, sugerindo, dialeticamente, que o Teatro deve acompanhar as transformações da realidade, se quiser reproduzi-la e atuar sobre ela. Foi o que fizemos. Levando em conta todos aqueles fatores, decidimos retrabalhar a peça, adequando-a a um espetáculo inteiramente novo, onde novos elementos como a música e a dança adquirem importância maior no processo de exposição. Da peça reescrita fluiu, naturalmente, a imposição de um novo título: VARGAS. É uma nova peça? Basicamente, é o mesmo tema, a mesma proposta formal, porém trabalhados a partir de agora. A música de Edu Lobo e Chico Buarque, a coreografia de Gilberto de Assis, os cenários de Gianni Ratto, os figurinos de Raima Murtinho e, principalmente, a nova concepção cênica de Flávio Rangel reforçam essa atualidade e justificam o novo título.

pé-de-cabra

PERSONAGENS

Batista (Pé-de-Cabra)
Guarda
Tomaz
Ronaldo
Conceição
Amália
Jorge
Investigador
Irene
Zenaide
André
Damião

primeiro ato

PRIMEIRO QUADRO

CENÁRIO: *num presídio. A cena abrange apenas uma cela, que aparece em primeiro plano, com paredes à esquerda e à direita e um gradeado ao fim. Em segundo plano, um corredor, mobiliário composto apenas de duas camas. Ao subir o pano,* TOMAZ, *fora de cena, canta ao violão.*

BATISTA (*Chegando à grade.*) Cala esta boca! Está chamando chuva?

TOMAZ (*Cessa de cantar.*) Que te importa a chuva, "Pé-de--Cabra"? Tu não vai sair pra passear.

BATISTA Não vou? Vou e não tardo muito.

TOMAZ Ah! Vai fazer o footing.

BATISTA Oh!, homem, não sabe que hoje termina a minha pena?

TOMAZ É verdade?

BATISTA Claro. Já me viu mentir alguma vez?

TOMAZ Puxa! Tu não para em casa, hein?

BATISTA Que quer que eu faça? Agora deram pra só me hospedar por dois meses, três... Mal a gente vai acostumando, vem um mandado de despejo.

TOMAZ É uma desumanidade.

BATISTA E depois, um hóspede antigo como eu...

TOMAZ   É uma falta de consideração... Tu devia ter direito a um ano de hospedagem.

BATISTA   É assim todas as vezes.

TOMAZ   Eu acho que tu devia ser eleito hóspede benemérito.

BATISTA   Mas é claro... (GUARDA *entra conduzindo* RONALDO.) Olá! Temos aqui um calouro!

GUARDA   (*Abrindo a porta da cela.*) E vai ser teu colega. (RONALDO *entra, o* GUARDA *fecha a porta e sai.*)

BATISTA   Seja bem-vindo a este velho solar.

RONALDO   (*Terrivelmente abatido.*) Obrigado.

BATISTA   Me chamo Batista.

RONALDO   (*Estendendo-lhe a mão.*) Ronaldo Vasconcelos.

BATISTA   Ronaldo Vasconcelos... Bonito nome. Eu também tive um nome bonito assim.

RONALDO   E não tem mais?

BATISTA   Não, me roubaram.

RONALDO   Roubaram?

BATISTA   Me roubaram tudo na vida. Até o nome. (*Deita-se na cama.*) Hoje, sou apenas o Pé-de-Cabra.

RONALDO   E por que o prenderam?

BATISTA   Porque eu fui à forra.

RONALDO   Como? Matou os que o roubaram?

BATISTA   Não, não matei ninguém. Isso não seria vingança.

RONALDO   Como foi então que se vingou?

BATISTA   Roubando eles também.

RONALDO   E por isso foi preso.

BATISTA   É.

RONALDO   Que injustiça!

BATISTA   Não, meu amigo, não é injustiça nenhuma. Eu não soube roubar.

RONALDO   Mas o senhor não é um ladrão...

BATISTA   (*Interrompendo.*) Sou, sim.

RONALDO   O senhor é ladrão?

BATISTA   Sou um ladrão como o senhor.

RONALDO   (*Ofendido.*) Alto lá. Eu não sou ladrão. Estou aqui...

BATISTA   (*Interrompendo.*) Viver é roubar.

RONALDO   O senhor é filósofo?

BATISTA   Não, sou ladrão mesmo. (*Notando o desajeitamento de* RONALDO.) Mas fique à vontade... A casa é sua. (RONALDO *senta-se na outra cama.*) Eu estou aqui por pouco tempo.

RONALDO   Está terminando a sua pena?

BATISTA   Termina hoje.

RONALDO   Hoje? Meus parabéns.

BATISTA   Parabéns nada. Lá fora é pior que aqui.

RONALDO   Pelo menos se tem liberdade.

BATISTA   Liberdade? A liberdade só existe na imaginação dos poetas. A diferença é que a prisão lá de fora é um pouco maior, nada mais.

RONALDO   Pelo que vejo, por sua vontade, o senhor ficaria aqui a vida toda.

BATISTA — Não. Eu sempre gostei de ir lá fora, de vez em quando, dar uma voltinha, ver os grandes ladrões, aqueles que, por roubarem muito, vivem cercados de todo o respeito.

RONALDO — Quer dizer que para o senhor todo mundo é ladrão?

BATISTA — A verdade é que existem duas classes de indivíduos. Os que roubam muito e habilidosamente, e os que roubam pouco e mal, como eu.

RONALDO — É, mas não adianta o senhor se revoltar.

BATISTA — E quem está se revoltando? Eu não me revolto contra nada neste mundo. Porque o mundo é perfeito de todos os pontos de vista.

RONALDO — Mas o senhor acha justo que esses que roubam muito andem soltos, enquanto os outros...

BATISTA — Acho justo, sim. Porque esse é um prêmio à sua competência.

RONALDO — Para falar a verdade, não compreendo bem a sua maneira de pensar.

BATISTA — É natural. Você ainda é muito moço.

RONALDO — Afinal, quem é o senhor?

BATISTA — Sou um ladrão, já disse.

RONALDO — Mas antes... O senhor me parece um homem instruído...

BATISTA — Antes de ser ladrão, eu era um sujeito que sabia roubar. Roubava honestamente, inteligentemente, até o dia em que cometi a estupidez de me deixar roubar por um amigo. É um conselho que lhe dou: seja inclemente com os que o querem roubar. Eu fui clemente com esse amigo. E ele acabou por me roubar tudo.

RONALDO   Como assim?

BATISTA   Isso foi há quinze anos. Eu era presidente de um banco. (*A cena vai escurecendo aos poucos.*) Vivia faustosamente, até que um dia...

SEGUNDO QUADRO

CENÁRIO: *antessala do palacete de* BATISTA. *Ampla porta aberta para a varanda, que aparece em detalhes. Em primeiro plano, um grupo de poltronas circundando uma mesinha. Ambiente de luxo. A cena passa-se quinze anos antes da ação do primeiro quadro. Ao subir o pano,* CONCEIÇÃO *está em cena espanando os móveis, cantarolando.*

AMÁLIA   (*Entra, alegre e afobada.*) Conceição, meu marido ainda não chegou?

CONCEIÇÃO   Chegou, sim, senhora. Está lá dentro.

AMÁLIA   (*Sempre afobada.*) Não esteve ninguém aqui?

CONCEIÇÃO   Ninguém, não, senhora. Só o leiteiro.

AMÁLIA   Que leiteiro, Conceição... Perguntei por gente. E não telefonaram?

CONCEIÇÃO   Telefonou o seu Jorge.

AMÁLIA   (*Ansiosa.*) Deixou algum recado?

CONCEIÇÃO   Disse que vem para cá.

AMÁLIA   (*Ajeitando os cabelos.*) Estou muito descabelada?

CONCEIÇÃO   Tá, tá um pouco pelo avesso.

AMÁLIA   Um pouco o quê?

CONCEIÇÃO   Pelo avesso... Revirada.

AMÁLIA   Oh! Conceição, que tolice. Escuta aqui, você não notou nada? O patrão, como é que estava?

CONCEIÇÃO   Ele estava meio aluado, sim, senhora.

AMÁLIA   E não te perguntou nada?

CONCEIÇÃO   Perguntou, sim, senhora. Perguntou tudo que a senhora está me perguntando.

AMÁLIA   Olhe aqui, Conceição. Uma boa empregada deve ser discreta. Certas coisas que estão se passando aqui... você me entende, não é?...

CONCEIÇÃO   Entendo, sim, senhora... Eu sou muito inteligente. Eu só vejo o que me convém.

AMÁLIA   Ótimo. Garanto que não se arrependerá. Será bem recompensada.

CONCEIÇÃO   Por falar nisso, patroa... não é que eu teja querendo me aproveitar... A senhora podia me arranjar um galo?

AMÁLIA   Um galo?

CONCEIÇÃO   Cinquenta cruzeirinhos.

AMÁLIA   Está bem, Conceição, depois eu dou. (*Ouve-se a voz de* BATISTA.) Psiu... Pode ir para dentro. (*Entra* BATISTA.) Oh, querido, que bom que você chegou. Eu queria te agradecer... Você foi muito bom com o Jorge.

BATISTA   Bom demais. Não sei que necessidade tinha o Jorge de fazer uma asneira dessas.

AMÁLIA   Coitado! Com certeza precisou de dinheiro e...

BATISTA   Mas dar um desfalque! É preciso ser muito burro. (CONCEIÇÃO *sai*.)

AMÁLIA   Ora, você bem sabe que o Jorge é um rapaz inteligente, não iria fazer uma coisa dessas se não fosse premido por dificuldades.

BATISTA	Sim, mas...
AMÁLIA	Além disso, tem sido o nosso maior amigo. Era nosso dever socorrê-lo.
BATISTA	E foi por isso que acobertei o desfalque, coisa que muito pai não faz pelo próprio filho.
AMÁLIA	Ele merece. Nada mais fizemos que retribuir uma amizade desinteressada.
BATISTA	Claro, você sabe que sempre o considerei um parente próximo. Um irmão. Mas não compreendo... É, tem razão, ele deve ter sido obrigado a fazer isso.
AMÁLIA	Sem dúvida. Acho que ele é mais digno de compaixão que de censura. (*Entra* JORGE.)
AMÁLIA	Olha, aí está ele.
JORGE	Meu amigo! (*Abraça* BATISTA.) Obrigado! Muito obrigado! Você é um verdadeiro amigo.
BATISTA	Não precisa agradecer. O que é preciso é que tome juízo e não repita uma asneira dessas.
JORGE	Perdoe-me, Batista, perdoe-me. Não sei mesmo como pude... Acho que não estava no meu juízo perfeito...
BATISTA	Mas por que fizeste isso?
JORGE	Tinha umas dívidas de jogo... letras a vencer...
BATISTA	E por que não me pediste emprestado?
JORGE	A quantia era muito grande para que eu tivesse coragem de pedi-la emprestado a alguém. Lá no banco pareceu-me fácil desviar a quantia de que necessitava, sem que fosse notado. Além do mais, era o único recurso que eu tinha para evitar que as minhas letras fossem protestadas. Perdi a cabeça e...

BATISTA — E fez essa asneira.

AMÁLIA — Oh! Paulo, ele não teve culpa.

JORGE — Obrigado, D. Amália. A senhora sempre piedosa.

BATISTA — Pois agradeça a ela não estar hoje na cadeia. Foi ela quem me convenceu de que devia encobrir seu desfalque.

JORGE — (*Beijando a mão de* AMÁLIA.) Obrigado, D. Amália. De agora em diante, a senhora terá em mim um escravo, disposto a sacrificar até a própria vida pelo menor desejo seu.

AMÁLIA — Nada, meu amigo, o que fizemos foi apenas um dever.

BATISTA — Exatamente. Era o nosso dever de amigo, auxiliar, numa situação difícil, o nosso melhor amigo.

JORGE — Obrigado, Batista. Sinto-me honrado e reconfortado.

BATISTA — Esqueçamos isso. Peço-lhe apenas que tenha mais juízo de agora em diante.

JORGE — Assim que possa vou reembolsá-lo.

AMÁLIA — Ora, não falemos nisso agora...

BATISTA — Não se preocupe. Quando você puder. Trate primeiro de reorganizar a sua vida, enterrar os cadáveres...

JORGE — Estão todos enterrados.

BATISTA — Porque é o diabo a gente andar perseguido por almas do outro mundo... Bem, agora você vai me dar licença. Volto já.

JORGE — Ora, pois não. (*Sai* BATISTA.)

AMÁLIA — (*Atirando-se nos braços de* JORGE.) Então?

JORGE — Tudo de acordo com os nossos planos.

AMÁLIA	(*Ansiosa.*) A denúncia?
JORGE	Já dei.
AMÁLIA	(*Sempre afobada.*) E a polícia?
JORGE	Já tomou providências...
AMÁLIA	As passagens?
JORGE	Já estão compradas. O que é preciso é ter calma, muita calma. Nada de afobações.
AMÁLIA	É terrível termos que agir deste modo...
JORGE	É a única solução.
AMÁLIA	Eu sei... mas é horrível.
JORGE	Que há? Está com medo? Perdeu a decisão...
AMÁLIA	Não, é que... é horrível...
JORGE	Tenha calma. Vamos jogar a nossa última cartada.
BATISTA	(*Entrando.*) Pois é isso, meu amigo. Trata de consertar tua vida, que tens um belo futuro à tua frente.
AMÁLIA	Isso mesmo eu estava dizendo a ele.
BATISTA	Tens juventude e inteligência; tens a vida a teus pés. Aproveita, pois à medida que vamos envelhecendo a vida vai subindo, subindo... quando chegamos à meia-idade temos a vida nas mãos. Mas quando atingimos a velhice, a vida trepa no nosso cangote, e é o diabo para aguentá-la. Aproveita, aproveita enquanto ela é tua escrava.
JORGE	Batista, não sei como pagar tanta amizade.
BATISTA	Continuando a ser o bom amigo que tens sido até agora.
JORGE	Pode ficar certo de que serei muito mais que isso. (*Toque da campainha.*)

AMÁLIA (*Vai até a porta.*) Boa tarde, que deseja?

INVESTIGADOR (*Aparecendo.*) O sr. Paulo dos Guimarães Batista está?

AMÁLIA (*Para dentro:*) Paulo? (*Para o* INVESTIGADOR*:*) Faça o favor de entrar. (*Entra o* INVESTIGADOR.)

BATISTA Boa tarde.

INVESTIGADOR É o Sr. Paulo Batista?

BATISTA Dos pés à cabeça.

INVESTIGADOR (*Mostrando a carteira.*) Queira me acompanhar.

BATISTA Acompanhar?

INVESTIGADOR (*Mostrando um papel.*) Tenho um mandado de prisão contra o senhor.

BATISTA (*Lendo o mandado surpreendidíssimo.*) Mas preso por quê?

INVESTIGADOR Isso só o Sr. Delegado poderá informar. Minha missão é apenas conduzi-lo à chefatura.

AMÁLIA Preso? Não é possível!

JORGE Deve ser algum engano...

BATISTA Não compreendo...

AMÁLIA Não pode ser... Jorge!

BATISTA (*Abraçando-a.*) Acalme-se, meu bem, acalme-se. Só pode ser uma denúncia sem fundamento. Logo estarei de volta. Você, Jorge, faça-me o favor de avisar ao meu advogado.

JORGE Fique descansado.

BATISTA (*Beijando a esposa.*) Até já. Tome um calmante. Não se assuste. Isso deve ser alguma brincadeira de mau gosto.

JORGE Sem dúvida.

BATISTA (*Para o* INVESTIGADOR:) Vamos. (*Saem* BATISTA *e o* INVESTIGADOR/AMÁLIA *e* JORGE *atiram-se nos braços um do outro.*)

JORGE Enfim, estamos livres.

AMÁLIA Mas a que preço!

JORGE Bobagem. Esqueça esses escrúpulos. Temos é que pensar em nós, Amália! No nosso amor.

TERCEIRO QUADRO

CENÁRIO: *o mesmo do primeiro quadro. O pano ergue-se lentamente. A cena vai clareando aos poucos.* BATISTA *e* RONALDO *estão nas mesmas posições do primeiro quadro.*

RONALDO (*Revoltado.*) Que miserável!

BATISTA Miserável, não, meu amigo. Apenas um indivíduo digno da maior admiração.

RONALDO Como você pode dizer isso do homem que roubou sua mulher?

BATISTA Não só a mulher, me roubou tudo.

RONALDO Mas do que você foi acusado?

BATISTA De lesar o imposto de consumo e outras coisas mais.

RONALDO E era verdade?

BATISTA Era. Fui condenado. Os jornais fizeram um escândalo dos diabos, e então todos os meus amigos se levantaram.

RONALDO Em sua defesa.

BATISTA Não, na defesa deles. Eu estava de mãos atadas, na cadeia, era fácil. Cada um tratou de levar o seu bocado.

|||Veio a falência, a ruína. (*Mostra o próprio corpo.*) E isto...

RONALDO | Há quanto tempo você está preso?

BATISTA | Homem, é difícil dizer. Da primeira vez, peguei cinco anos. Depois tenho vindo frequentemente... Veranear, passar dois, três meses. A pensão é boa, sossegada...

RONALDO | Mas você não tentou se reerguer na vida?

BATISTA | Tentei, sim, quando saí a primeira vez. Mas encontrei o mundo inteiro contra mim. Aqueles que se diziam meus amigos fugiam de mim. Tentei me reerguer sozinho. Mas eles estavam atentos. Ao primeiro golpe mal dado, mandaram-me de novo pra cá, pra segunda classe.

RONALDO | Segunda classe?

BATISTA | A vida é um enorme cárcere, onde toda a humanidade está encerrada pagando pelos seus crimes. Isto aqui é apenas a segunda classe.

RONALDO | Mas não é justo...

BATISTA | (*Interrompendo.*) É justo, sim. Existem os grandes bandidos e os pequenos bandidos. Como nós. A cada um de acordo com a sua capacidade e o seu merecimento. Isto é o que se chama justiça social.

RONALDO | O senhor é comunista?

BATISTA | Não, sou apenas comodista.

RONALDO | E sua esposa, nunca mais teve notícias dela?

BATISTA | A última notícia que tive foi a do seu suicídio.

RONALDO | Como? Suicidou-se?

BATISTA | O patife a abandonou logo depois e...

RONALDO   Coitada.

BATISTA   Coitada, não. Muito justo. A morte é a terceira classe da vida. A incompetência dela era maior que a nossa. Por isso foi obrigada a recolher-se a uma prisão ainda menor que esta. O túmulo.

RONALDO   Ela mesma se impôs a pena máxima.

BATISTA   A solitária da vida.

GUARDA   (*Entra e fica parado no corredor. Lê um papel.*) Paulo dos Guimarães Batista!

BATISTA   (*Levantando-se.*) Pronto. (*Para* RONALDO:) Chegou a minha promoção. Vou subir de classe... (GUARDA *abre a porta da prisão.*)

RONALDO   (*Levanta-se também e aperta a mão de* BATISTA.) Vou sentir muito a sua falta.

BATISTA   Eu também teria muito prazer em ficar mais uns dias. Mas o senhorio aqui é intransigente. Terminou o contrato, rua.

GUARDA   Vamos, anda logo. Deixa de conversa.

BATISTA   (*Para o* GUARDA:) Ah, é verdade, 527. (*Tira do bolso um relógio.*) Muito obrigado. Prestou ótimos serviços...

GUARDA   (*Tomando o relógio.*) Ah, foi você, seu patife! Devia entregar você agora ao diretor do presídio.

BATISTA   Não faça isso. Não faça isso, que eu pretendo "tomar emprestado" o dele agora na passagem... (GUARDA *puxa-o para fora da prisão e fecha-a.*) (*Para* RONALDO:) Escute, olhe aí: não parece que sou eu o prisioneiro? (RONALDO *ri.*) Pois procure olhar sempre assim.

TOMAZ   (*Fora.*) Oh, Pé-de-Cabra. Já vai?

BATISTA	(*Para fora:*) Vou de férias.
OUTRA VOZ	Quando volta?
BATISTA	No fim da estação.
GUARDA	(*Puxa-o por um braço.*) Vamos.
BATISTA	(*Para* RONALDO:) Olha, guarda o meu lugar, que daqui a uns dias tou de volta.
RONALDO	Está bem.
BATISTA	(*Para fora:*) Até a volta, pessoal!
VOZES	Adeus... até a volta... (*Enquanto* BATISTA *sai de costas, acenando, o pano cai lentamente.*)

FIM DO PRIMEIRO ATO

segundo ato

QUARTO QUADRO

CENÁRIO: *sala de visitas de uma casa confortável em Petrópolis. Em primeiro plano, um grupo de cadeiras circulando uma mesinha, portas de comunicação entre o interior e o exterior, cortinas, quadros, vasos com flores etc. Ao subir o pano,* IRENE *está em cena e arruma as flores no jarro sobre a mesinha. Mira-as, torna a mirá-las, cantarolando.*

ZENAIDE — (*Entra.*) Ei, que assanhamento é esse?

IRENE — Ah, mãezinha, sou muito feliz. (*Beija-a.*)

ZENAIDE — Já sei, mas não precisa esse assanhamento todo. Nunca vi... vocês hoje, quando arranjam um noivo, ficam que parecem formigas adivinhando chuva. Pois olhe, no meu tempo...

IRENE — No seu tempo um quilo de cebola custava 50 centavos.

ZENAIDE — Nada...

IRENE — Hoje tudo subiu de preço, até os noivos.

ZENAIDE — Não, é que vocês não sabem prendê-los. Pudera! Hoje em dia, com uma semana de namoro vocês já estão se beijando... Pra que eles vão se casar?

IRENE — (*Corre até o fundo e volta.*) Pensei que eram eles.

ZENAIDE — Veja se quando seu noivo chegar não salta ao pescoço dele aqui na minha frente. Não vá me fazer passar vergonha.

IRENE	Mas ele é um amor, não é, mãe?
ZENAIDE	Ora, desses eu tive às dúzias.
IRENE	Se a senhora soubesse como ele é meigo, carinhoso...
ZENAIDE	Se eu soubesse! Que falta de respeito é essa...
IRENE	E depois tem um belo futuro.
ZENAIDE	Isso é que interessa.
IRENE	Advogado, inteligente, simpático... (*Num arroubo de alegria.*) Como é bom ser feliz!
ZENAIDE	Agora que ela descobriu isso...
IRENE	(*Presta atenção.*) Abriram o portão... devem ser eles. (*Corre até o fundo.*) São eles, sim. (*Entram* ANDRÉ *e* RONALDO. *Beija o pai.*) Estava pensando que não vinham mais. (*Estende a mão a* RONALDO, *que a beija.*)
RONALDO	Como vai?
IRENE	Estava ansiosa...
RONALDO	E eu também.
ANDRÉ	(*Beija a esposa.*) Fomos forçados a sair mais tarde do Rio.
RONALDO	(*Aperta a mão de* ZENAIDE.) Como está, D. Zenaide?
ZENAIDE	Bem, obrigada. E o senhor?
RONALDO	Desde já peço desculpas pelo incômodo que venho causar.
ZENAIDE	Ora, absolutamente.
ANDRÉ	Deixe de bobagem, rapaz. (*Sentam-se todos.*) Estou cansadíssimo.
ZENAIDE	Muito calor lá pelo Rio?
RONALDO	Ontem chegou a 40 graus.

ANDRÉ — Já ninguém compra fósforos. Para acender o cigarro, basta tirá-lo da carteira, acende-se automaticamente.

IRENE — Pois aqui até tem feito frio.

RONALDO — Esse clima de Petrópolis é maravilhoso.

ANDRÉ — Petrópolis é um paraíso, a dois passos do inferno.

ZENAIDE — E o calor põe a gente num estado de sonolência, não é?

IRENE — Pois eu gosto do calor.

ZENAIDE — Pudera! Você é uma brasa viva...

BATISTA — (*Entra, arrastado por* DAMIÃO.) Ei, me largue! Já disse que não estava fazendo nada... (*Levantam-se todos.*)

DAMIÃO — E pra que foi que o senhor pulou o muro?

BATISTA — Eu estava colhendo flores.

DAMIÃO — O patrão vai resolver isso.

ANDRÉ — Que fez esse homem?

DAMIÃO — Rondou a casa uma porção de tempo, depois pulou o muro.

BATISTA — (*Reconhecendo* RONALDO.) Oh! Você por aqui? (*Encaminhando-se para ele.*) Que agradável coincidência.

RONALDO — (*Deixando-se abraçar muito embaraçado.*) Como vai o senhor?

BATISTA — Mal, bem mal. Pois avalie que este animal cismou que sou ladrão. Só porque eu estava colhendo umas violetas, aí no seu quintal. Diga a eles quem sou eu.

RONALDO — (*Atrapalhado.*) É... o Batista é um grande amigo meu.

ANDRÉ — (*Para* DAMIÃO:) Damião, que falta imperdoável! (*Para* BATISTA:) O senhor me desculpe... foi uma estupidez do meu criado... (*Estende-lhe a mão.*)

BATISTA	Ora, não se aflija por uma bobagem...
ZENAIDE	Damião, como é que se faz uma cousa dessas!
DAMIÃO	(*Consternado.*) Perdão, mas ele pulou o muro... Eu pensei... Desculpe-me...
BATISTA	Está desculpado. (DAMIÃO *sai.*) Na verdade, eu estou tão malvestido que devo estar mesmo com cara de ladrão.
RONALDO	É... Não repare, o Batista é um pouco excêntrico.
ZENAIDE	Adoro as pessoas excêntricas.
BATISTA	Obrigado. Acham-me excêntrico. Mas eu sou apenas inimigo das formalidades. Faço sempre aquilo que me dá vontade.
ZENAIDE	É claro...
BATISTA	Eu podia, por exemplo, mudar um terno por dia. Sobram-me recursos para isso. Mas me sinto muito mal de roupas novas...
IRENE	Geralmente as pessoas de recursos não ligam para essas coisas.
BATISTA	Além do mais, com tanto assalto, é um perigo andar bem-vestido, cheio de joias, relógio de ouro...
ZENAIDE	Eu só saio com bijuterias.
ANDRÉ	Mas sente-se, por favor. E nos dê uma oportunidade para demonstrar o quanto lamentamos o desagradável incidente de há pouco.
ZENAIDE	Não tão desagradável, porque nos proporcionou o prazer de conhecê-lo.
BATISTA	Bondade... (*Sentam-se.*)
RONALDO	Mas deixe-me apresentar... Minha noiva.

BATISTA	Deslumbrado, senhorita. (*Para* RONALDO:) Meus parabéns.
RONALDO	Minha futura sogra... Meu futuro sogro. (*Cumprimentos.*)
BATISTA	Eu e Ronaldo somos amigos há bastante tempo. Sempre lhe dou bons conselhos.
RONALDO	É... Ótimos conselhos...
BATISTA	O Ronaldo é muito jovem, inexperiente, tem uma visão ainda muito romântica da vida. Tenho procurado abrir os olhos dele, mostrar que o mundo está cheio de ladrões.
RONALDO	(*Interrompendo, temeroso.*) É... Não reparem... O Batista tem umas ideias um pouco extravagantes.
ANDRÉ	Mas não vejo nada de extravagante.
ZENAIDE	É uma verdade.
ANDRÉ	Basta ler os jornais. Assaltos e mais assaltos. Corrupção, desonestidade.
BATISTA	Exatamente. Não se pode mais confiar em ninguém.
ANDRÉ	Tem toda a razão.
BATISTA	Quantas vezes um indivíduo que se introduz em nossa casa, dizendo-se amigo, é apenas um ladrão disfarçado.
ZENAIDE	É.
RONALDO	(*Pigarreia muito assustado com o rumo da palestra.*) Bem, o senhor volta ao Rio hoje, não é?
BATISTA	Hoje? Pois se acabo de chegar.
ANDRÉ	Veio veranear?
BATISTA	É, vim; sabe, o Rio, com aquele calor, ninguém suporta.

ZENAIDE	É terrível.
BATISTA	Mas o diabo é que me esqueci de mandar reservar aposentos no hotel... A minha casa de campo eu vendi no ano passado, agora cheguei aqui, não encontrei lugar em parte alguma.
ANDRÉ	Oh, mas a nossa casa está à sua disposição.
BATISTA	Obrigado, eu... (RONALDO *olha-o aflito, esperando que ele não aceite.*) Eu vou continuar a procurar. Talvez ache.
IRENE	Não vai achar. Os hotéis estão superlotados. Bem... Neste caso...
RONALDO	O Batista é muito esquisito. Gosta de viver só, isolado.
ZENAIDE	Mas no hotel, ele não poderá estar só.
BATISTA	Nada, esse pessoal é que tem a mania de dizer que eu sou esquisito. Eu sou um homem normal, perfeitamente normal. É, talvez seja por isso que me acham esquisito.
ZENAIDE	Então não nos negue o prazer de hospedá-lo.
BATISTA	Não quero dar trabalho...
IRENE	Ora, trabalho nenhum.
BATISTA	Bem, se vocês insistem tanto...
RONALDO	(*Aflito.*) Eu acho que é um abuso...
ANDRÉ	Abuso? Ora, Ronaldo, se ele é seu amigo...
IRENE	Claro, que bobagem.
ZENAIDE	Bem, vocês devem estar cansados...
ANDRÉ	Acho melhor tomarmos um banho para tirar a poeira. (*Levanta-se.*)

ZENAIDE — (*Levantando-se.*) Venha, Sr. Batista. Vou lhe mostrar o seu quarto.

BATISTA — (*Levantando-se.*) Quanto incômodo... (IRENE *e* RONALDO *levantam-se.*)

ANDRÉ — Não repare na falta de conforto. Isso aqui é uma casa de campo.

BATISTA — Ora, a minha casa de campo é muito mais desconfortável... (*Saem* BATISTA *e* ZENAIDE.)

ANDRÉ — Ronaldo, você não vem? Ah, vocês querem conversar... (*Sai.*)

RONALDO — Irene! (*Abraça-a.*)

IRENE — Meu amor!

RONALDO — Sentiu muita saudade?

IRENE — Quase morri.

RONALDO — Não acredito, quer ver que nem pensou em mim...

IRENE — Está bem. Você não quer acreditar... paciência.

RONALDO — Não, acredito, acredito. (*Eles se beijam.*) Eu te amo.

IRENE — Também te amo. (*Voltam a beijar-se.*) Ah! Mas o papai não lhe contou? Ele foi tirar informações a seu respeito com não sei quem, e esse "não sei quem" fez um enorme elogio a você.

RONALDO — (*Apreensivo.*) Seu pai está tirando informações?

IRENE — Ora, não se zangue. São cuidados de pai.

RONALDO — Não julguei que...

IRENE — Você bem sabe que papai o admira muito. Faz isso apenas porque acha que é seu dever. Me dá outro beijo. (*Eles se beijam novamente.* BATISTA *entra e eles não percebem.* BATISTA *pigarreia. Eles se separam.*)

BATISTA   Ah! O amor! O amor! A menina sabe o que é o amor?

IRENE   Bem... sei, mas...

BATISTA   Mas não sabe explicar.

IRENE   É...

BATISTA   No entanto, ama, não é verdade?

IRENE   Claro... e é tão bom amar.

BATISTA   Bom, coisa nenhuma. O que é bom é ser amado. Porque amar é um desembolso; quem ama paga, ao passo que quem é amado recebe... E os homens estão sempre dispostos a receber, mas para pagar... foi preciso que a sociedade inventasse uma porção de princípios morais para obrigar o homem a pagar.

IRENE   (*Rindo.*) O senhor tem umas ideias engraçadas...

RONALDO   (*De mau humor.*) É, muito engraçado. Mas escute, amor, me dê licença um instante, que eu preciso falar sobre um assunto muito sério com o Batista.

IRENE   Hum! Tão sério assim!

RONALDO   Seríssimo.

IRENE   Caso de vida ou morte?

BATISTA   Não, caso de polícia... (IRENE *ri e sai.*)

RONALDO   Batista, você vai fazer um grande favor.

BATISTA   Pois não, com todo o prazer.

RONALDO   Arranje um pretexto qualquer, mas, por Deus, saia desta casa.

BATISTA   Pode acreditar que eu estou aqui com a mais inocente das intenções.

RONALDO   Mais cedo ou mais tarde vão descobrir quem você é... e isso será a minha desgraça.

BATISTA	Como?
RONALDO	Aqui ninguém sabe que eu estive preso. Se o Dr. André souber, é capaz de me negar a mão de Irene. E, se descobrirem quem você é, como irei explicar as minhas relações com você? Não, você tem que sair desta casa.
BATISTA	Agora não há mais jeito. Seria deselegante que eu, depois de ter aceitado, recusasse a hospedagem.
RONALDO	Podíamos inventar um pretexto qualquer.
BATISTA	Não, não seria decente. Tenho que ficar um ou dois dias pelo menos.
RONALDO	Está bem. Mas prometa que durante esses dias há de se portar como um perfeito cavalheiro.
BATISTA	Ora, prometo, há tanta espécie de cavalheiros...
RONALDO	Que tem feito depois que foi solto?
BATISTA	Tenho vivido.
RONALDO	Compreendo: continua com as mesmas teorias...
BATISTA	Não, a vida é que continua a mesma.
RONALDO	Mas por que não procura mudar de vida?
BATISTA	Ninguém muda de vida, meu amigo. A vida é uma só, as circunstâncias é que mudam.
RONALDO	Mas não é tão difícil mudar as circunstâncias.
BATISTA	Conforme. No meu caso, seria dificílimo. Se eu quisesse me reerguer na vida, teria que lutar contra todos aqueles que antes me ajudaram a subir. Os protetores são assim. Ajudam a gente a subir enquanto não percebem que podemos subir acima deles. Mas me diga uma coisa, você pretende casar com esta garota?

RONALDO — Pretendo. Mas estou com medo de que o pai dela descubra o meu passado. Dr. André é um homem cheio de princípios morais, que ele próprio não segue, mas acha que os outros devem seguir.

BATISTA — É do tipo ladrão honesto: rouba, mas condena os que o imitam.

ZENAIDE — (*Entra.*) Então, Sr. Batista, gostou do quarto?

BATISTA — Muitíssimo. É exatamente como eu gosto. Janelas para o jardim, baixinhas, de maneira que, em caso de perigo, é só pular e dar no pé.

RONALDO — (*Procurando disfarçar.*) É... naturalmente em caso de incêndio...

ZENAIDE — Já vi que o Sr. Batista é um brincalhão...

BATISTA — É, mas há muita gente que não gosta das minhas brincadeiras, sabe?

ZENAIDE — Bom, naturalmente pessoas sem senso de humor.

BATISTA — A polícia, por exemplo.

ZENAIDE — A polícia?

BATISTA — Os policiais não têm o menor espírito esportivo.

RONALDO — (*Procurando justificar.*) Não repare, D. Zenaide, Batista é um gozador.

BATISTA — Oh, muito...

ZENAIDE — Mas e a sua bagagem?

BATISTA — (*Atrapalhado.*) A minha bagagem?... Ah, é verdade... deixei lá no hotel, depois irei buscar.

ZENAIDE — Quer, eu mando o criado.

BATISTA — Não, não; não é preciso. Eu mesmo vou.

ZENAIDE — Mas não custa nada.

BATISTA	Eu tenho mesmo que ir lá.
ZENAIDE	Bem, neste caso...
ANDRÉ	(*Entrando, acompanhado de* IRENE.) Então, Sr. Batista, que é que o senhor acha de o Brasil ter entrado na guerra?
BATISTA	Ah, Dr. André, eu sou contra a guerra.
ANDRÉ	Mas nossos navios foram bombardeados pelos nazistas...
BATISTA	A guerra é campo de maus ladrões.
RONALDO	Ih! Vai começar... O Batista é filósofo. E tem umas teorias muito esquisitas, é bom prevenir.
BATISTA	A guerra é um meio de que lançam mão certos indivíduos para adquirir o que não têm ou aumentar o que já têm. São pessoas inábeis, incapazes de obter o que desejam por meios mais inteligentes e discretos. São como salteadores de estradas que enfiam um revólver na cara do freguês e dizem: a bolsa ou a vida. Um ladrão de classe não recorre a meios tão grosseiros...
ANDRÉ	O senhor tem razão. Hitler não passa de um assaltante.
RONALDO	Eu bem que avisei: o Batista interpreta a vida de uma maneira muito esquisita.
ZENAIDE	(*Encantada.*) Acho muito interessante.
IRENE	Engraçado...
RONALDO	Pois eu não acho nada.
ZENAIDE	Pelo menos, diferente ele é...
ANDRÉ	Desculpe a indiscrição, Sr. Batista, mas qual o seu ramo de negócio?
BATISTA	Eu trabalho na redistribuição da renda.
ANDRÉ	Ocupa algum cargo no governo?

BATISTA   Não, trabalho por conta própria.

QUINTO QUADRO

CENÁRIO: *o mesmo cenário do quadro anterior. São decorridos 15 dias.*

ANDRÉ   (*Entrando, seguido de* ZENAIDE.) Isso assim não pode continuar.

ZENAIDE   Mas, André...

ANDRÉ   Afinal, convenha que já é um abuso. Que ele esteja aqui há 15 dias, sem falar em ir embora, vá lá. Fui eu quem o convidou. Mas usar as minhas camisas, os meus sapatos e tudo que é meu, tenha paciência, isso já é demais!

ZENAIDE   Você bem sabe que roubaram a mala dele.

ANDRÉ   Ora, isso não é desculpa. Já houve muito tempo para ele mandar buscar roupas no Rio. Por que não mandou?

ZENAIDE   Porque é um homem desligado, excêntrico.

ANDRÉ   (*Exaltado.*) E que tenho eu com isso? Então, porque é excêntrico, você acha que ele tem o direito de andar metido dentro dos meus sapatos e pendurado nos meus charutos!

ZENAIDE   Oh, André, como você é mesquinho... Eu acho que você devia até se sentir orgulhoso; o Sr. Batista é um filósofo, um sábio, um gênio!

ANDRÉ   Gênio cousa nenhuma! Um maluco! Maluco e mal-educado. Querer convencer a gente de que todo mundo é ladrão. Só um doido!

ZENAIDE   Você não entende...

ANDRÉ   Estou até desconfiado de que foi ele quem roubou o teu colar de pérolas, só para provar as suas teorias.

ZENAIDE	André! É o cúmulo! Você fazer mau juízo do Sr. Batista, um homem desprendido, preocupado com as injustiças sociais...
ANDRÉ	Ora, sei lá; afinal, lá no Ministério da Fazenda ninguém o conhece.
ZENAIDE	Pois ontem mesmo o Dr. Anacleto estava dizendo que o conhecia de nome, que ele é podre de rico...
ANDRÉ	Pois no comércio também ninguém conhece o Sr. Belisário Batista.
ZENAIDE	Além do mais, é um amigo do Ronaldo. Acho que é uma desconsideração para com seu futuro genro.
ANDRÉ	Ronaldo também diz que o conhece apenas superficialmente. Nada sabe da vida dele e também não está de acordo com as suas teorias.
ZENAIDE	Vocês não entendem. O Batista é um homem...
ANDRÉ	"Diferente". Pois olha, o hospício está cheio desses homens diferentes. E sabe que mais? Estou farto desses salamaleques pro seu Batista. É seu Batista pra lá, seu Batista pra cá, isto pro seu Batista, aquilo pro seu Batista, arre! O dono da casa sou eu! Sou eu, ouviu?
ZENAIDE	(*Muito calma.*) Ah, meu maridinho, como você é vulgar.
IRENE	(*Entra, de pijama, alegre como sempre.*) Bom dia, pai, bom dia, mãe.
ZENAIDE	Bom dia, filha.
IRENE	(*Beija o pai e a mãe.*) Ronaldo ainda não se levantou?
ZENAIDE	Não. (RONALDO *entra.*) Olha, aí está ele.
IRENE	Olá, seu dorminhoco.
RONALDO	Bom dia.

ANDRÉ — Bom dia.

RONALDO — (*Beija* IRENE.) Falavam de mim?

ANDRÉ — Irene estava dizendo que a Bela Adormecida, pra você, é uma garota que sofre de insônia.

IRENE — Oh, papai, eu não disse isso!

RONALDO — Mas, assim mesmo, parece-me que não sou o último...

IRENE — Falta o Sr. Batista.

ANDRÉ — O Sr. Batista é o rei.

RONALDO — A propósito do Batista, Dr. André, sinto muito que ele se tenha hospedado aqui por meu intermédio. Acho que ele não está se portando bem... quero dizer, sobre isso de andar vestindo as suas camisas, seus sapatos.

ANDRÉ — Ora, não se preocupe.

IRENE — Bobagem. O Sr. Batista não faz isso por mal.

RONALDO — Eu fiz todo o possível para que ele não ficasse, mas os senhores insistiram...

ANDRÉ — É, ele tem um temperamento muito esquisito...

IRENE — Mas, em compensação, é um homem admirável.

ZENAIDE — É um homem inteligente, educadíssimo...

RONALDO — Não acho que seja tanto; penso mesmo que as suas maneiras devem chocar um pouco...

ANDRÉ — Na verdade, para falar com franqueza, Ronaldo, essa história de ele andar com as minhas roupas... Aliás, parece que anda vestindo as suas também.

RONALDO — É...

ZENAIDE — Ora, deixe de tolices, André.

RONALDO — Já falei com ele, mas não adianta, é um homem esquisito...

ZENAIDE	São tolices do André. O Sr. Batista é um cavalheiro. E eu acho mesmo uma falta de educação se chamar a atenção dele por uma coisa que ele faz sem a menor maldade, apenas por excentricidade, por ser um pouco diferente dos outros homens. Ninguém tem culpa do fugir à vulgaridade...
IRENE	Eu também sou da mesma opinião. O Sr. Batista só trouxe alegria para esta casa.
RONALDO	E o colar, D. Zenaide, encontrou?
ZENAIDE	Não, mas isso não tem grande importância. Devo tê-lo perdido.
RONALDO	Certamente.
ANDRÉ	Não sei como se pode perder um colar. Uma coisa que vive pendurada no pescoço. Um dia você ainda acaba perdendo a cabeça.
ZENAIDE	Não há de ser por sua causa, querido.
BATISTA	(*Entrando em* robe de chambre, *pijama baixo, charuto na boca, cabelos bem penteados, enfim, com ar de prosperidade.*) Bom dia para todos.
ZENAIDE	Bom dia.
IRENE	Bom dia.
ANDRÉ	Chegou o meu sócio...
ZENAIDE	Como passou a noite?
BATISTA	Bem... Um pouco preocupado...
IRENE	Negócios?
BATISTA	Não, é que nem todos aceitam a minha maneira de pensar, a minha filosofia, entende? E, como não aceitam, querem me eliminar.
ZENAIDE	Briga de filósofos...

BATISTA	É que existe pouca carniça para muito urubu...
IRENE	Pouca carniça?
BATISTA	Existem no mundo milhares de filósofos. Quase que cada um deles concebe o universo de um modo. Mas o universo é um só e naturalmente não pode contentar a todos.
ZENAIDE	Admirável!... (*Rindo.*)
IRENE	O senhor é uma bola...
ANDRÉ	(*Irônico.*) É... uma gracinha...
IRENE	E o senhor não acha que virá um tempo em que os filósofos chegarão todos a um acordo?
BATISTA	Não, porque, antes que os filósofos cheguem a um acordo, a vida se extinguirá na face da terra; é como este charuto. D. Zenaide, por exemplo, diz que este charuto é meu, Dr. André diz que é dele. É meu, é dele, é meu, é dele; quando chegarem a um acordo, eu já fumei o charuto.
ANDRÉ	É, mas fique sabendo que o charuto é meu.
ZENAIDE	(*Rápido.*) Não é, é dele.
ANDRÉ	É meu!
ZENAIDE	É dele!
IRENE	Ei, que é isso? Parecem crianças.
ANDRÉ	Com licença, eu tenho que sair. (*Sai, furioso.*)
BATISTA	Ele parece que não gostou muito da brincadeira.
ZENAIDE	Não repare, Sr. Batista, o André anda insuportável.
IRENE	Papai está com o sistema nervoso muito abalado.
BATISTA	É natural, é natural...
IRENE	O Sr. Batista é filósofo, não liga para essas coisas.

ZENAIDE	Vão me dar licença, eu preciso dar umas ordens lá dentro.
BATISTA	Ora, pois não.
IRENE	Ah, é verdade, a senhora mandou passar meu vestido?
ZENAIDE	Mandei, já deve estar pronto.
IRENE	Vou ver. (*Saem* ZENAIDE *e* IRENE.)
RONALDO	Preciso muito falar com você.
BATISTA	Estou às suas ordens.
RONALDO	Batista, pelo amor de Deus, saia desta casa.
BATISTA	Mas por quê, se me sinto tão bem aqui?...
RONALDO	Você não vê que acaba me desgraçando a vida? Dr. André já está desconfiado de que foi você quem roubou o colar.
BATISTA	Eu não roubei colar algum, já lhe disse. Apenas disse a D. Zenaide que a minha filhinha pularia de contente, se eu lhe desse um colar igual àquele. Ela, então, fez questão de me oferecer.
RONALDO	Mas você tem alguma filha, Batista?
BATISTA	Bem, não sei...
RONALDO	Pelo amor de Deus, vá embora. Você prometeu portar-se como um cavalheiro e, no entanto, tem-se portado como um cínico, inescrupuloso, usando as coisas do Dr. André etc.
BATISTA	Mas, claro, como podia eu me portar como um gentleman com aqueles farrapos?
RONALDO	E, escute, quem lhe deu licença pra usar os meus pijamas?
BATISTA	O que é que vou fazer? Os pijamas do homem não me chegam... ficam no meio das canelas... as camisas, os sapatos ainda servem...

RONALDO (*Interrompendo.*) Ou você vai embora, ou eu mesmo vou contar tudo ao Dr. André; já vi que é a única solução.

BATISTA Pode ficar descansado, eu vou embora.

RONALDO Quando?

BATISTA Daqui a dois dias. Isso aqui está mesmo muito monótono.

RONALDO Palavra de honra?

BATISTA Ladrão não tem honra.

RONALDO Está bem. Depois de amanhã. (*Sai.*)

ZENAIDE (*Entra.*) Está só?

BATISTA Nunca se está só quando se tem sempre alguém no pensamento...

ZENAIDE Galanteador.

BATISTA Não, sincero apenas.

ZENAIDE Como você é diferente dos outros homens...

BATISTA Não, você está enganada. Os outros homens é que são diferentes. Eu sou igual. Sou talvez o único homem igual que existe no mundo.

ZENAIDE Mas igual a quem, se os outros são diferentes?

BATISTA Igual a mim mesmo.

ZENAIDE Ora...

BATISTA São tão poucos os homens iguais a si mesmos. Todos os homens são iguais uns aos outros, mas você talvez nunca encontre um homem igual a si mesmo.

ZENAIDE (*Declarando-se.*) Nunca encontrei um homem como você.

BATISTA   Nem encontrará nunca.

ZENAIDE   No entanto, eu procurei muito. Sempre foi o meu maior desejo encontrar um homem assim, diferente...

BATISTA   É, mas um homem como eu é muito difícil de encontrar.

ZENAIDE   E agora que o encontrei... é tarde.

BATISTA   Graças a Deus!

ZENAIDE   Ah! É, não é?

BATISTA   Estou brincando. (*Alisa-lhe a mão.*) Que lindo anel... E é verdadeiro...

ZENAIDE   Este anel... eu queria lhe contar a história deste anel.

BATISTA   Pois conte. Adoro ouvir histórias...

ZENAIDE   Este anel eu comprei de uma cigana. E ela disse que eu o desse ao homem que eu amasse... e ele seria meu para sempre.

BATISTA   É?

ZENAIDE   Tenho vontade de dá-lo a você... se você aceita...

BATISTA   (*Como quem faz um grande sacrifício.*) Bom, se isso a faz feliz, Zenaide, eu aceito.

ZENAIDE   (*Enfia o anel no dedo dele.*) Você já teve muitos amores em sua vida?

BATISTA   Tive três. Da primeira vez, amei e fui amado; resultado: sociedade anônima. Da segunda vez, amei sem ser amado; resultado: falência; e, agora, da terceira vez, não amo e sou amado.

ZENAIDE   Eu...

BATISTA   (*Mirando o anel.*) Resultado: estou com um saldo formidável...

ANDRÉ	(*Entrando.*) Cadê o Ronaldo?
ZENAIDE	Está lá dentro. (*Sai* ANDRÉ.) Puxa! Que susto!...
BATISTA	O teu marido está com uma cara de quem viu lobisomem...
ZENAIDE	Que será que houve?
BATISTA	É, mas vamos lá para dentro antes que ele desconfie de alguma coisa. (*Saem* ZENAIDE *e* BATISTA. *A cena permanece vazia por alguns segundos.*)
RONALDO	(*Entra, seguido de* ANDRÉ.) Vou lhe contar toda a verdade, Dr. André. Infelizmente, quem lhe deu essas informações não mentiu. Aliás, há muito tempo já que eu tenciono revelar este capítulo triste da história de minha vida. Nunca tive coragem. Temia que o senhor não soubesse compreender.
ANDRÉ	Pois fez muito mal. Isso devia ser uma das primeiras coisas que devia ter dito, ao pedir a mão de minha filha.
RONALDO	Eu amo sua filha. Peço que leve isso em conta.
ANDRÉ	Mais uma razão para proceder corretamente.
RONALDO	Dr. André, eu fui condenado injustamente.
ANDRÉ	Por que foi preso?
RONALDO	Isso foi há quatro anos. Eu tinha chegado da Bahia sem um vintém no bolso, um milhão de sonhos na cabeça e uma ânsia terrível e confusa de vencer. Inexperiente, guiado apenas pelo desejo de triunfar, agarrei a primeira oportunidade que surgiu, a gerência de uma firma de exportação. Pouco tempo depois, a Polícia descobriu que a companhia operava por meios fraudulentos. Os donos fugiram para o estrangeiro. Eu, que nem ao menos havia chegado a me inteirar completamente dos negócios da firma,

fui condenado a três anos de prisão. Cumpri metade da pena. Mas juro, Dr. André, eu estava inocente.

ANDRÉ Inocente ou não, uma prisão é sempre uma prisão. Você devia ter-se informado dos negócios da companhia antes de aceitar o emprego.

RONALDO Na situação em que eu estava? Sem dinheiro até para comer? Isso é muito bom quando se está bem de vida e se pode escolher.

ANDRÉ Isso não me parece uma justificativa. Sinto muito, mas sou obrigado a lhe negar a mão da minha filha.

RONALDO (*Profundamente chocado.*) Mas... Dr. André... eu estava inocente! E daí para cá a minha conduta tem sido exemplar. O senhor sabe, pois há um ano que é meu chefe.

ANDRÉ Houve um erro de pessoa. Você não é quem eu imaginava.

RONALDO Mas apenas umas três ou quatro pessoas sabem desse fato.

ANDRÉ Não, não posso. Definitivamente, não posso.

RONALDO E o senhor acha justo que eu pague durante toda a vida por uma falta que não cometi? E mesmo que a houvesse cometido, já não a paguei? Já não saldei a minha dívida para com a sociedade, cumprindo a pena que ela determinou para meu crime? (*Entra* BATISTA.)

ANDRÉ A sociedade nunca cobra por inteiro, meu caro.

BATISTA Sábias palavras!

RONALDO Você tinha razão, Batista: o mundo é uma prisão, apenas um pouquinho maior do que as prisões comuns.

BATISTA Que houve?

RONALDO	(*Para* ANDRÉ:) O Batista é uma das poucas pessoas que sabem do meu segredo. (*Para* BATISTA:) Disseram ao Dr. André que eu estive preso, e ele...
BATISTA	Recusa-lhe a mão de Irene.
RONALDO	É.
BATISTA	Eu já esperava.
ANDRÉ	Por que o senhor esperava?
BATISTA	Porque um ladrão honesto jamais consentiria que um ladrão desonesto entrasse para a família.
ANDRÉ	Por favor, Sr. Batista, estas suas ideias me irritam.
BATISTA	Eu sei que as minhas ideias chocam. Os homens detestam a verdade.
RONALDO	(*Desesperado.*) O senhor está cometendo uma grande injustiça. Eu amo sua filha.
ANDRÉ	Não pode amá-la mais do que eu.
RONALDO	Mas não é justo! Eu cumpri a minha pena. Se cometi algum crime, já o paguei. Se fui sentenciado, hoje sou um homem livre!
BATISTA	Engana-se, meu amigo, não existem homens livres. (*Entram* ZENAIDE *e* IRENE.)
RONALDO	É, eu acho que você tem razão.
ZENAIDE	O que é que houve aqui? Parece que morreu alguém...
IRENE	Vocês estão com cada cara!...
BATISTA	Não, pelo contrário, D. Zenaide, nasceu um homem.
ZENAIDE	Quem?
BATISTA	(*Apontando para* RONALDO.) Ele.

FIM DO SEGUNDO ATO

terceiro
ato

SEXTO QUADRO

CENÁRIO: *o mesmo do quadro anterior. Ao subir o pano,* DAMIÃO *entra com uma mala na mão e sai.*

RONALDO	(*Entra com uma maleta.*) Damião, toma, põe lá também essa maleta. (*Aparece* DAMIÃO *e recebe a maleta.*)
BATISTA	(*Entra.*) Não vai se despedir de Irene? Ela já voltou.
RONALDO	Melhor seria que eu fosse sem falar com ela. Evitaria uma cena bastante incômoda.
BATISTA	Incômodo vai ser deixar esta boa vida.
RONALDO	É, mas vá tratando de se aprontar.
BATISTA	É uma pena... É uma pena...
RONALDO	É uma pena, mas tem de ser.
BATISTA	Eu estava me dando tão bem com esse ar de Petrópolis... Engordei... até me sinto mais moço.
RONALDO	E eu mais velho, muito mais velho.
BATISTA	É, meu amigo, a vida envelhece.
RONALDO	Já notei isso. E parece que vivi 10 anos nestes últimos dias.
IRENE	(*Entrando, aflita.*) Ronaldo, papai acabou de me dizer... É verdade?
RONALDO	É...

BATISTA	Acho melhor eu me retirar para vocês falarem mais à vontade. (*Sai.*)
IRENE	Oh, Ronaldo, que horror! Por que você fez isso?
RONALDO	Eu não fiz nada! Sou inocente. O que me aconteceu, podia ter acontecido a qualquer um. Caí numa armadilha... não tive culpa. Você não acredita em mim?
IRENE	Acredito, mas...
RONALDO	Você ainda me ama? Responda!
IRENE	(*Insegura.*) Claro... claro que te amo.
RONALDO	Se você acredita na minha inocência e se ainda me ama, venha comigo.
IRENE	Pra onde? Você está louco?
RONALDO	Não, não estou louco. Estou apenas lhe fazendo uma proposta.
IRENE	Ir com você... sem casar? Rompendo com meu pai, minha família?
RONALDO	Você tem que escolher. Se me ama, não há por que hesitar.
IRENE	Não... não era assim que eu queria... não desse jeito, Ronaldo...
RONALDO	Mas nada mudou, eu sou o mesmo homem.
IRENE	Não, Ronaldo, não seríamos felizes.
RONALDO	Irene, nós nos amamos! Isso basta!
IRENE	Eu quero algo mais do que apenas amor.
RONALDO	Algo mais?
IRENE	Quero paz, felicidade. E um marido que todos respeitem.
RONALDO	(*Chocado.*) Um marido... que todos respeitem. Compreendo... (*Entra* DAMIÃO.)

DAMIÃO	Já está tudo pronto, doutor.
RONALDO	Obrigado, Damião. Por favor, previna lá dentro ao Sr. Batista que já está na hora.
DAMIÃO	Perfeitamente. (*Sai.*)
RONALDO	Bem, penso que nada mais há a dizer.
IRENE	Sinto imenso, Ronaldo... Sinto mesmo.
RONALDO	(*Fingindo-se alegre.*) Ora, não há motivo. Afinal, foi tudo um grande equívoco. De parte a parte.
IRENE	Como?
RONALDO	(*Mordaz.*) Do mesmo modo que eu não sou o homem dos seus sonhos, você também não é a mulher que eu imaginava. Com licença. (*Sai.*) (*Entram* ZENAIDE *e* ANDRÉ.)
ZENAIDE	O que foi que você disse ao Ronaldo? Ele saiu daqui com uma cara...
IRENE	(*Está sofrendo.*) Nós desfizemos o noivado.
ANDRÉ	Ótimo.
ZENAIDE	Qual, esses homens de hoje... dizem que amam com paixão, mas quando o pai da pequena dá o contra, eles murcham as orelhas e vão saindo de banda. Se fosse no meu tempo, ele te pegava, saltava pra cima de um cavalo e só voltava quando nós déssemos o consentimento.
IRENE	Hoje não se usa mais raptos a cavalo, minha mãe.
ZENAIDE	De automóvel ou do que for.
ANDRÉ	Estamos em guerra, não há gasolina...
ZENAIDE	Nem que fosse de bicicleta!
IRENE	Pois saiba a senhora que ele me chamou para fugir.
ZENAIDE	(*Encantada.*) Foi mesmo?

ANDRÉ	Como? Ele teve essa ousadia!
ZENAIDE	(*Idem.*) Esta noite?
IRENE	É...
ZENAIDE	(*Idem.*) Hoje, noite de lua cheia... seria romântico.
ANDRÉ	E você, o que respondeu?
IRENE	Eu me recusei. (*Revoltada.*) Não era isso que vocês queriam?
ZENAIDE	Não eu.
ANDRÉ	Zenaide!
ZENAIDE	No seu lugar, eu teria fugido com ele. (*Entra* BATISTA.)
ANDRÉ	Ah, seu Batista, estava mesmo precisando falar com o senhor.
BATISTA	Pois não.
ANDRÉ	É sobre o Ronaldo.
BATISTA	Ah, sim...
ANDRÉ	O senhor já sabe do caso, não é verdade?
BATISTA	Sei, Ronaldo é apenas uma vítima da hipocrisia humana.
ANDRÉ	Não entendo... O senhor está sabendo de tudo?
BATISTA	Estou.
ANDRÉ	Ele estava preso por estelionato.
BATISTA	E, então, o senhor negou a ele a mão de sua filha. Muito bem. Permita-me a ousadia de lhe perguntar por quê?
ANDRÉ	Porque ele iria fazê-la infeliz. Tenho o direito de defender a felicidade da minha filha.
BATISTA	Uma hipocrisia.
ANDRÉ	O senhor me ofende.

BATISTA	O senhor teme pelo que dirão os outros, os amigos, a sociedade. E pensa também nos seus negócios, no seu prestígio pessoal. Nem por um momento está pensando na felicidade de sua filha.
ZENAIDE	Isso mesmo!
ANDRÉ	Com que autoridade o senhor me dirige esses insultos?
BATISTA	Com a autoridade de um homem que não tem nada a perder e por isso pode se dar ao luxo de dizer a verdade.
IRENE	Eu acho que o senhor tem razão até certo ponto. Eu também, ainda há pouco, rompi meu noivado com Ronaldo. E agora sinto que fiz isso contra mim mesma. Contra a minha felicidade.
RONALDO	(*Entrando.*) Bem, Batista, vamos?
ZENAIDE	Eu não vejo motivo para o Sr. Batista ir embora. Nada tem a ver uma coisa com a outra.
RONALDO	É que combinamos fazer juntos uns negócios lá no Rio.
BATISTA	Eu sinto muito, porque, confesso, nunca fui tão bem-tratado em minha vida.
ZENAIDE	Delicadeza de sua parte. Desculpe o desconforto da nossa casa. Mas, assim mesmo, espero que, depois de terminado o negócio, o senhor volte para passar mais uns dias conosco. Seria um prazer... não acha, André?
ANDRÉ	(*Irônico.*) Oh, um imenso prazer.
BATISTA	O senhor me sensibiliza, Dr. André.
ANDRÉ	É, mas na próxima vez, traga a sua bagagem diretamente para cá, para que não a roubem novamente...
BATISTA	Pois não, ouvirei o seu conselho.
RONALDO	Bem, vamos?

ZENAIDE — Oh, que pressa...

BATISTA — Espera, tenho que trocar de roupa. Estou usando umas coisas que não são minhas...

ZENAIDE — Ora, não tem importância. Pode levar.

BATISTA — (*Detendo-se.*) Posso?

ANDRÉ — É claro que não!

RONALDO — Anda, vá logo que está ficando tarde.

BATISTA — (*Saindo.*) Sempre contra mim... (*Sai.*)

ANDRÉ — (*Pausa.*) Ronaldo, estivemos aqui falando de você. O Sr. Batista disse umas coisas... um pouco absurdas, como todas as coisas do Sr. Batista, mas que me fizeram pensar melhor. Você, reconheço, não teve culpa do que aconteceu. Se quiser, pode continuar como nosso hóspede.

RONALDO — Obrigado, mas... O senhor não compreende que seria um suplício para mim permanecer nesta casa, depois de tudo?

ANDRÉ — Nem na qualidade de noivo de minha filha?

RONALDO — (*Surpreso.*) Dr. André... quer dizer que... (*Triste.*) Oh, não... Irene me deu a entender ainda há pouco que não se casaria com um ex-sentenciado.

IRENE — Ronaldo, me perdoe. Papai me encheu a cabeça... e eu não sei como pude dizer o que disse. Me perdoe!

RONALDO — Você não tem culpa de nada.

IRENE — (*Abraçando-o.*) Querido! (*Toque de campainha.*)

IRENE — Então, você não vai mais embora, não é?

ZENAIDE — E o Sr. Batista também não precisa ir.

RONALDO — Precisa, sim. Ele precisa tratar de um negócio lá no Rio...

IRENE	Mas você não disse que o negócio só pode ser feito pelos dois juntos?
RONALDO	É, mas...
ANDRÉ	Talvez o Sr. Batista tenha outros negócios a tratar...
RONALDO	Pois é...
ZENAIDE	Não tem, não. Ele disse que só ia por sua causa.
IRENE	E a viagem está desfeita. Ninguém mais vai embora.
ANDRÉ	Disso foi que não gostei. Pensei que ia me ver livre desse maluco.
DAMIÃO	(*Entra.*) Está aí um senhor que diz que é da Polícia.
IRENE	Polícia?
ZENAIDE	Polícia? Que estranho...
ANDRÉ	Talvez não seja nada. Mande-o entrar, Damião. (DAMIÃO *sai.*)
ANDRÉ	Que será?
ZENAIDE	Você não se queixou à Polícia do desaparecimento do colar...
ANDRÉ	Não.
RONALDO	Talvez venham apenas pedir informações. (*Entram* DAMIÃO *e o* INVESTIGADOR.)
INVESTIGADOR	Boa tarde. (*Apresenta-se.*) Sou o Investigador Ribeiro.
ANDRÉ	Prazer. Que deseja?
INVESTIGADOR	Estamos investigando uns furtos que vêm se produzindo com muita frequência aqui por estas redondezas. Tivemos várias queixas e estamos convencidos de que uma poderosa quadrilha está agindo aqui em Petrópolis. Talvez os senhores pudessem nos dar alguma pista, pois aqui ao lado mesmo efetuaram um roubo anteontem.

ANDRÉ	A única informação que posso prestar é que nós também fomos roubados.
INVESTIGADOR	Como? Aqui também?
ANDRÉ	Na semana passada roubaram um colar de pérolas de minha esposa.
ZENAIDE	Ora, André, isso são ninharias.
ANDRÉ	Ninharias porque não custou o seu dinheiro.
INVESTIGADOR	Os senhores não suspeitam de ninguém?
ANDRÉ	Não. É possível também que minha mulher tenha perdido o colar.
INVESTIGADOR	Acho que não. Deve ser mais uma façanha dessa quadrilha diabólica. Avalie o senhor que, na semana passada, seis casas foram assaltadas.
IRENE	Deus do céu!
ANDRÉ	E ainda não conseguiram prender nenhum deles?
INVESTIGADOR	Nem ao menos temos algum indício. Soubemos apenas que são cerca de quatro ou cinco.
IRENE	Cinco?
INVESTIGADOR	Se não forem mais.
BATISTA	(*Entrando com a roupa do início.*) Pronto. "A César o que é de César."
INVESTIGADOR	(*Reconhecendo-o.*) Pé-de-Cabra!
BATISTA	(*Atrapalhado a princípio, mas recuperando depois o sangue-frio.*) Oh, mas que surpresa! (*Abraça-o, espalhafatosamente.*) Eu sabia que você havia de aparecer por aqui... ontem mesmo eu estava pensando: o Ribeiro aqui a dois passos de mim e até hoje ainda não veio me ver. Estava até fazendo mau juízo de você. Oh, desculpem-me, esqueci de apresentar. Dr. André,

	D. Zenaide, Irene e Ronaldo. (*Cumprimentos.*) Carlos Ribeiro, um dos meus maiores amigos.
ZENAIDE	Os amigos do Sr. Batista são também nossos amigos.
INVESTIGADOR	Obrigado, mas...
BATISTA	(*Interrompendo.*) O Ribeiro é o meu mais fiel amigo. Onde quer que eu esteja, ele sempre aparece... Também a nossa amizade vem de muitos anos, não é, Ribeiro?
INVESTIGADOR	(*Irônico.*) É...
BATISTA	Grande sujeito!... Bem, Ronaldo, vamos?
RONALDO	Não, Batista, eu não vou mais.
IRENE	Enquanto o senhor foi lá dentro, aconteceu muita coisa.
BATISTA	Que houve?
RONALDO	Estou novamente noivo.
BATISTA	Quer dizer que... Hum! Eu sabia... Meus parabéns.
ZENAIDE	A viagem está desfeita. O senhor também não precisa mais ir ao Rio.
IRENE	O negócio fica para depois.
BATISTA	Bem, mas eu...
RONALDO	O Batista precisa resolver um negócio dele mesmo.
INVESTIGADOR	É, comigo...
BATISTA	É verdade, eu não me lembrava... Preciso descer com o Ribeiro. Temos que resolver um caso lá com um hotel de repouso.
INVESTIGADOR	Aquele hotel de grades de ferro.
BATISTA	É... A propósito: vê se manda tirar aquelas grades... fica tão antiestético...

INVESTIGADOR	Vou tratar disso. Depois que você sair de lá.
IRENE	O senhor mora em hotel, é?
BATISTA	Não, passo lá uns dias de vez em quando, pra ajudar ao dono, que é muito meu amigo. Só para ajudar...
ZENAIDE	O senhor tem um coração de ouro!
BATISTA	É de ouro, mas juro que não é roubado.
INVESTIGADOR	Vamos embora. (*Arrasta* BATISTA *por um braço, enquanto cai a cortina.*)

SÉTIMO QUADRO

CENÁRIO: *o mesmo do primeiro quadro. Ao subir o pano, fora,* THOMAZ *canta ao violão, a mesma canção do início.*

BATISTA	(*Entrando, seguido do* GUARDA.) O bom filho à casa torna... Ô, Thomaz, você ainda não aprendeu a tocar essa porcaria?
UMA VOZ	(*Fora.*) Pé-de-Cabra! Te agarraram de novo!
BATISTA	Agarraram coisa nenhuma, vim por minha livre e espontânea vontade.
THOMAZ	Oh! Pé-de-Cabra! Viu a Mariquinha?
BATISTA	Vi. Tá vendendo amendoim na Praça Tiradentes.
GUARDA	(*Abre a porta da prisão.*) Vamos, entra.
BATISTA	(*Entra.*) Hum! Não está mau...
GUARDA	(*Fecha a porta, irônico.*) Está tudo como o doutor deixou?
BATISTA	Mais ou menos. Os móveis um pouco empoeirados...
GUARDA	(*Sempre irônico.*) Desculpe, excelência.
BATISTA	(*Com altivez.*) Pode se retirar.
GUARDA	Obrigado, Excelência... com licença.

BATISTA	Ah! Espera. Toma. (*Tira do bolso um relógio.*) Eu te trouxe uma lembrança...
GUARDA	(*Arrancando furioso o relógio das mãos de* BATISTA.) Patife!... (*Sai.*)
BATISTA	(*Examina detalhadamente a cela. Passa os dedos pelas grades, chuta para um canto uma ponta de cigarro que estava no chão, e deita-se na cama. Acende um cigarro.*) Lar, doce lar!
GUARDA	(*Entra.*) Oh, Batista, o seu advogado está aí.
BATISTA	(*Surpreso.*) Meu advogado? Eu não tenho advogado nenhum... (RONALDO *entra.* GUARDA *abre a cela.*)
BATISTA	Ah! É você?
RONALDO	(*Entrando na cela.*) Sou eu, sim, meu amigo.
BATISTA	Disseram que era o meu advogado. (GUARDA *fecha a porta da prisão e sai.*)
RONALDO	E sou. Vim aqui para defendê-lo.
BATISTA	Para me defender? (*Ri.*) Muito obrigado! Não sabia que você era agora um desses abnegados defensores dos fracos e oprimidos.
RONALDO	Acho que é dever de todo advogado defender os fracos.
BATISTA	Dever coisa nenhuma. É tolice, isso sim.
RONALDO	Tolice?
BATISTA	Meu amigo, ajudar os fracos é favorecer os fortes.
RONALDO	Não compreendo.
BATISTA	Ajudando os fracos, você contribui para que eles se tornem fortes. Aumenta, assim, o número de opressores.
RONALDO	Mas diminui o de oprimidos.

BATISTA — E aí é que está o mal; os fracos restantes vão sofrer a opressão que já sofriam e mais a daqueles que se tornaram fortes. Resultado: você tornou os fortes mais fortes e os fracos mais fracos.

RONALDO — (*Rindo.*) É, contra os seus argumentos, não adianta discutir. (*Senta-se na borda de uma das camas.*)

BATISTA — Você está numa fase perigosa da vida: a fase de transição. Está passando de fraco a forte e já se acha com força suficiente para ajudar os que ficaram para trás. É como esses garotos que começam a mudar de voz, falam fino e grosso ao mesmo tempo: pensam que já são homens.

RONALDO — Você acha, então, que eu devo tornar-me forte primeiro, para depois ajudar os fracos.

BATISTA — Não, você deve tornar-se forte para aprender a não ajudar os fracos.

RONALDO — Você tem razão, como sempre.

BATISTA — Mas, mudando de assunto, como deixou a Irene?

RONALDO — Bem, mandou lembranças, D. Zenaide também.

BATISTA — (*Malicioso.*) É?...

RONALDO — Está esperando que você volte.

BATISTA — Pobre Zenaide, tenho pena dela.

RONALDO — Por quê?

BATISTA — É uma mulher infeliz. Deseja ardentemente não sabe o quê. Sabe apenas que é diferente de tudo que possui... Nada mais.

RONALDO — Um desejo é sempre uma tortura.

BATISTA — Quanto mais um desejo indeterminado... Você, que ama, deve saber disso.

RONALDO — Irene é a realização de quase todos os meus desejos.

BATISTA — Então, você está prestes a encontrar a felicidade.

RONALDO — Por quê?

BATISTA — Porque a felicidade é a realização de todos os desejos.

RONALDO — Mas ninguém realiza todos os desejos.

BATISTA — E é por isso justamente que ninguém encontra a felicidade. Além do mais, imagine-se você com os seus desejos todos satisfeitos, todos os seus sonhos realizados, todos os ideais alcançados, enfim, com tudo que ambiciona e sem mais nada para ambicionar.

RONALDO — Não teria mais motivo para viver.

BATISTA — Aí está por que a felicidade não existe. O indivíduo que a conquistasse, inteira, seria o mais infeliz dos homens.

RONALDO — Você acha, então, que devemos fugir da felicidade?

BATISTA — Não, que o quê, devemos persegui-la. Primeiro, porque não há perigo de alcançá-la; segundo, porque, embora a felicidade inteira seja horrível, possui uns pedacinhos deliciosos...

RONALDO — Batista, você é um sábio!

BATISTA — É, mas o mundo não é dos sábios, é dos sabidos. Não vê Hitler?...

RONALDO — Um bandido.

BATISTA — Um bandido nada, um homem. Um sujeito que consegue "anexar"... (*Faz um gesto de quem embolsa alguma coisa.*) Quase toda a Europa e ainda continua solto... É um gênio.

RONALDO — Um gênio do crime. Mas ele há de pagar por ter mergulhado o mundo nesta guerra monstruosa.

BATISTA — Homem, eu acredito que ele pague pelos assaltos que vem praticando, pela guerra, não.

RONALDO	Por que não?
BATISTA	Porque ninguém faz guerra. A guerra é a própria essência da vida. Artificial é a paz. Em guerra vivemos nós permanentemente. Desde o maior ao menor dos seres, vivos ou inanimados, todos têm a sua existência explicada por uma luta contínua.
RONALDO	(*Revoltado.*) Posso ser sincero? Há certos momentos em que o odeio!
BATISTA	E quer você me defender... Tem razão, meu amigo, eu só mereço ódio e desprezo. Não me defenda, guarde a sua força para causas mais nobres. Eu não mereço uma palavra sequer de desculpa ao menos.
RONALDO	Eu custo a crer que você seja ao mesmo tempo tão brilhante e tão sórdido.
BATISTA	Tão brilhante e tão sórdido. Sabe quem eu sou? (*Pausa.*) Sou apenas um produto do nosso tempo! Brilhante e sórdido. (*Toque de sirene para o almoço.*) Não me defenda, eu não tenho defesa. (*Entra o* GUARDA, *abre a porta da prisão e sai.*) Adeus, meu amigo, está na hora da boia. (*Abraça* RONALDO.)
RONALDO	Adeus, Batista. Quando nos veremos?
BATISTA	Para seu bem, tomara que nunca mais. (*Sai com o* GUARDA, *enquanto cai o pano.*)

FIM

eu acuso

o céu

PERSONAGENS

Pedro — 23 anos
Anselmo — 45 anos
Liana — 25 anos
Jerônimo — 50 anos
Coronel — 60 anos
Jagunço — 30 a 40 anos
Velha — 60 a 70 anos
Rosa — 50 anos
Juca — 40 anos
Raimundo — 25 anos

AÇÃO: *primeiro ato, numa plantação de fumo, à margem do Vaza-Barris, no norte da Bahia. Segundo e terceiro atos, numa praia do litoral.*
ÉPOCA: *1943*

primeiro ato

CENÁRIO: *Um compartimento em casa de um lavrador. Talvez possa ser chamado de sala de jantar, mas percebe-se que acumula as funções de dormitório. Tudo muito rústico e improvisado. Um móvel tosco com ares de guarda-comida, escorado por uma pedra. A um canto, um par de enxadas, um gadanho e um bogó. Ao fundo, uma porta, deixando ver as lheiras de uma plantação de fumo. Um banco comprido tem pose de sofá. Na parede, uma espingarda de caça um tanto antiquada e uma foice. Por cima, num contraste muito significativo, um pequeno santuário. Um Santo Antônio com cara de pau-d'água. Virgem Maria, só Maria... Também orixás africanos, iluminados por uma vela de carnaúba. Uma janela, pela qual se vê também outro trecho da plantação. Uma corda de roupas, fora, dificulta em parte essa visão. E também uma gaiola de passarinho que pende do portal superior da janela. Num canto, um pote de água, coberto por um pedaço de tábua. Sobre este, uma caneca de alumínio. Noutro canto, dois grandes caçuás cheios de fumo de rolo. Na parede, um facão "Jacaré". Ao centro, uma pequena mesa. Em torno, um banco comprido, um tamborete e uma cadeira velha. Sobre a mesa, frutas: mangas, sapotis, umbus etc. Sobre o guarda-comida, raízes de mandioca. Na parede, um candeeiro. As paredes são caiadas de branco, na mais extrema simplicidade. Ainda assim, sente-se uma tentativa comovente de asseio e embelezamento. No chão varrido, nas flores do vaso sobre a mesa.*

PRIMEIRO QUADRO

É um desses dias cruelmente ensolarados que precedem as grandes secas. O sol varre todos os cantos do cenário. Há tanta luz, que dói na vista. A cena está deserta. Alguns segundos, e aparece ANSELMO, *ao fundo. Lento, o rosto lavado em suor, surge na porta. Seu aspecto é deplorável, veste umas calças velhas, empoeiradas, e uma camisa em pior estado, saindo fora das calças. Sandálias de couro cru. Parece vir de longa viagem a pé. Exausto, mal pode ter-se de pé. Bate palmas, uma vez, duas, ninguém responde. Ele vê o pote de água, seus olhos brilham, precipita-se para o pote e bebe sofregamente. Neste momento, aparece um cano de fuzil pela porta lateral,* ANSELMO *para de beber.*

LIANA (*Entra, com um fuzil apontado para* ANSELMO.) O que é que o senhô tá fazendo aqui?

ANSELMO (*Um pouco desajeitado.*) Desculpe... tava tirando um pouco de sua água...

LIANA Só da água?

ANSELMO Só. A senhora tá fazendo mau juízo de mim.

LIANA (*Interrompendo, secamente, sem abaixar o fuzil.*) Por que não pediu? (*Vestido de chita, alpargatas, os cabelos caídos sobre os ombros sem cuidado. Matreira e decidida. Hostil e atraente. Uma fera e uma flor.*)

ANSELMO Eu bati, não apareceu ninguém... tava com muita sede. Venho de muito longe.

LIANA Retirante?

ANSELMO É, a seca lá pro Norte tá braba.

LIANA Bebe.

ANSELMO Não, obrigado. Já bebi.

LIANA Beba, enquanto pode.

ANSELMO Obrigado. (*Bebe mais uma caneca.*) Lá pra cima, já não tem mais nem uricuri.

LIANA Onde?

ANSELMO Pros lados de Sergipe. O gado já comeu todo o mandacaru. Tá uma desgraça.

LIANA	Não chega até cá.
ANSELMO	Santa Luzia permita! (*Começa a olhar fixamente para* LIANA, *de uma maneira estranha.*)
LIANA	O senhô não vai segui caminho?
ANSELMO	Não, queria vê se arranjava trabalho aqui.
LIANA	Isso só com meu pai.
ANSELMO	Onde tá ele?
LIANA	Na plantação.
ANSELMO	Posso esperá?
LIANA	(*Sem abaixar a arma.*) Pode. (ANSELMO *continua a fitar* LIANA *da mesma maneira estranha. Um deslumbramento algo abobalhado.* LIANA, *instintivamente, leva a arma ao ombro.*)
ANSELMO	Desculpe... É que a senhora se aparece muito com uma pessoa que eu conheci. Já morreu. Pode abaixá essa arma, que eu não vou lhe fazê mal.
LIANA	A arma também não tá lhe fazendo mal. O senhô pode sentá e esperá.
ANSELMO	Tá bem. (*Senta-se num tamborete.*) (LIANA *senta-se à mesa, virada para ele com a espingarda apontada.*)
ANSELMO	A senhora tá cismada...
LIANA	Tou cismada não, tou preparada só.
ANSELMO	Tá pensando que eu sou algum cangaceiro?
LIANA	Não, cangaceiro tem coragem. O senhô tá com medo...
ANSELMO	Medo de quê? Da sua espingarda?
LIANA	Então, por que tá tão preocupado?
ANSELMO	Queria que a senhora não tivesse receio.

LIANA	(*Interrompendo.*) Não tenho receio nenhum. Home não me mete medo.
ANSELMO	Não tou dizendo...
LIANA	Então, pronto.
ANSELMO	(*Levantando-se.*) Bem, acho melhó eu í me chegando...
LIANA	(*Apontando-lhe a espingarda.*) Não; agora, o senhô espera meu pai chegá. Nem que não queira...
ANSELMO	(*Sentando-se novamente, intimidado.*) Tá bem... (*Entram* JERÔNIMO *e* PEDRO. *Ambos tendo às costas instrumentos da lavoura: pás, picaretas etc. Trajam mais ou menos igual: sandálias de couro cru, calças e blusas feitas de pano de saco, a blusa saindo fora das calças, as calças arregaçadas, cinturão grosso, do qual pende um facão do mato.* PEDRO *traz também uma faca "paraíba", de lâmina longa como uma espada, chapelão de palha, de abas largas, medalhas e amuletos no pescoço. Suam por todos os poros de sua epiderme amarelo-bronzeada.*)
JERÔNIMO	Que é isso?!
PEDRO	Que foi? Ladrão?
LIANA	Esse cabra entrou aqui, pediu água. Diz que vem do Norte, fugido da magrém.
PEDRO	(*Ameaçador.*) Te fez algum mal?
LIANA	Não, eu que fiquei prevenida. Ele diz que tá procurando trabalho. Mandei que esperasse.
ANSELMO	Sou de paz.
JERÔNIMO	Donde vem?
ANSELMO	Pra cima de Arapuá.
JERÔNIMO	Seca?

ANSELMO	É, a magrém, lá, já devastou tudo.
JERÔNIMO	Tá assim?
ANSELMO	Secou tudo quanto é cacimba, não resta mais nem pé de araticum.
LIANA	É verdade, seu Dedé falou.
ANSELMO	Bem perto daqui, inda encontrei boi morto pela estrada. O couro tão ressecado, que té urubu rejeitava.
JERÔNIMO	É, eu bem que disse... é a grande seca. E vem cedo. É capaz de não dá tempo nem de fazê a safra.
PEDRO	Que nada, o Vaza-Barris inda tem água pra gente morrê afogado.
LIANA	Seu Zé da Feira disse que inda é cedo, que as grandes secas só vêm de 12 em 12 anos.
PEDRO	É, isso é a magrém de todo ano.
JERÔNIMO	Nada, a seca às vez vem com nove, 10 anos... e a derradeira foi há 11. Vocês são moço... A última seca vocês eram menino. Mas eu conheço. Já vi quatro. Já tive que saí desta terra quatro vez pra quatro vez voltá. A mim elas não engana. Eu sei quando elas vêm. A jandaia foge, esbaforida, a seriema corre, como se visse lobisome.
PEDRO	Mas isso é todo ano...
JERÔNIMO	É diferente. Quando é a grande seca, a gente sente que é diferente... a gente sente.
PEDRO	Eu não acredito.
JERÔNIMO	É, a gente nunca acredita. E fica, e resiste. Acaba a paçoca, a gente come bró, bebe o sumo da folha de xiquexique. Sempre esperançoso, sempre não acreditando. Mas acabam os uricuris, morre tudo quanto é

pé de xiquexique. Morre tudo em volta de nós. Morre o gado, a plantação, até a terra morre. E a gente persiste, querendo vivê. E se teimá, morre também.

ANSELMO (*Muito impressionado.*) É horrível!

JERÔNIMO (*Fleugmático.*) É, mas é assim mesmo. Que é que a gente vai fazê?

ANSELMO É uma maldição!

JERÔNIMO Oxente, tu parece que nunca viu seca...

ANSELMO Nunca vi, não.

JERÔNIMO Tu não é do sertão?

ANSELMO Não, sou do litoral.

JERÔNIMO Ah, logo vi que tu não era dessas bandas. Pois tu vai comê uma dureza, sabe? Isso aqui é pra quem tá acostumado. Caboclo das terras grandes não guenta essa vida não.

ANSELMO Lá pras terras grandes, a vida às vez é pior, mais traiçoeira...

JERÔNIMO É, mas lá não tem seca.

ANSELMO (*Triste, pensativo, como presa de uma recordação dolorosa:*) Não, tem muita água... tanta, que a gente pode até morre afogado... (*Há uma pausa. As outras personagens ficam surpresas com a expressão trágica do rosto de* ANSELMO.)

ANSELMO (*Afastando da mente aquela imagem.*) Nada... Se o senhô tem algum lugar em que eu possa ajudá... Basta casa e comida. (*Os sertanejos se entreolham.*)

JERÔNIMO Você tá vendo, a gente é pobre, mas, se quisé vi ajudá na plantação, quando chegá a safra a gente lhe dá a quarta parte.

ANSELMO Combinado.

JERÔNIMO	A dormida é que tá difícil. Só se você dormi no estábulo.
ANSELMO	Não faz mal, eu durmo lá.
JERÔNIMO	É, depois você se arranja.
LIANA	O senhô num tá com fome?
ANSELMO	Ah, tô morrendo...
JERÔNIMO	Liana, arranje lá um bocado de paçoca pra ele.
LIANA	Vou vê. (*Sai.*)
JERÔNIMO	Qué í vê onde é o estábulo?
ANSELMO	Quero, tou morto de cansaço.
JERÔNIMO	(*Designando a porta.*) Sai aqui, quebra à esquerda.
ANSELMO	Obrigado. Vou descansá um pouco; andá sete léguas não é brincadeira... (*Sai.*)
JERÔNIMO	Sete léguas... Cabra froxo. Morrendo porque andou sete léguas.
PEDRO	E o senhô vai deixá ele dormi aqui sem sabê quem ele é? Pode sê algum jagunço.
JERÔNIMO	Que o quê. Conheço jagunço pela pinta. Tenho confiança nesse cabra. Parece sê bom sujeito. Mas, pelas dúvidas, vamos dormi prevenido, com trabuco dentro da rede.
PEDRO	Se quisé, eu fico de tocaia.
JERÔNIMO	Se tu quisé, fica. Mas eu não me arreceio, é bom sujeito. (*Entra* LIANA, *subitamente, as feições transtornadas, como se tivesse acontecido alguma desgraça.*)
LIANA	Pai!
JERÔNIMO	Que é?!

LIANA	Ele... ele tá tomando banho!
PEDRO	Tomando banho?!
JERÔNIMO	Sujeito excomungado! (*Saindo.*) Já mostro a esse cabra da peste! Onde é que já se viu tomá banho nesse tempo?

CORTINA

SEGUNDO QUADRO

Notam-se mudanças no cenário. Não há mais frutas sobre a mesa, nem mandioca sobre o guarda-comida. O pote, vazio, jaz emborcado no seu canto. A aparência é de que a fome e a sede entraram naquela casa. Não se vê mais, ao fundo, a plantação de fumo. Apenas canteiros desfeitos, onde a terra racha, sedenta. Nem mais roupas na corda. A gaiola ainda está lá, mas vazia. Nada indica que ali ainda existam seres vivos. O sol castiga impiedosamente a terra exausta. Segundos após descerrar-se a cortina, surgem o CORONEL *e um* JAGUNÇO. *Param à porta, olham para dentro, procurando os moradores. Não estando ninguém, entram. Dentro, o* CORONEL *bate palmas enquanto pesquisa o cenário.*

JAGUNÇO	Eu garanto a vosmincê que eles têm água.
CORONEL	(*Mostrando o pote emborcado.*) Não parece... (*Em traje de montaria, cinturão grosso com revólver, chapéu de couro de abas largas, rebenque. Altivo, seco, impiedoso.*)
JAGUNÇO	(*Túnica e culote cáquis, o culote sem perneira, sandálias de couro cru, cartucheira, revólver, a "parnaíba" enfiada no cinto. Lenço no pescoço, chapéu de couro de abas largas.*) Isso é tapeação. Com certeza eles esconderam. Eu vi seu Anselmo cavando no roçado. Quando cheguei perto, ele fechou a cara e disse que eu não tinha nada que fazê ali. E tava cum uma porção de lata do lado, com certeza para enchê de água. Aposto como ele achou uma mina.
CORONEL	Já veremos se é verdade.

JAGUNÇO — Se seu Coroné quisé, eu me incarrego do serviço.

CORONEL — Não, eu tenho uma solução melhor. Parece que não há ninguém aqui. Venha cá. Eu sei o que fazer. (*Sai com o* JAGUNÇO.) (*Logo a seguir, entra* LIANA, *cautelosa e assustada. Vai até a porta e fica um instante a olhar na direção em que se foram o* CORONEL *e o* JAGUNÇO. *Surge, na mesma direção, uma velha, esquálida, a tez amarelada, que mal pode ter-se em pé de fraqueza. Contudo, carrega nas costas uma trouxa, da qual saem os mais diferentes objetos.*)

VELHA — (*Na porta, suplicante, a voz rouca e fraca.*) Água!... (LIANA *faz com a cabeça um gesto negativo e compassivo.*)

VELHA — Pelo amor de Deus!

LIANA — (*Mostrando o pote vazio.*) Acabou. (*A* VELHA *faz um gesto de desânimo.*)

LIANA — Para onde vai?

VELHA — Só Deus sabe! (*Sai.*) (LIANA *vem sentar-se à mesa, desanimada. Entra* ANSELMO, *enxada no ombro, o ar fatigado. No seu rosto, entretanto, não há uma só gota de suor.*)

LIANA — Nada?...

ANSELMO — (*Larga a enxada num canto.*) Nada. Estive cavando até agora. Fiz um buraco de mais de três metros. Nunca vi coisa assim, à medida que ia cavando, de vez em quando surgia um filete de água. Mas no mesmo instante, desaparecia, secava, evaporava! Eu cavava mais e ele tornava a aparecer. Mas não dava tempo nem de molhá a mão, fugia de novo. E isso uma porção de vez. Parecia até feitiçaria. Mas eu não desanimei. Continuei cavando, cavando, até que... topei com uma pedra.

LIANA — Não desespere, é assim mesmo.

ANSELMO — Não é por mim. Eu, pouco me importa. Mas não posso vê você, uma moça, morrendo de sede assim...

LIANA — E eu não sou igual a vocês?

ANSELMO — Você é mulhé...

LIANA — Ah, tempo de seca não tem nada disso, não. Cada um cuide de si. (*Muda de tom.*) Viu o pai?

ANSELMO — (*Com um gesto largo.*) Por aí...

LIANA — Sabe que dia é hoje? Dia de São José.

ANSELMO — Que tem?

LIANA — Se durante o dia de hoje não chovê, a seca é certa.

ANSELMO — Você inda tem esperança?

LIANA — E por que não?

ANSELMO — Admiro vocês. Pra mim, há seis meses que a seca chegou por aqui. Desde que cheguei. Não sei por que vocês inda teimam em não acreditá.

LIANA — Temos amô a isso aqui.

ANSELMO — Também não sei como se pode tê amô a uma terra dessa. (*Desesperado.*) Não sei como se pode tê amô à terra!

LIANA — Por que o senhô odeia tanto a terra?

ANSELMO — E como não odiá? Como não detesta, se ela deixa a gente morrê assim, de sede e de fome! Parece que cobiça o nosso cadáver. E é só pra isso que ela serve: para sepultura.

LIANA — Ela não tem culpa. O senhô precisava vê no tempo do verde... Quando a terra se enfeita toda pra recebê de volta as seriemas e as jandaias. Os joazeiros se cobrem de flor e em pouco tempo tem joá pra quem

| | quisé colhê. O Vaza-Barris vai buscá água lá nas terras grandes e traz pra gente bebê e até pra tomá banho. A terra lavada pela chuva dá raiz de mandioca mesmo sem a gente plantá. E é tudo tão bonito! Tudo verde... É então que a gente vê como a terra é amiga da gente. E perdoa pela ingratidão da seca. |

ANSELMO   Isso é pros que fugiram com a seca voltá de novo. A terra é ladina como uma mulhé. Sempre procurando prendê a gente. Sempre procurando nos escravizá. Dá de comê, bebê de vez em quando, pra gente não saí daqui. É tal qual uma mulhé que ilude a gente com carinho, pra nos prendê. O mar, não. O mar é sempre amigo... (*Sua fisionomia assume uma expressão poética, mística.*) E não é egoísta, não rouba a liberdade da gente. No mar, a gente é livre!

LIANA   Por que o senhô fala tanto no mar? Desde que chegou, que todo dia ouço o senhô falá no mar...

ANSELMO   Remorso.

LIANA   Remorso? De quê?

ANSELMO   Fugi do mar como um covarde. Fugi com ódio, com rancor. Com tanto rancor como não pode cabê no peito dum home de bem. Amaldiçoei o mar. E não tinha razão.

LIANA   Não tinha...?

ANSELMO   Foi há muito tempo... Numa noite de tempestade... O mar levou pra sempre a minha mulhé e minha filha. O saveiro virou, eu ouvi elas gritá no breu da noite... gritá e desaparecê para sempre! No dia seguinte, os dois corpos deram na praia. Criei ódio ao mar. Um ódio de morte. Fugi. Fugi, porque não podia mais olhá pra ele. E vim trabalhá na terra. Há 10 ano que vivo preso à terra, fugindo do mar. Mas duns tempos

	pra cá, venho sentindo uma coisa esquisita... Uma coisa que cresce dentro de mim. Assim como uma voz que quisesse falá.
LIANA	Uma voz?
ANSELMO	É, uma voz sufocada, que qué falá, que qué gritá...
LIANA	Não sabe o que é?
ANSELMO	É como a voz do mar me chamando e eu sem querê ouvi.
LIANA	Você inda não perdoou?
ANSELMO	Não, porque não tenho nada que perdoá. Eu é que devo pedi perdão.
LIANA	Você?
ANSELMO	A gente do mar sabe que, quando uma pessoa morre afogada, vai morá no castelo encantado do fundo do oceano, no castelo de Iemanjá. Eu fui um ingrato. O mar é sempre amigo, não ía me atraiçoá. Eu é que devia lhe pedí perdão.
LIANA	E por que é que o senhô não volta pra lá?
ANSELMO	Eu hei de voltá. Agora que eu vi como a terra é má é que eu sei dá valor ao mar.
LIANA	A terra também é boa, mas é preciso nascê nela pra entendê.
ANSELMO	Você se lembra daquele dia que eu cheguei aqui?
LIANA	Lembro.
ANSELMO	Você me apontou a espingarda...
LIANA	Não sabia quem o senhô era.
ANSELMO	Se lembra como eu olhei pra você? Você ficou até assustada...

LIANA	Me lembro.
ANSELMO	Sabe por que foi? Foi porque tive a impressão de vê a minha Maria, a minha companheira, que o mar levou. Até hoje, inda não tirei essa impressão. Parece que você é ela... os cabelos... os olhos...
LIANA	Pareço com ela?
ANSELMO	Não sei... Mas quando eu começo a olhá acho tudo igual. (*Extasiado.*) E sinto a mesma coisa que sentia quando me abraçava a ela, no balanço do barco. (*Apaixonadamente.*) Só que ela tinha cheiro de mar, você tem cheiro de terra. (*Num arroubo.*) Dulce, se você quisesse...
LIANA	(*Repelindo-o.*) Dulce?! O senhô me chamou de Dulce?!
ANSELMO	(*Recuando de súbito, como que repelido por uma visão pavorosa.*) Dulce! Eu disse... Dulce?!
LIANA	Disse.
ANSELMO	(*Meio fora de si.*) Dulce... Era o nome da minha filha! A que morreu no mar! (*Olha para* LIANA *como um louco.*) Devia tê agora a sua idade... (*Recua assombrado, como se acabasse de desejar a própria filha.*)
LIANA	(*Apavorada.*) Seu Anselmo! (ANSELMO *fita-a ainda por um instante, completamente transformado, e sai rapidamente, como se procurasse fugir do seu crime. Entra* PEDRO. *O mesmo ar de abatimento moral e físico.*)
PEDRO	Anselmo saiu daqui, parecia maluco... cadê o pai?
LIANA	Sei não.
PEDRO	Sabe que dia é hoje?
LIANA	Sei.
PEDRO	E não tem jeito de chovê mais não. A suçuarana comeu, essa noite, três bizerros.

LIANA   Os últimos.

PEDRO   É. Mas eu hei-de sangrá essa safada. Essa noite eu quase peguei ela. Ela voou em riba de mim, eu risquei a faca no ar, mas não pegou, ela fugiu. Mas vai tê forra.

LIANA   Procurou raiz de umbuzeiro?

PEDRO   Não, tu tá cum sede?

LIANA   (*Dissimulando.*) Não...

PEDRO   Não tem mais nem uma cacimba. A fila dos retirantes tá de perdê vista. (*Com desprezo.*) Gente frôxa. (*Um pouco acabrunhado, como quem confessa uma falta.*) Arranjei uma raiz de umbuzeiro... Tava uma velha espichada na estrada, morrendo de sede, eu dei a ela... Vou buscá mais. (*Faz menção de sair.*)

LIANA   (*Detendo-o.*) Não, não precisa. Não tou com sede. Fique aqui. O pai com certeza traz.

PEDRO   Magrém desgraçada.

LIANA   Podia sê pior.

PEDRO   É, mas acho que dessa vez a gente não guenta não. Parece maldição. Tem vez que eu não me conformo... Não posso vê essa miséria toda. E o que foi que a gente fez pra merecê isso?!

LIANA   Pedro...

PEDRO   A gente vê o gado mugindo, mugindo, de fome, de sede, fuçando o chão, farejando água, té caí sem força... sem força nem pra mugi! A plantação inteira morrê, tudo morrê. Só por causa da água, da água!

LIANA   Tenha fé, Pedro.

PEDRO   Fé? Fé em quê?

LIANA   Deus Nosso Senhô.

PEDRO / Não posso tê fé em Deus, se Ele deixa a gente morrê assim. Deus não pode sê nosso amigo. Às vez eu tenho a impressão que Deus é a terra. Essa terra seca, dura, que mata o nosso fumo, a mandioca, que não ouve o mugido do gado rojando nela o focinho, louco de sede! Essa terra infame, que a gente cava, cava, procurando água e vendo a água fugi diante da gente! (*Quase alucinado.*) Essa terra miserável! Ingrata! (*Dá com o pé no chão, com um louco.*) Que eu tenho vontade de surrá! De chicoteá! De matá!

LIANA / Pedro! Que culpa tem a terra?

PEDRO / (*Recupera a serenidade e deixa-se cair sentado no chão, abatido.*) Tem razão... A terra é boa, eu é que sou fraco.

LIANA / A terra também sofre como a gente. Ela também precisa de água, ela também tem sede, como a gente. Mas resiste. Resiste porque é forte e porque é nossa amiga. Porque sabe que, quando a magrém se fô e voltá o tempo do verde, a gente volta também pra ela, arrependido. A terra é nossa mãe, Pedro. (*Entra* JERÔNIMO, *trazendo nas mãos um feixe de raízes selvagens. Denota também uma fraqueza extrema. Parece que só a vontade o mantém de pé.*)

JERÔNIMO / (*Entrega as raízes a* LIANA.) Raiz de umbuzeiro... É a única água que resta. (*Guarda uma raiz para si e põe-se a mastigá-la.*)

PEDRO / (*Tira uma também para si.*) Quero mais não.

LIANA / Vou levá lá pra dentro. (*Sai, levando as raízes.*)

JERÔNIMO / (*Deixa-se cair num banco.*) Tá ruim...

PEDRO / Que é que o senhô acha? Que a gente inda guenta mais?

JERÔNIMO / E por que não? Tu não é home? Eu já guentei seca muito pió, muito mais tempo.

PEDRO / E se isso continuá a vida toda?

JERÔNIMO	Bom, aí a gente não tem outro jeito... é í com os retirante.
PEDRO	E o senhô acha que a seca vai continuá?
JERÔNIMO	Desde o princípio que eu sei, essa vai sê de dois ano pra cima.
PEDRO	Que é que o senhô tá esperando, então?
JERÔNIMO	E tu vai deixá tua terra, assim, só por causa duma seca de dois mês?! Só gente frôxa é que faz isso. Não adianta tê esperança, porque a chuva não vem mesmo tão cedo. Mas também a gente não vai fugi que nem galinha. A gente finge que tem esperança, reza, faz mandinga e guenta firme. Nada disso adianta, mas isso é que é. (*Encosta-se na mesa, leva a mão à cabeça como se sentisse tonturas.*)
PEDRO	Tá sentindo alguma coisa?
JERÔNIMO	Nada... é a peste desse sol que entontece a gente. Tou com a cabeça que parece pião... (*Entra* ANSELMO.)
JERÔNIMO	Nada?...
ANSELMO	Nada. Andei cavando aí... A terra tá seca, seca.
JERÔNIMO	Qué raiz de umbu, tem lá dentro. Engana a sede.
ANSELMO	Não... eu já nem tenho mais sede.
JERÔNIMO	Eu bem lhe disse quando tu chegou aqui. Seca não é brinquedo. Só pra quem tá acostumado, caboclo já curtido.
ANSELMO	A seca a gente aguenta, a ingratidão de terra. Difícil de suportá é a saudade do mar.
PEDRO	Tu inda acaba maluco com essa história de mar.
JERÔNIMO	Não é pra te mandá embora, não, mas, se tu tem saudade da tua terra e isso aqui tá nessa miséria, por que não vai embora?

PEDRO — Pois é...

JERÔNIMO — Nós não vamo, porque somos filho daqui, temo amô a essa terra desgraçada. E fica feio pra um sertanejo fugi da seca sem resisti até o fim. Mas tu não tem nada disso. Tu pode.

ANSELMO — Não sei... Há qualqué coisa que me prende aqui. Eu quero í, mas não posso. Ao mesmo tempo que uma coisa me puxa de lá, outra me prende aqui.

JERÔNIMO — Até hoje, só vi uma coisa prendê o forasteiro aqui quando chega a seca: a morte.

ANSELMO — É, tem vez que eu penso que é isso, que é a morte que me prende aqui. Mas não é. É uma coisa esquisita... Assim como se eu tivesse criado raiz, raiz forte que entra pela terra adentro. E a vontade que eu tenho não é de arrancá essa raiz. É de engrossá, multiplicá, vará com elas a terra toda, pra depois renascê numa porção de árvores.

JERÔNIMO — Mas afinal, tu qué ou não qué í simbora?

ANSELMO — Quero.

JERÔNIMO — Então, eu não entendo.

ANSELMO — Nem eu. (*Entra* LIANA *com três cuias de farinha e as raízes de umbuzeiro.*)

LIANA — Tinha um resto de farinha aí... (*Dá uma cuia a cada um e põe as raízes sobre a mesa.*)

JERÔNIMO — Tem mais não?

LIANA — Não, acabou.

JERÔNIMO — Vamos vê se a gente arranja mais com o Coroné. A Casa-Grande tá empanzinada de farinha.

PEDRO — É, mas água eles parece que num tem mais não. Mandaram buscá lá no açude.

JERÔNIMO	O açude já esvaziou.
PEDRO	Pois é, eles tão comendo uma durêta. (*Comem.* LIANA *vai até o fundo e fita o céu, ansiosamente.*)
LIANA	Nem uma nuvem no céu.
ANSELMO	Não sei como vocês inda podem tê esperança.
JERÔNIMO	Tu não pode entendê.
ANSELMO	Não entendo como vocês se conformam com tudo isso!
JERÔNIMO	O que é que a gente vai fazê?... (JERÔNIMO, *sem se alterar, apanha uma raiz sobre a mesa, trinca nos dentes e oferece outra a* ANSELMO. *Entram o* CORONEL *e* JAGUNÇO. *Todos se levantam pressurosos e algo surpresos.*)
CORONEL	Boa tarde.
JERÔNIMO	Tardes.
PEDRO	Tardes.
JERÔNIMO	Que manda seu Coroné?
CORONEL	É sobre aquele dinheiro...
JERÔNIMO	O dinheiro que o seu Coroné emprestou?
CORONEL	Você sabe que já venceu o prazo?
JERÔNIMO	Sei, mas seu Coroné não disse que, por causa da seca, o pagamento ficava adiado pra safra vindoura?
CORONEL	Disse, mas mudei de ideia.
JERÔNIMO	Mas nós não podemos pagá agora. Seu Coroné tá vendo. A safra foi toda estragada pela magrém, nós tamo morrendo de fome e de sede... Seu Coroné tá vendo.
JAGUNÇO	Isso é conversa.
LIANA	O senhô não podia esperá um pouquinho mais?

CORONEL	Já estou cansado de esperar.
PEDRO	Na próxima safra a gente pagava.
CORONEL	Ninguém sabe quando será a próxima safra.
JERÔNIMO	Então, seu Coroné, me disculpe, mas nós não temo com que pagá.
CORONEL	Não têm? E este sítio?
JERÔNIMO	Este sítio? Mas este sítio é nosso!
CORONEL	Então? Se é de vocês, vocês têm com que pagar.
ANSELMO	O senhô não pode fazê isso!
CORONEL	(*Mordaz e ameaçador.*) E por quê?
ANSELMO	Porque não é justo!
PEDRO	O senhô deu sua palavra...
CORONEL	Não dei palavra nenhuma.
ANSELMO	Mas prometeu adiá a cobrança.
CORONEL	Isso é outra coisa. Prometi, mas mudei de ideia. Pronto.
ANSELMO	O senhô não pode tomá a terra deles, assim, sem mais nem menos.
CORONEL	Não posso?! Então eu não posso cobrar o que eles me devem?
ANSELMO	Mas eles prometeram lhe pagá com a safra.
CORONEL	E cadê a safra?
ANSELMO	A seca estragou.
CORONEL	Então eles têm que pagar de qualquer outro modo.
ANSELMO	Não é direito, é uma injustiça!

CORONEL	Olha, moço, a justiça aqui quem faz é o mais forte, ouviu?
JAGUNÇO	(*Adiantando-se, ameaçador.*) É bom não se esquecê disso.
CORONEL	Têm dois dias para sair daqui. Por bem. A menos que prefiram sair por mal.
LIANA	O senhô tem tanta terra, pra que precisa da nossa?
CORONEL	Isso é cá comigo.
LIANA	O pai tá velho, com maleita, o senhô vai matá o nosso pai!
CORONEL	Não tenha susto que ele não morre. Vão pro campo de concentração. Lá ninguém morre de fome nem de sede. (*Examinando-a com um olhar libidinoso. Para* JERÔNIMO:) É sua filha?
JERÔNIMO	(*Hostil.*) É.
CORONEL	(*Terminando o exame com um gesto de pouco caso.*) Bem, estão prevenidos. Têm 48 horas pra me pagar. Nem mais um minuto. (*Sai o* CORONEL *seguido de um* JAGUNÇO. PEDRO *faz menção de segui-los.* LIANA *o detém.*)
PEDRO	Mato esse miserável!
ANSELMO	Ele não pode fazê isso! Não pode tomá a terra que é de vocês!
LIANA	Ele tem 20 jagunços, que é que ele não pode?
JERÔNIMO	Miserável! Há muito tempo que ele bota o olho no meu roçado. Agora aproveitou... Cão do inferno!
LIANA	Ele pensa que a gente descobriu alguma mina de água aqui. É isso.
JERÔNIMO	Mina de água... Queria vê esse desgraçado morrê de sede!

PEDRO — Mas nós não vamo resisti?

JERÔNIMO — Se fosse eu só, resistia. Pouco me importava que eles me metessem uma bala no couro. Tou velho, pouco importa. Matava também um bucado dessa jagunçada. Mas vocês são moço, é cedo pra morrerem.

PEDRO — Pois eu pouco me importo. Morro, mas não arredo pé daqui.

JERÔNIMO — Não, você precisa vivê. Se você morrê, quem é que vai me vingá? Aí é que ele fica pra sempre com o nosso roçado.

LIANA — O pai tem razão.

ANSELMO — O que é que a gente vai fazê agora?

JERÔNIMO — (*Vai até o fundo, olha tristemente para o seu roçado estéril.*) Agora? Dá uma última olhada pra nossa terra e tê fé em Deus... (*Volta-se e vem descendo quando esbarra numa mesa, tateia como se estivesse cego.*)

LIANA — Pai! (*Correm todos para ampará-lo.*)

PEDRO — Que é que o senhô tem?! (JERÔNIMO *arregala os olhos, procurando ver os objetos.*)

ANSELMO — (*Passa a mão próximo aos seus olhos.*) Tá cego!

LIANA — Pai!

JERÔNIMO — (*Senta-se, tateando.*) Não, não se assustem. Isso é do sol...

LIANA — Deslumbramento?

JERÔNIMO — É, passa logo... Olha, já tá passando... é sol demais... Deslumbramento...

ANSELMO — Passou?

JERÔNIMO — Tá passando. Isso é assim mesmo.

PEDRO   E a gente agora vai pro campo de concentração?

JERÔNIMO   Que jeito?

ANSELMO   Campo de concentração?

JERÔNIMO   É, uma miséria, pior do que isso aqui.

ANSELMO   Por que é que vocês não vão pro litoral?

JERÔNIMO   Pra quê? Pra pedi esmola?

ANSELMO   Não, pra minha casa.

PEDRO   Você tem casa?

ANSELMO   Tenho, uma casa na beira da praia, junto ao mar... Não é pior do que esta. Lá, de fome vocês não morrem. Tem o mar, vocês podem sê pescadô...

JERÔNIMO   Pescadô?! A gente nunca pescou.

ANSELMO   Não faz mal. Aprende. Não é difícil.

JERÔNIMO   Que é que vocês acham?

PEDRO   É melhó que í pro campo de concentração.

LIANA   Tenho medo.

ANSELMO   Medo de quê?

LIANA   Não sei...

ANSELMO   Ora... Dentro de pouco tempo, vocês se habituam à vida do mar. Na terra, nunca se é livre, porque a terra sempre tem dono. E o mais forte engole o mais fraco. No mar, não. O mar não é de ninguém e é de todo mundo. No mar a gente é livre. Pode í pra onde quisé, pode ancorá onde quisé. Ninguém vem lhe dizê: "Sai daí, esse mar é meu, essa água é minha. A terra é a escravidão, o mar é a liberdade."

LIANA — (*Sempre demonstrando receio, apreensão.*) Mas não é muito longe?

ANSELMO — Longe nada, numa semana a gente tá lá.

PEDRO — De qualqué jeito, a gente tem que saí daqui mesmo, não é?

ANSELMO — Se não fosse o Coroné, era a terra que expulsava a gente.

JERÔNIMO — É, não vamo pensá mais não. Cada um que arrume a sua trouxa. (*Levanta-se.*)

LIANA — Já ficô bom da vista?

JERÔNIMO — Já, já. (*Contempla mais uma vez, triste e estoico, a plantação dizimada?*) Pedro, desarma as rede. (*Para* LIANA:) Liana, veja o que é preciso levá daqui. (*Sai, cabisbaixo.*) (PEDRO *sai.*)

ANSELMO — Você vai vê como é lindo o mar!

LIANA — Odeio! Odeio!

ANSELMO — Mas você nunca viu...? Por quê?

LIANA — Sei não... Mas detesto desde já. Ele e você, que entrou aqui como Satanás pra arrancá a gente da nossa terra!

ANSELMO — (*Ferido e surpreso.*) Eu?

LIANA — Você, sim! Odeio você!

PANO

segundo ato

CENÁRIO: *Casa de pescador. Sala rústica, revelando a mesma multiplicidade de usos da anterior. Entretanto, um observador atilado perceberia menos desconforto e mais abastança. Uma rede estendida, um armário; encostada à parede uma vela de saveiro. Uma porta dando para o mar, uma janela sem vidraça, um tamborete. Ao centro da cena, uma mesa tosca, rodeada de cadeiras, em estado pouco satisfatório. Sobre a mesa, um prato com mangas e cajus. Por toda a sala, espalhados pelos cantos, utensílios de pesca: varas, arpões, cordas, remos, uma rede etc., um candeeiro de querosene e outros detalhes.*

TERCEIRO QUADRO

A cena está quase às escuras. Entra ANSELMO *bocejando, espreguiçando-se. Abre a janela e a porta. Duas golfadas de luz invadem a cena. Na porta* ANSELMO *respira forte o ar puro que vem do mar. Perscruta o horizonte, sorri satisfeito.*

ANSELMO — (*Para fora:*) Mundo! Oh, Mundo! Acorda, home! Isso é hora de se dormi? Quase seis hora. Quá! Vocês de hoje num guenta com essa vida não. Home hoje nasce tudo maricas. Os home tão se acabando. (*Põe-se a arrumar os instrumentos de pescaria, para levá-los para a praia.*)

RAIMUNDO — (*Entra, bocejando, sonolento ainda.*) Já é hora?

ANSELMO — Se já é hora... não vê que o dia já clareou, home? É de hoje que eu tou acordado... E a maré tá vazando, se a gente demora, o saveiro encalha. (*Aponta para fora.*) Olha lá: já tá quase metendo a proa na areia.

RAIMUNDO (*Descalço, as calças remendadas, tatuagens nos braços nus. Uma medalha com um bentinho, pendente do pescoço.*) Acho que não vou com vocês não.

ANSELMO Pra onde é que tu vai?

RAIMUNDO Vou saí cum a canoa aqui por perto mesmo.

ANSELMO (*Irônico.*) Vai pescá siri?

RAIMUNDO Siri? Ali no canto do Forte tá assim de tainha. O Juca da Filó foi pra lá onte e voltou cum a canoa até em cima.

ANSELMO Qual, vocês de hoje são mesmo uns boa-vida. Pegá peixe aqui na beira da praia...

RAIMUNDO Jerônimo e Pedro não vão com você?

ANSELMO Vão, sim.

RAIMUNDO Não precisa eu í...

ANSELMO É, mas veja se faz alguma coisa. Vá aí na casa de junto chamá esses dorminhocos. Cadê sua mãe? Também inda não acordou? (*Chamando.*) Rosa! Oh, Rosa!

RAIMUNDO Tá fazendo o café.

ANSELMO Anda, vá acordá esse pessoal, senão eles dorme até meio-dia. (*Sai* RAIMUNDO.) Gente mole. Quando eu digo que gente da terra não guenta rojão... A terra só faz home mole, como minhoca. Rosa! Oh, Rosa!

ROSA (*Entrando.*) Que é! Que é? Oh, home, tu faz mais zoada que o apito do vapor! (*Despachada, tipo quase másculo. No seu traje não há nada que chame especialmente a atenção, exceto o relaxamento e a pobreza.*)

ANSELMO Você leva um ano pra fazê esse café! Tou acordado há mais de uma hora.

ROSA (*Interrompendo.*) Uma hora, não. Deixe de sê loroteiro. Você acordou agora, que eu vi.

ANSELMO É, mas já tinha tempo desse café tá pronto.

ROSA Se tá com pressa, por que não vai fazê?

ANSELMO Isso não é serviço pra home.

ROSA Não, é porque vocês, homens, não prestam pra nada. Só sabem mandá, reclamá. Pois eu sou mulhé, mas faço qualqué serviço de home.

ANSELMO Acredito, mas vá fazê o café.

ROSA Vocês todos são é uns conversa-fiada. Até hoje, só encontrei um home no mundo: foi o meu, que o mar levou. O resto, é tudo uma cambada de farofeiro. Eu sou mais home que qualqué um deles, e você também tá no meio, apesar de sê meu irmão.

ANSELMO Cala essa boca, mulhé. Anda depressa, a maré tá vazando, a gente precisa saí já!

ROSA Não grite. Não grite, senão eu não vou. (*Sai, resmungando.*) (ANSELMO *toma de um grande anzol e põe-se a amarrá-lo na extremidade de um arame.*) (*Entra* RAIMUNDO.)

RAIMUNDO Eles já vêm vindo.

ANSELMO Nesse andá, não é hoje que a gente sai daqui. Tome, bote uma chumbada nesta linha, enquanto eu vou levá esses remo lá pro saveiro. (*Entrega a* RAIMUNDO *o anzol e o arame. Pega dois remos e sai.*) (*Entra* ROSA.)

ROSA Pronto. Já tá pronto o café. (*Notando a ausência de* ANSELMO.) Cadê seu tio?

RAIMUNDO Tá na praia.

ROSA Tanta pressa...

RAIMUNDO	Foi levá os remo pro saveiro.
ROSA	Seu Jerônimo não vai também?
RAIMUNDO	Vai. Ele e Pedro.
ROSA	Você?
RAIMUNDO	Eu, não. Vou pescá sozinho.
ROSA	Sozinho, hein? Sei disso. Pescador quando deixa a companhia dos outro, pra í pescá sozinho... tem mulhé no anzol.
RAIMUNDO	Mulhé nenhuma.
ROSA	Sei disso. Olha, eu não tenho nada com isso não, mas essa história vai acabá mal...
RAIMUNDO	Por quê?
ROSA	Você tá se engraçando com a filha do seu Jerônimo. Olha que às vez a pititinga tá biliscando o anzol, chega o cação, engole pititinga, anzol e tudo...
RAIMUNDO	Que é que você qué dizê?
ROSA	Eu acho que seu tio também tá de olho nessa isca...
RAIMUNDO	Anselmo? Que o quê! Ele tem idade pra sê pai dela...
ROSA	E o que é que tem isso, filho, quando a isca é nova, tudo quanto é peixe qué mordê, inté mesmo peixe velho.
RAIMUNDO	Nada, Anselmo gosta dela, mas é como duma filha. Ele mesmo disse uma vez.
ROSA	Sei disso. Olha, filho, eu tenho mais ostra nas costa do que casco de saveiro velho, sei muito bem quando um home tá embeiçado por uma mulhé. Há três mês que essa gente tá aqui e até hoje inda não passou um dia que ele não trouxesse pra ela, de volta do mar, um

	búzio, uma concha bonita. E pescadô quando dá pra esquecê o peixe e catá concha na praia... tá perdido.
RAIMUNDO	(*Sem convicção.*) Não acredito.
ROSA	Então não acredite. Vocês home são tudo uns cabeça dura, uns idiota, não enxergam um palmo adiante do nariz. Vou vê esse café, que já deve tá gelado. Vocês vêm ou não vêm tomá café?
RAIMUNDO	(*Maquinalmente, com o pensamento distante.*) Já vou... (*Sai* ROSA, *entra* ANSELMO.)
ANSELMO	Cadê eles, inda não tão aqui?!
RAIMUNDO	(*Surdamente.*) Não.
ANSELMO	Gente mole! Pensam que pescá é a mesma coisa que plantá repolho, que se pode fazê a qualqué hora. Quá! Esse pessoá que vive mexendo em terra... parece que criam raiz no chão, pra se movê é um custo. (*Para* RAIMUNDO:) Oh, home, cadê a chumbada que eu mandei você botá nessa linha?
RAIMUNDO	(*Displicente.*) Taí...
ANSELMO	(*Apanhando a linha de pesca.*) Taí o quê? O que você fez aqui foi um bolo desgraçado!
RAIMUNDO	(*Irritando-se subitamente.*) Ah! Faça você! Não sou seu criado! (*Sai.*)
ANSELMO	(*Surpreso.*) Ei! Que foi que tu viu, home?! (*Entram* JERÔNIMO *e* PEDRO.)
JERÔNIMO	(*Entrando.*) Bom dia!
ANSELMO	Puxa! Pensei que não vinham mais!
JERÔNIMO	Tava tomando café.
PEDRO	O mar hoje tá meio arrevesado...
ANSELMO	Que nada. Tá que é uma beleza, parece até uma lagoa.

JERÔNIMO	Praqueles lados de lá, o céu tá meio carregado.
ANSELMO	Carregado coisa nenhuma. Vocês tão cum medo dumas nuvenzinha. Aquele lado de lá não interessa. Nós vamo pro lado de cá.
JERÔNIMO	Você num acha que o vento tá muito forte?
ANSELMO	Qua nada. Uma viraçãozinha à toa.
JERÔNIMO	Bom...
ANSELMO	Vocês nunca viram um pé-de-vento.
JERÔNIMO	Já tomou café?
ANSELMO	Inda não. Vou já tomá.
JERÔNIMO	Bom, então a gente espera você lá na praia.
ANSELMO	É, mas aproveitem. Levem esses troços: a vela, essa caixa...
PEDRO	Este cesto também é pra levá?
ANSELMO	É. Botem tudo no saveiro. Vou já pra lá. (*Vão sair.*) Espera, olha a cana do leme. (*Entrega-a a* PEDRO.) Podem ir. (*Saem* JERÔNIMO *e* PEDRO, *levando os apetrechos de pesca.*) Gente frôxa... Com medo de uma nuvenzinha. (*Para fora:*) Olhe esse café! (*Entra* RAIMUNDO, *lento, cabisbaixo.*)
ANSELMO	Ei, Mundo, que é que tu tem?
RAIMUNDO	Nada, não.
ANSELMO	Então, deixa desses nervosismo, senão vai se dá mal... (*Pausa.*)
RAIMUNDO	Tio... que é que o senhô pensa de Liana?
ANSELMO	Que é que eu penso? É uma boa moça.
RAIMUNDO	O senhô gosta dela?

ANSELMO	Se tô lhe dizendo que ela é uma boa moça, é porque gosto dela.
RAIMUNDO	Como quê?
ANSELMO	Como se fosse minha filha.
RAIMUNDO	Tem certeza?
ANSELMO	(*Irritando-se.*) Mas por que essas perguntas todas?! Que é que tu tem com isso? Gosto de quem quisé e como quisé! Ninguém tem nada com a minha vida! E quem quisé que se meta na minha proa!... Quem quisé que se meta! Ouviu?!
RAIMUNDO	Ouvi, sim. Ouvi e entendi... Pois sinto muito, tio, mas o seu barco vai encalhá... (*Sai.*)
ANSELMO	É o que você pensa! Pois não encalha, não. Eu não sou principiante! (*Entra* LIANA.)
LIANA	Bom dia.
ANSELMO	(*Mudando.*) Olá!
LIANA	Cadê eles, não tão aqui?
ANSELMO	Não, foram lá pro saveiro.
LIANA	Ah!... (*Faz menção de sair.*)
ANSELMO	Pode esperá aqui. Eles vêm pra cá.
LIANA	É, mas eu...
ANSELMO	Tava querendo lhe dizê uma coisa...
LIANA	A mim?
ANSELMO	É, a você.
LIANA	Tou escutando.
ANSELMO	Você gosta daqui?
LIANA	Gosto. Todos me tratam bem.

ANSELMO	Você não odiava o mar?
LIANA	Odiava, antes de conhecê. Odiava porque tinha sido forçada a deixá minha terra pra vi morá aqui. Mas ele não tinha culpa. O mar é muito bonito.
ANSELMO	Você já aprendeu a gostá dele.
LIANA	Não, inda não gosto dele. É muito bonito, mas não consigo gostá.
ANSELMO	Por quê?
LIANA	É como uma suçuarana, traiçoeira, dormindo na tocaia, pronta pra dá o bote. Não gosto dele.
ANSELMO	Você inda não compreendeu o mar.
LIANA	Não posso compreendê. Nem a vocês.
ANSELMO	É, você não pode compreendê a gente. (*Como quem vai se declarar.*) Liana...
LIANA	(*Interrompendo.*) Se ele fosse amigo de vocês, não tinha levado sua mulhé e sua filha.
ANSELMO	(*Leva um choque, retrocede.*) Minha filha! Por que sempre fala em minha filha? (*Como quem afasta um espectro.*) Já morreu! Já morreu! Proíbo que fale nela! Pra quê? Tá morta! Tá morta! (LIANA *recua para a porta, aterrada.*)
ANSELMO	(*Recuperando o domínio.*) Desculpe. Gosto muito de você. (*Entra* ROSA.)
ROSA	É assim que tava com tanta pressa. O café já tá frio e você aí...
ANSELMO	Já vou. (*Sai.*)
ROSA	(*Notando a expressão do rosto de* ANSELMO *ao sair.*) Que é que ele tem?
LIANA	Sei não....

ROSA	Parece que anda com o diabo no corpo. Uma hora tá alegre, rindo, cantando. Outra hora fica triste, emburrado, que não dá uma palavra com ninguém. Tem dias que entra aqui como uma fera, xingando a gente, querendo batê em todo mundo. Outro dia, nem parece. Brinca, ri, chega inté a abraçá a gente.

LIANA	Não entendo os homens daqui.

ROSA	Ah, minha filha, eu nasci aqui, nasci no mar, dentro dum saveiro. E nunca entendi os homes do mar. E não adianta procurá entendê. É o mar que faz eles assim. Uma hora é calmo, amigo, irmão da gente. De repente se enfurece e é traiçoeiro, mau, assassino, quando sopra o nordeste e estronda a tempestade.

LIANA	Tenho medo do mar.

ROSA	Não, o que você tem é ódio.

LIANA	Não...

ROSA	Toda mulhé odeia o mar. Odeia porque tem ciúme. Um pescadô pode abandoná a mulhé; o mar, ele nunca abandona. E, quando abandona, volta de novo, como Anselmo. O mar governa eles. Faz o que quer. E um dia, Iemanjá deseja um deles, leva, nunca mais traz.

LIANA	Iemanjá...

ROSA	Casá cum pescadô é casá cum um home que já é casado. Casado com Iemanjá, dona do mar, dona deles.

LIANA	É horrível a gente tê certeza que um dia...

ROSA	Que um dia ele vai vivê com ela. O meu home também, ela levou.

LIANA	E como você pode ficá aqui?

ROSA	Porque eu também sou como eles. Uma hora me enfureço, xingo o mar de tudo quanto é nome. Outra hora me arrependo, faço as paz, chego até a gostá dele. Sei lá... A gente do mar é assim: tudo tem maré... (*Entra* RAIMUNDO.)

ROSA Mas eu vou vê esse home lá dentro, senão daqui a pouco ele tá berrando. (*Sai.*)

RAIMUNDO (*Sem ter outra fase para iniciar o diálogo.*) Como vai?

LIANA Bem, e você?

RAIMUNDO Quê tava falando com a velha?

LIANA Do mar.

RAIMUNDO Do mar? Hum... Sabe? Eu não vou pescá não.

LIANA Não vai? Por quê?

RAIMUNDO Vou pescá, sim, mas não vou com eles. Vou só mais tarde, aqui perto.

LIANA Ahn...

RAIMUNDO Você... você ficava zangada se eu lhe convidasse...?

LIANA Pra pescá?

RAIMUNDO Sim.

LIANA Ficava zangada não, mas não aceitava.

RAIMUNDO Por quê? É aqui perto. Não tem perigo.

LIANA Não gosto.

RAIMUNDO Mas, se fosse com tio Anselmo, tu ia.

LIANA Nunca fui. Por que tu diz isso?

RAIMUNDO Nada. Por nada.

LIANA Você também só me chama pra pescá...

RAIMUNDO Outro dia, lhe chamei pra passeá e você não quis.

LIANA Passeá de canoa.

RAIMUNDO — Então?

LIANA — Você não sabe passeá em terra, não?

RAIMUNDO — No mar é mais bonito.

LIANA — (*Firme.*) Não acho.

RAIMUNDO — Quem passeia em terra é minhoca.

LIANA — Pois eu sou minhoca, pronto.

RAIMUNDO — Eu não quis dizê...

LIANA — E hoje vou passeá pra bem longe daqui.

RAIMUNDO — Onde?

LIANA — Muito pra lá da Fonte da Bica.

RAIMUNDO — Fazê o quê?

LIANA — Apanhá caju. Mas você, com certeza, não qué í...

RAIMUNDO — Vou não. Vou pescá. (*Está quase junto de* LIANA. *Sente a atração do seu corpo. Não resiste, abraça-a.*) Liana!

LIANA — Não faça isso!

RAIMUNDO — Sabe o que é que eu pareço? Um saveiro todo esburacado, fazendo água, dentro da tempestade. Quanto mais água a gente tira de dentro, mais água entra. E, no fim, o saveiro acaba indo pro fundo mesmo. Assim tou eu.

LIANA — Só que você tá naufragando em terra firme...

RAIMUNDO — É, é uma vergonha. Vou perdê toda a minha reputação de pescadô. Mas que importa? Deixa naufragá... (*Abraça-a novamente.*) (*Entra* ANSELMO. *Presencia o final da cena.* LIANA *e* RAIMUNDO *procuram disfarçar.*)

ANSELMO — (*Para* LIANA:) Cadê eles?

LIANA — Não voltaram. (*Entram* JERÔNIMO *e* PEDRO.)

JERÔNIMO	Como é? Ocês vêm ou não vêm?
ANSELMO	Vamo. Vamo embora. (*Apanha o chapéu de palha e mais alguns utensílios de pesca.*)
PEDRO	O tempo tá ficando feio lá pros lados de Encarnação.
ANSELMO	Melhó.
JERÔNIMO	Sério mesmo. Parece que vai havê temporal.
ANSELMO	Ótimo. Vocês vão vê como é bonito um temporal!
LIANA	Não é perigoso saí assim?
ANSELMO	Só quando se é mau pescadô. O mau pescadô naufraga até em terra firme. (*Para os outros:*) Vamo.
PEDRO	(*Para* RAIMUNDO*:*) Tu não vem?
ANSELMO	Não, ele vai pescá minhoca...

Saem ANSELMO, JERÔNIMO *e* PEDRO, *enquanto...*

CAI A CORTINA

QUARTO QUADRO

É noite de tempestade. O eco dos trovões vem de vez em quando quebrar a monotonia dos gemidos compassados do mar. A cena está quase às escuras. Apenas o candeeiro de querosene asperge a sua luz bruxuleante. Porta e janela fechadas. Batem na porta insistentemente. Ouve-se o riso nervoso, alucinado, de ROSA. *Entra* RAIMUNDO *e abre a porta. Entra* LIANA, *embrulhada num xale, um pouco molhada pela chuva.*

RAIMUNDO	Alguma coisa?...
LIANA	Não, estive até agora na praia, olhando. Nem sombra deles.
RAIMUNDO	Daqui a pouco eles tão aí. Com esse temporal, eles não vão sê besta de ficá no mar.
LIANA	No mar tá uma cerração que não se vê nada, nada.

RAIMUNDO   Não pode vê.

LIANA   Você não acha que era tempo de eles estarem aqui?

RAIMUNDO   Não se assuste.

LIANA   (*Interrompendo.*) O temporal começou tem três horas! Eles deviam tê tomado o rumo de casa quando começou. Já tinha tempo!

RAIMUNDO   É, mas não tem de quê tê receio. Anselmo é o melhó mestre de saveiro que tem por essas bandas. (*Ouve-se o grito idiota de* ROSA.)

LIANA   Que é isso?!

RAIMUNDO   É a velha. Desde que o velho morreu que, de vez em quando, ela fica assim. Quase sempre quando tem temporal.

LIANA   Mundo, eu tenho medo!

RAIMUNDO   Medo de quê? Da mamãe?

LIANA   Não, do mar!

RAIMUNDO   Ora...

LIANA   Acho que aconteceu alguma coisa!...

RAIMUNDO   Taí, eu nunca pensei que você tivesse medo de alguma coisa. Lá no sertão, lugá de jagunço, de gente que mata por qualqué dois vintém, diz que você não se arreceiava de nada. O tio diz que a primeira vez que lhe viu, você meteu um trabuco no peito dele.

LIANA   É, mas com os jagunço a gente pode se defendê. Pode morrê, mas também pode matá. A luta é igual, quando a gente tá prevenido.

RAIMUNDO   E a terra? Você que gosta tanto da terra... A terra mata vocês de sede e vocês não pode se defendê.

LIANA   Mas a terra não é traiçoeira. A terra avisa. Só morre de sede quem qué. Muitos mês antes, a terra avisa.

Dá tempo da gente fugi. Só morre quem tem mais amor à terra do que à vida. Mas o mar, não.

RAIMUNDO   O mar também avisa quando vem temporal. A gente conhece...

LIANA   Mas o mar não deixa todos escaparem. Não dá tempo. O temporal cai de repente. E sempre pega um. Enquanto a terra faz tudo pra que a gente fuja, vá embora, que ela não qué nos vê morrê, o mar se enrosca como uma sucuri e dá bote em cima do bote, louco pra nos tragá, pra nos devorá!

RAIMUNDO   O mar foi feito pra homem...

LIANA   E é por isso que eu não gosto dele.

RAIMUNDO   E como vai sê quando... (*Estaca, sem jeito para continuar.*)

LIANA   Quando o quê?

RAIMUNDO   Quando a gente... não é? (*Toma coragem.*) Quando a gente se casá? Você não qué casá comigo?

LIANA   Quero.

RAIMUNDO   Então? Quando você fô minha mulhé, vai precisá í de vez em quando comigo no saveiro. Pros outro vê que você é mesmo mulhé de pescadô. Vou ficá orgulhoso. Braço firme no leme, outro abraçando você... e o saveiro riscando o mar. Até os peixe vão tê inveja de mim.

LIANA   (*Suplicando.*) Não! Se a gente se casá vamo embora daqui.

RAIMUNDO   Embora, pra onde?

LIANA   Pra qualqué lugá, longe do mar.

RAIMUNDO   Mas eu sou pescadô. Você não entende?

LIANA   Você pode arranjá outra profissão.

RAIMUNDO	Posso não! Eu nasci pescadô. É o meu destino. Posso não.
LIANA	E morrê afogado, também é seu destino? (*Entra* ROSA.)
ROSA	(*Para* LIANA:) Eu não lhe disse?... (*Aponta o mar.*) Iemanjá tá desejando home! Hoje vai um vivê com ela no castelo encantado do fundo do mar!
RAIMUNDO	Mãe!...
ROSA	Eu não disse que ela não gosta da gente? Odeia, tem raiva da gente! Hoje ela tá com raiva é de mim. Porque ela levou o meu home, mas eu não arredo pé daqui! Ela há de me dá de volta!... Há de me dá de volta!...
LIANA	Dona Rosa!
RAIMUNDO	(*Tentando contê-la.*) Mamãe...
ROSA	Olha!... Tá ouvindo como geme? A safada!... Isso é pra me fazê ciúme. Qué mostrá que o meu home tá com ela. Foi numa noite assim, que ela levou ele... e numa noite assim, ela vai tê que trazê ele de volta! (RAIMUNDO *consegue levá-la para fora. Volta em seguida.*)
RAIMUNDO	Não tenha medo. Ela não faz nada. Fica só assim.
LIANA	Coitada... E você qué que eu fique igual a ela? (*Batem na porta.* RAIMUNDO *vai abri-la. Entra* MESTRE JUCA. *Traja-se mais ou menos como os outros. Embrulhado numa capa, as calças arregaçadas, está um pouco molhado.*)
RAIMUNDO	Mestre Juca!
JUCA	(*Entrando.*) Com licença. (*Para* LIANA:) Boa noite.
LIANA	Boa noite.
RAIMUNDO	Tomou um banho, hein?
JUCA	Não, quase nada, a chuva já passou.

RAIMUNDO   Chegou do mar?

JUCA   Cheguei, faz tempo já. E o cumpadre Anselmo?...

RAIMUNDO   Não chegou até agora.

JUCA   Sério mesmo? Pois é do tempo que ele passou por mim, lá perto de Encarnação...

LIANA   Vinha prá cá?

JUCA   Acho que vinha. O nordeste tava soprando rijo, e ele vinha fincado. Eu até brinquei cum ele: "Que vento leva, seu Mestre?" E ele me respondeu com um palavrão deste tamanho... (*Ri.*)

LIANA   Quanto tempo faz?

JUCA   Duas hora ou mais. Mas pode sê que eles não tenha vindo pra cá, não é? Até o Pedro gritou pra mim: "Tu tá doido, home? Temporal vem perto! Tu fica aí, tu vai morrê!" Eu respondí pra ele: "Cala a boca, home, temporal me respeita! Tu sim, precisa tomá cuidado, pra não ficá mareado!" (*Ri espalhafatosamente.*)

RAIMUNDO   O temporal foi mesmo brabo.

JUCA   Se foi. O fio do Zeferino virou ali perto da ponte. Diz que ía casá hoje com a fia do Zé da Cruz. Foi lá em Amoreira buscá o bolo do casamento que a avó dela tinha feito. Quando chegou aqui, quase pertinho da praia, uma onda virou o saveiro.

RAIMUNDO   Lá se foi o bolo.

JUCA   Foi coisa nenhuma. O desgraçado teve tempo de se atirá nágua com o bolo na mão. Veio nadando pra praia. Nadava com uma mão e o bolo na outra. Diz que o pessoá gritava: "Desgraçado, larga o bolo senão tu morre!" Mas ele, quedê de ouvi? Não largava o bolo. Cada onda do tamanho dum bonde engulia ele, mas a mão com o bolo ficava de fora. Inté que veio uma maió e não se viu mais o bolo. Logo depois, o corpo dele deu na praia. Tinha ainda uma velinha do bolo segura na mão... (*Ri.*)

LIANA — (*Irritando-se.*) Pare de rir! (*Abre a porta e fica olhando para fora.*) (JUCA *segreda qualquer coisa ao ouvido de* RAIMUNDO.)

RAIMUNDO — (*Fazendo-se muito assustado e querendo sair.*) É? Então vamo até lá!

JUCA — (*Detendo-o.*) Espera, home. Agora não adianta mais. Eles já chegaram aí no cais. Eu vim só pra preveni o espírito dela...

LIANA — Mundo! Evém eles aí! Evém eles... Mas que é aquilo?! Pedro! Pedro vem carregado! Pedro vem carregado, Mundo! (*Sai precipitadamente.*)

JUCA — Tá quasi morto. Bateram num banco de areia e viraram.

RAIMUNDO — Tio Anselmo que fez essa barberage?

JUCA — Parece que foi. (*Entra* ANSELMO. *Abatido, as roupas molhadas, o cabelo caído na testa. Entra curvado, como um vencido.*)

ANSELMO — (*Repentinamente, procurando dominar o próprio abatimento.*) Que é?! Que foi?! Por que tão me olhando com essas caras de bezerro desmamado? (*Pausa.*) Vamos! Digam logo o que tão pensando! Que foi barberage! Que um mestre de saveiro não faz aquilo. Não mete o saveiro num banco de areia, como qualqué principiante. Vamo! Digam! Podem dizê!

JUCA — Ninguém tá dizendo.

ANSELMO — Pois devem dizê?

RAIMUNDO — Como foi isso?

ANSELMO — Sei lá como foi.

RAIMUNDO	Já chamaram dotô pra ele?
ANSELMO	Já, já, o dotô já tá lá.
RAIMUNDO	Onde foi que vocês viraram?
ANSELMO	Na Coroa. Não sei como foi... O mar não tava de brincadeira, mas a gente vinha vindo bem. O Pedro vinha até cantando, zombando do mar. Queria por força que eu passasse o leme pra ele, pra ele mostrá que era tão bom marinheiro como eu. Mas eu não dei. Não dei, porque o mar não tava sopa. E ele ria a valê, fazendo pouco da tempestade. Nisso, quando eu olho de repente, o saveiro tava quase em cima da Coroa. Mais que depressa, dei um golpe no leme, o saveiro tombou de lado e ia passá sem batê, mas veio uma onda do outro lado, pegou ele em cheio e virou.
RAIMUNDO	Vocês ficaram embaixo...
ANSELMO	Só o Pedro. Ficou preso na rede. Mergulhei, e a custo consegui tirá ele de lá. Tava já sem sentido. Botei ele em cima do saveiro emborcado. A sorte foi que mestre Juca vinha passando, pegou a gente.
RAIMUNDO	Bebeu muita água?
ANSELMO	Bebeu. Tá todo arroxeado, e tudo por causa desse braço velho, encaniçado. A peste desses olho também, que não enxerga um palmo adiante do nariz.
JUCA	Não diga isso. Tu inda é o melhó mestre de saveiro que tem por essas banda.
ANSELMO	Que o quê. Tou uma lesma. Mais lerdo que um siri-mole. Mais imprestave que um casco de saveiro velho, emborcado no fundo do mar. Iemenjá precisa mandá me buscá. Não tenho mais nada que fazê aqui por cima. Mas acho que nem ela me qué mais...
JUCA	Ora, não diga isso, compadre. Virá saveiro é coisa que pode acontecê a qualqué um. (*Entra* LIANA. *Não está chorando. Sua fisionomia só traduz revolta.*)

LIANA	(*Para* ANSELMO:) O senhô tá vendo?... Tá vendo o que fez o seu lindo mar, amigo de todo mundo?
ANSELMO	O mar não tem culpa nenhuma. A culpa é toda minha. Tou velho... não sei mais nem governá um barco. Não presto mais pra nada.
JUCA	Mestre Anselmo...
LIANA	Não, deixe ele falá. Ele também tem culpa.
ANSELMO	Tenho toda a culpa.
LIANA	O senhô tem culpa, sim, mas não é por não sabê governá um saveiro, é por tê trazido a gente pra cá, pra esse inferno! A gente nunca que devia tê saído de lá, de nossa terra.
ANSELMO	Também acho.
LIANA	O senhô foi o espírito mau que trouxe a gente pra cá e nos fez esconjurá a terra. Isso que aconteceu foi castigo! Castigo do céu! (*Entra* ROSA *e fica parada, com um ar muito espantado.*)
LIANA	Pedro vai morrê e a culpa é sua! Só sua! (*Sai correndo.*)
RAIMUNDO	Liana!... (*Sai também.*)
ROSA	(*Ainda fora da razão.*) Que é?... Quem é que vai morrê?!
JUCA	Pedro...
ROSA	Eu não disse?... Eu sabia!... Eu sonhei!... Ela tinha que levá um! A safada! Eu sabia!... Eu sabia!...

CAI O PANO

terceiro
ato

QUINTO QUADRO

CENÁRIO: *o mesmo do ato anterior. É dia. A cena está deserta.*

LIANA — (*Entra, precipitadamente; tem nas mãos um jornal. Sua fisionomia denota um contentamento irreprimível.*) Pai! Pai! Pedro! (*Atravessa a cena, correndo.*) Pai! Pai! Pedro! Santa Luzia, onde é que se meteu essa gente?... (*Torna a sair, sempre afobada.*) (*Um segundo após, entra* ROSA.)

ROSA — (*Entrando.*) Que é? Diabo de gente, não sabem falá baixo... (*Vai até a porta, olha para fora, volta-se.*) Gritam, gritam, depois vão embora. (*Entra* ANSELMO.)

ROSA — Até que enfim!

ANSELMO — Até que enfim o quê?

ROSA — Você aparecê por aqui. Você saiu de casa ontem, se lembra?

ANSELMO — Me lembro, sim, melhó do que você.

ROSA — Se lembra também do lugá onde dormiu?

ANSELMO — Lembro. Dormi no cais, em cima dum caixão de bacalhau. O que é que você tem com isso?

ROSA — Eu, nada, graças a Deus. Por mim, você pode dormi até em cima dum caixão de dinamite, quanto mais...

ANSELMO — Então?...

ROSA — Agora, que isso não fica bem num home, não fica não.

ANSELMO   O que que não fica bem?

ROSA   Isso de andá se embriagando toda noite.

ANSELMO   Quem lhe disse que eu andei me embriagando?

ROSA   Não era preciso que ninguém dissesse. Eu vi você passá, onte de noite, ali perto da ponte. Jogava como saveiro em alto-mar, em dia de ressaca.

ANSELMO   Pois foi verdade, pronto. Bebi. Não tenho direito?

ROSA   Tem, sim. Todo mundo tem direito de bebê. E não é feio.

ANSELMO   E então? Se tem bebida, acho que só pode sê pra se bebê.

ROSA   Também não acho que seja fraqueza.

ANSELMO   Que fraqueza... Isso é história que esses padre inventam pra gente bebê menos e eles bebê mais.

ROSA   Agora, o que é fraqueza, o que é feio pra um homem, não é bebê, é ficá bêbado. Eu, que sou mulhé, bebo mais que qualqué um de vocês e nunca arreei a vela.

ANSELMO   Ora, conversa...

ROSA   Nunca dormi em cima de caixão de bacalhau... Isso sim, é feio.

ANSELMO   (*Explodindo.*) Pois se é feio, deixa! Quem dormiu foi eu, não foi você! Quem se embebedou foi eu, não foi você! E você não tem nada que se metê em minha vida!

ROSA   Não sou caranguejo, pra me metê em lodaçal...

ANSELMO   Senão um dia eu perco a calma e vocês vão vê! (*Pausa.*) Eu quero café.

ROSA   Vá fazê, que eu não sou sua criada. (*Noutro tom.*) Em cima do fogão tem, home. É só esquentá. (*Sai* ANSELMO.)

ROSA	Vocês homes são que nem manteiga — não guenta sol... (*Entram* JERÔNIMO *e* PEDRO.)
JERÔNIMO	Mestre Anselmo já apareceu?
ROSA	Tá na água...
JERÔNIMO	No mar?
ROSA	Não, dessa água ele não gosta mais.
JERÔNIMO	(*Compreendendo.*) Ah!... Um golinho não faz mal a ninguém.
ROSA	Golinho, hein? Um golinho desse dá pra qualqué um morrê afogado.
PEDRO	Deu pra isso agora?
ROSA	É. Ele até que nunca foi disso. Bebia, mas nunca pra ficá assim. Agora, depois que o Pedro se afogou...
PEDRO	Foi por minha causa, é?
ROSA	Não, por causa dele mesmo.
PEDRO	Dele?
ROSA	Sim, a barberage que ele fez, virando o saveiro. Todo mundo já sabe. Ele tá humilhado com isso.
JERÔNIMO	Mas não foi barberage.
ROSA	Ele teima que foi, que é que a gente vai fazê? Já é a segunda vez que isso acontece. Na primeira vez, foi quando morreu a mulhé e a filha dele. Ele se embrenhou pelo sertão adentro e só voltou agora, 10 anos depois. Daquela vez ele achou que a culpa era do mar. Agora, acha que a culpa é dele mesmo.
JERÔNIMO	Mas agora não morreu ninguém.
ROSA	Não morreu, mas ele acha que perdeu a honra de mestre de saveiro. Sei lá! Sei lá! Acho que tá tudo doido.

JERÔNIMO	Coitado de mestre Anselmo. Ele não tem culpa nenhuma. Nós sim. Nós é que somos culpado. Nunca que a gente devia tê saído da nossa terra.
ROSA	Eu não tenho nada com isso não, mas também acho que vocês fizeram besteira vindo pra cá. Gente da terra não se habitua com essa vida do mar.
JERÔNIMO	Habitua não.
ROSA	Isso só pra quem tem água salgada nas veia.
JERÔNIMO	É isso mesmo.
ROSA	Vocês qué falá com Anselmo?
JERÔNIMO	Cadê ele? Tá aí?
ROSA	Tá lá dentro.
JERÔNIMO	Desde onte que a gente anda à procura dele.
ROSA	Tava metido na venda do espanhol.
PEDRO	Oxente, nós tivemo lá...
ROSA	Ele não tava?
PEDRO	Não.
ROSA	Então era porque já tinha ancorado no caixão de bacalhau... (*Para fora:*) Anselmo! Pera aí que eu vou botá ele pra cá. (*Sai.*)
PEDRO	(*Senta-se no chão.*) O senhô tem razão, pai, até pra morrê a terra é melhó que o mar. A terra tem calô... É assim como uma mulhé, que a gente aperta nos braço e sente o calô do corpo, a batida do coração. O mar, não. O mar é frio, sem alma.
JERÔNIMO	Só a gente pode sabê e compreendê o que é a terra, Pedro.
PEDRO	Se a gente estivesse lá agora, hein, pai? No nosso roçado...

JERÔNIMO	Você inda pode realizá esse desejo.
PEDRO	E o senhô também.
JERÔNIMO	Eu, não. Já tou muito velho.
PEDRO	Qual o quê...
JERÔNIMO	Tou, sim. Creio que só vou senti a terra no meu corpo quando morrê.
PEDRO	Oxente, pai, não diga besteira.
JERÔNIMO	É, sim... (*Entra* ANSELMO.)
ANSELMO	(*Entrando.*) Olá...
JERÔNIMO	Oh! home, desde onte que ninguém te põe os olho em cima.
ANSELMO	É... eu andei por aí... bordejando...
JERÔNIMO	Que é isso? Ouvi dizê que tu anda desgostoso...
PEDRO	Você não teve culpa no naufrágio do saveiro. Eu sim, é que lhe devo a vida.
JERÔNIMO	Claro. Corage, mestre Anselmo, corage.
ANSELMO	Corage não me falta.
JERÔNIMO	Então?...
ANSELMO	Isso não é questão de corage. O que eu tenho não é medo, é vergonha.
JERÔNIMO	Ora...
ANSELMO	Vocês já viram um saveiro que a tempestade arrancou as vela, quebrou os mastro e atirou despedaçado na beira da praia? Pois é assim que eu me sinto.
JERÔNIMO	Não diga isso!
ANSELMO	Só volto pro mar quando estivé disposto a morrê.

PEDRO   Que morrê, coisa nenhuma. Todo mundo continua a dizê que você inda é o melhó mestre de saveiro dessas redondeza.

ANSELMO   Deboche deles.

PEDRO   Deboche nada. Qual deles que inda não virou, como você? E qual foi o que não voltou pro mar?

ANSELMO   Isso os que não tem vergonha na cara.

PEDRO   Ora...

JERÔNIMO   E é assim que você diz que ama o mar...?

ANSELMO   Assim como?

JERÔNIMO   Fugindo dele? Então, mestre Anselmo, disculpe que eu lhe diga, mas você é muito frôxo.

ANSELMO   Talvez, talvez eu teja mesmo ficando frôxo, acabado...

PEDRO   Acabado... Você tá moço, forte...

ANSELMO   Tou, tou mas é velho, caindo aos pedaço. Iemanjá deve tá cum olho em cima de mim... é de velho que ela gosta... (*Entra* RAIMUNDO, *carregando um par de remos e um cesto.*)

PEDRO   Boa pescaria, Mundo?

RAIMUNDO   Uma beleza. (*Encosta os remos a um canto.*) Vendi já quasi tudo, ali na praia mesmo. Só restou isso. (*Mostra o cesto.*) Vou dá pra velha fazê uma moqueca. Tio, mestre Quincas mandou dizê que hoje ele acaba o conserto do saveiro. Tava acabando de calafetá. Amanhã mesmo, se você quisé, pode saí com ele.

JERÔNIMO   Pois amanhã mesmo mestre Anselmo vai saí com ele.

RAIMUNDO   Tá uma beleza. Parece novo. E outra coisa: o Libório, da Filismina, mandou pedi licença pra botá o seu nome no saveiro dele.

ANSELMO Tá bem, tá bem. Pode botá meu nome até no diabo que carregue! (*Pausa.*) E diga a mestre Quincas que apronte o saveiro pra amanhã.

JERÔNIMO Isso!

ANSELMO Preciso mudá o nome dele também.

RAIMUNDO Pra qual?

ANSELMO Não é da sua conta! (*Entra* LIANA, *como da primeira vez, correndo, afobada, com um jornal na mão.*)

LIANA (*Entrando.*) Pai!

JERÔNIMO Que é?!...

LIANA (*Ofegante.*) Há meia hora que eu procuro vocês! (*Para, ofegante.*)

JERÔNIMO Que foi que aconteceu?

PEDRO Vamos, fala!

LIANA Espera! Deixa eu descansar... andei correndo por aí tudo...

JERÔNIMO Mas correndo pra quê?! Diga logo!

LIANA (*Mostrando-lhe o jornal.*) Leia.

JERÔNIMO Lê como, se eu não sei lê?!

PEDRO (*Tomando o jornal.*) Me dá que eu leio. (*Soletra.*) Te, Te... ter... mi, mi...

JERÔNIMO (*Arrancando-lhe o jornal das mãos.*) Te, té, coisa nenhuma. Você sabe menos que eu. (*Dá o jornal a* LIANA.) Leia você mesma.

ANSELMO Pelo amor de Deus, leia isso logo, que eu já tou ficando nervoso.

LIANA Olhe aqui: "Chove em todo o Nordeste."

JERÔNIMO (*Radiante.*) Chove?!

PEDRO (*Idem.*) Qué dizê que...

LIANA Embaixo, diz: "Com o fim da seca, os retirantes voltam às suas terras." Que bom, não é?

PEDRO Mas isso é verdade mesmo?

LIANA Então não haverá de sê? Tá aqui na gazeta. Gazeta não pode menti.

PEDRO Aí diz que tá todo mundo voltando...?!

LIANA Diz.

PEDRO E nós? E nós, hein, pai?

JERÔNIMO (*Que se mostra muito perturbado pela notícia, como se ainda não conseguisse dar-lhe crédito.*) Nós...

LIANA A gente agora pode voltá!

Durante esta cena, ANSELMO *e* RAIMUNDO *se mostram cada vez mais preocupados.*

ANSELMO Mas pra onde vocês vão? Vocês não têm mais terra. O Coronel tomou...

PEDRO Ah, ele há de devolvê! De qualqué jeito!

LIANA Ele só tomou porque pensou que tinha água. Agora, ele devolve.

ANSELMO Duvido.

JERÔNIMO Mesmo sem terra, é melhó a gente vivê em nossa terra.

LIANA Que é que tem?... A gente se emprega ou arrenda um pedaço de terra pra plantá.

PEDRO Vamo, pai, vamo! Você não acha, mestre Anselmo, que a gente deve voltá?

ANSELMO (*Tristemente.*) Acho.

JERÔNIMO Não repare, mestre Anselmo, não pense que é ingratidão... Você trouxe a gente pra cá, foi amigo... Mas a terra chama, a gente tem que í...

ANSELMO	Claro. Eu também acho que vocês deve í. O mar não serve pra vocês. Só pra nós, que nascemo pra essa vida mesmo. Vocês deve voltá pra sua terra.
PEDRO	Então, pai, então?!...
LIANA	Amanhã mesmo?...
PEDRO	É!
JERÔNIMO	Amanhã?...
RAIMUNDO	Pra que tanta pressa?
ANSELMO	Não há necessidade.
JERÔNIMO	Pois amanhã mesmo nós ganhamo a estrada.
PEDRO	Isso!
JERÔNIMO	Aquele dinheiro do peixe da semana passada pode servi pra gente tomá o trem, pelo menos um pedaço da viage...
LIANA	Não, nada disso. Aquele dinheiro é pra comprá semente quando a gente chegá lá. Tá em minha mão e eu não dou. O trem que a gente vai é o da canela mesmo.
JERÔNIMO	Eu, por mim, não tou me queixando. É por você...
LIANA	Ora, e eu não sou igual a vocês? O que é que vocês fazem que eu não faço?
JERÔNIMO	Isso depois a gente vê.
PEDRO	Amanhã mesmo, não é?
JERÔNIMO	É, amanhã.
PEDRO	Escute: por que é que nós não vamo hoje mesmo?
RAIMUNDO	Hoje?
JERÔNIMO	Tá doido, home? Hoje não dá mais tempo.
PEDRO	Dá vontade de saí correndo agora mesmo, até chegá lá!

LIANA	E, no meio do caminho, tu caía morto.
JERÔNIMO	Vamo, vamo pra casa que eu quero que você me leia essa gazeta todinha, de cabo a rabo.
RAIMUNDO	Liana, depois eu quero falá com você...
LIANA	Tá certo. (*Saem* JERÔNIMO, LIANA *e* PEDRO.)
RAIMUNDO	(*Furioso.*) Pra quê você disse que eles deviam í?
ANSELMO	Eles íam mesmo, de qualqué jeito.
RAIMUNDO	Não íam, não. Você fez isso pra se vingá. Pra me afastá de Liana. Mas não afasta não! Eu vou com eles!
ANSELMO	Tu vai com eles?!
RAIMUNDO	Vou!
ANSELMO	Tu vai deixá o mar, a tua profissão, a tua liberdade, pra sê escravo duma mulhé?!
RAIMUNDO	Escravo?
ANSELMO	Escravo, sim.
RAIMUNDO	Mulhé nenhuma me escraviza.
ANSELMO	Contra essa mulhé, tu não vai podê fazê nada.
RAIMUNDO	Liana?
ANSELMO	Não, a terra. Tu vai sê escravo da terra. Vai vivê preso a ela como uma raiz, que cada vez mais vai se enterrando nela! Vai brigá com o seu amigo por causa dela, pra depois ela te engoli! Agora, se tu qué, vai... Vai sê escravo!
	RAIMUNDO *sai, enquanto...*

CAI A CORTINA

SEXTO QUADRO

ANSELMO	(*Só, remenda uma vela.*) (ROSA *entra.*)

ROSA	(*Entrando.*) Nunca vi bicho mais besta do que bicho-home. Cavalo pula no precipício, porque é levado. Home não precisa ninguém levá, ele pula sozinho. Basta que tenha um rabo de saia lá embaixo.
ANSELMO	Ele vai mesmo?
ROSA	Então... tá lá dentro arrumando a trouxa.
ANSELMO	(*Muito calmo e despreocupado.*) Não se incomode, ele volta.
ROSA	Não tou me incomodando. Eu sei que ele volta.
ANSELMO	Então?...
ROSA	Até gosto que ele vá.
ANSELMO	Tu gosta?
ROSA	Gosto. A vida lá tem menos perigo.
ANSELMO	Então, por que é que tu tá aí resmungando, dizendo que ele vai fazê besteira?
ROSA	A besteira é í pra torná a voltá. Í, só pra tê uma desilusão.
ANSELMO	Vai sê bom pra ele. Deixa ele í, mana. (*Ri, assobia, cantarola.*)
ROSA	Por que é que tu tá tão alegre assim?
ANSELMO	Sei não. Acho que é alegria mesmo.
ROSA	Oxente, pensei que tu fosse ficá triste...
ANSELMO	Triste por quê?
ROSA	Porque eles vão embora, não é?
ANSELMO	Sei não... mas acho que é por isso mesmo que eu tou alegre.
ROSA	Então não te entendo, home.

ANSELMO	Eu também não entendo. Mas é como... Olha, tu já viu quando a água do rio se mistura com a do mar?
ROSA	Já.
ANSELMO	Brigam, não é? E depois fica aquela água barrenta...
ROSA	E daí? Que é que tem a água barrenta com eles?
ANSELMO	Pois é assim que eu tenho a impressão que tá tudo, depois que eles chegaram. Tinha alguma coisa errada...
ROSA	Mas não foi tu mesmo que trouxe eles pra cá?
ANSELMO	Por isso eu me senti culpado. Agora, eles vão embora, parece que eu vou tirá um peso de cima de mim.
ROSA	A água vai clareá...
ANSELMO	É...
ROSA	Eu bem vi que tinha muita água suja por aqui... E agora, Mundo vai pra lá... Qué dizê que a água de lá vai ficá barrenta também...
ANSELMO	Não, não se preocupe, lá não tem água...
ROSA	Ah, é mesmo... Ih! Vou vê esse menino, senão... (*Sai.*) (*Entra* LIANA.)
LIANA	(*Aproxima-se de* ANSELMO *sem que ele veja.*) Mestre Anselmo...
ANSELMO	(*Assustando-se.*) Oh! Que susto...
LIANA	Vim me despedi.
ANSELMO	Já vão, é?
LIANA	Daqui a pouco. Eu vim antes pra... pra lhe pedi desculpa...
ANSELMO	Desculpa de quê?
LIANA	Dumas palavra que eu lhe disse.
ANSELMO	Que palavras? Não me lembro.

LIANA	O senhô se lembra, sim. Quando o Pedro se afogou.
ANSELMO	Ora, ora...
LIANA	Eu não tava em mim.
ANSELMO	Você tinha razão.
LIANA	Não, não tinha. Foi um espírito mau que entrou dentro de mim e disse aquelas palavras. Não fui eu.
ANSELMO	Então você não tem culpa.
LIANA	Tenho, sim. Tenho porque deixei que ele dissesse. Eu sabia que o senhô não era culpado do que tinha acontecido, mas deixei que o espírito maligno inculpasse o senhô. Não devia tê deixado!
ANSELMO	Eu sabia que não era você que tinha dito aquilo.
LIANA	O senhô não se feriu?
ANSELMO	Que nada. Eu nem liguei. (*Tira do bolso um búzio.*) Tome. Eu ia lhe dá no dia que o Pedro se afogou...
LIANA	Que bonito!
ANSELMO	Diz quando vem temporal.
LIANA	(*Encosta o búzio no rosto.*) Então hoje vai tê temporal...
ANSELMO	(*Encostando também o búzio no ouvido.*) É... tá zunindo que tá danado... (*Entrega-o de novo a ela.*) Mandei gravá o seu nome e o do Mundo aí dentro.
LIANA	(*Reparando.*) É mesmo! Mas o senhô não devia tê feito isso.
ANSELMO	Por quê? Vocês não vão se casá?
LIANA	Vamo, mas inda não casamo...
ANSELMO	Ora!... Pois esse é o meu presente de casamento. Presente de pescadô.
LIANA	Obrigada.

ANSELMO	Pode sê que você um dia precise desse búzio...
LIANA	Pra quê?
ANSELMO	Pra quando seu marido tivé no mar você sabê se vem temporal, se ele tá correndo perigo...
LIANA	Meu marido não volta mais pro mar.
ANSELMO	Quem sabe?... (*Entram* JERÔNIMO *e* PEDRO.)
JERÔNIMO	(*Entrando.*) Então, onde tá Mundo?
ANSELMO	Tá lá dentro, arrumando a trouxa.
PEDRO	(*Gritando para dentro.*) Oh, Mundo!
LIANA	Tá tudo pronto?
JERÔNIMO	Tudo. É só pegá nas trouxa e botá sebo nas canela.
PEDRO	Parece que vai vi temporal por aí. O mar tá se encrespando.
ANSELMO	Viraçãozinha à toa...
PEDRO	Mestre Anselmo que devia vi com a gente, não é?
JERÔNIMO	Pois é.
ANSELMO	Não, agora só Iemanjá me tira daqui. Só fico esperando que ela me mande buscá.
JERÔNIMO	Não creio que ela tenha esse gosto estragado. (*Ri.*) (*Entram* RAIMUNDO *e* ROSA. RAIMUNDO, *metido num terno de brim barato, ridiculamente curto e malfeito, está muito desajeitado. O terno pega-lhe embaixo do braço, os sapatos apertam-lhe comicamente. O chapéu de palha de abas largas destoa da indumentária. Traz nas mãos uma trouxa e um guarda-chuva.*)
PEDRO	Aqui tá ele.
ANSELMO	(*Para* RAIMUNDO:) Oh, home, tu parece um judas!
PEDRO	Tá um bocado almofadinha...

JERÔNIMO	Será que ele pensa que vai viajá de avião?
PEDRO	Na estrada isso vai ficá preto de poeira.
ROSA	Eu disse a ele. Ele não quis ouvi...
RAIMUNDO	(*Sem graça.*) Não faz mal.
ANSELMO	E esse guarda-chuva, pra que é isso? Lá não chove não, home... (RAIMUNDO *entrega o guarda-chuva a* ROSA.)
ANSELMO	Tu vai é espantá os pobres dos passarinho...
LIANA	Ah, vocês também!... Tá bonito, Mundo. Deixe eles falá.
ANSELMO	Parece navio em dia de festa: todo embandeirado...
RAIMUNDO	Ora, deixa. Tu tá é com mágua.
ANSELMO	Tou com mágua é dos teus pé, dentro desses sapato...
LIANA	Eles tão é com inveja, Mundo.
RAIMUNDO	E eu não sei?
JERÔNIMO	D. Rosa, a senhora me disculpe d'eu levá seu filho, mas a culpa não é minha.
ROSA	Eu sei que a culpa não é sua.
JERÔNIMO	A gente também precisa agradecê a mestre Anselmo o trabalho que teve com a gente.
ANSELMO	Não, não tem nada que agradecê.
RAIMUNDO	(*Muito desajeitado.*) Mãe, já vou... (*Abraça-a.*)
ROSA	Não vá perdê aquela figa que eu te dei.
RAIMUNDO	Não, tá aqui. (*Mostra uma figa pendurada no pescoço.*)
ROSA	Vê lá, foi pai João que me deu...
RAIMUNDO	Não se arreceie.
LIANA	D. Rosa... (*Abraça-a.*)

ROSA — Cuide bem desse peste. Olha, quando tivé zangado, resmungão, é só não ligá, deixa ele falá, fica bom num instante. É como o pai.

LIANA — (*Um pouco encabulada.*) Tá bem... (*Aperta a mão de* ANSELMO.) Mestre Anselmo...

ANSELMO — Quero que você seja feliz.

LIANA — Obrigada.

ANSELMO — Invejo seu Jerônimo, por sê teu pai... (*Comove-se e, repentinamente.*) Escute, por que vocês não vão embora logo duma vez? Essa história de despedida é muito pau!

JERÔNIMO — Eu também acho.

ANSELMO — Choradeira é pra gente frôxa.

PEDRO — É, ninguém, vai acompanhá defunto...

RAIMUNDO — Pois é... Mãe, tio...

ANSELMO — (*Virando-lhes as costas ostensivamente.*) Té logo! Té logo! (*Despedem-se apressadamente e vão saindo.*)

JERÔNIMO — (*Da porta:*) Boa sorte, mestre Anselmo! (*Sai.*)

ANSELMO — (*Que continua virado.*) Té logo.

PEDRO — (*Da porta:*) Adeus, mestre Anselmo! (*Sai.*)

ANSELMO — Té logo! Vão pro inferno!

LIANA — (*Da porta:*) Adeus, Pai Anselmo...

ANSELMO — (*De costas:*) Que o diabo os carregue! (*Caindo em si. Voltando-se, comovido.*) Adeus, minha filha. (*Sai* LIANA *seguida de* RAIMUNDO. ROSA *segue-os até a porta enquanto* ANSELMO *senta-se.* ROSA *acena para fora.*)

ROSA — Tá chuviscando. É capaz deles pegá uma chuvarada pelo caminho. (*Ouvem-se trovões longínquos.*)

ANSELMO — É bom.

ROSA   É bom o quê, home?

ANSELMO   É bom, sim. Tomara que eles peguem uma chuvarada daquelas! Chuva só, não. Vento também. Chuva, vento, raio, trovão, tudo! Um temporal daqueles!

ROSA   Por que é que tu é tão mau?

ANSELMO   Mau? Que nada, isso é bom. Isso é uma beleza! Tu inda não reparou que é a chuva e o vento que governa a vida da gente? Foi por causa da ventania que virou meu saveiro que eu perdi minha mulhé e minha filha e me embrenhei pelo sertão. Por falta de chuva no sertão foi que eu voltei e eles vieram comigo. E agora, porque tá chovendo lá, é que eles voltam. A terra e o mar não têm culpa nenhuma! A culpa é do vento e da chuva! Vem de cima!

ROSA   Do céu? (*Chove, reboam trovões. A tempestade desce, furiosa.*)

ANSELMO   É, do céu! A culpa é do céu! (*Levanta-se. Apanha o chapéu de palha, dois remos.*)

ROSA   Pra onde tu vai, home?!

ANSELMO   Pro mar.

ROSA   Com esse temporal?

ANSELMO   Que tem isso? O lugá de um pescadô é no leme do seu saveiro.

ROSA   Espera, também vou com você.

ANSELMO   Então, vamo! Vamo desafiá o céu!

Saem os dois abraçados enquanto...

CAI O PANO

os cinco fugitivos
do juízo final

PERSONAGENS

Patrão
Virgem-Secretária
Anjo
Negro
Ladrão
Rei
Prostituta
Senhora Honesta

primeira etapa

PRIMEIRO QUADRO

CENÁRIO: *gabinete do* PATRÃO. *Em forma de cúpula. O cenário sugere algo de imaterial e sem clima. Essa imaterialidade é, no entanto, quebrada por detalhes materiais e prosaicos. Como a máquina de calcular sobre a mesinha da* VIRGEM-SECRETÁRIA, *o telecomunicador sobre a mesa grande do* PATRÃO, *de proporções exageradas. Esta é colocada sobre um estrado com uma subida em rampa, a mesa da* VIRGEM-SECRETÁRIA, *de proporções diminutas, é colocada ao centro da cena, voltada para a do* PATRÃO. *Há ainda arquivos, estantes e uma porta secreta atrás da mesa do* PATRÃO. *A cor dominante é o azul-claro, quase branco. Iluminação intensa.*

PRÓLOGO

Cena às escuras. Efeitos especiais sugerem uma explosão atômica. Acendem-se as luzes. Em cena, PATRÃO *e a* VIRGEM-SECRETÁRIA. *Está, sentada à mesinha, veste uma vaporosa túnica branca, em estilo espartano e com um decote um tanto audacioso. Contrastando com a espiritualidade do vestuário, usa óculos e sandálias espartanas. O traje do* PATRÃO *é muito semelhante à maneira tradicional israelita. Sua roupa está surrada, revelando um caráter mesquinho, avaro. Usa óculos de aro de tartaruga, com grossas lentes, sobre o nariz adunco. Anda de um lado para o outro, nervosamente, com um papel na mão, ditando.*

PATRÃO	Filial 75. Estoque devolvido: 1.567.000 almas.
VIRGEM--SECRETÁRIA	(*Corre o dedo numa lista que tem sobre a mesa.*) Filial 75:1.567.000 almas. Confere. (*Marca na máquina de calcular.*)
PATRÃO	Filial 76: 10.850.000 almas.

VIRGEM-SECRETÁRIA (*Idem.*) Filial 76: 10.850.000 almas. Confere. (*Marca.*)

PATRÃO Filial 77: 560.320 almas.

VIRGEM-SECRETÁRIA Filial 77: 560.320 almas. Confere. (*Marca.*)

PATRÃO Filial 78...

VOZ (*Pelo telecomunicador:*) Alô? Alô?

PATRÃO (*Irritado.*) Oh, mas será possível?!

VIRGEM-SECRETÁRIA (*Levantando-se.*) Eu atendo. (*Vai até a mesa grande, liga a chave do telecomunicador.*) Alô, pode falar.

VOZ O Anjo 653 deseja falar ao Patrão com urgência.

PATRÃO Diga ao Anjo 653 que espere. Estou muito ocupado.

VIRGEM-SECRETÁRIA (*Ao telecomunicador:*) Peça ao Anjo 653 para esperar um momento. O Patrão está conferindo o balanço.

VOZ O Anjo 653 insiste em ser atendido imediatamente.

PATRÃO Diga que não é possível. E dê ordem para não ligarem para cá enquanto eu não permitir.

VIRGEM-SECRETÁRIA (*Ao telecomunicador:*) O Patrão manda dizer que não é possível atender ninguém neste momento. E pede para não ser mais interrompido, até segunda ordem. (*Desliga a chave. Volta ao seu lugar.*)

PATRÃO Precisamos acabar com esse excesso de democracia aqui dentro. Todo mundo se acha no direito de obter uma audiência comigo, em qualquer lugar e a qualquer momento.

VIRGEM-SECRETÁRIA (*Como quem repete um ditado:*) "O Patrão está em toda parte..."

PATRÃO Mas não é possível continuar assim! Por qualquer coisa eles vêm a mim! Quando o mundo ainda existia, então era um inferno! Os homens eram insuportáveis! Se a mulher os abandonava, era eu que tinha que fazê-la voltar! Se perdiam no jogo, também era eu que tinha de dar jeito. Se tinham uma unha encravada, viviam o dia inteiro a chamar! Ai, meu Patrão! "Ai, meu Patrão!" Era de enlouquecer! Bem, mas, continuemos. Temos que descobrir onde está o erro. Não podemos fechar o balanço com esta diferença de cinco almas no total. Dois bilhões, 95 milhões 365 mil almas deve ser o resultado. Por que razão só encontramos dois bilhões 95 milhões e 364 mil 995 almas? Não podem ter desaparecido. Tenho ou não razão?

VIRGEM-SECRETÁRIA (*Mesma inflexão anterior:*) "O Patrão sempre está com a razão."

PATRÃO Além de termos que fazer esta liquidação forçada, fechamos com este prejuízo de cinco almas! Também, vou demitir todo o Departamento de Contabilidade, não faço bem?

VIRGEM-SECRETÁRIA (*Idem.*) "O patrão age certo, por meios ilícitos."

PATRÃO Obrigado.

VIRGEM-SECRETÁRIA Continuamos?

PATRÃO Sim, continuemos. Onde parei?

VIRGEM-SECRETÁRIA Na filial 78.

PATRÃO Filial 78, estoque devolvido: 1.000.530 almas. Esta filial devolveu quase todo o estoque. E todo ele em péssimo estado.

VIRGEM-SECRETÁRIA (*Como das vezes anteriores:*) Filial 78: 1.000.530 almas. Confere. (*Marca.*)

PATRÃO   Filial 79: 120.430 almas.

VIRGEM-   (*Idem.*) Filial 79: 120.335 almas.
-SECRETÁRIA

PATRÃO   Ah, aí está o erro!

VIRGEM-   O erro é da Filial 79, que deixou de devolver cinco al-
-SECRETÁRIA   mas.

PATRÃO   Quem é o responsável pela Filial 79?

VIRGEM-   (*Olhando no papel.*) É o Anjo 653.
-SECRETÁRIA

PATRÃO   Dê ordem para que venha à minha presença imediatamente.

VIRGEM-   O Anjo 653 está à sua espera na antessala.
-SECRETÁRIA

PATRÃO   Sim, é verdade. (*Vai até a mesa grande, liga o telecomunicador.*) Alô?

VOZ   Alô?

PATRÃO   Faça entrar o Anjo 653.

VOZ   Sim, senhor.

PATRÃO   (*Descendo novamente.*) Por favor, Virgem-Secretária, veja a ficha do Anjo 653.

VIRGEM-   (*Levanta-se, vai ao arquivo, abre uma das gavetas.*)
-SECRETÁRIA

PATRÃO   Se não me engano, é um de péssimos antecedentes.

VIRGEM-   (*Retirando uma ficha.*) 653. Aqui está. (*Entrega a ficha
-SECRETÁRIA   ao* PATRÃO.)

PATRÃO   (*Lendo.*) Hum!... Foi anjo da guarda de Napoleão Bonaparte. (*Procurando lembrar-se.*) Napoleão... Napoleão...

141

VIRGEM- -SECRETÁRIA	Essa alma foi condenada ao forno crematório. Em virtude do seu péssimo estado de conservação espiritual, constituindo um perigo para o resto do estoque.
PATRÃO	Sim, sim, agora me lembro. Aqui ainda diz: Deixou Napoleão ser derrotado em Waterloo porque a batalha caiu no dia da sua folga semanal. Vê em que dão essas leis trabalhistas? (*Lendo.*) Tomou parte na Revolta dos Anjos... Hum!... Um agitador! Um indivíduo perigoso esse 653. (*Vai sentar-se à sua mesa.*) (*Entra* ANJO.)
ANJO	(*Numa reverência:*) O Patrão seja louvado.
PATRÃO	(*Secamente:*) Aproxime-se.
ANJO	(*Lança um rápido olhar à* VIRGEM-SECRETÁRIA, *cujas pernas, cruzadas, estão à mostra, e aproxima-se da mesa grande.*)
PATRÃO	(*Dá a mão, sem olhar, num gesto magnânimo, para que o* ANJO *a beije.*)
ANJO	(*Beija a mão do* PATRÃO, *com enorme dificuldade, em virtude da altura da mesa.*)
PATRÃO	Anjo 653, vejo-me obrigado a transferi-lo para a sua antiga função de anjo da guarda.
ANJO	Não! O senhor não vai fazer isso! Seria terrível! Eu... eu não tenho vocação para anjo da guarda!
PATRÃO	Muito menos para anjo fiscal. Sua Filial 79 deixou de devolver cinco almas. É uma irregularidade gravíssima, pela qual o senhor é responsável. Chamei-o aqui para que me preste contas dessas almas. Sabe onde estão?
ANJO	Não.
PATRÃO	Não sabe?!
ANJO	Não compareceram ao Juízo Final.

PATRÃO   Não é possível! E quais as providências que tomou?

ANJO   Vim consultá-lo precisamente sobre o que devo fazer. Estou exausto de tanto andar a procurá-las.

PATRÃO   Andar? E suas asas?...

ANJO   (*Como quem confessa uma falta:*) Estão na oficina...

PATRÃO   Que relaxamento! Um anjo sem asas!... E o que mais me admira é que o senhor tenha o desrespeito de comparecer à minha presença com tamanha irregularidade no uniforme! Sem asas!... Quase nu!

ANJO   (*De cabeça baixa, humilhadíssimo.*) Que o Patrão me perdoe...

PATRÃO   (*Desconfiado.*) Isso não representa nenhuma atitude filosófica, não tem relação com novas ideias?...

ANJO   Não! Não!

PATRÃO   Ah, porque um dia desses, encontrei um anjo de biquíni.

ANJO   Oh, mas o meu caso é apenas uma deficiência do Departamento de Recauchutagem, Peças e Acessórios para Asas, e foi isso que facilitou a fuga das cinco almas.

PATRÃO   Pudera. Um anjo sem asas... mesmo que as encontrasse, o senhor, sem asas, como poderia impor-lhes respeito?

ANJO   Não sei o que fazer.

PATRÃO   (*Preocupado, contrariado.*) Nem eu. Isso não estava previsto.

ANJO   De acordo com a lei...

PATRÃO   A lei prevê o comparecimento de todos os mortais no Dia do Juízo. Mas não prevê qualquer medida para o caso de isso não acontecer. Está vendo? É no que dá

	a gente querer respeitar a lei. A lei não resolve coisa alguma. Em todo caso, senhorita, tenha a bondade de consultar o código de penalidades. Veja se encontra alguma pena para os que perdem o Juízo.
VIRGEM--SECRETÁRIA	(*Levanta-se, tira da estante um grosso volume e põe-se a folheá-lo.*)
PATRÃO	Isto é o resultado da péssima atuação dos nossos representantes no mundo que acabamos de liquidar. Gente pouco habilidosa e também pouco honesta, esquecendo-se muitas vezes da ética comercial.
ANJO	"Todos os lucros devem ser para o Patrão."
PATRÃO	É, mas o Patrão era realmente em quem eles menos pensavam. Qual, esse segundo mundo foi um desastre! Quase nos leva à falência.
ANJO	O Patrão devia ter forjado um acidente, como da primeira vez, quando me forjou aquela inundação...
PATRÃO	Eu fiz aquilo para receber o seguro.
ANJO	Pois então. Podíamos agora ter arranjado um incêndio, por exemplo.
PATRÃO	Esse segundo mundo nem segurado estava.
ANJO	Ah!... Mas por quê?
PATRÃO	Não houve agência de seguros que quisesse aceitar. Alegaram que não era possível segurar um mundo onde os loucos andavam à solta, fabricando bombas para destruí-lo. E então, senhorita?
VIRGEM--SECRETÁRIA	O código não prevê esse caso.
PATRÃO	Eu já esperava. O que faremos agora? Não há meios de fazê-los comparecerem.
ANJO	Contra a vontade, acho que não.

PATRÃO	(*Pausa rápida.*) E que tal o estado dessas almas?
ANJO	Péssimo. Creio que todas, com exceção de uma, um negro, seriam condenadas.
PATRÃO	Então, não é possível perdoá-las.
ANJO	Mas, nesse caso, o que faremos?
PATRÃO	Consultarei o Departamento Jurídico.
VIRGEM--SECRETÁRIA	O Departamento Jurídico está reunido. Quer que mande interromper a reunião?
PATRÃO	Não, eu vou até lá. (*Saindo.*) Esperem-me aqui. (*Sai.*)
ANJO	Pois não. (*Depois que o* PATRÃO *sai, aproxima-se rapidamente da* SECRETÁRIA, *patético.*) Enfim, sós! Há seiscentos anos que espero por este momento!
VIRGEM--SECRETÁRIA	Cuidado! "O Patrão está em toda parte..."
ANJO	(*Imitando, irritado.*) Sim, sei disso. Há 600 anos que ele está em toda parte e sempre onde você está. Obstinadamente, ele sempre se interpõe entre nós, procurando afastar-me de você.
VIRGEM--SECRETÁRIA	É vergonhoso atribuir ao Patrão procedimento tão mesquinho! Lembre-se: "O Patrão age certo, por meios ilícitos."
ANJO	Oh! Estou farto dessas frases de propaganda.
VIRGEM--SECRETÁRIA	(*Imperturbável.*) Anjo 653, onde está a sua paz espiritual?
ANJO	Como posso ter paz espiritual junto de você?
VIRGEM--SECRETÁRIA	Que tenho eu de anormal?
ANJO	Você me perturba os sentidos!

VIRGEM-
-SECRETÁRIA   Anjo 653, você tem tomado suas doses diárias de Sucedâneo do Amor?

ANJO   (*Inseguro.*) Tenho, sim...

VIRGEM-
-SECRETÁRIA   Hum... Não me parece. Acho que você está um pouco atrasado...

ANJO   É que o Sucedâneo do Amor já não faz efeito quando a vejo.

VIRGEM-
-SECRETÁRIA   Aliás, acho-o mesmo um pouco abatido, envelhecido...

ANJO   Envelhecido?!

VIRGEM-
-SECRETÁRIA   Sim, será que não tem tomado as pastilhas de hormônios que nos mantêm sempre jovens?

ANJO   Confesso que não sou muito chegado a remédios.

VIRGEM-
-SECRETÁRIA   Pois deve modificar-se e não esquecer as doses de hormônios. Hormônio Sideral...

OS DOIS   ...é melhor e não faz mal.

ANJO   Tudo isso é resultado desta paixão que me consome há 600 anos.

VIRGEM-
-SECRETÁRIA   (*Escandalizada.*) Paixão?! Ah, Anjo 653, isso é horrível!

ANJO   Estou desesperado.

VIRGEM-
-SECRETÁRIA   É paixão carnal?

ANJO   (*Envergonhado, balança a cabeça, afirmativamente.*)

VIRGEM-
-SECRETÁRIA   (*Abre a gaveta da escrivaninha, rapidamente, tira um frasco, oferece-o ao* ANJO.) Tome, depressa! Dose dupla!

ANJO   (*Esboçando uma resistência.*) Não adianta... (*Acaba tomando.*)

VIRGEM--SECRETÁRIA (*Observando-o atentamente durante um tempo.*) Sente-se melhor?

ANJO Pouco.

VIRGEM--SECRETÁRIA Mais um comprimido?

ANJO (*Rápido.*) Não, não.

VIRGEM--SECRETÁRIA Ainda não houve tempo para fazer efeito. Dentro de alguns minutos, você se sentirá completamente calmo.

ANJO Imagine que eu estava até fazendo projetos...

VIRGEM--SECRETÁRIA Que projetos?

ANJO Tenho uma licença-prêmio a receber e pensava em convidá-la para gozarmos juntos essa licença.

VIRGEM--SECRETÁRIA (*Ofendida.*) Por quem me toma, Anjo 653? Saiba que sou uma das 11 mil virgens.

ANJO Foi. Agora é a secretária do Patrão.

VIRGEM--SECRETÁRIA Com a igualdade de direitos conquistada pela mulher em relação ao homem, quase todas as 11 mil virgens empregaram-se.

ANJO Eram 11 mil... agora são quase todas secretárias.

VIRGEM--SECRETÁRIA O que não lhe dá o direito de me fazer propostas.

ANJO Não vou fazer mais. Até mesmo a licença-prêmio está perigando. Com esse caso dos fugitivos, acho que vou perder o direito.

VIRGEM--SECRETÁRIA É, sua situação é embaraçosa, 653. Sinto nada poder fazer a seu favor. O que podia fazer, já fiz. Está mais calmo?

ANJO	Completamente calmo, Virgem-Secretária. (PATRÃO *entra pela porta secreta,* ANJO *e* VIRGEM-SECRETÁRIA *assumem atitudes falsas.*)
PATRÃO	Por que esse desperdício de luz?
VIRGEM--SECRETÁRIA	É a luz da inocência, Patrão.
PATRÃO	E pra que tanta inocência? Aqui, esse desperdício; lá embaixo, completo racionamento. Por isso tivemos que fechar as portas.
ANJO	E então?
PATRÃO	Nada. Os juristas nada resolveram. Não há lei em que se possa basear qualquer medida contra aqueles malandros. E, no entanto, não podemos deixá-los de fora.
ANJO	É claro.
PATRÃO	Com esse déficit de cinco almas, não podemos encerrar o balanço.
VIRGEM--SECRETÁRIA	Se o Patrão me permite lembrar, na penúltima liquidação forçada, a tal da inundação, deixou-se de fora um casal de cada espécie.
PATRÃO	Sim, e só eu sei o quanto me arrependi. O novo mundo que surgiu daí foi pior que o primeiro. O que prova que a coisa não tem conserto. O que é preciso é acabar com tudo de uma vez e fazer de novo, desde o princípio. Não podemos aproveitar nada.
ANJO	Nesse caso, creio que o senhor não tem outra alternativa senão acabar com o mundo novamente.
PATRÃO	Absurdo! Como é que eu posso acabar com uma coisa que já não existe?
ANJO	É, de fato... seria um paradoxo.

PATRÃO   Um contrassenso!

ANJO   A situação atual é também um contrassenso.

PATRÃO   Como?

ANJO   O mundo se acabou e cinco almas permanecem dentro dele. É uma contradição.

PATRÃO   Um disparate! E um mau precedente! No próximo mundo que eu acabar ninguém mais me terá respeito! Por isso, precisamos legalizar esta situação.

ANJO   Quer dizer que...

PATRÃO   Quer dizer que se o senhor não deseja voltar a ser anjo da guarda, trate de encontrar essas almas fugitivas e convencê-las a comparecer ao Juízo.

ANJO   Tenho, então, que voltar?

PATRÃO   Imediatamente.

ANJO   E suponhamos que elas se recusem a comparecer. Eu não posso trazê-las à força.

PATRÃO   Bem, se isso acontecer, elas irão arrepender-se amargamente.

ANJO   Que pretende fazer?

PATRÃO   (*Antegozando a sua vingança.*) Nada... eu sei como vingar-me. (*Riso maquiavélico.*) Bem, mas isto não lhe interessa. Trate de cumprir a sua missão. E se falhar desta vez...

ANJO   Já sei: anjo da guarda.

PATRÃO   Sem apelação. Senhorita?

VIRGEM-SECRETÁRIA   Senhor?

PATRÃO	Leve-o ao Departamento Locomotor e que o preparem de qualquer maneira para seguir em busca dos fugitivos.
VIRGEM- -SECRETÁRIA	Mesmo sem asas?
PATRÃO	Sem asas e sem paraquedas!

Escurece.

SEGUNDO QUADRO

CENÁRIO: *deve simbolizar o nada, procurando transmitir à plateia a monotonia, a inexistência de vida, de movimento. A cor predominante é o cinza claro. Ao centro da cena, um tronco de árvore decepado e seco. O mais, a cargo da imaginação do cenógrafo. O* NEGRO *entra, apavorado, passos incertos, olhando em torno, fisionomia angustiada. Lança um olhar cheio de temor na direção de onde veio. Ouve-se o som das trombetas. Assustado, o* NEGRO *foge. Segundos após, entra o* LADRÃO. *Não traz no rosto o pavor do* NEGRO. *Tem mais o ar quase displicente do aventureiro que está acostumado a ser perseguido pela polícia e a safar-se de qualquer complicação. Acende um cigarro. Olha na direção das trombetas, como que pensando se se deve apresentar a Juízo. Dá de ombros. Gira os olhos em torno, procurando um lugar onde se sentar e dá com o* REI, *que entra. Vem em trajes de grande gala, com coroa e cetro. Denota um certo atordoamento. Não há pavor em suas atitudes, mas há desnorteamento. Fitam-se por um instante.*

REI	(*Num tom de culpabilidade, como se fosse surpreendido em flagrante delito.*) Olá...
LADRÃO	Olá, colega.
REI	O senhor também é rei?
LADRÃO	Não, também sou desertor.
REI	As trombetas chamaram para o Juízo Final... Todos os mortais devem comparecer para serem julgados.

LADRÃO — Vossa Majestade, então, se atrasou. Isso não fica bem para um rei.

REI — Que horas são?

LADRÃO — (*Puxa do bolso um relógio.*) No meu relógio... É verdade, o mundo acabou, o tempo já não existe. É, e se o tempo já não existe, V. Majestade não pode estar atrasado.

REI — (*Decidido.*) Não comparecerei.

LADRÃO — (*Fingindo um espanto que realmente não sente.*) Não!

REI — (*Finge.*) Não.

LADRÃO — Compreendo: um rei não pode sentar-se no banco dos réus.

REI — Não é só isso.

LADRÃO — Que mais?

REI — Como é que se acaba com o mundo, assim, sem mais nem menos, sem me consultar? Sem dar a menor satisfação aos seus donos?! A nós, que éramos senhores de grandes superfícies?!

LADRÃO — (*Fingindo surpresa.*) Vossa Majestade não foi avisado?!

REI — Nem um bilhete sequer! Quando menos esperava... (*Repete o gesto do* LADRÃO.) O mundo se acabou!

LADRÃO — Isso se chama desapropriação sem aviso prévio. É contra a lei.

REI — Um desrespeito à propriedade privada! Nunca um rei foi deposto de maneira tão estúpida!

LADRÃO — Não deram tempo nem de Vossa Majestade trocar de roupa...

REI — Qual o quê? Estava participando de uma cerimônia tradicional, quando, de repente... (*Faz um ruído com os lábios.*) Aconteceu aquilo.

LADRÃO   Tão de repente, que não deu tempo nem do juiz ler a minha sentença de absolvição.

REI   Juiz?

LADRÃO   É, eu estava respondendo a um processo por desvio de verbas, enriquecimento ilícito etc.

REI   Compreendo, o senhor foi acusado injustamente.

LADRÃO   Não, com toda a justiça.

REI   O senhor roubou?!

LADRÃO   Bem...

REI   Sim, isso não quer dizer nada, meus ministros sempre roubaram e nenhum deles era ladrão.

LADRÃO   Mas eu era.

REI   Então devia ter comparecido ao Juízo.

LADRÃO   Por quê?

REI   Para ser julgado.

LADRÃO   E o senhor já viu algum ladrão que se preze entregar-se à polícia sem ser perseguido? Se eu fizesse isso, seria uma desmoralização para a classe. Assim como o senhor acha que, por ser rei, devia ter sido notificado especialmente, eu acho que, como ladrão, tenho direito ao menos a um guarda para me levar.

REI   O senhor não está arrependido de ter sido ladrão?

LADRÃO   O senhor está arrependido de ter sido rei?

REI   É claro que não.

LADRÃO   E por que acha que eu deva estar?

REI   O senhor roubou!

LADRÃO   Muito menos que o senhor. É, e disso, de fato, eu me arrependo.

REI: O senhor não vai querer comparar-se a mim! Somos os extremos de uma sociedade.

LADRÃO: Enfim, os extremos sempre se tocam.

REI: O senhor roubou, eu fui roubado. Roubaram-me um mundo que era meu.

LADRÃO: Eu não fui.

REI: Eu sei que não foi o senhor, foi Ele. (*Olha para o alto em atitude de desafio.*)

LADRÃO: E, se ele nos fez à sua semelhança, o certo sou eu, o errado é o senhor...

REI: Mas o senhor falou em desvio de verbas... Então, o senhor não era um ladrão comum.

LADRÃO: (*Com orgulho.*) Não, eu fiz carreira.

REI: (*Surpreso.*) Como assim?

LADRÃO: Um dia, eu bati uma carteira. Abri e encontrei dentro apenas um cheque ao portador. Era um cheque de certo valor, mas já passava das quatro horas e os bancos estavam fechados. No dia seguinte, o dono já teria dado por falta da carteira e comunicado ao banco. Se eu fosse receber o cheque, seria preso. Resolvi então fingir que havia achado a carteira na rua, na certeza de que o dono me gratificaria. Fui a um jornal e pedi para anunciarem o meu "achado".

REI: O dono apareceu?

LADRÃO: É claro. Era um rico industrial. Ficou espantadíssimo com a minha honestidade e me ofereceu um lugar de gerente numa de suas fábricas. A televisão e os jornais espalharam aos quatro ventos que ainda existia no mundo um homem honesto. Tive que conceder dezenas de entrevistas e posar para centenas

	de fotografias, que foram enviadas ao mundo inteiro. Meu nome foi citado na câmara e até propuseram condecorar-me.
REI	Incrível.
LADRÃO	Fiquei famoso da noite para o dia. Fundaram-se sociedades com o meu nome, houve até associação que me elegeu patrono de uma grande campanha de moralização pública. Transformei-me numa bandeira de honestidade! E daí para a frente, a coisa foi fácil. Fui subindo, subindo...
REI	É, mas ultimamente as coisas não andavam muito boas para o seu lado.
LADRÃO	Qual o quê. Alguns invejosos, por não terem conseguido roubar tanto quanto eu, conseguiram fazer-me responder a um processo. Mas o juiz já estava controlado. Eu ia ser absolvido quando o mundo se acabou. Se eu soubesse, não tinha gasto tanto dinheiro...
REI	(*Vê surgir a* PROSTITUTA. *Recua uns passos, instintivamente, receoso, quase amedrontado.*) Veja... um anjo!
PROSTITUTA	(*Muito pintada, grandes olheiras, uma cor terrosa, cabelos em desalinho, ao vê-lo para, intimidada.*)
LADRÃO	Fui miseravelmente enganado.
REI	Por quê?
LADRÃO	Em garoto vestiram-me de anjo para sair numa procissão. Não era nada disso...
PROSTITUTA	(*Fica um instante indecisa, sem saber se deve ficar ou fugir; por fim adianta-se trêmula, submissa.*) Que vão fazer de mim?! Que vão fazer?... (*O* REI *e o* LADRÃO *trocam olhares de constrangimento e compreensão.*) Não é possível que queiram me castigar por tudo que fiz. Eu não sabia que um dia teria de vir aqui... senão talvez não tivesse feito!

REI: A mim também não avisaram.

PROSTITUTA: (*Angustiada.*) Como podia eu resistir, se não sabia... se não tinha certeza de nada? (*Há uma longa pausa em que o* REI *se mostra pouco sensível àquela lamentação. Superior, egoísta, concentra-se nas suas próprias queixas, enquanto o* LADRÃO *continua com o seu ar fleugmático. Mas é ao* REI *que a* PROSTITUTA *se dirige principalmente.*)

PROSTITUTA: Oh, sei... meu corpo... (*Passa as mãos sobre o próprio corpo, com asco.*) Sei que ele está coberto de lama. Coberto de culpa. Mas ninguém me ajudou... Ninguém. Todos me empurraram... para lá... para lá... (*Apavorada.*) E agora vão me castigar! Mas não é justo. Não é justo! (*Procura desesperadamente nos rostos do* REI *e do* LADRÃO *um ar de compreensão.*)

LADRÃO: (*Estende-lhe a carteira de cigarros.*) Um cigarro? (*A* PROSTITUTA *recusa.*) Não irá aumentar de muito seus pecados...

PROSTITUTA: (*Recusa novamente, o* LADRÃO *encolhe os ombros.*)

LADRÃO: (*Oferecendo a carteira ao* REI.) Majestade...

REI: (*Com altivez, quase com asco.*) Hum... não.

LADRÃO: Tem razão: acabou-se o mundo, deve-se acabar com os vícios... dos outros. (*Acende o seu cigarro, calmamente.*)

PROSTITUTA: (*Vendo-se desamparada pela pouca atenção que lhe dão.*) Os senhores não acham que não é justo?...

LADRÃO: (*Com vigor.*) Achamos. (*Pessimista.*) Infelizmente, a nossa opinião não lhe poderá valer de coisa alguma.

PROSTITUTA: Por quê? Os senhores não são...? Não fazem parte?...

LADRÃO: Do corpo dos jurados? Não.

PROSTITUTA: Quem são os senhores?

LADRÃO   Atualmente, ninguém.

PROSTITUTA   Quem foram?

LADRÃO   Ele foi rei.

PROSTITUTA   Rei... De onde?

LADRÃO   Já não importa.

REI   Meu império se estendia por vários continentes, meu domínio era exercido sobre milhões de criaturas.

PROSTITUTA   E o senhor?

LADRÃO   Eu talvez fosse uma dessas criaturas.

PROSTITUTA   Os senhores também fugiram?

REI   (*Ofendido, com altivez.*) Eu não fugi. Recusei-me a comparecer.

PROSTITUTA   Mas... por quê? Afinal, o senhor é rei...

REI   Por isso mesmo.

PROSTITUTA   E o senhor, por que fugiu?

LADRÃO   A força do hábito...

PROSTITUTA   E não sabem o castigo que nos espera?

LADRÃO   Não temos a menor ideia.

PROSTITUTA   Não sentem medo?

LADRÃO   Ele é muito orgulhoso para confessar... e eu, muito cínico para admitir.

PROSTITUTA   Que esperam que aconteça agora?

LADRÃO   Ele espera que uma carruagem puxada por quatro cavalos venha buscá-lo. Eu apenas espero um guarda mal-humorado. Mas é provável que não nos concedam nem uma coisa, nem outra.

PROSTITUTA   Talvez dupliquem a pena pela nossa desobediência. Não há dúvidas de que seremos severamente punidos. Eu, mais do que todos.

LADRÃO   Convencimento seu. Não creio que o castigo de nenhum de nós seja maior do que o dele. (*Aponta para o* REI.)

REI   (*Encara-o com altivez.*)

PROSTITUTA   Por que o dele?!

LADRÃO   Ele se dizia rei pela graça divina...

PROSTITUTA   E não era?

LADRÃO   Se fosse, você acha que ele estaria aqui?

REI   Que bonito trabalho fizeram acabando com o mundo! Eu, um rei, entre um ladrão e uma prostituta!

PROSTITUTA   (*Atormentada pelo seu complexo de culpa.*) O senhor, que foi rei, deve saber. Que vão fazer de mim?

REI   (*Egoísta.*) Interessa-me mais saber o que vão fazer comigo.

PROSTITUTA   (*Confusa.*) Oh, já vi nas histórias em quadrinhos... Li também uns versos que começavam assim: "Tu que fizeste câmbio negro de espasmos, pobre de ti, mulher." Veremos modernistas... futuristas, sei lá. Ideias... ideias mortas. Tudo morreu. Agora... é tarde... "Tu que fizeste câmbio negro de espasmos..." Não me lembro do autor. Devia lembrar-me. Posso encontrá-lo um dia... quando fizerem um outro mundo. Não, não é possível que façam outro mundo e coloquem nele mulheres como eu, novamente. "Tu que fizeste câmbio negro..." E havia um quadro... Mulheres nuas afogando-se num mar de chamas. "Tu que fizeste..." Queria ler de novo aquelas histórias em quadrinhos... Eram bonitas, coloridas... (*Apavorada.*) E se vierem nos buscar?

REI Eu resistirei.

PROSTITUTA E se levarem a gente à força? (*O* REI *encolhe os ombros.*) Não há dúvida de que virão, já devem ter dado pela nossa falta.

LADRÃO Há uma esperança.

PROSTITUTA Qual?

LADRÃO Quem sabe se não fomos esquecidos? De mim, pelo menos...

REI Só se destruíram os arquivos da polícia.

LADRÃO É, se pegaram os arquivos da polícia, nós estamos roubados. (*Revoltado.*) Mas será que acabaram com o mundo e não acabaram com a polícia?

PROSTITUTA (*Impessoal.*) Polícia... ele era da polícia... Soldado da cavalaria... Farda cáqui, espada larga, perneira, espora...

REI Ele, quem?

PROSTITUTA O último... (*Pausa.*) Não me lembro se era branco, negro, mulato... Não me lembro de nada. Farda cáqui, espada larga, perneira, espora... ficou tudo lá. Ele teve tempo de apanhar. Ao menos se ele não tivesse entrado e eu não tivesse chamado, se o mundo não tivesse acabado, como acabou, naquele momento...

REI Uma coisa muito malfeita. Como é que se acaba com o mundo, sem mandar um aviso, para que se tomem certas providências...

LADRÃO Uma falta de respeito ao protocolo.

REI Olhe, este mundo estava muito malfeito, mas foi pior ter acabado.

LADRÃO Nossa amiguinha que o diga...

REI E o patife daquele vidente, se eu o pego, enforco-o.

LADRÃO	Por quê?
REI	Ganhava um ordenado para adivinhar o futuro e não foi capaz de prever isto.
LADRÃO	Também de que adiantaria a V. M.?
REI	De que adiantaria? Ora, se eu soubesse que o mundo ia se acabar, uma semana antes tinha abdicado, para poder gozar a... (*Confidencial.*) Avalie você que eu deixei de ter aventura com a Marquesa de Tret, com medo das consequências... E ainda ontem não quis comer lagostas, com receio de hoje amanhecer com cólicas de fígado. Tudo porque não sabia que o mundo ia-se acabar. Porque aquele charlatão não foi capaz de prever isto, embora tivesse previsto todas as infidelidades da rainha. (*Muda de tom.*) E que mulher notável...
LADRÃO	Quem, a rainha?
REI	Não, a marquesa. (*Ódio.*) E que homem asqueroso.
LADRÃO	O marquês?
REI	Não, o imbecil daquele major da Guarda Real, o favorito da rainha.
LADRÃO	Ah!
REI	E pensar que eu podia muito bem ter mandado dar-lhe uma surra, sem receio das represálias da rainha. Se aquele idiota tivesse previsto o fim do mundo.
LADRÃO	E eu... se soubesse que o mundo ia-se acabar hoje, não teria passado noites e noites sem dormir, com medo de ser condenado.
PROSTITUTA	(*Apavorada, aponta numa direção.*) Vejam! Vem alguém...
REI	(*Olhando.*) É verdade...
PROSTITUTA	Vem em nossa direção. (*Medo.*) Com certeza é...

LADRÃO	(*Levanta-se.*) ... um anjo. Não, não acredito mais em anjos.
REI	Veste-se de maneira esquisita...
PROSTITUTA	Vem buscar a gente, com certeza. Vamos ser duplamente castigados. De nada adiantou fugir...
SRA. HONESTA	(*Entra, em calcinha e sutiã, meias de seda, salto alto. Apesar da pouca roupa que a cobre, tem um ar elegante. Aparenta riqueza e distinção. Tudo nela é, entretanto, sofisticado. Ao surgir, tem um ar de gato que virou panela, um sentimento de culpa superficial. Ao dar com os fugitivos, para, inicialmente receosa, depois procura dominar a situação com um sorriso um tanto desbotado.*) Os senhores podem me informar onde se realiza o Juízo Final?
LADRÃO	É para lá. (*Aponta numa direção.*) Pode seguir para cá sem susto. (*Aponta na direção oposta.*)
REI	Será que ninguém compareceu ao Juízo?
SRA. HONESTA	Os senhores também?
LADRÃO	Também.
SRA. HONESTA	Eu... eu me atrasei.
LADRÃO	(*Irônico.*) Ah, sim...
SRA. HONESTA	Estava jogando pif-paf...
PROSTITUTA	(*Referindo-se aos trajes da* SENHORA HONESTA.) A senhora deve ter perdido muito...
LADRÃO	Quem sabe, talvez seja o uniforme do clube...
SRA. HONESTA	(*Atrapalhada.*) Não, isso foi na confusão... estava escuro...
LADRÃO	Ah! pif-paf no escuro...
SRA. HONESTA	O senhor não conhece? Pois é muito interessante.

REI	Imagino...
SRA. HONESTA	É uma modalidade nova. Aposta-se sempre no escuro...
LADRÃO	E acaba-se saindo sem roupa.
SRA. HONESTA	Não, isso foi porque o mundo acabou tão de repente... Nós estávamos no melhor do jogo.
LADRÃO	A senhora estava pela boa...
SRA. HONESTA	Exatamente. Estava esperando o rei de espadas.
LADRÃO	Então, bateu: aí está um rei com espada e tudo.
SRA. HONESTA	Oh, não, não cheguei a bater. De repente... o mundo acabou.
REI	Aí a senhora procurou a roupa e...
SRA. HONESTA	E o hotel, o quarto, a cama, tudo havia desaparecido. (*Percebe que acabou de se trair, procura uma frase para corrigir a anterior, mas não encontra.*) Quer dizer... Mas que é que os senhores estão imaginando?! (*Com veemência.*) Quem pensam que eu sou?
PROSTITUTA	Uma grande jogadora de pif-paf...
SRA. HONESTA	Eu sou uma senhora honesta.
LADRÃO	(*Referindo-se à* PROSTITUTA:) Nesse caso, são duas...
SRA. HONESTA	Se não acredita que eu estava jogando pif-paf quando o mundo se acabou, pergunte ao meu marido.
REI	Ele também jogava...
SRA. HONESTA	Não, ele era gerente de um banco, não podia jogar. Fazia serão todas as quintas-feiras, por isso eu saía para jogar. Ele sabia. Era ele que mandava. Ficava com pena de me deixar em casa sozinha, mandava que eu saísse para me distrair.
LADRÃO	Bem feito...

SRA. HONESTA	Meu marido era um homem de posição. Pertencíamos à alta sociedade.
LADRÃO	Ninguém está duvidando.
SRA. HONESTA	(*Inquieta.*) Meu marido... por onde andará ele?
REI	Talvez ande por aí...
SRA. HONESTA	(*Rápido, medrosa.*) O senhor o viu?
REI	Não, estou apenas supondo. Pelo que vejo, muitos deixaram de comparecer ao Juízo.
SRA. HONESTA	Oh, mas ele não. Não podia ter faltado. (*Como uma queixa.*) Era sempre pontual. Deve ter comparecido ao Juízo, como se se tratasse de um encontro comercial, para fechar um grande negócio. Ninguém o fazia chegar atrasado. Nunca.
PROSTITUTA	(*Com maldade.*) No entanto, a senhora não parece muito desejosa de encontrá-lo.
SRA. HONESTA	Sim... realmente, temo que ele não saiba compreender... Ele nunca foi ciumento, mas talvez não seja muito fácil explicar por que motivo estou vestida deste jeito.
PROSTITUTA	Também acho um pouco difícil.
SRA. HONESTA	E ele sempre teve tanta confiança em mim... Não quero que a perca, justamente agora. Oh, mas... não foi por isso que eu não compareci ao Juízo.
REI	Por que foi?
SRA. HONESTA	Era uma humilhação. Uma fila enorme, maior que a da carne! Todos misturados, sem distinção de espécie alguma. (*Como quem sente náuseas.*) Era nojento, aviltante!
PROSTITUTA	Ah, por isso a senhora não foi.
SRA. HONESTA	Naturalmente. Não tinha cabimento que fosse entrar numa fila daquelas com minha cozinheira, meu jardineiro etc. Eu, uma senhora de posição.

LADRÃO — E honesta!

SRA. HONESTA — Os senhores não acham que isto está muito mal-organizado?

REI — Sem dúvida.

LADRÃO — Acho que devia haver várias filas: senhoras honestas, senhoras desonestas...

SRA. HONESTA — Isso sim.

LADRÃO — Só temo que, no fim, tudo ficasse reduzido a duas filas: homens e mulheres.

SRA. HONESTA — Bem, o essencial seria a separação de classes. Eu não posso estar na mesma fila que a minha empregada.

REI — Nem eu, que sou rei, posso misturar-me com essa gentalha.

SRA. HONESTA — (*Fascinada.*) Rei... o senhor é Rei?

REI — (*Numa reverência.*) Para servi-la, minha senhora.

SRA. HONESTA — Mas rei... completamente?

REI — Completamente, minha senhora.

SRA. HONESTA — Era preciso que o mundo se acabasse, para eu ter o prazer de falar com um rei. Oh, enfim encontro alguém de minha classe.

PROSTITUTA — (*Subitamente sobressaltada.*) Vocês ouviram?

LADRÃO — Quê?

PROSTITUTA — Tive a impressão de ouvir as trombetas.

LADRÃO — Não ouvi coisa alguma.

SRA. HONESTA — (*Apavorada.*) Não será a segunda chamada?

REI — Vocês estão loucos.

PROSTITUTA — (*Pausa.*) Pode ser que eu tenha me enganado. Mas tenho certeza de que elas voltarão a tocar. E a gente vai ter que comparecer de qualquer maneira.

SRA. HONESTA (*Sofrendo com as palavras da* PROSTITUTA.) Por que você fala assim?

PROSTITUTA Porque eu sei. De nada adianta... a gente não vai conseguir fugir do castigo. As trombetas vão tocar novamente!

SRA. HONESTA (*Nervosa, impressionada.*) Por que deixam ela falar assim? Por quê?

PROSTITUTA Eu não suporto mais. Tenho medo de enlouquecer!

REI Esta espera é pior que tudo.

LADRÃO Não creio que o castigo a que cada um de nós possa ser condenado seja pior que isto. (*Há uma pausa.*)

SRA. HONESTA Será que, quando fizerem outro mundo, ele será habitado também por homens?

LADRÃO Acho que não valeria a pena. Quem fez esse que se acabou deve ter-se convencido de que não há estupidez maior que fazer um mundo tão grande para enchê-lo de homens que só pensam em acabar com ele.

REI Mas valerá a pena fazer outro mundo para enchê-lo de minhocas, simplesmente?

SRA. HONESTA As minhocas são tão antiestéticas...

LADRÃO Talvez surja uma nova espécie de minhocas, com grandes cérebros: Minhoco sapiens, e essas minhocas serão por certo notáveis arqueólogos, farão escavações científicas e encontrarão os nossos esqueletos. Seremos então levados para um museu, como fósseis. Um sábio minhoco baseará nos estudos de nossa carcaça a sua teoria da evolução da espécie, e as minhoquinhas irão visitar-nos aos domingos e nos olharão cheias de espanto. Uma delas apontará para o esqueleto do rei e dirá: "Como é possível que tenham existido animais tão feios e estúpidos como os homens?"

REI (*Indignado.*) Era só o que faltava: eu, de rei, passar a atração de um museu de minhocas!

PROSTITUTA Há quanto tempo devemos estar aqui?

LADRÃO Tanto podemos estar há algumas horas, como há um século. O tempo já não existe. (*Puxa o relógio do bolso, leva ao ouvido.*) Isto não vale de nada mais.

SRA. HONESTA É bom guardar. Será que a fábrica não dá um ano de garantia?

LADRÃO (*Guardando o relógio.*) Bem, embora não sirva mais para nada, quem sabe se com ele não poderei subornar algum anjo?

REI E até agora... nada. E se tiverem esquecido de nós?

SRA. HONESTA Esquecido, como?

REI Sim, se encerraram o Juízo e não deram por nossa falta?

PROSTITUTA Que acontecerá?

REI Seremos os primeiros habitantes de um mundo novo!

SRA. HONESTA De fato!

LADRÃO E quem sabe se esse esquecimento não seria proposital?

REI Como?

LADRÃO Sim, quem sabe se não fomos poupados, como Noé e sua bicharada durante o dilúvio?

SRA. HONESTA Realmente!

LADRÃO Talvez nos caiba o mesmo papel de povoar o novo mundo. Sim, não há outra explicação. Fomos os escolhidos para dar início à nova humanidade. Por incrível que pareça.

REI E não só isso, nós somos, de fato, senhores do novo mundo. De todas as suas terras e suas riquezas. E,

	como de nós todos eu sou o único com prática de governo, serei o rei.
LADRÃO	Ei, alto lá, eu fui ministro!
SRA. HONESTA	E nós?
REI	Bem, dividiremos o mundo igualmente entre todos.
PROSTITUTA	Ah, bem.
SRA. HONESTA	Isto é outra coisa...
REI	Cada um de vocês terá a sua parte e será independente.
LADRÃO	É muita generosidade.
REI	Entretanto, como o meu reino, naturalmente, será o mais forte, vocês ficarão sob a minha proteção.
LADRÃO	Proteção? Como é isso?
REI	Muito simples: eu terei bases militares em seus países, a fim de defendê-los dos seus inimigos.
LADRÃO	Vossa Majestade nos defenderá dos nossos inimigos, mas quem nos defenderá de Vossa Majestade?
REI	Mas eu quero apenas protegê-los...
LADRÃO	Nós acreditamos e agradecemos.
REI	Recusam o meu auxílio?
LADRÃO	Eu recuso. Sim, porque um auxílio desinteressado como esse, sem receber nada em troca, será um verdadeiro roubo de que Vossa Majestade será vítima. E eu, pelo menos, já decidi que na nova encarnação serei um homem honesto.
REI	Recusam-se, então, a aceitar a minha proteção?
LADRÃO	Eu recuso.
SRA. HONESTA	Por que ele faz tanta questão de ser bonzinho?

REI	Pois bem, se não querem a minha amizade, terão o meu ódio! Se não querem ser protegidos, serão atacados! Eu lhes farei guerra! Guerra!
LADRÃO	Miserável! Pegou-me de surpresa! Meu plano de rearmamento ainda não foi aprovado pela Câmara.
PROSTITUTA	Guerra. Soldados... Sabe o que eu sentia quando ia pra cama com um soldado? Que estava protegendo ele da morte por alguns minutos. Pobrezinhos... queria esconder na minha cama todos os soldados do mundo.
SRA. HONESTA	(*Fútil.*) Por que vocês querem a guerra? A guerra é tão incômoda. Racionamento de energia, de gasolina...
REI	Somos demais no mundo. A guerra é necessária pra evitar a superpovoação.
NEGRO	(*Entra. E todos se voltam para ele quase que ao mesmo tempo, espantados. Arfando, o corpo coberto de suor, traz no rosto o pavor dos perseguidos. Há uma pausa de terrível expectativa, finda a qual o* NEGRO *avança e se atira de joelhos aos pés do* REI, *beijando-lhe os pés.*) Piedade, senhor Deus! Piedade! Não deixe que me linchem! Não deixe!
ANJO	(*Entretanto, de patins.*) Ei! (*Todos se voltam para ele, surpresos.*) Será que vou ter que andar muito tempo atrás de vocês! (*Puxa o livro de notas e confere.*) Um, dois, três, quatro, cinco. Ainda bem que estão todos aqui. (*Guarda o livro, puxa o lenço, enxuga o suor da testa.*) Uff... estou exausto. Há não sei quanto tempo estou atrás de vocês. Tenho andado que não é vida! E logo agora, que estou sem condução...
REI	Sem condução?
ANJO	É, está na oficina. Mandei trocar os amortecedores.
SRA. HONESTA	Do carro?
ANJO	Não, das asas.
SRA. HONESTA	O senhor é anjo?

ANJO	Há novecentos e noventa e nove anos.
LADRÃO	Está bem-conservado...
PROSTITUTA	(*Receosa.*) Um anjo... Eu sabia que a gente ia ser castigada!
ANJO	Bem, isso de castigar não é comigo. Minha missão é apenas levá-los ao Juízo Final. E não posso falhar.
REI	Por quê?
ANJO	Porque tenho 999 anos de serviço. Mais um e terei direito a licença-prêmio.
SRA. HONESTA	É merecido. (*Sempre cretina.*) O senhor não está cansado de ser anjo?
ANJO	Se estou!
SRA. HONESTA	O senhor é também anjo da guarda?
ANJO	Fui, durante 615 anos.
SRA. HONESTA	Como deve ser fascinante a carreira de anjo da guarda.
ANJO	(*Irônico.*) Muito... andar dia e noite atrás de um sujeito, livrá-lo de ser atropelado, de morrer afogado, de tomar um avião que vai cair... é um saco!
LADRÃO	Bem, mas o senhor disse que foi anjo da guarda durante 615 anos apenas...
ANJO	Exatamente.
LADRÃO	Agora não é mais.
ANJO	Não, deixei a guarda há 384 anos, precisamente.
LADRÃO	Falta de vocação...
ANJO	Não, promoção.
REI	Merecimento?
ANJO	Não, antiguidade.

SRA. HONESTA	Também, coitado, depois de 615 anos...
LADRÃO	E o senhor é agora...
ANJO	Sou Anjo Fiscal nº2 653. (*Pausa.*) Bem, mas vamos andando.
PROSTITUTA	Andando para onde?
ANJO	Para onde podia ser? Para o Juízo Final. Todos já foram julgados, só faltam vocês. (*Há uma longa pausa, ninguém tem coragem de seguir o* ANJO.)
PROSTITUTA	(*Apavorada.*) Que vão fazer com a gente?
ANJO	Ah, não sei, como posso saber? Só sei que vocês devem ser julgados.
PROSTITUTA	E condenados!
ANJO	Não sei. (*Nova pausa, todos se entreolham, receosos.*) Vamos, que esperam?
SRA. HONESTA	Por que temos que ir?
ANJO	Ora, porque o mundo se acabou. Todos devem comparecer ao Juízo Final para serem julgados. Está previsto. E não há outra alternativa.
PROSTITUTA	Eu não posso ter esperança da absolvição. Embora não tenha culpa, sei que vão me condenar!
ANJO	Se você não tem culpa, será absolvida. A justiça final é a justiça completa.
PROSTITUTA	Não, não creio nisso. Não existe justiça completa, a justiça é sempre contra os fracos.
SRA. HONESTA	E qual será a minha pena?
ANJO	Não sei...
NEGRO	Não! Não quero ser linchado.
PROSTITUTA	Que vão fazer comigo?!

ANJO	Não sei, já disse! Minha missão é só levá-los até lá, pomba!
LADRÃO	E se nós nos recusarmos?
ANJO	Bem, isso me deixaria em má situação com o Patrão. Eu sou responsável por vocês. Já o fato de vocês terem fugido ao Juízo me prejudicou muito. Agora, se teimarem em não comparecer, estou desgraçado. Adeus licença-prêmio. (*Quase suplicante.*) Mas eu sei que vocês não vão fazer uma coisa dessas comigo. Não é? (*Pausa.*) Olhe, eu prometo fazer o que for possível por vocês. (*Todos se entreolham com descrença.*) Talvez possa mesmo arranjar uns pistolões para os jurados. (*Implorando.*) Mas, por favor, venham comigo.
LADRÃO	E se nós não formos, além de o senhor perder a licença-prêmio, que mais poderá acontecer?
ANJO	Acho que vocês criarão uma situação absurda.
LADRÃO	Como assim?
ANJO	É que, enquanto vocês não comparecerem ao Juízo, o mundo não terá de fato acabado, compreendem? Isso vai deixar o Patrão em má situação.
REI	Por quê?
ANJO	Porque, nesse caso, ele teria que acabar com o mundo novamente. E acabar com uma coisa que já não existe é um absurdo.
LADRÃO	E, além do mais, isso desacreditaria o Patrão. Que diabo, acabar com uma coisa duas vezes... E acabar com um mundo inteiro unicamente por causa de cinco míseros mortais seria ridículo!
ANJO	Vocês compreendem, não é?
LADRÃO	E, como o mundo já não existe, para acabar com ele agora o Patrão teria que criá-lo novamente, não é isso?

ANJO	Exatamente.
LADRÃO	Pois muito bem. O senhor vai fazer o favor de voltar e dizer ao Patrão que nós nos recusamos a comparecer.
ANJO	Recusam-se?
LADRÃO	Sim, estamos em greve.
ANJO	Greve!?
LADRÃO	O direito de greve não é reconhecido lá em cima?
ANJO	Bem, é, mas...
LADRÃO	Mas é só demagogia. Na hora, a polícia chega e desce a borracha...
ANJO	Não, eu tenho certeza de que o Patrão vai respeitar o direito de greve... Mas não sei que atitude ele vai tomar...
LADRÃO	Bem, diga a ele que eu, como líder do movimento, estou disposto a negociar. Mas há uma reivindicação da qual nós não abrimos mão!
ANJO	Qual?
LADRÃO	A de sermos todos perdoados.
ANJO	Mas isso... é chantagem!
REI	(*Incisivo.*) Entendeu bem?
SRA. HONESTA	(*Idem.*) Todos.
LADRÃO	(*Sugerindo uma traição.*) Se ele quiser, eu vou até lá negociar.
PROSTITUTA	Não! Não confio em políticos!
REI	Ele é capaz de furar a greve!
ANJO	Não adianta. Nem pensar... O Patrão jamais perdoaria vocês. Isto sim, seria uma desmoralização completa!

LADRÃO	Nesse caso, só há uma solução.
ANJO	Qual é?
LADRÃO	Em nome do Comitê de Greve, eu exijo a criação de um novo mundo, especialmente para nós.
ANJO	(*Espantado.*) Um novo mundo? Só para vocês?
LADRÃO	Sob medida.
ANJO	Pronto, adeus licença-prêmio.
LADRÃO	Um mundo novinho em folha. (ANJO *faz um gesto de rendição. Volta-se e sai patinando.* SRA. HONESTA *dá alguns passos na direção que ele saiu.*)
SRA. HONESTA	Vejam... Ele sumiu! (*Permanece olhando, como se ainda tivesse esperança de ver o* ANJO.)
PROSTITUTA	E agora?
LADRÃO	Agora... é esperar que ele volte com a resposta.
PROSTITUTA	Esperar...
LADRÃO	Não deve demorar. Creio que aqui não há burocracia. As coisas devem resolver-se rapidamente. (*Todos, exceto o* LADRÃO, *ficam numa atitude de expectativa.*)
PROSTITUTA	Será que a gente não exigiu demais?
LADRÃO	Bem se vê que vocês nunca foram políticos. Em política é preciso exigir muito para conseguir alguma coisa. E prometer muito também...
VOZ DO PATRÃO	Ladrão, assassino, mistificador.
LADRÃO	(*Espantado, olhando para todos os lados à procura da voz.*) Quem me insultou?...
VOZ DO PATRÃO	Não estou insultando. Estou apenas lendo a sua folha de serviço.
LADRÃO	Quem é o senhor?

VOZ DO PATRÃO   Sou o seu Patrão.

LADRÃO   O Patrão... (*Procurando dominar-se, mas sem conseguir voltar à fleugma.*) O senhor deve ter-se equivocado. Eu roubei, é verdade, fiz demagogia, mas nunca matei ninguém.

VOZ DO PATRÃO   Mandou matar.

LADRÃO   Bem, não é a mesma coisa. E, se fiz isso... bem, foi porque não sabia que vinha me encontrar com o senhor um dia. O senhor compreende... a gente não pode adivinhar. Se o senhor tivesse me avisado que pretendia acabar com o mundo, eu não teria feito nada do que fiz. A culpa foi sua. Eu até que fui um bom rapaz, temente a Deus... Pensei até em ser padre!

VOZ DO PATRÃO   Verdade?...

LADRÃO   Juro! (*Inquieto, nervoso.*) Mas por que o senhor não fala também com os outros?

VOZ DO PATRÃO   Não, é com você que eu quero falar.

LADRÃO   Eles são piores do que eu.

VOZ DO PATRÃO   Mas você não é o líder da greve?

LADRÃO   Líder? O senhor sabe que eu nunca fui líder de coisa nenhuma. Sou apenas um oportunista. É claro que alguém precisava tomar a frente do movimento. (*Político.*) E isso é bom para o senhor. Eu estou sempre disposto a fazer concessões... (*Canalha.*) Aqui entre nós, eles são fáceis de manobrar... Posso levá-los para onde quiser. Naturalmente que as concessões precisam ser mútuas... Eu posso mudar de partido, desde que o senhor me ofereça alguma vantagem.

VOZ DO PATRÃO   A Justiça Final não faz concessões, meu velho.

LADRÃO   (*Vai sendo minado pelo medo e pela covardia.*) O senhor é intransigente. Eu não estou impondo nada.

Estou apenas querendo fazer um acordo. Não me diga que o senhor não vai querer fazer acordo de espécie alguma. Que pretende castigar-me por todos os erros, todos os crimes que cometi. Isso seria cruel. E não seria justo. Eu vivi num mundo em que esses crimes raramente eram castigados. Só os pobres pagavam por eles, e esse mundo foi feito pelo senhor!... Disseram-me também que bastava arrepender-me de tudo na hora da morte, para ser perdoado. (*Covarde.*) Eu estou arrependido. Juro que estou arrependido. Mas com certeza era tudo mentira. Fui enganado, miseravelmente. (*Acovardado.*) O senhor tem que levar isso em consideração. Eu fui iludido. Não sou réu, sou vítima. (*Ouve-se música impressionante, sugerindo a criação do novo mundo, todos se movimentam assustados.*) Que é isso?... Que está fazendo?

VOZ DO PATRÃO   Um mundo novinho em folha, como vocês pediram... (*Riso maquiavélico.*)

CAI O PANO

segunda etapa

TERCEIRO QUADRO

CENÁRIO: *rotunda azul-claro, como no primeiro quadro. Uma mesinha, sobre a qual se vê uma barra de madeira triangular, como nas repartições públicas, com os dizeres: Anjo Ficai.*

Ao abrir o pano, ANJO *está sentado, com os pés sobre a mesa.* PATRÃO *entra.*

PATRÃO	653!
ANJO	(*Assusta-se e levanta-se de um salto.*)
ANJO	Pronto, Patrão! Desculpe-me...
PATRÃO	(*Tom de repreensão.*) Anjo 653, ao que parece, o senhor não está levando muito a sério a sua tarefa neste novo mundo.
ANJO	Como não? Pois se não tenho feito outra coisa senão preocupar-me com a nova filial...
PATRÃO	Todas as providências já foram tomadas?
ANJO	Falta apenas um anjo da guarda.
PATRÃO	Ainda falta um?!
ANJO	O senhor compreende, depois que o senhor dissolveu a guarda, a profissão ficou muito desmoralizada. Não se encontra ninguém que queira ser anjo da guarda. A muito custo, eu consegui contratar quatro e estou esperando o quinto, para submetê-lo a uma prova. Tive que ir buscá-lo entre os componentes do Coro dos Anjos.

PATRÃO	No Coro dos Anjos?! Mas o Coro é composto de rapazes sem a menor experiência no comércio de almas.
ANJO	Não tenho outro jeito senão instruí-lo nos segredos da profissão e experimentar. Veremos como se porta.
PATRÃO	Tome cuidado, 653! Olhe que a responsabilidade dessa nova filial é inteiramente sua! Você será responsabilizado por todo e qualquer prejuízo!
ANJO	Sei disso.
PATRÃO	A não ser que prefira voltar a ser anjo da guarda.
ANJO	(*Apavorado.*) Não! Não posso crer que o Patrão seja tão cruel para comigo!
PATRÃO	Então, trabalhe direito, 653. E tome juízo!
ANJO	Já tomei, Patrão. O senhor nunca mais terá queixa de mim.
PATRÃO	(*Reparando nas asas.*) É, pelo menos aparentemente, parece mais apresentável. (*Referindo-se às asas.*) São novas?
ANJO	São último tipo. Hidramáticas.
PATRÃO	(*Como se pressentisse.*) Bem, aproxima-se daqui o anjo que você espera. Eu me retiro e previno-o mais uma vez: cuidado para não falhar de novo!
ANJO	Pode ir descansado: desta vez não falharei. (PATRÃO *sai.* ANJO *volta-se e procura, olhando para cima, em várias direções, o* ANJO DA GUARDA.)
ANJO	Ele disse que o anjo estava se aproximando daqui... (*Olhando para um ponto alto.*) Ah! Lá vem ele... (ANJO *vai sentar-se à sua mesa. Assume uma atitude compenetrada.* ANJO DA GUARDA *entra, tímido, pé ante pé.*)
ANJO DA GUARDA	Com licença?

ANJO	(*Sem levantar a vista.*) Aproxime-se.
ANJO DA GUARDA	(*Aproximando-se.*) Vim apresentar-me. Sou o novo anjo da guarda. (ANJO *levanta os olhos. Examina-o de cima a baixo.*)
ANJO	Muito bem. Sente vocação para suas novas funções?
ANJO DA GUARDA	Creio que sim.
ANJO	Sabe que é muito grande a responsabilidade que vai assumir?
ANJO DA GUARDA	Sei... e isso me faz recear um pouco.
ANJO	Isso é mau. Uma das qualidades essenciais ao anjo da guarda é não recear coisa alguma. Lembre-se de que terá que enfrentar centenas de perigos e de todos salvar o seu protegido.
ANJO DA GUARDA	Confesso que... sofro de um complexo de timidez.
ANJO	Bem, essa timidez em pouco tempo você perderá. E essa candura angelical também.
ANJO DA GUARDA	Bem, quanto a essa última parte, creio que não devo perdê-la...
ANJO	Por quê?
ANJO DA GUARDA	(*Acanhado.*) Afinal de contas, a candura, a inocência, são virtudes essenciais a um anjo...
ANJO	Tolices. Como é que você vai poder salvar um indivíduo de ser surpreendido pela esposa nos braços da amante se for inocente?
ANJO DA GUARDA	(*Enrubescido.*) Bem, mas... num caso desses, eu teria também que estar presente?
ANJO	Claro. Você não pode afastar-se do seu protegido para nada. Terá que segui-lo por toda a parte.

ANJO DA GUARDA — Não posso ao menos fechar os olhos... em determinadas ocasiões?...

ANJO — Não! Isso poderá ser fatal! Não conhece o caso do anjo 1001?

ANJO DA GUARDA — Não...

ANJO — Era anjo da guarda de Cleópatra.

ANJO DA GUARDA — Cleópatra... uma que se suicidou, deixando-se picar por duas áspides... nos seios.

ANJO — Essa mesma. Na hora do suicídio, ele fechou os olhos.

ANJO DA GUARDA — Por quê?

ANJO — Ficou com vergonha...

ANJO DA GUARDA — Bem, eu farei o possível para vencer certos escrúpulos, certas inibições.

ANJO — É preciso. Um anjo da guarda não pode estar com escrúpulos, nem vergonha. E essas inibições... procure dominá-las.

ANJO DA GUARDA — (*Encabuladíssimo.*) Sim, senhor!

ANJO — Você tem muita sorte. Vai trabalhar num mundo novo, ainda sem ódio, sem maldade, sem crimes. Sem automóveis, sem aviões...

ANJO DA GUARDA — Ainda bem, tenho pavor de avião. Sofro de vertigens.

ANJO — Vertigens?!

ANJO DA GUARDA — É, tenho pressão alta. Por isso o médico recomendou que eu me alistasse na guarda. Assim, poderei descer à terra. Passo muito mal aqui em cima, devido à altura.

ANJO	Pressão alta, timidez, candura... Hum, você tem defeitos gravíssimos. Por que esses óculos?
ANJO DA GUARDA	Sou daltônico...
ANJO	Mal, mal! Se fosse no mundo velho, você estaria reprovado no exame de trânsito.
ANJO DA GUARDA	Precisa também...?
ANJO	Evidente. Como você poderia impedir que seu protegido atravessasse uma rua com o sinal vermelho e fosse atropelado? Sua sorte é que no mundo novo ainda não há problemas de trânsito.
ANJO DA GUARDA	O senhor acha, então, que eu não sirvo?
ANJO	(*Suspira fundo, desanimado.*) Qual, meu rapaz, você é a maior negação profissional que eu já vi.
ANJO DA GUARDA	(*Dolorosamente.*) O senhor acha?!
ANJO	Acho. Mas o que é que eu vou fazer?...
ANJO DA GUARDA	(*Suplicante.*) Eu preciso desse emprego!
ANJO	E eu preciso preencher essa vaga, de qualquer maneira. Não se concebe que num mundo com cinco habitantes apenas, um deles não tenha anjo da guarda. E é uma vergonha que não se encontrem cinco anjos que queiram ser guardas.
ANJO DA GUARDA	Nesse caso, o senhor podia dar um jeitinho...
ANJO	Vou dar o jeitinho, sim. Senão o Patrão é capaz de exigir que eu ocupe a vaga restante.

ANJO DA GUARDA	(*Contente.*) Então, quer dizer que... estou admitido!
ANJO	Está; anjo da guarda, letra F, salário mínimo.
ANJO DA GUARDA	(*Reconhecidíssimo.*) Muito obrigado!
ANJO	Já sabe qual deles está sob a sua proteção?
ANJO DA GUARDA	Sei...
ANJO	Então, pode entrar de serviço imediatamente. Felicidades.
ANJO DA GUARDA	(*Emocionado.*) Obrigado. (*Saindo.*) Com licença... (ANJO DA GUARDA *sai.* ANJO *fica olhando na direção em que ele desapareceu. Enquanto o* PATRÃO *entra e fita o* ANJO *com ar severo.*)
ANJO	Perdoe-me, Patrão, mas foi o que se pôde arranjar...

Apagam-se as luzes.

QUARTO QUADRO

CENÁRIO: *o palco é dividido em três planos. No plano mais elevado, um trono; no plano intermediário, um toucador com espelho, uma cama e um biombo. Uma passagem por baixo do plano intermediário sugere uma rua, que dá numa porta-janela para o compartimento da* PROSTITUTA. *Uma escada dá acesso ao plano mais elevado. Ao centro, no primeiro plano, uma mesa e um tamborete. Estes são os elementos essenciais à representação; outros detalhes a cargo do cenógrafo. A iluminação é intensa no plano superior, regular no plano intermediário e quase nula no primeiro plano. Ao subir o pano, o* REI, *sentado no trono, cochila. A* SRA. HONESTA, *diante do toucador, arranja os cabelos, enquanto a* PROSTITUTA, *debruçada na janelinha do seu quarto, espera alguém. Depois de vários segundos, surge o* NEGRO. *Movimenta-se com cautela, como se temesse estar sendo seguido. Para na entrada da rua. De sua janelinha, a* PROSTITUTA *o chama com um "psiu". O* NEGRO *a olha com indiferença. Desce e vem sentar-se à mesa. Põe-se a comer um pedaço de carne que trazia oculta no vestuário. O* REI *desperta, sobressaltado. Ao ver o* NEGRO, *suas feições se transformam, fica como que fanatizado ao olhá-lo comer. A* PROSTITUTA, *desiludida, atira-se sobre a cama. O* LADRÃO *entra, cautelosamente, ao ver o* NEGRO, *recua um passo, como se temesse ser visto. Depois resolve avançar lentamente, sem ser inicialmente percebido pelo* NEGRO.

LADRÃO — (*Amigavelmente.*) Olá, companheiro.

NEGRO — (*Levanta-se de um salto, num movimento instintivo de defesa.*)

LADRÃO — Calma. Sou seu amigo.

NEGRO — Que quer?

LADRÃO — Nada. Desejo apenas cumprimentá-lo. Não o tenho visto. Esteve caçando?

NEGRO — (*Sempre na defensiva.*) Foi.

LADRÃO — Bom esporte. No outro mundo, era o esporte favorito dos reis e dos aristocratas. E, pelo que vejo, o amigo foi feliz na caçada...

REI — (*Desce as escadas.*)

NEGRO — Cacei só para mim.

LADRÃO — Só? Será que não podíamos dividir...? Amanhã pretendo sair também para caçar e...

NEGRO — (*Cortando, firme.*) Não. (*Afasta-se.*)

REI — (*Barrando a passagem ao* NEGRO.) Amigo... (*Seu aspecto é deplorável, perdeu inteiramente a arrogância. Está meio curvado, as vestes em desalinho, parece mais um mendigo. Não só pelo aspecto físico como pela atitude suplicante que se dirige ao* NEGRO.) Tenho fome!

NEGRO — Há muita caça nos campos, peixe nos rios, muita terra pra plantar. Terra boa, dá de tudo.

REI   Mas você... será que não podia... um pouco de carne só...

NEGRO   (*Firme.*) Não.

REI   (*Oferecendo-lhe a sua coroa.*) Eu troco por esta coroa.

NEGRO   (*Com pouco caso.*) Isso não vale nada. Porcaria.

REI   É ouro. Essas pedras são preciosas! Diamantes!

NEGRO   (*Toma a coroa, coloca-a sobre a cabeça, solta uma gargalhada.*)

REI   (*Procurando animá-lo a fazer a troca.*) Magnífico! Assenta-lhe muito bem.

NEGRO   (*Devolvendo a coroa.*) É muito incômoda. Vai me impedir de trabalhar.

REI   Que quer, então, em troca? (*Confidencial.*) Olhe, posso ser-lhe de muita utilidade...

NEGRO   (*Desconfiado.*) Em quê?

REI   Você está sempre lavrando a terra... (*Referindo-se à* SRA. HONESTA) ... deixa-a sozinha... Eu poderia vigiá-la. (*Intrigante, referente ao* LADRÃO.) Ele é perigoso... é um homem capaz de tudo...

NEGRO   (*Repelindo-o, com nojo.*) E você também. (*A* SRA. HONESTA *ouve a voz do* NEGRO, *apressa a toalete, o* NEGRO *vai saindo.*)

PROSTITUTA   (*Abre a porta quando o* NEGRO *passsa em frente.*) Entre... garanto que não se arrependerá... (*O* NEGRO *hesita.*) Tem medo de mim... ou dela?

NEGRO   (*Espicaçado, entra; a* PROSTITUTA *fecha a porta.*)

LADRÃO   (*Para o* REI:) Ela tem meios de convencê-lo de que nós não temos...

PROSTITUTA   (*Lança os braços sobre o pescoço do* NEGRO, *oferecendo-se.*)

NEGRO	(*Repelindo-a quase brutalmente.*) Que quer?
PROSTITUTA	Seja mais delicado. Isso não é pergunta que se faça.
NEGRO	Fale logo.
PROSTITUTA	É tão pouco o que lhe peço... e tão bom o que lhe posso dar em troca.
NEGRO	Ela não me pede nada em troca.
PROSTITUTA	(*Irônica.*) Ela é honesta... Mas não se fie muito nessa honestidade...
NEGRO	Que quer dizer? Sabe alguma coisa? Fale.
PROSTITUTA	Oh, não... Estou só lhe prevenindo... Não quero que você seja enganado. Conheço bem a honestidade dessas senhoras.
NEGRO	(*Com as mãos em volta do pescoço da* PROSTITUTA.) Tenho vontade de lhe apertar o pescoço.
PROSTITUTA	(*Os olhos arregalados pelo pavor.*) Não! (*A* SRA. HONESTA *entra subitamente, o* NEGRO *solta o pescoço da* PROSTITUTA, *empurrando-a sobre a cama.*)
SRA. HONESTA	(*Ciumenta.*) Que está fazendo aqui?
NEGRO	Ela me chamou.
SRA. HONESTA	Ela não sabe que você é meu, que não deve se meter com você?
NEGRO	(*Contém a* SRA. HONESTA, *impedindo que as duas mulheres se atraquem.*)
PROSTITUTA	Ora, pode ficar com o seu lindo negro. Ele não me faz falta. Meu interesse era outro... tenho fome.
SRA. HONESTA	E quer que ele a sustente.
PROSTITUTA	Eles sempre me sustentaram.
SRA. HONESTA	Pois arranje outro. (*Agarra o* NEGRO *e sai com ele.*)

PROSTITUTA	(*Sarcástica.*) Outro... Como se houvesse muito que escolher. No mundo só ficaram parasitas. Todos nós somos parasitas. E foram-se as árvores. (*Estira-se na cama.*)
LADRÃO	Ela também não conseguiu nada.
REI	Ele deve ter carne e frutas guardadas em alguma parte. Passa o dia caçando e plantando.
LADRÃO	Eu o segui hoje durante toda a tarde para ver se descobria.
REI	Descobriu?
LADRÃO	Não, ele é sabido.
REI	Talvez lá, no quarto dela... (*O* NEGRO *e a* SRA. HONESTA *surgem no segundo plano.*)
LADRÃO	É, talvez...
NEGRO	Vá embora, quero dormir.
SRA. HONESTA	Não posso ficar?
NEGRO	Não. Estou cansado. Trabalhei o dia todo.
SRA. HONESTA	(*Numa queixa.*) Você sempre trabalha o dia todo... eu fico aqui, sozinha.
NEGRO	Pois venha comigo.
SRA. HONESTA	(*Com uma certa repugnância.*) Para o campo?
NEGRO	Sim.
SRA. HONESTA	Tenho alergia a poeira.
NEGRO	(*Num gesto de irritação.*) Ah...
SRA. HONESTA	(*Muito sincera.*) Palavra!
NEGRO	Saia, quero dormir. (*A* SRA. HONESTA *sai docilmente, o* NEGRO *bebe água num copo rústico. Deita-se no chão e dorme.*)

REI	(*Para o* LADRÃO:) Ele vai dormir...
LADRÃO	(*Sorrindo, com maldade.*) Podíamos lhe preparar um bom sono...
PROSTITUTA	(*Vendo que se referem ao* NEGRO.) Negro sujo.
LADRÃO	E pensar que todos nós dependemos dele.
REI	No outro mundo, eu teria mandado açoitá-lo.
PROSTITUTA	(*Ri nervosamente.*)
REI	De que está rindo?
PROSTITUTA	(*Parando de rir bruscamente, com ar de culpa.*) De nada. É nervoso.
REI	(*Para o* LADRÃO, *envolvente:*) Mas você podia... ele está dormindo... Deve ter um sono pesado... Você deve estar acostumado a fazer essas coisas. Fazia parte de sua profissão. (*Procurando metê-lo em brios.*) Afinal de contas, você é ou não um homem sem escrúpulos, um aventureiro, um bandido?
LADRÃO	(*Com orgulho.*) Sou, claro!
REI	Começo a pensar que você quis apenas se valorizar aos nossos olhos...
PROSTITUTA	(*Em tom de deboche.*) Bandido... de história em quadrinhos. (*Riso nervoso.*)
LADRÃO	(*Resoluto.*) Vocês verão. (*Sai.*)
PROSTITUTA	Há alguma coisa errada. Ou somos nós, ou é o mundo.
REI	É este mundo e quem o fez.
PROSTITUTA	Acho que somos nós... (*O* LADRÃO *surge no segundo plano.*)
REI	Ele chegou lá.
LADRÃO	(*Movimenta-se cautelosamente, como se estivesse procurando alguma coisa. Anda nas pontas dos pés, de um*

lado para o outro, procurando não despertar o NEGRO, *mas este, em dado momento, vira-se no chão, como se fosse acordar. O* LADRÃO *salta sobre ele rapidamente e saca de um punhal, fere-o repetidas vezes. O* NEGRO *deixa escapar dois ou três gemidos abafados e cala-se para sempre. O* LADRÃO *se ergue lentamente, os olhos presos ao cadáver do* NEGRO. *Fica alguns segundos indeciso, apavorado, com o que fez. Repentinamente, foge.*)

PROSTITUTA (*Apavorada.*) Ele o matou!

REI Ele deve estar louco.

PROSTITUTA Nenhum de nós está muito longe disso.

REI E nós... nós fomos cúmplices. (*O* LADRÃO *surge agora, no primeiro plano; tanto o* REI *como a* PROSTITUTA *o veem aproximar-se, receosos, ainda sob a impressão da cena anterior.*)

LADRÃO Que é?... Por que me olham com essa cara de espanto? Nunca viram um homem matar outro? É a primeira vez que isto acontece neste mundo, mas no outro nada havia mais banal. Ou vocês não se lembram mais?

PROSTITUTA (*Num transporte.*) Eu me lembro, sim... vi uma vez um homem ser esfaqueado. Chorava como criança, esvaindo-se em sangue. E, poucos minutos antes, tinha estado em meus braços comprando prazer. Mas não era tão horrível.

LADRÃO Por quê?

PROSTITUTA Não sei... Parecia mais ou menos lógico, apesar de tudo. E agora...

LADRÃO Agora...

REI Agora eu tenho medo.

LADRÃO (*Numa ironia nervosa.*) Mas Vossa Majestade, que foi rei, que teve exércitos, que fez guerras e foi causador da morte de milhares de homens, está agora com medo por ter sido testemunha de um assassinato? Um, quando Vossa Majestade deve ter tantos na consciência.

REI — Ela tem razão, agora é diferente.

LADRÃO — (*Irritando-se.*) Diferente por quê?

PROSTITUTA — E ele não era mau. Era a nossa, a minha única esperança. Só ele podia me ajudar. Ele trabalhava, caçava, sustentava uma mulher... Só com ele eu podia me justificar. (*Voltando-se contra o* LADRÃO, *acusadora:*) E você o matou.

REI — Nós precisávamos dele. Quem vai agora pescar, caçar, lavrar a terra?

LADRÃO — De que adiantava, se ele não queria trabalhar para nós?

REI — Um dia nós o obrigaríamos a isso.

LADRÃO — Não creio. Ele acabaria por nos escravizar a todos, isso sim. (*Esforçando-se para justificar o seu crime.*) Assim estamos livres dele.

PROSTITUTA — E o que vamos fazer agora?

LADRÃO — Não compreendo.

PROSTITUTA — Tenho a impressão de que isso não pode ficar assim.

REI — Seria bom que escondêssemos o corpo.

PROSTITUTA — Esconder de quem? Da Senhora Honesta?

LADRÃO — Que poderá ela fazer contra mim?

REI — Tem razão, ela nada pode fazer.

LADRÃO — E não sendo ela...

REI — Nada há a temer. (*Surge o* ANJO *no terceiro plano.*)

PROSTITUTA — (*Apontando.*) Mas vejam!

LADRÃO — O anjo!

REI — É ele mesmo!

ANJO — (*Cordialmente.*) Salve! (*Desce as escadas.*)

PROSTITUTA — (*Baixo, receosa.*) Que é que ele vem fazer aqui?

REI — (*Idem.*) Será que é por causa do Negro?

LADRÃO — (*Receosos também, sem convicção.*) Tolice...

ANJO — (*Sem patins, agora com asas, vendo que todos aguardam ansiosos e apreensivos as suas palavras.*) Olá.

PROSTITUTA — O senhor novamente aqui... Quer dizer...

ANJO — Não quer dizer nada.

LADRÃO — O mundo... não foi criado novamente?

ANJO — O Patrão assim o decidiu.

LADRÃO — Quer dizer que o nosso ultimatum surtiu efeito!

ANJO — O Patrão age certo, por meios ilícitos... A ter que perdoá-los e desmoralizar o estabelecimento, ele preferiu criar outro mundo, especialmente para vocês.

PROSTITUTA — (*Mais descansada.*) Então o senhor não vem buscar a gente?

ANJO — Não, isso só acontecerá quando este mundo se acabar, como o primeiro.

LADRÃO — E o senhor pode nos informar se o Patrão cogita isso no momento?

ANJO — Este mundo existe há tão pouco tempo, como se pode pensar em acabá-lo? O senhor pensa que fazer um mundo é a mesma coisa que tirar uma edição extra?

LADRÃO — (*Desconfiado.*) Mas, então, que é que o senhor vem fazer aqui?

ANJO — Apenas comunicar o resultado de minha missão. O Patrão permitiu que eu me materializasse durante

	alguns minutos para isso. E o resultado foi esse que já sabem, além dos meus prejuízos pessoais.
REI	Que prejuízos?
ANJO	Perdi a licença-prêmio.
LADRÃO	Sinto muito.
ANJO	E não é só. Estou perto de ser rebaixado.
REI	Como?
ANJO	Estou ameaçado de voltar a ser anjo da guarda.
REI	Ah... E, por falar nisso, será que neste novo mundo existem também anjos da guarda?
ANJO	Por certo. Cada um de vocês tem o seu.
LADRÃO	O senhor tem certeza?
ANJO	Absoluta. Eu mesmo li as nomeações.
PROSTITUTA	Com certeza ainda não tomaram posse.
ANJO	Não é possível.
LADRÃO	Ou então são funcionários públicos, só vêm aqui assinar ponto.
ANJO	Não acredito. A guarda foi toda reformada e moralizada.
LADRÃO	Ah, quer dizer que antigamente não era.
ANJO	Realmente, havia elementos fracos. Uns por falta de vocação, outros por desonestidade mesmo. (*Discreto.*) Peço que não divulguem isso, porque é uma vergonha para a corporação, mas houve até casos de suborno.
PROSTITUTA	(*Escandalizada.*) Não diga.
LADRÃO	Mas, que diabo, eu pensei que para chegar a anjo da guarda fosse preciso ser a honestidade em pessoa.

	Honestidade, abnegação, pureza de sentimentos, tudo isso devia ser exigido de um anjo.
ANJO	Não, só exigem atestado de ideologia.
LADRÃO	(*Receoso de que o* ANJO *descubra o cadáver do* NEGRO.) Bem, mas... o senhor não vai demorar-se muito por aqui, não é?...
ANJO	Infelizmente, foi-me concedida apenas meia hora de materialização. E foi-me recomendado também que aproveitasse o tempo para uma pequena viagem de inspeção.
REI	Como?
ANJO	O Patrão quer saber como vai o seu novo mundo, se vocês estão satisfeitos.
LADRÃO	(*Pensando apenas em ver-se livre do* ANJO.) Ora, satisfeitíssimo.
REI	(*Vai objetar.*) Bom... (*O* LADRÃO *lança-lhe um olhar significativo, procurando fazê-lo entender que devem procurar livrar-se do* ANJO *o mais depressa possível.*)
ANJO	Alguma objeção?
REI	(*Corrigindo.*) Bem-feito... este mundo. Muito bem-feito.
LADRÃO	(*Irônico, mas procurando ser convincente.*) Genialmente arquitetado.
PROSTITUTA	Um mundo tão justo, tão agradável.
ANJO	Agradeço os elogios, em nome do Patrão. Ele, na sua modéstia, ficaria com os olhos cheios de lágrimas, se os ouvisse falar. Ele, que fez este mundo especialmente para vocês...
LADRÃO	É, está se vendo...
PROSTITUTA	Sob medida...

ANJO   Um mundo em que tudo lhes pertence. Montes, vales, rios e mares, minas de ouro e poços de petróleo, tudo pertence a vocês cinco! É verdade, onde estão os outros dois?

PROSTITUTA   A Senhora Honesta deve estar passeando.

LADRÃO   Ela gosta muito de passear.

REI   Mas, com certeza, não se demora.

ANJO   E o Negro? (*Pausa. Ficam alguns segundos sem saber o que responder.*)

PROSTITUTA   Está dormindo.

ANJO   Ah, como o invejo! Dormir... Como deve ser bom dormir... Sonhar...

REI   (*Num arrepio de pavor.*) Sim, muito bom...

LADRÃO   Os anjos não dormem?

ANJO   Não.

LADRÃO   Por quê? Sofrem de insônia?

ANJO   Não, por causa de um tal Freud. Esse cavalheiro andou espalhando que os sonhos são realizações de desejos. Daí para cá, fomos proibidos de dormir.

PROSTITUTA   (*Entre curiosa e provocante.*) Os anjos não têm desejos?

ANJO   (*Muito perturbado, notando o penhoar aberto da* PROSTITUTA.) Não devem ter...

PROSTITUTA   (*Procurando provocá-lo.*) Que pena, não é?

ANJO   É... (*Tira do bolso o seu frasco de Sucedâneo do Amor e engole uma pílula.*)

PROSTITUTA   Que é isso?

ANJO   É um remédio.

PROSTITUTA   Como se chama?

ANJO — (*Com dificuldade.*) Sucedâneo do Amor. É fabricado pelo Patrão para uso particular dos anjos.

PROSTITUTA — Contra quê?

ANJO — (*Vagamente.*) Distúrbios glandulares...

LADRÃO — Não sabia que isso dava em anjo.

REI — Escute, os anjos não comem também, por acaso?

ANJO — Também não. Agradeço o amável convite. Está na hora do almoço?

REI — (*Entre revoltado e lamuriento.*) Nós não comemos há dois dias!

ANJO — (*Surpreso.*) Por quê? Se há tanta caça nos campos, tanto peixe nos rios, tanta terra para plantar e colher, bons legumes, boas frutas... (*O* LADRÃO *e a* PROSTITUTA *trocam olhares com o* REI, *fazendo-o compreender que não devem queixar-se.*) Por que não comem de tudo isso, se é de vocês?

PROSTITUTA — Não, é que nós estranhamos um pouco a comida do novo mundo e... o senhor compreende, não é?...

LADRÃO — Estamos de dieta.

ANJO — Ah, bem...

LADRÃO — (*Preocupado com a presença do* ANJO.) Mas o senhor está distraído... será que não se expirou o prazo que lhe foi concedido?

ANJO — (*Tira do bolso uma ampulheta, olha.*) Não, tenho ainda algum tempo. Queria aproveitá-lo para ver os outros dois, o Negro e a Senhora Honesta.

LADRÃO — Vai ser muito difícil...

ANJO — Por quê?

PROSTITUTA — Nós não sabemos aonde ela foi.

REI — E ele está dormindo profundamente.

ANJO — Não é possível acordá-lo?

REI — É muito difícil.

ANJO — Eu mesmo o acordarei, então.

LADRÃO — (*Segurando-o.*) Não, não, não vá fazer uma coisa dessas. Não podemos permitir que o senhor se exponha a um perigo desses!

ANJO — Que perigo?

LADRÃO — O senhor não conhece esse Negro. Fica furioso quando o acordam.

PROSTITUTA — É verdade, parece uma fera!

REI — É capaz de matá-lo!

LADRÃO — E lembre-se de que o senhor, apesar de anjo, neste momento é mortal, como nós.

ANJO — Tem razão, seria uma desmoralização para mim e um aborrecimento a mais para o Patrão. (*Despedindo-se.*) Nesse caso, eu me despeço.

SRA. HONESTA — (*Entrando.*) O Anjo!

ANJO — Oh, mas aí está ela.

SRA. HONESTA — (*Um pouco receosa.*) Que vem fazer aqui?

ANJO — Uma visitinha de inspeção.

SRA. HONESTA — (*Com ar cretino.*) O senhor agora é inspetor?

ANJO — Mais ou menos...

SRA. HONESTA — (*Reparando nas asas.*) E como o senhor fica bem de asas!

ANJO — (*Encabulado.*) Bondade sua.

SRA. HONESTA — O senhor voa mesmo com essas asas?

ANJO — Voava, mas doía muito as costelas.

SRA. HONESTA — Calculo.

ANJO — Por isso não diga nada a ninguém... Comprei um helicóptero, que não sou trouxa.

LADRÃO — (*Nervoso.*) Olhe que o senhor vai chegar atrasado...

ANJO — (*Olhando na ampulheta.*) Ainda tenho alguns minutos. Se o Negro acordasse antes disso...

SRA. HONESTA — Eu vou acordá-lo.

LADRÃO, REI E PROSTITUTA — (*Quase ao mesmo tempo.*) Não! Não!

SRA. HONESTA — (*Sem entender.*) Por quê?

PROSTITUTA — Ele não gosta que o acordem.

SRA. HONESTA — (*Desconfiada.*) Como você sabe?

PROSTITUTA — Os homens não gostam...

REI — Ele deve estar cansado... tem trabalhado muito. É melhor deixá-lo dormir.

PROSTITUTA — É tão bom dormir, o senhor não acha? (*A* SRA. HONESTA *pressente que algo de terrível se passou e vai saindo, lentamente.*)

REI — (*Enquanto a* SRA. HONESTA *se afasta.*) Nada é tão respeitável quanto o sono de uma pessoa.

LADRÃO — (*Em desespero, apelando para o* ANJO:) Não permita que ela o acorde.

SRA. HONESTA — (*Volta-se rapidamente e sai correndo.*)

ANJO — Talvez ele esteja tendo maus sonhos...

SRA. HONESTA — (*Surge no segundo plano, as feições transtornadas, aproxima-se do cadáver do* NEGRO, *percebe que ele está morto. Fica alguns segundos fitando o corpo do companheiro, como que petrificada de súbito, é atacada por um acesso de choro, volta-se e sai por onde entrou. Todos trocam olhares significativos, o* LADRÃO *baixa os olhos, dominado pelo medo.*)

ANJO	Que aconteceu? (*Ninguém tem coragem de responder, ou de encará-lo. A* SRA. HONESTA *entra trazendo no rosto uma expressão meio abobalhada, entre o riso e o pranto.*)
ANJO	Que aconteceu ao Negro?
SRA. HONESTA	(*Infantilmente.*) Foi sem querer, juro. Eu preparei o veneno para ele beber... mas, depois, me arrependi Hoje, enquanto eu não estava, naturalmente ele... (*Com veemência.*) Vocês não acreditam em mim? (*Para o* ANJO:) O senhor acredita? Eu não queria que ele morresse! (*Culpa.*) Pensei nisso ontem, mas... estava desesperada. (*Olha para a* PROSTITUTA.) Pensava que ele tinha outra. Mas hoje vi que não. (*Como se se referisse ao seu cão de estimação.*) Ele era fiel, coitadinho... E eu o matei.
ANJO	O patrão vai ter grande desgosto ao saber disso, ele esperava que este fosse um mundo sem ódio e sem maldade. Um mundo justo e bom.
LADRÃO	(*Revoltando-se.*) E ele não vê que nós não podemos existir num mundo assim? Nós somos produtos de uma sociedade apodrecida. Como poderemos viver num mundo ainda sem culpa? Sem injustiça, sem exploração? Sem ódio e sem maldade? O seu Patrão não viu que isso não era possível?!
ANJO	O Patrão sabe o que faz.
LADRÃO	Ele não sabe que eu não poderei continuar a ser o que sou. (*Para a* PROSTITUTA:) Que ela não poderá continuar a ser o que é? Ele não vê que este mundo é um absurdo?
PROSTITUTA	Ele tem razão, nós não cabemos neste mundo.
LADRÃO	Neste novo mundo não pode haver reis, nem prostitutas!
PROSTITUTA	O mal é que o mundo é outro, mas nós somos os mesmos.

LADRÃO	Nós não fomos feitos para este mundo, onde será preciso trabalhar. E, de nós cinco, o Negro foi o único que trabalhou honestamente.
REI	E que vamos fazer neste mundo tão grande, mas inteiramente deserto?
ANJO	Mas vocês são seus únicos donos.
REI	E de que adianta isso, se temos de caçar para comer, se temos de construir a nossa própria casa, se suas riquezas de pouco nos podem servir? Isso não é mundo que se faça.
ANJO	Vossa Majestade talvez o fizesse melhor.
REI	Sem dúvida. Um mundo onde nada há que fazer. Ou melhor, em que tudo ainda está por fazer.
ANJO	E isso não agrada a Vossa Majestade?
REI	De modo algum. O seu Patrão é que tem obrigação de criar mundos, não eu.
ANJO	Mas Vossa Majestade não realizou o seu grande sonho de dominar todos os continentes?
REI	Dominar o quê? Quem?
SRA. HONESTA	(*Ainda com o mesmo ar cretino de quem lamenta a morte do cãozinho de estimação.*) Ele dizia que nós precisávamos lavrar a terra... Fazer brotar da terra a nova vida. Trigo, legumes, frutas, a nova vida!
LADRÃO	Vamos acabar por nos odiar e nos eliminar mutuamente, levados pelo desespero, pelo absurdo de nossa existência num mundo assim.
ANJO	Mas não foram vocês que escolheram isso?
PROSTITUTA	Não. Nós queríamos ser perdoados. Isso é o pior dos castigos.
REI	(*Apontando para o* ANJO.) E ele é o culpado.
ANJO	Eu!

REI	Sim, foi o senhor que fez o Patrão criar este novo mundo.
ANJO	Vocês exigiram! E não havia outra solução.
REI	Se soubéssemos o que nos esperava, teríamos preferido comparecer ao Juízo.
LADRÃO	Sim, mil vezes o Juízo! (*Ouvem-se novamente os efeitos musicais do início, simbolizando o fim do mundo. Simultaneamente, apagam-se as luzes do palco e uma cortina de gaze cai ocultando os três planos do fundo: apenas a cortina de gaze deve aparecer iluminada das coxias.*)
PROSTITUTA	Que é isto?
ANJO	(*Ironicamente.*) Vocês venceram mais uma vez.
SRA. HONESTA	Outro fim do mundo!
ANJO	Outra liquidação forçada. Desse jeito, vamos acabar desmoralizando o estabelecimento... (*Ouvem-se as trombetas novamente e suas sombras aparecem projetadas na cortina de gaze, como no início.*)
PROSTITUTA	As trombetas!
ANJO	Vamos, organizem-se em fila.
LADRÃO	É melhor obedecer. Quem sabe se lá não conseguiremos dar um golpe? (*Com movimentos automáticos, como se estivessem atacados de sonambulismo, todos se organizam em fila.*)
ANJO	(*Conferindo.*) Um, dois, três, quatro... Falta um!
LADRÃO	O outro já foi direto... (*Um a um, os fugitivos vão saindo, enquanto...*)
PATRÃO	(*Voz fora.*) Filial 79: 120.336 almas... e sete... e oito... e nove... 40.
SECRETÁRIA	(*Idem.*) Confere.
PATRÃO	Está fechado o balanço. E lentamente...

CAI O PANO

o pagador
de promessas

PERSONAGENS

Zé do Burro
Rosa
Marli
Bonitão
Padre
Sacristão
Guarda
Beata
Galego
Minha Tia
Repórter
Fotógrafo
Dedé Cospe-Rima
Secreta
Delegado
Mestre Coca
Monsenhor
Manuelzinho Sua Mãe
e a Roda de Capoeira

AÇÃO: *Salvador*
ÉPOCA: *atual*

primeiro ato

PRIMEIRO QUADRO

Uma pequena praça, onde desembocam duas ruas. Uma à direita, seguindo a linha da ribalta, outra à esquerda, ao fundo, de frente para a plateia, subindo, enladeirada e sinuosa, no perfil de velhos sobrados coloniais. Na esquina da rua da direita, vemos a fachada de uma igreja relativamente modesta, com uma escadaria de quatro ou cinco degraus. Numa das esquinas da ladeira, do lado oposto, há uma vendola, onde também se vende café, refresco, cachaça etc.; a outra esquina da ladeira é ocupada por um sobrado cuja fachada forma ligeira barriga pelo acúmulo de andares não previsto inicialmente. O calçamento da ladeira é irregular, e na fachada dos sobrados veem-se alguns azulejos estragados pelo tempo. Enfim, é uma paisagem tipicamente baiana, da Bahia velha e colonial, que ainda hoje resiste à avalanche urbanística moderna.

Devem ser, aproximadamente, quatro e meia da manhã. Tanto a igreja como a vendola estão com suas portas cerradas. Vem de longe o som dos atabaques dum candomblé distante, no toque de Iansã. Decorrem alguns segundos até que ZÉ DO BURRO *surja, pela rua da direita, carregando nas costas uma enorme e pesada cruz de madeira. A passos lentos, cansados, entra na praça, seguido de* ROSA, *sua mulher. Ele é um homem ainda moço, de 30 anos presumíveis, magro, de estatura média. Seu olhar é morto, contemplativo. Suas feições transmitem bondade, tolerância, e há em seu rosto um "quê" de infantilidade. Seus gestos são lentos, preguiçosos, bem como sua maneira de falar. Tem barba de dois ou três dias e traja-se decentemente, embora sua roupa seja maltalhada e esteja amarrotada e suja de poeira.* ROSA *parece pouco ter de comum com ele. É uma bela mulher, embora seus traços sejam um tanto grosseiros, tal como suas maneiras. Ao contrário do marido, tem "sangue quente", revelando, logo à primeira vista, uma insatisfação sexual e uma ânsia recalcada de romper com o ambiente em que se sente sufocar. Veste-se como uma provinciana que vem à cidade, mas também como uma mulher que não deseja ocultar os encantos que possui.*

    ZÉ DO BURRO *vai até o centro da praça e aí pousa a sua cruz, equilibrando-a na base e num dos braços, como um cavalete. Está exausto. Enxuga o suor da testa.*

ZÉ	(*Olhando a igreja.*) É essa. Só pode ser essa.
	ROSA *para também, junto aos degraus, cansada, enfastiada e deixando já entrever uma revolta que se avoluma.*
ROSA	E agora? Está fechada.
ZÉ	É cedo ainda. Vamos esperar que abra.
ROSA	Esperar? Aqui?
ZÉ	Não tem outro jeito.
ROSA	(*Olha-o com raiva e vai sentar-se num dos degraus. Tira o sapato.*) Estou com cada bolha de água no pé que dá medo.
ZÉ	Eu também. (*Num ricto de dor, despe uma das mangas do paletó.*) Acho que os meus ombros estão em carne viva.
ROSA	Bem feito. Você não quis botar almofadinhas, como eu disse.
ZÉ	(*Convicto.*) Não era direito. Quando eu fiz a promessa, não falei em almofadinhas.
ROSA	Então: se você não falou, podia ter botado; a santa não ia dizer nada.
ZÉ	Não era direito. Eu prometi trazer a cruz nas costas, como Jesus. E Jesus não usou almofadinhas.
ROSA	Não usou porque não deixaram.
ZÉ	Não, nesse negócio de milagres, é preciso ser honesto. Se a gente embrulha o santo, perde o crédito. De outra

vez o santo olha, consulta lá os seus assentamentos e diz: — Ah, você é o Zé do Burro, aquele que já me passou a perna! E agora vem me fazer nova promessa. Pois vá fazer promessa pro diabo que o carregue, seu caloteiro duma figa! E tem mais: santo é como gringo, passou calote num, todos os outros ficam sabendo.

ROSA — Será que você ainda pretende fazer outra promessa depois desta? Já não chega?...

ZÉ — Sei não... a gente nunca sabe se vai precisar. Por isso, é bom ter sempre as contas em dia.

Ele sobe um ou dois degraus. Examina a fachada da igreja à procura de uma inscrição.

ROSA — Que é que você está procurando?

ZÉ — Qualquer coisa escrita... pra gente saber se essa é mesmo a Igreja de Santa Bárbara.

ROSA — E você já viu igreja com letreiro na porta, homem?

ZÉ — É que pode não ser essa.

ROSA — Claro que é essa. Não lembra o que o vigário disse? Uma igreja pequena, numa praça, perto duma ladeira...

ZÉ — (*Corre os olhos em volta.*) Se a gente pudesse perguntar a alguém...

ROSA — Essa hora tá todo mundo dormindo. (*Olha-o quase com raiva.*) Todo mundo... menos eu, que tive a infelicidade de me casar com um pagador de promessas. (*Levanta-se e procura convencê-lo.*) Escute, Zé... já que a igreja está fechada, a gente podia ir procurar um lugar pra dormir. Você já pensou que beleza agora uma cama?...

ZÉ — E a cruz?

ROSA — Você deixava a cruz aí e amanhã, de dia...

ZÉ — Podem roubar...

ROSA Quem é que vai roubar uma cruz, homem de Deus? Pra que serve uma cruz?

ZÉ Tem tanta maldade no mundo. Era correr um risco muito grande, depois de ter quase cumprido a promessa. E você já pensou: se me roubassem a cruz, eu ia ter que fazer outra e vir de novo com ela nas costas da roça até aqui. Sessenta léguas.

ROSA Pra quê? Você explicava à santa que tinha sido roubado, ela não ia fazer questão.

ZÉ É o que você pensa. Quando você vai pagar uma conta no armarinho e perde o dinheiro no caminho, o turco perdoa a dívida? Uma ova!

ROSA Mas você já pagou a sua promessa, já trouxe uma cruz de madeira da roça até a Igreja de Santa Bárbara. Está aí a Igreja de Santa Bárbara, está aí a cruz. Pronto. Agora, vamos embora.

ZÉ Mas aqui não é a Igreja de Santa Bárbara. A igreja é da porta pra dentro.

ROSA Oxente! Mas a porta está fechada e a culpa não é sua. Santa Bárbara deve saber disso, que diabo.

ZÉ (*Pensativo.*) Só se eu falasse com ela e explicasse a situação.

ROSA Pois então... fale!

ZÉ (*Ergue os olhos para o céu, medrosamente, e chega a entreabrir os lábios, como se fosse dirigir-se à santa. Mas perde a coragem.*) Não, não posso.

ROSA Por quê, homem?! Santa Bárbara é tão sua amiga... Você não está em dia com ela?

ZÉ Estou, mas esse negócio de falar com santo é muito complicado. Santo nunca responde em língua de gente, não se pode saber o que ele pensa. E além do mais, isso também não é direito. Eu prometi levar

	a cruz até dentro da igreja, tenho que levar. Andei sessenta léguas. Não vou me sujar com a santa por causa de meio metro.
ROSA	E pra você não se sujar com a santa, eu vou ter que dormir no chão, no "hotel do Padre". (*Olha-o com raiva e vai deitar-se num dos degraus da escada da igreja.*) E se tudo isso ainda fosse por alguma coisa que valesse a pena...
ZÉ	Você podia não ter vindo. Quando eu fiz a promessa, não falei em você, só na cruz.
ROSA	Agora você diz isso. Dissesse antes.
ZÉ	Não me lembrei. Você também não reclamou...
ROSA	Sou sua mulher. Tenho que ir pra onde você for.
ZÉ	Então...

ROSA *ajeita-se da melhor maneira possível no degrau, enquanto* ZÉ DO BURRO, *não menos cansado do que ela, faz um esforço sobre-humano para não adormecer. Cochila, montando guarda à sua cruz. Subitamente, irrompem na praça* MARLI *e* BONITÃO. *Ela tem, na realidade, vinte e oito anos, mas aparenta mais dez. Pinta-se com algum exagero, mas mesmo assim não consegue esconder a tez amarelo-esverdeada. Possui alguns traços de uma beleza doentia, uma beleza triste e suicida. Usa um vestido muito curto e decotado, já um tanto gasto e fora de moda, mas ainda de bom efeito visual. Seus gestos e atitudes refletem o conflito da mulher que quer libertar-se de uma tirania que, no entanto, é necessária ao seu equilíbrio psíquico — a exploração de que é vítima por parte de* BONITÃO *vem, em parte, satisfazer um instinto maternal frustrado. Há em seu amor e em seu aviltamento, em sua degradação voluntária, muito de sacrifício maternal, ao qual não falta, inclusive, um certo orgulho.* BONITÃO *é insensível a tudo isso. Ele é frio e brutal em sua "profissão". Encara a exploração a que submete* MARLI *e outras mulheres como um direito que lhe assiste, ou melhor, um dom que a natureza lhe concedeu, juntamente com seus atributos físicos. Em seu entender, sua beleza máscula e seu vigor sexual, aliados a um direito natural de subsistir, justificam plenamente seu modo de vida. É de estatura um pouco acima da média, forte e de pele trigueira, amulatada. A ascendência negra é visível, embora os cabelos sejam lisos, reluzentes de gomalina, e os traços, regulares, com exceção dos lábios grossos e sensuais e das narinas um tanto dilatadas. Veste-se sempre de branco, colarinho alto, sapatos de duas cores. Descem a ladeira, ela na frente, a passos rápidos. Ele a segue, como se viessem já de uma discussão.*

BONITÃO	Espere. Não adianta andar depressa.
MARLI	É melhor discutirmos isso em casa.
BONITÃO	(*Alcança-a e a obriga a parar torcendo-lhe violentamente o braço.*) Não, vamos resolver aqui mesmo. Não tenho nada que discutir com você.
MARLI	(*Livra-se dele com um safanão, mas seu rosto se contrai dolorosamente.*) Estúpido!
BONITÃO	Ande, vamos deixar de mas-mas. Passe pra cá o dinheiro.
MARLI	(*Tira do bolso do vestido um maço de notas e entrega a ele.*) Não podia esperar até chegar em casa?
BONITÃO	(*Conta as notas, rapidamente.*) Só deu isto?
MARLI	Só. A noite hoje não foi boa. Você viu, o "castelo" estava vazio.
BONITÃO	E aquele galego que estava conversando com você quando cheguei?
MARLI	Um boa-conversa. Queria se fretar comigo. Ficou mangando a noite toda e não se revolveu...

BONITÃO	(*Mete subitamente a mão no decote de* MARLI *e tira de entre os seios uma nota.*) Sua vaca!
	Ele faz menção de dar-lhe um bofetão, ela corre e refugia-se atrás da cruz. ZÉ DO BURRO *desperta de sua semissonolência.*
MARLI	Eu precisava desse dinheiro. Pra pagar o quarto, você sabe.
BONITÃO	Não gosto de ser tapeado. Por que não pediu?
MARLI	E você dava?
BONITÃO	Claro que não. (*Guarda o dinheiro na carteira.*) Isso ia fazer falta no meu orçamento. Tenho compromissos, e você bem sabe que não gosto de pedir dinheiro emprestado. É uma questão de feitio.
MARLI	E eu, que faço pra pagar o quarto? Já devo dois meses, e a dona anda me olhando atravessado.
BONITÃO	(*Indiferente.*) É um problema seu. Tenho muita coisa em que pensar.
MARLI	Eu sei, eu sei no que você pensa...
BONITÃO	(*Sorri e há em seu sorriso uma sombra de ameaça.*) Penso, por exemplo, que você, de três meses pra cá, está fazendo muito pouco. A Matilde está fazendo quase o dobro...
MARLI	(*Compreende a ameaça, avança para ele sacudida pelo ciúme e pelo receio de perdê-lo.*) Eu sei, você está dando em cima daquela arreganhada. Ela mesma anda dizendo.
BONITÃO	Eu não dou em cima de mulher nenhuma, você sabe disso. É uma questão de princípios.
MARLI	Quer dizer que é ela quem está dando em cima de você!
BONITÃO	Ela perguntou se eu estava precisando de dinheiro.

MARLI   (*Ansiosamente.*) E você?...

BONITÃO   Eu só pedi umas informações de ordem técnica: arrecadação diária etc.

MARLI   (*Agarra-o freneticamente pelos braços.*) Bonitão, você não aceitou o dinheiro dela, aceitou?! Você não aceitou o dinheiro daquela vagabunda!

BONITÃO   (*Olha-a friamente.*) E que tinha, se aceitasse? Eu também preciso viver.

MARLI   O que eu lhe dou não chega?

BONITÃO   Você compreende, eu também tenho ambições. Se eu não tivesse qualidades, bem. Mas eu sei que tenho qualidades. É justo que viva de acordo com essas qualidades.

MARLI   Mas o que lhe falta? Eu não tenho lhe dado tudo que você me pede? Se for preciso, dou mais ainda. Não pense que é por medo de que você me largue pela Matilde, não. (*Alisa sua roupa e admira-o, maternalmente.*) É porque tenho prazer em ver você vestido com a roupa que eu dei, com os sapatos que eu comprei e com a carteira recheada de notas que eu ganhei pra você. Tenho orgulho, sabe?

BONITÃO   (*Desvencilha-se dela.*) Pois então veja se na próxima vez não esconde dinheiro no decote. Tenho certeza de que a Matilde não é capaz de um gesto feio desses.

MARLI   Ela é capaz de coisas muito piores. Se você quiser, eu lhe conto...

BONITÃO   (*Bruscamente.*) Não quero ouvir nada. Quero é que você vá pra casa.

MARLI   (*Decepcionada.*) Você não vai comigo?

BONITÃO   Não, vou ficar um pouco mais por aqui. Vá na frente que daqui a pouco eu apareço por lá.

MARLI   (*Enciumada.*) E o que é que você vai ficar fazendo na rua a uma hora dessas?

BONITÃO   (*Com muita seriedade.*) Ora, mulher, eu preciso trabalhar! (*Acende um cigarro, abstraindo-se da presença de* MARLI, *que o fita como a um cão escorraçado pelo dono. Só então este se mostra intrigado com a cruz no meio da praça. Examina-a curiosamente e por fim dirige-se a* ZÉ DO BURRO.) É sua?

ZÉ *balança a cabeça em sinal afirmativo.* MARLI *vai até a escada da igreja, senta-se num degrau, sem se incomodar com* ROSA, *deitada mais acima, tira os sapatos e movimenta os dedos doloridos.*

BONITÃO   (*Nota a igreja, faz uma associação de ideias.*) Encomenda?

ZÉ   Não, promessa.

BONITÃO   (*A princípio parece não entender, depois ri.*) Gozado.

ZÉ   Não acho.

BONITÃO   Não falei por mal. Eu também sou meio devoto. Até uma vez fiz promessa pra Santo Antônio...

ZÉ   Casamento?

BONITÃO   Não, ela era casada.

ZÉ   E conseguiu a graça?

BONITÃO   Consegui. O marido passou uma semana viajando...

ZÉ   E o senhor pagou a promessa?

BONITÃO   Não, pra não comprometer o santo.

ZÉ   Nunca se deve deixar de pagar uma promessa. Mesmo quando é dessas de comprometer o santo. Garanto que da próxima vez Santo Antônio vai se fingir de surdo. E tem razão.

BONITÃO	O senhor compreende, Santo Antônio ia ficar mal se soubessem que foi ele quem fez o trouxa viajar. (*Nota que* MARLI *ainda não se foi.*) Que é que você ainda está fazendo aí?
MARLI	Esperando você.
BONITÃO	(*Vai a ela.*) Já lhe disse que vou depois. Vai ficar agora grudada em mim?
MARLI	(*Levanta-se.*) Escute, Bonitão... você não podia deixar eu ficar ao menos com aquela nota?
BONITÃO	Já lhe disse que não. Não insista.
MARLI	Mas eu preciso pagar o quarto!
BONITÃO	O quarto é seu, não é meu.
MARLI	Mas o dinheiro é meu. É justo que eu fique ao menos com algum.
BONITÃO	É justo por quê?
MARLI	Porque fui eu que trabalhei.
BONITÃO	E desde quando trabalhar dá direito a alguma coisa? Quem lhe meteu na cabeça essas ideias? (*Olha-a de cima a baixo, com desconfiança.*) Está virando comunista?
	MARLI *fita-o com ódio e sai bruscamente pela direita.* BONITÃO *acompanha-a com o olhar e depois sorri, tira o dinheiro do bolso e torna a contá-lo.*
ZÉ	(*Candidamente.*) Esse dinheiro... é dela mesmo?
BONITÃO	(*Guarda o dinheiro.*) Bem, esta é uma maneira de olhar as coisas. E toda coisa tem pelo menos duas maneiras de ser olhada. Uma de lá pra cá, outra, de cá pra lá. Entendeu?
ZÉ	Não...

BONITÃO	Não vale a pena explicar. É uma questão de sensibilidade.
ZÉ	O senhor é... marido dela?
BONITÃO	Não, sou assim uma espécie de fiscal do imposto de renda. (*Sobe, como se fosse sair, mas se detém diante de* ROSA, *cujo vestido, levantado, deixa ver um palmo de coxa.*)
ROSA	(*Abre os olhos, sentindo que está sendo observada.*) Que é?
BONITÃO	Nada... estava só olhando...
	ROSA *conserta o vestido.*
BONITÃO	Não deve ser lá muito confortável essa cama...
	ROSA *olha-o com raiva.*
BONITÃO	(*Olha-a mais detidamente.*) E olhe que você bem merece coisa melhor.
ROSA	Diga isso a ele. (*Aponta* ZÉ DO BURRO.)
BONITÃO	A ele?
ROSA	Meu marido.
BONITÃO	Ah, você também veio pagar promessa...
ROSA	Eu não, ele. E por causa dele estou dormindo aqui, no batente de uma igreja, como qualquer mendiga. (*Senta-se.*)
ZÉ	Não deve faltar muito para abrir a igreja. O senhor sabe que horas são?
BONITÃO	(*Consulta o relógio.*) Um quarto para as cinco.
ZÉ	Sabe a que horas abre a igreja?
BONITÃO	Não, não é bem o meu ramo.
ZÉ	Mas às seis horas deve ter missa. Hoje é dia de Santa Bárbara...

ROSA — (*Ressentida.*) Às seis horas. Tenho que aguentar mais de uma hora ainda neste batente duro. E a promessa não é minha!

BONITÃO — É capaz da porta da sacristia já estar aberta.

ZÉ — O senhor acha?

BONITÃO — Padre acorda cedo.

ZÉ — Às cinco horas?

BONITÃO — Então; tem que se preparar para a missa das seis.

ZÉ — É verdade.

BONITÃO — Por que o senhor não vai ver?

ZÉ — É... (*Hesita um pouco.*)

BONITÃO — A porta é do lado de lá.

ZÉ — Rosa, você vigia a cruz, eu vou dar a volta, não demoro. (*Sai.*)

BONITÃO — Pode ir sem susto que eu ajudo a tomar conta de sua cruz. (*Depois que* ZÉ DO BURRO *sai.*) Das duas.

ROSA — Só que uma ele carrega nas costas e a outra... se quiser que vá atrás dele. (*Levanta-se.*)

BONITÃO — E você não é mulher para andar atrás de qualquer homem... Ao contrário, é uma cruz que qualquer um carrega com prazer.

ROSA — (*Com recato, mas no fundo envaidecida.*) Ora, me deixe.

BONITÃO — Palavra. Seu marido não lhe faz justiça. Isso não é trato que se dê a uma mulher, mesmo sendo mulher da gente.

ROSA — Se ele faz pouco de mim, faz pouco do que é dele.

BONITÃO — Não discuto. Só acho que você não é mulher para dormir em batente de igreja. Tem qualidades pra exigir mais: boa cama, com colchão e melhor companhia.

ROSA — Não fale em cama pra quem tem o corpo moído, como eu.

BONITÃO — Tão cansada assim?

ROSA — Duas noites sem dormir, sessenta léguas no calcanho.

BONITÃO — Sessenta léguas? Quantos quilômetros?

ROSA — Sei lá... Só sei que sete vezes amaldiçoei aquele dia em que fui roubar caju com ele na roça dos padres.

BONITÃO — Ah, foi assim...

ROSA — A gente faz cada besteira.

BONITÃO — Quanto tempo faz?

ROSA — Oito anos.

BONITÃO — E você casou com ele?

ROSA — Casei.

BONITÃO — Sem gostar?

ROSA — (*Depois de um tempo.*) Gostava, sim. Sabe, na roça, o homem é feio, magro, sujo e malvestido. Ele até que era dos melhores. Tinha um sítio...

BONITÃO — E daí?

ROSA — Daí, eu achei que ele garantia tudo que eu queria da vida: homem e casa. A gente quando é franga, com licença da palavra, tem merda na cabeça.

BONITÃO — (*Algo interessado.*) Ele tem um sítio, é?

ROSA — Tinha, agora tem só um pedaço. Dividiu o resto com os lavradores pobres.

BONITÃO — Por quê?

ROSA — Fazia parte da promessa.

BONITÃO — Que é que está esperando? Virar santo?

ROSA	Não brinque. Pelo caminho tinha uma porção de gente querendo que ele fizesse milagre. E não duvide. Ele é capaz de acabar fazendo. Se não fosse a hora, garanto que tinha uma romaria aqui, atrás dele.
BONITÃO	Depois de cumprir a promessa, ele vai voltar pra roça?
ROSA	Vai.
BONITÃO	E você?
ROSA	Também. Por quê?
BONITÃO	Se você viesse pra cidade, eu podia lhe garantir um bonito futuro...
ROSA	Fazendo o quê?
BONITÃO	Isso depois se via.
ROSA	Eu não sei fazer nada.
BONITÃO	(*Segura-a por um braço.*) Mulheres como você não precisam saber coisa alguma, a não ser o que a natureza ensinou...

ROSA *puxa o braço bruscamente, depois de manter, por alguns segundos, um olhar de desafio.*

ROSA	Não faça isso! Ele pode voltar de repente.
BONITÃO	Ele deve ter ido acordar o Padre. (*Volta a aproximar-se dela.*)
ROSA	(*Desvencilha-se dele novamente.*) Me solte. (*Volta a sentar-se na escada.*) Eu queria era dormir. Dava a vida por uma cama, com um lençol branco, e uma bacia de água quente onde meter os pés.
BONITÃO	Eu posso lhe arranjar um hotelzinho aqui perto.

ROSA *lança-lhe um olhar hostil.*

BONITÃO	Isso sem segundas intenções, só pra você dormir, descansar dessa romaria.

ROSA Não quero me meter em encrencas.

BONITÃO Não há nenhum perigo de encrenca. Sou muito cotado com o porteiro do hotel e tenho boas relações com a Polícia. Nesta zona, todos respeitam o Bonitão.

ROSA (*Quase sensualmente.*) Bonitão...

BONITÃO (*Vaidoso.*) É um apelido.

ROSA (*Olha-o de cima a baixo.*)

BONITÃO (*Senta-se junto dela.*)

ROSA Não chegue perto, estou muito suada.

BONITÃO No hotel tem banheiro. Para quem andou sete léguas, um banho de chuveiro e depois uma cama com colchão de mola...

ROSA Colchão de mola mesmo?

BONITÃO Então...

ROSA Nunca dormi num colchão de mola. Deve ser bom.

BONITÃO Uma delícia.

Entra ZÉ DO BURRO *pela direita.* BONITÃO *levanta-se.*

ZÉ Tudo fechado. Tem jeito não.

ROSA (*Revoltada.*) E eu que aguente este batente duro até Deus sabe lá que horas.

ZÉ Paciência, Rosa. Seu sacrifício fica valendo.

ROSA Pra quem? Pra Santa Bárbara? Eu não fiz promessa nenhuma.

ZÉ Oxente! Melhor ainda. Amanhã, quando você fizer, a santa já está lhe devendo.

ROSA Nunca vi santo pagar dívida. (*Volta a deitar-se no degrau.*)

BONITÃO	(*Assumindo um ar tão eclesiástico quanto possível.*) A senhora não faz mal em ser tão descrente. Quem sabe se Santa Bárbara já não está providenciando o pagamento dessa dívida? E quem sabe se não escolheu a mim pra pagador?
ZÉ	(*Muito ingenuamente.*) O *senhor* não era fiscal do imposto de renda? Agora é pagador de Santa Bárbara...
BONITÃO	Meu caro, com o custo de vida aumentando dia a dia, a gente tem que se virar. Mas não é esse o caso. Digo que Santa Bárbara já deve estar tratando de liquidar o débito hoje contraído com sua senhora porque me fez passar por aqui esta noite.
ZÉ	Não vejo nada de mais nisso.
BONITÃO	Porque o senhor não sabe que eu posso, em cinco minutos, arranjar uma boa cama, com colchão de mola, num hotel perto daqui.
ZÉ	Pra ela?
BONITÃO	E pro senhor também.
ZÉ	Eu não posso. Tenho que esperar abrir a igreja. Se soubesse que não iam roubar a cruz...
BONITÃO	(*Rapidamente.*) Oh, não, a cruz não deve ficar sozinha. Esta zona está cheia de ladrões. A cruz é de madeira e a madeira está caríssima.
ZÉ	É o que eu acho. Não devo sair daqui.
BONITÃO	Mas eu posso ficar tomando conta, enquanto o senhor e sua senhora vão descansar.
ZÉ	O senhor?
BONITÃO	E por que não?
ZÉ	Mas a igreja pode demorar a abrir. Pelo menos uma hora ainda.

BONITÃO	Eu espero. Sua esposa me contou a caminhada que fizeram, o senhor carregando nas costas essa cruz através de léguas e léguas, para cumprir uma promessa. Isso me comoveu.
ZÉ	Mas não é justo. Não foi o senhor que fez a promessa.
ROSA	Ele está querendo ajudar, Zé.
ZÉ	Mas não é direito. Eu prometi cumprir a promessa sozinho, sem ajuda de ninguém. E essa história de dormir no hotel não está no trato.
BONITÃO	E sua senhora está no trato?
ZÉ	Rosa? Não, ela pode ir.
BONITÃO	Nesse caso, se quiser que eu leve sua senhora... Ao menos ela descansa enquanto espera pelo senhor.
ZÉ	Você quer, Rosa? Quer ir esperar por mim no hotel? (*Volta-se para* BONITÃO*:*) É hotel decente?
BONITÃO	(*Fingindo-se ofendido.*) Ora, o senhor acha que eu ia indicar...
ZÉ	Desculpe, é que sempre ouvi dizer que aqui na cidade...
BONITÃO	Pode confiar em mim.
ZÉ	É longe daqui?
BONITÃO	Não, basta subir aquela ladeira...
ZÉ	Que é que você diz, Rosa?
ROSA	(*Percebendo o jogo de* BONITÃO.) Quero não, Zé. Prefiro ficar aqui com você.
ZÉ	Inda agora mesmo você estava se queixando.
BONITÃO	Não é pra menos. Deve estar exausta. Sessenta léguas.
ZÉ	Afinal de contas, você tem razão, a promessa é minha, não é sua. Vá com o moço, não tenha acanhamento.

BONITÃO	Eu vou com ela até lá, apresento ao porteiro, que é meu conhecido — sim, porque uma mulher sozinha, o senhor sabe, eles não deixam entrar —, depois volto para lhe dizer o número do quarto. Daqui a pouco, depois de cumprir a sua promessa, o senhor vai pra lá.
ZÉ	Se o senhor fizesse isso, era um grande favor. Eu não posso me afastar daqui.
BONITÃO	Nem deve. Primeiro, Santa Bárbara.
ROSA	Zé, é melhor eu ficar com você.
ZÉ	Pra quê, Rosa? Assim você vai logo descansar numa boa cama, não precisa ficar aí deitada nesse batente frio.
BONITÃO	Um perigo! Pode pegar uma pneumonia.
ROSA	(*Inicia a saída. Para, hesitante. Pressente o perigo que vai correr. Procura, com o olhar, fazer* ZÉ DO BURRO *compreender o seu receio.*) Zé...
ZÉ	Ah, sim. (*Enfia a mão no bolso, tira um maço de notas.*) Pode ser que precise pagar adiantado...
ROSA	(*Recebe o dinheiro, magoada com a falta de ciúmes do marido.*) Talvez seja melhor, depois de entregar a cruz, você mandar também rezar uma missa em ação de graças...
ZÉ	(*Levando a sério a sugestão.*) É, não é má ideia.
	ROSA *sobe a ladeira e* BONITÃO *a segue.*
BONITÃO	(*Saindo.*) Volto num minuto.
ZÉ	Está bem.
	Senta-se ao pé da cruz e procura uma maneira de apoiar o corpo sobre ela. Aos poucos, é vencido pelo sono. As luzes se apagam em resistência.

SEGUNDO QUADRO

As luzes voltam a acender-se, lentamente, até dia claro. Ouvem-se, distante, ruídos esparsos da cidade que acorda. Um ou outro buzinar, foguetes estouram saudando Iansã, a Santa Bárbara nagô, e o sino da igreja começa a chamar para a missa das seis. Mas nada disso acorda ZÉ DO BURRO. *Entra, pela ladeira, a* BEATA. *Toda de preto, véu na cabeça, passinho miúdo, vem apressada, como se temesse chegar atrasada. Passa por* ZÉ DO BURRO *e a cruz sem notá-los. Para diante da escada e resmunga.**

BEATA — Porta fechada. É sempre assim. A gente corre, com medo de chegar atrasada, e quando chega aqui a porta está fechada. Por que não abrem primeiro a porta, pra depois tocar o sino? Não, primeiro tocam o sino, depois abrem a porta. Isso é esse Sacristão. (*Para de resmungar ao ver a cruz. Ajeita os óculos, como se não acreditasse no que está vendo. Aproxima-se e examina detalhadamente a cruz e o seu dono adormecido. Sua expressão é da maior estranheza.*) Virgem Santíssima!

Neste momento, abre-se a porta da igreja e surge o SACRISTÃO. *É um homem de perto de cinquenta anos. Sua mentalidade, porém, anda aí pelos quatorze. Usa óculos de grossas lentes, é míope. O cabelo teima em cair-lhe na testa, acentuando a aparência de retardado mental. Ele parece bêbedo de sono. Boceja larga e ruidosamente, depois de abrir a primeira banda da porta. Espreguiça-se e solta um longo gemido. Depois que abre toda a porta, encosta-se por um momento no portal e cochila, sem dar pela* BEATA, *que se aproxima.*

BEATA — (*Dá-lhe uma leve cotovelada.*) Ei, rapaz...

SACRISTÃO — (*Desperta muito assustado.*) Sim, Padre, já vou!...

BEATA — Que Padre coisa nenhuma.

---

* Fica a critério da direção utilizar neste quadro figurantes que descerão a ladeira e entrarão correndo na igreja.

SACRISTÃO	Ah, é a senhora...
BEATA	Vou me queixar ao Padre Olavo dessa sua mania de bater o sino antes de abrir a porta da igreja. Eu ouço o toque, venho pondo as tripas pela boca, chego aqui, e a porta ainda está fechada.
SACRISTÃO	Também por que a senhora vem logo na missa das seis? Por que não vem mais tarde?
BEATA	Porque quero. Porque não é da sua conta. (*Aponta para a cruz.*) Que é isso?
SACRISTÃO	Isso o quê?
BEATA	Está vendo não? Uma cruz enorme no meio da praça...
SACRISTÃO	(*Apura a vista.*) Ah, sim... agora percebo... É uma cruz de madeira... e parece que há um homem dormindo junto dela.
BEATA	Vista prodigiosa, a sua! Claro que é uma cruz de madeira e que há um homem junto dela. O que eu quero saber é a razão disso.
SACRISTÃO	Não sei. Como quer que eu saiba? Por que a senhora não pergunta a ele?
BEATA	(*Bruscamente.*) Eu é que não vou perguntar coisa nenhuma!
SACRISTÃO	Talvez ele tenha desgarrado da procissão.
BEATA	Que procissão? De Santa Bárbara? A procissão ainda não saiu. E já viu alguém carregar cruz em procissão? Nem na do Senhor Morto. (*Benze-se e entra apressadamente na igreja.*)
	O SACRISTÃO *aproxima-se de* ZÉ DO BURRO, *curioso. É quando entra* BONITÃO, *pela ladeira. Ele vê a igreja aberta, estranha.*
BONITÃO	Oxente...
SACRISTÃO	(*Olha-o aparvalhado.*) É uma cruz mesmo...

BONITÃO	E que pensou você que fosse? Um canhão? (*Aproxima-se de* ZÉ DO BURRO.) Sono de pedra... Não acordou nem com os foguetes de Santa Bárbara. Dizem que é assim que dormem as pessoas que têm a consciência tranquila e a alma leve. (*Cínico.*) Eu também sou assim, quando caio na cama é um sono só. (*Sacode* ZÉ DO BURRO.) Camarado... oh, meu camarado!
ZÉ	(*Desperta.*) Oh, já é dia...
BONITÃO	Já. E a igreja já está aberta, você pode entregar o carreto.
ZÉ	(*Levanta-se, com dificuldade, os músculos adormecidos e doloridos.*) É verdade...
BONITÃO	Eu voltei aqui pra lhe dizer o número do quarto de sua mulher. É o 27. Um bom quarto, no segundo andar. (*Apressadamente.*) Pelo menos foi o que o porteiro me garantiu.
ZÉ	Ah, obrigado.
BONITÃO	O hotel é aquele ali, o primeiro, logo depois de subir a ladeira e dobrar à direita. Hotel Ideal. Eu demorei um pouco porque fiquei jogando damas com o porteiro.
SACRISTÃO	(*Interessado.*) Ganhou?
BONITÃO	Empatamos.
SACRISTÃO	Ah, eu também sou louco por damas!
BONITÃO	(*Examina-o de cima a baixo.*) Francamente, ninguém diz...
	PADRE OLAVO *surge na porta da igreja.*
SACRISTÃO	(*Como se tivesse sido surpreendido em falta.*) Padre Olavo!...
ZÉ	Preciso falar com ele.
	O SACRISTÃO *dirige-se apressadamente à igreja. Para na porta, ante o olhar intimidador de* PADRE OLAVO.

É um padre moço ainda. Deve contar, no máximo, quarenta anos. Sua convicção religiosa aproxima-se do fanatismo. Talvez, no fundo, isso seja uma prova de falta de convicção e uma autodefesa. Sua intolerância — que o leva, por vezes, a chocar-se contra princípios de sua própria religião e a confundir com inimigos aqueles que estão de seu lado — não passa, talvez, de uma couraça com que se mune contra uma fraqueza consciente.

PADRE — (*Para o* SACRISTÃO:) Que está fazendo aí?

SACRISTÃO — (*À guisa de defesa.*) Estava conversando com aqueles homens.

PADRE — E eu lá dentro à sua espera para ajudar à missa. (*Repara em* BONITÃO *e* ZÉ DO BURRO.) Quem são?

SACRISTÃO — Não sei. Um deles quer falar com o senhor.

ZÉ — (*Adianta-se.*) Sou eu, Padre. (*Inclina-se, respeitoso, e beija-lhe a mão.*)

PADRE — Agora está na hora da missa. Mais tarde, se quiser...

ZÉ — É que eu vim de muito longe, Padre. Andei sessenta léguas.

PADRE — Sessenta léguas? Para falar comigo?

ZÉ — Não, pra trazer esta cruz.

PADRE — (*Olha a cruz, detidamente.*) E como a trouxe, num caminhão?

ZÉ — Não, Padre, nas costas.

SACRISTÃO — (*Expandindo infantilmente a sua admiração.*) Menino!

PADRE — (*Lança-lhe um olhar enérgico.*) Psiu! Cale a boca! (*Seu interesse por* ZÉ DO BURRO *cresce.*) Sessenta léguas com essa cruz nas costas. Deixe ver seu ombro.

ZÉ DO BURRO *despe um lado do paletó, abre a camisa e mostra o ombro. O* SACRISTÃO *espicha-se todo para ver e não esconde a sua impressão.*

SACRISTÃO	Está em carne viva!
PADRE	(*Parece satisfeito com o exame.*) Promessa?
ZÉ	(*Balança afirmativamente a cabeça.*) Pra Santa Bárbara. Estava esperando abrir a igreja...
SACRISTÃO	Deve ter recebido dela uma graça muito grande!
	O PADRE *faz um gesto nervoso para que o* SACRISTÃO *se cale.*
ZÉ	Graças a Santa Bárbara a morte não levou o meu melhor amigo.
PADRE	(*O* PADRE *parece meditar profundamente sobre a questão.*) Mesmo assim, não lhe parece um tanto exagerada a promessa? E um tanto pretensiosa também?
ZÉ	Nada disso, seu Padre. Promessa é promessa. É como um negócio. Se a gente oferece um preço, recebe a mercadoria, tem que pagar. Eu sei que tem muito caloteiro por aí. Mas comigo, não. É toma lá, dá cá. Quando Nicolau adoeceu, o senhor não calcula como eu fiquei.
PADRE	Foi por causa desse... Nicolau que você fez a promessa?
ZÉ	Foi. Nicolau foi ferido, seu Padre, por uma árvore que caiu, num dia de tempestade.
SACRISTÃO	Santa Bárbara! A árvore caiu em cima dele?!
ZÉ	Só um galho, que bateu de raspão na cabeça. Ele chegou em casa escorrendo sangue de meter medo! Eu e minha mulher tratamos dele, mas o sangue não havia meio de estancar.
PADRE	Uma hemorragia.
ZÉ	Só estancou quando eu fui no curral, peguei um bocado de bosta de vaca e taquei em cima do ferimento.
PADRE	(*Enojado.*) Mas, meu filho, isso é atraso! Uma porcaria!

ZÉ — Foi o que o doutor disse quando chegou. Mandou que tirasse aquela porcaria de cima da ferida, que senão Nicolau ia morrer.

PADRE — Sem dúvida.

ZÉ — Eu tirei. Ele limpou bem a ferida e o sangue voltou que parecia uma cachoeira. E quede que o doutor fazia o sangue parar? Ensopava algodão e mais algodão, e nada. Era uma sangueira que não acabava mais. Lá pelas tantas, o homenzinho virou pra mim e gritou: corre, homem de Deus, vai buscar mais bosta de vaca, senão ele morre!

PADRE — E... o sangue estancou?

ZÉ — Na hora. Pois é um santo remédio. Seu vigário não sabia? Não sendo de vaca, de cavalo castrado também serve. Mas há quem prefira teia de aranha.

PADRE — Adiante, adiante. Não estou interessado nessa medicina.

ZÉ — Bem, o sangue estancou. Mas Nicolau começou a tremer de febre e no dia seguinte aconteceu uma coisa que nunca tinha acontecido: eu saí de casa e Nicolau ficou. Não pôde se levantar. Foi a primeira vez que isso aconteceu, em seis anos: eu saí, fui fazer compras na cidade, entrei no Bar do Jacob pra tomar uma cachacinha, passei na farmácia de seu Zequinha pra saber das novidades — tudo isso sem Nicolau. Todo mundo reparou, porque quem quisesse saber onde eu estava, era só procurar Nicolau. Se eu ia na missa, ele ficava esperando na porta da igreja...

PADRE — Na porta? Por que ele não entrava? Não é católico?

ZÉ — Tendo uma alma tão boa, Nicolau não pode deixar de ser católico. Mas não é por isso que ele não entra na igreja. É porque o vigário não deixa. (*Com grande tristeza.*) Nicolau teve o azar de nascer burro, de quatro patas.

PADRE — Burro?! Então esse... que você chama de Nicolau é um burro?! Um animal?!

ZÉ — Meu burro, sim, senhor.

PADRE — E foi por ele, por um burro, que fez essa promessa?

ZÉ — Foi. É bem verdade que eu não sabia que era tão difícil achar uma igreja de Santa Bárbara, que ia precisar andar sessenta léguas pra encontrar uma, aqui na Bahia.

BONITÃO — (*Que assistiu a toda a cena, um pouco afastado, solta uma gargalhada grosseira.*) Ele se estrepou...

PADRE OLAVO *olha-o, surpreso, como se só agora tivesse notado a sua presença.* BONITÃO *para de rir quase de súbito, desarmado pelo olhar enérgico do* PADRE.

ZÉ — Mas mesmo que soubesse, eu não deixava de fazer a promessa. Porque quando vi que nem as rezas do Preto Zeferino davam jeito...

PADRE — Rezas? Que rezas?

ZÉ — Seu vigário me desculpe, mas eu tentei de tudo. Preto Zeferino é rezador afamado na minha zona: sarna de cachorro, bicheira de animal, peste de gado, tudo isso ele cura com duas rezas e três rabiscos no chão. Todo mundo diz. E eu mesmo, uma vez, estava com uma dor de cabeça danada, que não havia meio de passar. Chamei Preto Zeferino, ele disse que eu estava com o Sol dentro da cabeça. Botou uma toalha na minha testa, derramou uma garrafa de água, rezou uma oração, o Sol saiu e eu fiquei bom.

PADRE — Você fez mal, meu filho. Essas rezas são orações do demo.

ZÉ — Do demo, não senhor.

PADRE — Do demo, sim. Você não soube distinguir o bem do mal. Todo homem é assim. Vive atrás do milagre em vez de viver atrás de Deus. E não sabe se caminha para o céu ou para o inferno.

ZÉ	Para o inferno? Como pode ser, Padre, se a oração fala em Deus? (*Recita.*) "Deus fez o Sol, Deus fez a luz, Deus fez toda a claridade do Universo grandioso. Com Sua Graça eu te benzo, te curo. Vai-te, Sol, da cabeça desta criatura para as ondas do Mar Sagrado, com os santos poderes do Padre, do Filho e do Espírito Santo." Depois rezou um padre-nosso e a dor de cabeça sumiu no mesmo instante.
SACRISTÃO	Incrível!
PADRE	Meu filho, esse homem era um feiticeiro.
ZÉ	Como feiticeiro, se a reza é pra curar?
PADRE	Não é para curar, é para tentar. E você caiu em tentação.
ZÉ	Bem, eu só sei que fiquei bom. (*Noutro tom.*) Mas com o Nicolau não houve reza que fizesse ele levantar. Preto Zeferino botou o pé na cabeça do coitado, disse uma porção de orações, e nada. Eu já estava começando a perder a esperança. Nicolau de orelhas murchas, magro de se contar as costelas. Não comia, não bebia, nem mexia mais com o rabo pra espantar as moscas. Eu vi que nunca mais ia ouvir os passos dele me seguindo por toda parte, como um cão. Até me puseram um apelido por causa disso: Zé do Burro. Eu não me importo. Não acho que seja ofensa. Nicolau não é um burro como os outros. É um burro com alma de gente. E faz isso por amizade, por dedicação. Eu nunca monto nele, prefiro andar a pé ou a cavalo. Mas de um modo ou de outro ele vem atrás. Se eu entrar numa casa e me demorar duas horas, duas horas ele espera por mim, plantado na porta. Um burro desses, seu Padre, não vale uma promessa?
PADRE	(*Secamente, contendo ainda a sua indignação.*) Adiante.
ZÉ	Foi então que comadre Miúda me lembrou: por que eu não ia ao candomblé de Maria de Iansã?
PADRE	Candomblé?!

ZÉ | Sim, é um candomblé que tem duas léguas adiante da minha roça. (*Com a consciência de quem cometeu uma falta, mas não muito grave.*) Eu sei que seu vigário vai ralhar comigo. Eu também nunca fui muito de frequentar terreiro de candomblé. Mas o pobre Nicolau estava morrendo. Não custava tentar. Se não fizesse bem, mal não fazia. E eu fui. Contei pra mãe de santo o meu caso. Ela disse que era mesmo com Iansã, dona dos raios e das trovoadas. Iansã tinha ferido Nicolau, pra ela eu devia fazer uma obrigação, quer dizer: uma promessa. Mas tinha que ser uma promessa bem grande, porque Iansã, que tinha ferido Nicolau com um raio, não ia voltar atrás por qualquer bobagem. E eu lembrei então que Iansã é Santa Bárbara e prometi que se Nicolau ficasse bom eu carregava uma cruz de madeira de minha roça até a igreja dela, no dia de sua festa, uma cruz tão pesada como a de Cristo.

PADRE | (*Como se anotasse as palavras.*) Tão pesada como a de Cristo. O senhor prometeu isso a...

ZÉ | A Santa Bárbara.

PADRE | A Iansã!

ZÉ | É a mesma coisa...

PADRE | (*Grita.*) Não é a mesma coisa! (*Controla-se.*) Mas continue.

ZÉ | Prometi também dividir minhas terras com os lavradores pobres, mais pobres que eu.

PADRE | Dividir? Igualmente?

ZÉ | Sim, Padre, igualmente.

SACRISTÃO | E Nicolau... quero dizer, o burro, ficou bom?

ZÉ | Sarou em dois tempos. Milagre. Milagre mesmo. No outro dia, já estava de orelha em pé, rinchando. E uma semana depois todo mundo me apontava na rua: "Lá vai Zé do Burro com o burro de novo atrás!" (*Ri.*) E eu nem dava confiança. E Nicolau muito menos. Só eu e ele sabíamos do milagre. (*Como que retificando.*) Eu, ele e Santa Bárbara.

PADRE — (*Procurando, inicialmente, controlar-se.*) Em primeiro lugar, mesmo admitindo a intervenção de Santa Bárbara, não se trataria de um milagre, mas apenas de uma graça. O burro podia ter-se curado sem intervenção divina.

ZÉ — Como, Padre, se ele sarou de um dia pro outro...

PADRE — (*Como se não o ouvisse.*) E além disso, Santa Bárbara, se tivesse de lhe conceder uma graça, não iria fazê-lo num terreiro de candomblé!

ZÉ — É que na capela do meu povoado não tem uma imagem de Santa Bárbara. Mas no candomblé tem uma imagem de Iansã, que é Santa Bárbara...

PADRE — (*Explodindo.*) Não é Santa Bárbara! Santa Bárbara é uma santa católica. O senhor foi a um ritual fetichista. Invocou uma falsa divindade e foi a ela que prometeu esse sacrifício!

ZÉ — Não, Padre, foi a Santa Bárbara. Foi até a Igreja de Santa Bárbara que prometi vir com a minha cruz! E é diante do altar de Santa Bárbara que vou cair de joelhos daqui a pouco, pra agradecer o que ela fez por mim!

PADRE — (*Dá alguns passos de um lado para outro, de mão no queixo, e por fim detém-se diante de* ZÉ DO BURRO, *em atitude inquisitorial.*) Muito bem. E que pretende fazer depois... depois de cumprir a sua promessa?

ZÉ — Que pretendo? Voltar pra minha roça, em paz com a minha consciência e quite com a santa.

PADRE — Só isso?

ZÉ — Só.

PADRE — Tem certeza? Não vai pretender ser olhado como um novo Cristo?

ZÉ — Eu?!

PADRE   Sim, você. Você que acaba de repetir a *via crucis*, sofrendo o martírio de Jesus. Você que, presunçosamente, pretende imitar o Filho de Deus...

ZÉ   (*Humildemente.*) Padre, eu não quis imitar Jesus!

PADRE   Mentira! Eu gravei suas palavras! Você mesmo disse que prometeu carregar uma cruz *tão pesada quanto a de Cristo*.

ZÉ   Sim, mas isso...

PADRE   Isso prova que você está sendo submetido a uma tentação ainda maior.

ZÉ   Qual, Padre?

PADRE   A de igualar-se ao Filho de Deus.

ZÉ   Não, Padre.

PADRE   Por que então repete a Divina Paixão? Para salvar a humanidade? Não, para salvar um burro!

ZÉ   Padre, Nicolau...

PADRE   E um burro com nome cristão! Um quadrúpede, um irracional!

    A BEATA *sai da igreja e fica assistindo à cena, do alto da escada.*

ZÉ   Mas, Padre, não foi Deus quem fez também os burros?

PADRE   Mas não à Sua semelhança. E não foi para salvá-los que mandou Seu Filho. Foi por nós, por você, por mim, pela Humanidade.

ZÉ   (*Angustiadamente tenta explicar-se.*) Padre, é preciso explicar que Nicolau não é um burro comum. O senhor não conhece Nicolau, por isso... É um burro com alma de gente.

PADRE   Pois nem que tenha alma de anjo, nesta igreja não entrará com essa cruz! (*Dá as costas e dirige-se à igreja. O* SACRISTÃO *trata logo de segui-lo.*)

ZÉ   (*Em desespero.*) Mas, Padre, eu prometi levar a cruz até o altar-mor! Preciso cumprir a minha promessa!

PADRE   Fizesse-a então numa igreja. Ou em qualquer parte, menos num antro de feitiçaria.

ZÉ   Eu já expliquei...

PADRE   Não se pode servir a dois senhores, a Deus e ao Diabo!

ZÉ   Padre...

PADRE   Um ritual pagão, que começou num terreiro de candomblé, não pode terminar na nave de uma igreja!

ZÉ   Mas, Padre, a igreja...

PADRE   A igreja é a casa de Deus. Candomblé é o culto do Diabo!

ZÉ   Padre, eu não andei sessenta léguas pra voltar daqui. O senhor não pode impedir a minha entrada. A igreja não é sua, é de Deus!

PADRE   Vai desrespeitar a minha autoridade?

ZÉ   Padre, entre o senhor e Santa Bárbara, eu fico com Santa Bárbara.

PADRE   (*Para o* SACRISTÃO:) Feche a porta. Quem quiser assistir à missa que entre pela porta da sacristia. Lá não dá para passar essa cruz. (*Entra na igreja.*)

A BEATA *entra também, apressadamente, atrás do* PADRE.

O SACRISTÃO, *prontamente, começa a fechar a porta da igreja, enquanto* ZÉ DO BURRO, *no meio da praça, nervos tensos, olhos dilatados, numa atitude de incompreensão e revolta, parece disposto a não arredar pé dali.* BONITÃO, *um pouco afastado, observa, tendo nos lábios um sorriso irônico. A porta da igreja se fecha de todo, enquanto um foguetório tremendo saúda Iansã.*

CAI O PANO LENTAMENTE.

segundo ato

PRIMEIRO QUADRO

Aproximadamente duas horas depois. Abriu-se a vendola e o GALEGO *aparece trepado num caixote, amarrando um cordão com bandeirolas vermelhas e brancas que vai da porta da venda ao sobrado do lado oposto.* ZÉ *e sua cruz continuam no meio da praça. Ouve-se um pregão: "Bei-ju... olha o bei-ju!" Logo após, surge no alto da ladeira uma preta em trajes típicos, com um tabuleiro na cabeça. Ela desce a ladeira e ao passar pelo* GALEGO *saúda.*

MINHA TIA — Iansã lhe dê um bom-dia.

GALEGO — (*Espanhol.*) Gracias, Minha Tia.

MINHA TIA *vai até a igreja e aí, junto aos degraus, para.***

MINHA TIA — (*Para o* GALEGO:) Quer vir aqui dar uma mãozinha pra sua tia, meu branco?

O GALEGO *apressa-se a ir ajudá-la. Retira primeiro o cavalete, que está sobre o tabuleiro, abre-o, depois ajuda-a a tirar o tabuleiro da cabeça e colocá-lo em cima do cavalete.*

MINHA TIA — Santa Bárbara lhe pague. (*Nota* ZÉ DO BURRO.) Oxente! Que é aquilo?

** A critério da direção e em momentos em que não prejudiquem a ação, transeuntes cruzarão a praça, durante todo o ato.

GALEGO	No sei. Já estava acá quando abri a venda. Parece maluco. (*Volta a pregar as bandeirolas, enquanto* MINHA TIA *põe-se a arrumar o fogareiro, procura acendê-lo.*)
	Desce a ladeira, passo mole, preguiçoso, DEDÉ COSPE-RIMA. *Mulato, cabeleira pixaim, sob o surrado chapéu-coco — um adorno necessário à sua profissão de poeta-comerciante. Traz, embaixo do braço, uma enorme pilha de folhetos: abecês, romances populares em versos. E dois cartazes, um no peito, outro nas costas. Num se lê: "ABC da Mulata Esmeralda — uma obra-prima", e no outro: "Saiu agora, tá fresco ainda!": "O que o cego Jeremias viu na Lua."*
DEDÉ	(*Declama:*) Bom dia, Galego amigo! dia assim eu nunca vi; para saudar Iansã, Não repare eu lhe pedi: me empreste por obséquio dois dedos de parati.
GALEGO	É, com esta história de hacer versos, usted sempre me leva na conversa. (*Entra na venda e dá a volta por trás do balcão.*) Es buena mesmo essa del cego Jeremias? (*Serve o parati.*)
DEDÉ	(*Bombástico, teatral.*) Uma epopeia. Uma nova *Ilíada*, onde Troia é a Lua e o cavalo de Troia é o cavalo de São Jorge! (*Tira um exemplar e coloca sobre o balcão.*) Em paga do parati.
GALEGO	Si, pero... yo prefiro la otra, la da mulata Esmeralda.
DEDÉ	Uma prova de bom gosto, Galego! (*Troca os folhetos.*) É também uma obra-prima. Lembra Castro Alves, modéstia à parte. (*Bebe o parati de um trago. Refere-se às bandeirinhas.*) Bandeirinhas vermelhas e brancas, as cores de Iansã. Depois diz que não crê em candomblé.
GALEGO	Yo no creo, pero hay quem crea. E yo soy um comerciante...

DEDÉ   Somos dois! (*Estende novamente o cálice.*) Mais uma dose. Esta eu pago amanhã. (GALEGO *faz cara feia, mas enche de novo o cálice.*)

A BEATA *entra da direita e detém-se junto a* MINHA TIA. *Ao ver* ZÉ DO BURRO, *mostra-se surpresa e indignada.*

BEATA   É o cúmulo! Ainda está aí!

MINHA TIA   Não vai abrir a igreja hoje, iaiá? Dia de Santa Bárbara...

BEATA   (*Lança um olhar acusador a* ZÉ DO BURRO.) Não enquanto esse indivíduo não for embora.

MINHA TIA   Que foi que ele fez?

BEATA   Quer entrar com essa cruz na igreja.

MINHA TIA   Só isso?

BEATA   E você acha pouco? Acha que Padre Olavo ia permitir?

MINHA TIA   Oxente! Por que não? Foi promessa que ele fez?

BEATA   Foi. Mas promessa de candomblé. Pra uma tal de Iansã... que Deus me perdoe. (*Benze-se. Dirige-se para a esquerda e, ao passar por* ZÉ DO BURRO, *insulta-o.*) Herege. (*Sobe a ladeira, seguida do olhar de comovedora incompreensão de* ZÉ DO BURRO.)

DEDÉ   (*Ouviu a conversa. Para o* GALEGO:) Vou ver se Minha Tia me fia um abará. (*Atravessa a praça, não sem mostrar-se intrigado e curioso ao passar por* ZÉ DO BURRO.) Bom dia, Minha Tia!

MINHA TIA   Bom dia, seu Dedé. (*Oferece:*) Acarajé, abará, beiju... Vem benzer!

DEDÉ   (*Aponta:*) Um abará. Pago daqui a pouco, quando entrar o primeiro dinheiro.

MINHA TIA   Eu já sabia... (*Entrega o abará embrulhado numa folha de bananeira.*)

DEDÉ — (*Referindo-se a* ZÉ DO BURRO.) Que história é essa?

MINHA TIA — O senhor ouviu?

DEDÉ — Ouvi.

MINHA TIA — (*Com respeito.*) Obrigação para Iansã... (*Toca com as pontas dos dedos o chão e a testa.*)

DEDÉ — Por isso o Padre não deixou ele entrar?

MINHA TIA — É... coitado.

DEDÉ — Chegou a fechar a porta.

MINHA TIA — O senhor entende?

DEDÉ — Entendo não.

MINHA TIA — O Padre é um homem tão bom.

DEDÉ — A senhora acha?

MINHA TIA — Então. Ele é tão amigo dos pobres, faz tanta caridade. Sei não.

O GUARDA *entra pela direita. Vai direto a* ZÉ DO BURRO. *É um homem que procura safar-se dos problemas que se lhe apresentam. Sua noção do dever coincide exatamente com o seu temor à responsabilidade. Seu maior desejo é de que nada aconteça, a fim de que a nada ele tenha que impor a sua autoridade. No fundo, essa autoridade o constrange terrivelmente e mais ainda o dever de exercê-la.*

GUARDA — Olá, amigo.

ZÉ — Olá.

GUARDA — (*Refere-se à cruz.*) É para a procissão de Santa Bárbara?

ZÉ — Não.

GUARDA — Porque a procissão não sai daqui, sai do Mercado aqui perto e vai até a Igreja da Saúde.

ZÉ — Não tenho nada com essa procissão.

GUARDA — E o senhor está aqui fazendo o quê? Esperando a festa? Ainda é muito cedo. São oito e meia da manhã. Só na parte da tarde é que isso pega fogo.

ZÉ — Estou aqui desde quatro e meia da manhã.

GUARDA — Quatro e meia?! (*Coça a cabeça, preocupado.*) O senhor deve ser um devoto e tanto! Mas acontece que escolheu um mau lugar...

ZÉ — A culpa não é minha.

GUARDA — Sim, eu sei, não foi o senhor quem inventou a festa de Santa Bárbara. Mas eu também não tenho culpa de ser guarda. Minha obrigação é facilitar o trânsito, tanto quanto possível.

ZÉ — Sinto muito, mas não posso sair daqui.

GUARDA — (*Sua paciência começa a esgotar-se.*) Ai, ai, ai, ai, ai... Eu estou querendo me entender com o senhor...

ZÉ — (*Irritando-se também um pouco.*) Eu também estou querendo me entender com o senhor e com todo mundo. Mas acho que ninguém me entende.

DEDÉ COSPE-RIMA, *que assistiu a toda a cena, não resiste à curiosidade e vem presenciá-la mais de perto.* MINHA TIA *também acompanha tudo com interesse.*

ZÉ — Aquela mulher me chamou de herege, o Padre fechou a porta da igreja como se eu fosse Satanás em pessoa. Eu, Zé do Burro, devoto de Santa Bárbara.

DEDÉ — Mas, afinal, o que é que o senhor quer?

ZÉ — Que me deixem colocar esta cruz dentro da igreja, nada mais. Depois, prometo ir embora. E já estou vexado mesmo por isto!

DEDÉ — Foi promessa. Promessa que ele fez.

GUARDA	(*Raciocina, operação que lhe parece custar tremendo esforço físico.*) Promessa... Colocar a cruz dentro da igreja. Não vejo dificuldade nenhuma nisso. Fala-se com o Padre e...
ZÉ	Se o senhor conseguir que ele abra a porta e me deixe entrar, está tudo resolvido.
GUARDA	(*Pensa mais um pouco, vê que não há outra maneira de resolver o problema, decide-se.*) Pois bem, eu vou falar com ele. (*Dirige-se à porta da igreja, ante os olhares de grande expectativa de* GALEGO, *de* DEDÉ, *de* MINHA TIA.)
DEDÉ	Não vou lá ajudar também porque eu e esse Padre estamos de relações cortadas. (*Sai.*)
GUARDA	(*Bate várias vezes, sem resultado, encosta o rosto na porta e chama.*) Padre? Abra um instante, por favor!

Segundos depois, abre-se uma fresta e surge por ela a cabeça do SACRISTÃO, *receoso.*

GUARDA	Quero falar com o Padre.
SACRISTÃO	(*Certifica-se de que não há perigo, abre um pouco mais a porta.*) Entre!

O GUARDA *tira o quepe e entra. O* SACRISTÃO *fecha a porta rapidamente.* ROSA *desce a ladeira. Vem um pouco apressada, como se temesse não mais encontrá--lo ali. Mas quando vê* ZÉ DO BURRO, *diminui o passo, tranquiliza-se em parte. Não perde, entretanto, certo ar culposo, que procura disfarçar.*

ROSA	Você ainda está aí! (*Nota a igreja fechada.*) A igreja não abriu?
ZÉ	Abriu, sim. Mas o Padre não quer me deixar entrar com a cruz.
ROSA	Por quê?

ZÉ	(*Balança a cabeça, na maior infelicidade.*) Não sei, Rosa, não sei... Há duas horas que tento compreender... mas estou tonto, tonto como se tivesse levado um coice no meio da testa. Já não entendo nada. Parece que me viraram pelo avesso e estou vendo as coisas ao contrário do que elas são. O céu no lugar do inferno, o demônio no lugar dos santos.
ROSA	(*Refletindo na própria experiência.*) É isso mesmo. De repente, a gente percebe que é outra pessoa. Que sempre foi outra pessoa. É horrível.
ZÉ	Mas não é possível, Rosa. Eu sempre fui um homem de bem. Sempre temi a Deus.
ROSA	(*Concentrada em seu problema.*) Zé, isso está parecendo castigo!
ZÉ	Castigo? Castigo por quê? Por eu ter feito uma promessa tão grande? Por ter sido no terreiro de Maria de Iansã? Mas se Santa Bárbara não estivesse de acordo com tudo isso, não tinha feito o milagre.
ROSA	Zé, esqueça Santa Bárbara. Pense um pouco em nós.
ZÉ	Em nós?
ROSA	Em mim, Zé.
ZÉ	Em você?
ROSA	Sim, Zé, em mim, sua mulher.
ZÉ	Que é que você quer? Não dormiu, não descansou?
ROSA	(*Sem fitá-lo.*) Zé, vamos embora daqui.
ZÉ	Agora?
ROSA	Sim, agora mesmo.
ZÉ	Não posso. Você sabe que eu não posso voltar antes de chegar ao fim da promessa. Não ia ter sossego o resto da vida.

ROSA	Você acredita demais nas coisas.
ZÉ	É porque você não pensa no que pode acontecer.
ROSA	Mais do que já aconteceu?
ZÉ	Que aconteceu? A caminhada, as noites sem dormir e agora ser xingado como a figura do Diabo? Tudo isso é nada, comparado com o castigo que pode vir.
ROSA	Mas se o Padre não quer deixar você entrar com a cruz, que é que você ainda vai ficar fazendo aqui?
ZÉ	O Guarda foi falar com ele. Estou esperando. (*Como que se desculpando por não pensar na situação dela.*) Você, se quiser, pode ir comer qualquer coisa.
ROSA	(*Ante a impossibilidade de comunicar a ele o seu problema.*) Já tomei café no hotel.
ZÉ	Não era bom o hotel que aquele homem arranjou?
ROSA	Muito bom. Tinha até pia no quarto e colchão de mola.
ZÉ	Fiquei um pouco preocupado.
ROSA	(*Ferida pela falta de ciúmes dele.*) Comigo?
ZÉ	Você num hotel, sozinha. Cidade grande, a gente nunca sabe. Se bem que o moço garantiu que era hotel de família.
ROSA	Não tinha então que ter cuidado. O moço era de toda confiança. Tão amável, tão prestativo...
REPÓRTER	(*Entra acompanhado do* FOTÓGRAFO.) Lá está ele. (*Vai a* ZÉ, *enquanto o* FOTÓGRAFO *circula à procura de ângulos. O* REPÓRTER *é vivo e perspicaz. Dirige um cumprimento entusiasta a* ZÉ DO BURRO.) Bom dia, amigo! (*Aperta efusivamente a mão de* ZÉ DO BURRO.) Parabéns! O senhor é um herói.
ZÉ	(*Olha-o com estranheza.*) Herói?

REPÓRTER	(*Com entusiasmo.*) Sim, sessenta léguas carregando esta cruz. (*Calcula o peso.*) Pesada, hein? Sessenta léguas... trezentos e sessenta quilômetros. A maior marcha que eu fiz foi de vinte e quatro quilômetros, no Serviço Militar. E o fuzil não pesava tanto assim. (*Ri, mas seu riso murcha como um balão ante o ar de desconfiança de* ROSA *e* ZÉ DO BURRO.) Oh, desculpe... eu sei que o senhor fez uma promessa. A comparação não foi muito feliz. (*Para o* FOTÓGRAFO:) Carijó, pode bater uma chapa. (*Posa de frente para* ZÉ DO BURRO, *de caderno e lápis em punho.*) Finja que está falando comigo.
ZÉ	(*Começa a impacientar-se.*) Fingir que estou falando... pra quê?
REPÓRTER	E dentro de algumas horas o Brasil inteiro vai saber. O senhor vai ficar famoso.
ZÉ	(*Contrariado.*) Mas eu não quero ficar famoso, eu quero...
ROSA	(*Interrompe, em tom de repreensão.*) Que é isso, Zé? Seja mais delicado com o moço. Ele é da gazeta...
REPÓRTER	Mulher dele?
ROSA	Sou. Também andei sessenta léguas — meu pé tem cada calo de água deste tamanho.
REPÓRTER	Maravilhoso. E em quanto tempo cobriram o percurso?
ROSA	(*Não entendeu.*) Como?
REPÓRTER	Quero dizer: quando saíram de lá, de sua cidade?
ROSA	Da roça? Tem pra mais de uma semana.
REPÓRTER	Chegaram hoje aqui?
ROSA	Antes das cinco da madrugada.

REPÓRTER	Mais de uma semana carregando uma cruz que deve pesar... (*Olha interrogativamente para* ZÉ DO BURRO.)
ZÉ	(*Contrariado.*) Não sei, não pesei.
REPÓRTER	Por menos que pese, é um *record*! Sob este aspecto, podemos considerar um grande feito esportivo. Uma prova de resistência física... (*Para* ROSA:) e de dedicação...
	ROSA *sorri, envaidecida, sentindo-se heroína também.*
REPÓRTER	Mas como nasceu a ideia dessa... peregrinação? (*As perguntas são feitas a* ZÉ DO BURRO, *mas este recusa-se a respondê-las.*)
ROSA	Não nasceu ideia nenhuma. O burro adoeceu, ia morrer — ele fez promessa pra Santa Bárbara.
REPÓRTER	O burro? Que burro?
ROSA	O Nicolau.
ZÉ	(*Irritado.*) Por quê? O senhor também vai achar que o meu burro não vale uma promessa?
REPÓRTER	Não, de modo algum... eu... eu apenas não sabia... Então, tudo isso... trezentos e sessenta quilômetros... a cruz... tudo por causa de um burro. (*Repentinamente, antevendo o interesse que despertará a reportagem.*) Fabuloso!
ROSA	E não foi só isso. Ele prometeu também repartir o sítio com aquela cambada de preguiçosos.
ZÉ	Que preguiçosos. Gente que quer trabalhar e não tem terra.
REPÓRTER	Repartir o sítio... Diga-me, o senhor é a favor da reforma agrária?
ZÉ	(*Não entende.*) Reforma agrária? Que é isso?
REPÓRTER	É o que o senhor acaba de fazer em seu sítio. Redistribuição das terras entre os lavradores pobres.

ZÉ	E não estou arrependido, moço. Fiz a felicidade de um bocado de gente e o que restou pra mim dá e sobra.
REPÓRTER	(*Toma notas.*) É a favor dos sem-terra.
ZÉ	É bem verdade que se o meu burro não tivesse ficado doente eu não tinha feito isso.
REPÓRTER	Mas, e se os sem-terra resolvessem se apossar das terras não cultivadas?
ZÉ	Ah, era muito bem-feito. A terra deve ser de quem trabalha.
REPÓRTER	O senhor pertence a algum partido político?
ZÉ	(*Com alguma vaidade, dissimulada num sorriso modesto.*) Já quiseram me fazer vereador. Qual...
ROSA	O que atrapalhou foi o burro.
REPÓRTER	O burro? Por quê?
ROSA	Aonde ele vai, o burro vai atrás. Se ele fosse eleito, o burro também tinha que ser.
REPÓRTER	É, mas desta vez, seu...
ZÉ	Zé do Burro, seu criado.
REPÓRTER	... seu Zé do Burro, o senhor será eleito com burro e tudo. (*Confidencial.*) Escute aqui, será que essa história de promessa não é um golpe para impressionar o eleitorado?...
ZÉ	(*Ofendido.*) Golpe?!
REPÓRTER	E de mestre! Avalio a agitação que o senhor fez com isso. Pelas estradas, no caminho até aqui, deve ter-se juntado uma verdadeira multidão para vê-lo passar.
ZÉ	É, tinha...
ROSA	Muito moleque também.

REPÓRTER   E imaginem a volta! A chegada à sua cidade, em carro aberto, banda de música, foguetes!

ZÉ   O senhor está maluco? Não vai haver nada disso.

REPÓRTER   Vai. Vai porque o meu jornal vai promover. Só faço questão de uma coisa: que o senhor nos dê a exclusividade. Que não conceda entrevistas a mais ninguém. (*Noutro tom.*) É claro que o senhor terá uma compensação... (*Faz com o indicador e o polegar o gesto característico.*) E também a publicidade. Primeira página, com fotografias do senhor e de sua senhora; mandaremos fotografar também o burro — em poucas horas o senhor será um herói nacional.

ZÉ   (*Profundamente contrariado.*) Moço, eu acho que o senhor não me entendeu. Ninguém ainda me entendeu...

REPÓRTER   (*Sem lhe dar atenção.*) O Diabo foi o senhor ter escolhido um dia como o de hoje. Sábado. Amanhã é domingo, o jornal não sai. Só segunda-feira. E o nosso Departamento de Promoções precisaria preparar a coisa. Podemos dar o furo na edição de hoje, mas o barulho mesmo, só segunda-feira. Quando o senhor pretende voltar?

ZÉ   Por mim, já estava de volta.

Abre-se parcialmente a porta da igreja. O SACRISTÃO *deixa o* GUARDA *passar e torna a fechá-la. O* GUARDA *vem ao encontro de* ZÉ DO BURRO, *que o aguarda sem muita esperança.*

GUARDA   (*Balança a cabeça, desanimado.*) Não consegui nada.

ZÉ   O senhor falou com o Padre?

GUARDA   Falei, argumentei, não adiantou. E ainda tive que ouvir um sermão deste tamanho. Ele acha que, em vez de ir pedir pra deixar o senhor entrar na igreja, eu devia era levá-lo preso. Claro que eu não vou fazer

	isso, mas o senhor bem que podia ter arranjado uma promessinha menos complicada.
ROSA	Também acho.
GUARDA	Porque não adianta o senhor ficar aqui; o Padre já disse que não abre a porta e não abre mesmo — eu conheço ele.
REPÓRTER	Ótimo! Mas isso é ótimo! Assim temos um pretexto para adiar a entrega da cruz para segunda-feira. Dará tempo então de organizarmos tudo. As entrevistas, as apresentações no rádio e a sua volta triunfal com batedores e banda de música!
ZÉ	(*Cada vez mais contrariado e mais infeliz.*) Moço, eu vim a pé e vou voltar a pé.
ROSA	(*Ela vislumbrou nas palavras do* REPÓRTER *uma possibilidade confusa de libertação, ouviu-as num entusiasmo crescente.*) Oxente! Não seja estúpido, homem! O moço está querendo ajudar a gente.
ZÉ	Então ele que me ajude a convencer o vigário a abrir a porta.
REPÓRTER	Eu vou já entrevistar o vigário. Mas fique certo de uma coisa: seja qual for o seu objetivo, uma publicidadezinha não fará mal algum... (*Pisca o olho para* ZÉ DO BURRO, *que não percebe a insinuação.*) Carijó, bata mais uma chapa. (*Para* ZÉ DO BURRO:) Quer fazer o favor de carregar a cruz? (*Para* ROSA:) A senhora também.
	ZÉ DO BURRO *fica indeciso, sem palavras para traduzir a sua indignação.*
ROSA	Vamos, Zé! (*Empurra-o para baixo da cruz e coloca-se a seu lado, numa atitude forçada.*)
	O GUARDA *também procura, discretamente, aparecer na fotografia. A cena é caricatural, com* ROSA *escancarando-se num sorriso de dentifrício,* ZÉ DO BURRO

vergado ao peso da cruz e de sua imensa infelicidade. E o GUARDA, *de peito estufado, disputando honrosamente a sua participação no acontecimento.*

GALEGO (*Sai da venda apressado e dirige-se ao* FOTÓGRAFO:) Um momento! O senhor não podia fazer aparecer também o meu estabelecimento? Sabe, uma publicidadezinha...

O FOTÓGRAFO *coloca-se de molde a aparecer, no fundo, a venda.* GALEGO *corre para junto do balcão e posa.*

REPÓRTER Ótimo. Pode bater, Carijó.

O FOTÓGRAFO *bate a chapa.*

REPÓRTER Obrigado. Esta vai sair hoje na primeira página. (*Para o* FOTÓGRAFO:) Vamos agora entrevistar o vigário.

GUARDA É melhor o senhor ir pela porta da sacristia.

ZÉ Eu levo o senhor até lá.

REPÓRTER (*Não gosta da ideia.*) Não, acho melhor o senhor esperar aqui...

ZÉ (*Com decisão.*) Mas eu quero ir com o senhor.

SACRISTÃO (*Cede, de má vontade.*) Está bem. (*Sai, com* ZÉ DO BURRO *e o* FOTÓGRAFO.)

Ouvem-se buzinas insistentes.

GUARDA Garanto que agora o Padre vai abrir a igreja. Não há quem não tenha medo da imprensa. (*Olha na direção da direita.*) Eu vou pra lá, que a coisa está piorando. (*Sai pela direita.*)

BONITÃO *desce a ladeira e para na vendola.* ROSA *o vê e não esconde a sua emoção.*

BONITÃO (*Para o* GALEGO:) Uma dupla.

GALEGO Olá, Bonitão. Usted por aqui "de madrugada"... (*Serve a cachaça.*)

ROSA	(*Vai à venda e encosta-se no balcão, ao lado de* BONITÃO.) Um café, moço...
BONITÃO	Ainda?...
ROSA	Ainda.
BONITÃO	Não sei como você aguenta.
ROSA	Eu também não.
BONITÃO	Ele desconfiou de alguma coisa?
ROSA	Nada. Ele só pensa na cruz e na promessa.
BONITÃO	Sabe que eu fui pra casa dormir e não consegui?
ROSA	Por quê?
BONITÃO	Fiquei pensando em você.
ROSA	Melhor que não pense.
BONITÃO	Está arrependida?
ROSA	Estou.
BONITÃO	Agora é um pouco tarde.
ROSA	Não é, não. Uma noite a gente pode apagar.
BONITÃO	A gente pode apagar uma porção de noites. Isso não deixa marca.
ROSA	Em mim deixou. Nem sei como ele não vê. Dá até raiva. Dá vontade de contar tudo.
BONITÃO	Não é má ideia. Ele não é homem violento. Podia era largar você aqui na cidade e voltar sozinho pra roça. Isso resolvia tudo.
ROSA	Resolvia o quê?
BONITÃO	Sua vida. Você tem futuro.
ROSA	Adianta não. Minha sina é essa mesma. Às vezes eu tenho vontade, sim, de arrumar a trouxa e ganhar a

	estrada. Mas não tenho coragem. E se tivesse, não ia saber pra onde ir.
BONITÃO	Quando eu era menino, fui guia de cego...
ROSA	Não estou cega. E sabia muito bem o que estava fazendo. Como sei também que sou capaz de fazer de novo, se ele não me levar daqui. Mesmo sem querer.
BONITÃO	Se você não se livrar dele, vai acabar idiota como ele.
ROSA	(*Procurando uma justificativa para sua falta de coragem.*) Ele precisa de mim.
BONITÃO	Ele tem o burro.
ROSA	Estúpido!
BONITÃO	Não quis comparar...
ROSA	Ele é muito homem, fique sabendo!
BONITÃO	Se é assim, por que você tem tanta sede?...
ROSA	(*Sente-se cada vez mais empurrada para ele, como para um abismo, e não há nela, precisamente, um desejo de resistir ao salto definitivo. Há apenas a imensa fraqueza da criatura humana no momento das grandes decisões.*) Que tinha você de aparecer aqui de novo?
BONITÃO	Foi você quem veio falar comigo.
ROSA	Você me obriga a fazer o que eu não quero.
BONITÃO	(*Ri, cônscio de seu poder de sedução.*) Que culpa tenho eu de ter nascido com tantas qualidades?
	Ela vai voltar ao centro da praça. Ele a segura pelo braço.
BONITÃO	(*Baixo.*) Espere...
ROSA	(*Idem.*) Está louco?
BONITÃO	Pelo jeito, ele ainda vai ficar muito tempo aí. Entendeu?

ROSA (*Solta-se dele com um safanão.*) Não entendo nada. Você é doido e eu estou ficando doida também.

BONITÃO Ele não pode sair de junto da cruz. Mas você pode. Pode ir descansar no hotel, ou mesmo ir rezar em outra igreja, pedir a outro santo pra ajudar a convencer o Padre a abrir a porta... Um reforço sempre é bom...

Entra ZÉ DO BURRO. ROSA *e* BONITÃO *disfarçam.*

MINHA TIA (*Detendo-o.*) E então?...

ZÉ Eles não quiseram que eu entrasse. Acham melhor falar com o Padre em particular.

MINHA TIA (*Assume uma atitude de extrema cumplicidade.*) Meu filho, eu sou "ekédi" no candomblé da Menininha. Mais logo o terreiro está em festa. Você fez obrigação pra Iansã, Iansã está lá pra receber!

ZÉ (*Ele não entende.*) Como?...

MINHA TIA Eu levo você lá! Você leva a cruz e a santa recebe! Você fica em paz com ela!

ZÉ Iansã...

MINHA TIA Foi ela quem lhe atendeu!

ZÉ Mas a igreja...

MINHA TIA Mande o Padre pro inferno! Leve a sua cruz no terreiro! Eu vou com você!

ZÉ (*Hesita um pouco e por fim reage com veemência.*) Não, não foi num terreiro que eu disse que ia levar a cruz, foi numa igreja de Santa Bárbara.

MINHA TIA Santa Bárbara é Iansã. E Iansã está lá! Vai baixar nos seus cavalos! Vamos!

ZÉ Não. Não é a mesma coisa. Não é a mesma coisa.

Abre-se a porta da igreja e surgem o REPÓRTER, *o* FOTÓGRAFO *e o* SACRISTÃO.

REPÓRTER	(*Para o* SACRISTÃO:) O senhor acha que o Padre não deixa mesmo ele entrar?
SACRISTÃO	O senhor não ouviu ele dizer? É Satanás! Satanás sob um dos seus múltiplos disfarces!
REPÓRTER	Satanás disfarçado em Jesus Cristo... acho que é um pouco forte. Em todo caso, isso é lá com ele. Eu confesso que não sou muito entendido na matéria. O que interessa é mantê-lo aqui, pelo menos até segunda-feira. Se for preciso, mandarei vir comida e bebida. Contanto que ele não vá embora antes de segunda-feira.

ZÉ DO BURRO *dá um passo em direção à igreja. O* SACRISTÃO *assusta-se.*

SACRISTÃO	Com licença, senhores, com licença. (*Entra e fecha a porta, precipitadamente.*)

O FOTÓGRAFO *vai à vendola.*

REPÓRTER	(*Indo a* ZÉ DO BURRO.) Nada feito, meu camarada. O Padre é uma rocha. (*Procura estimulá-lo a resistir.*) Mas ele vai acabar cedendo. Se você não arredar o pé daqui, ele vai ter que abrir a igreja. Eu lhe garanto. Agora a causa não é somente sua, é também do nosso jornal. E sendo do nosso jornal, é do povo!

ZÉ DO BURRO *olha-o como se procurasse inutilmente entender um ser vindo de outro planeta.*

REPÓRTER	Eu o aconselho a resistir. Afinal de contas, é um direito. Direito que o senhor adquiriu em 360 quilômetros de *via crucis*. Eu confio no senhor. (*Para* ROSA:) Leia no meu jornal hoje à tarde. Vai ser um estouro. (*Sai seguido do* FOTÓGRAFO.)
BONITÃO	Jornalistas, é?
ROSA	É. (*Com vaidade.*) Tiraram o meu retrato. Será que vão publicar mesmo?
BONITÃO	Se estivesse nua, eu garantia. Assim... não sei.

Neste momento, entra MARLI *pela direita. Ao ver* BONITÃO *junto a* ROSA, *avança para ele em atitude agressiva.*

MARLI — Eu sabia!... Tinha que estar atrás de algum rabo de saia!

BONITÃO — Que é que você veio fazer aqui?

MARLI — Venho saber por que o senhor não apareceu em casa esta noite.

BONITÃO — Que casa?

MARLI — A minha casa!

BONITÃO — Estava indisposto. Fui para o meu hotel.

MARLI — (*Mede* ROSA *de alto a baixo.*) Sim, eu estou vendo a sua "indisposição".

BONITÃO — (*Em voz contida, mas enérgico.*) Não faça escândalo!

MARLI — Por quê? Está com medo do marido dela?

BONITÃO — Não estou com medo de ninguém, mas não vou deixar você fazer a senhora passar vexame.

MARLI — (*Irônica.*) A senhora... Se ela é senhora, eu sou donzela...

BONITÃO — (*Autoritário.*) Marli, me obedeça!

MARLI — Está querendo bancar o machão na frente dela, é?

BONITÃO — Eu não tenho nada com ela!

MARLI — Você passou a noite com ela!

O rosto de ZÉ DO BURRO *se cobre de sombras e ele busca nos olhos de* ROSA *uma explicação. Ela não o fita.*

BONITÃO — (*Segura* MARLI *por um braço, violentamente.*) Vamos pra casa!

MARLI — Não! Primeiro quero tirar isso a limpo. Quero que essa vaca saiba que você é meu. (*Com orgulho.*) Meu!

	(*Grita para* ROSA:) Esta roupa foi comprada com o meu dinheiro! Esta e todas que ele tem!
BONITÃO	(*Perde a paciência, ameaçador.*) Se você não for pra casa imediatamente, nunca mais eu deixo você me dar nada!
MARLI	(*Deixando-se arrastar por ele na direção da direita.*) Ele é meu, ouviu? Fique com seu beato e deixe ele em paz! É meu homem! É meu homem!

Há uma pausa terrivelmente longa, na qual ZÉ DO BURRO *apenas fita* ROSA, *silenciosamente, sob o impacto da cena. Em seu olhar, lê-se a dúvida, a incredulidade e sobretudo o pavor diante de um mundo que começa a desmoronar. As luzes se apagam em resistência.*

SEGUNDO QUADRO

Três horas da tarde. ZÉ DO BURRO *e* ROSA *continuam no meio da praça.* MINHA TIA *com seu tabuleiro, na porta da igreja, o* GALEGO *na venda.* DEDÉ COSPE-RIMA *entra da direita.*

DEDÉ	"ABC da Mulata Esmeralda", romance completo contando toda a vida de Esmeralda, desde o nascimento, no Beco das Inocências, até a morte, por trinta facadas, na Rua da Perdição. (*Oferece a* ZÉ DO BURRO.) 10 cruzeiros...
	ZÉ DO BURRO *recusa com um gesto.*
DEDÉ	(*Lê, declamando:*) Ai, meu Senhor do Bonfim dai-me muita inspiração, dai-me rima e muita métrica pra fazer a descrição das penas de Esmeralda na Rua da Perdição. (*Para* ZÉ DO BURRO:) Estava pensando... sabe que essa sua briga com o Padre dava um abecê? Quer, eu escrevo.
ZÉ	(*Com decisão.*) Não.

DEDÉ — Por que não quer? Abecê em versos ficava bonito...

ZÉ — Não.

DEDÉ — Versos que, modéstia à parte, são lidos pela Bahia inteira. (*Com intenção.*) Inclusive pelo Padre Olavo. E não é por me gabar, meu camarado, mas aqui como me vê, poeta pela graça da Virgem e do Senhor do Bonfim, eu sou um homem temido! Quando eu anuncio que vou escrever um folheto contando as bandalheiras desse ou daquele deputado... ah, menino, não tarda o fulano vem me procurar pra adoçar meus versos. (*Faz com os dedos um sinal característico de dinheiro.*) Se eu anunciar nesta tabuleta que vou escrever o "ABC de Zé do Burro", tenho certeza que o Padre abre logo a porta e vem ele mesmo carregar a cruz.

ZÉ *olha-o com desconfiança.*

ROSA — Que é preciso pra isso?

DEDÉ — Bem, o consentimento dele, em primeiro lugar. E em segundo, sabe... papel está pela hora da morte, a tipografia está cobrando os olhos da cara...

ROSA — Ah, é preciso pagar.

DEDÉ — Aí uns cinco contos pra ajudar. (*Vai a* ZÉ.) Mas garanto o resultado.

ZÉ — (*Vigorosamente.*) Não quero que faça nada.

DEDÉ — Olhe que o senhor se arrepende. Garanto que basta anunciar, o Padre se borra todo.

ZÉ — (*Irritado.*) Não quero, já disse!

DEDÉ — Está bem. Quem perde é o senhor. O senhor e a poesia nacional.

MESTRE COCA *desce a ladeira, gingando, e para na vendola. É um mulato alto, musculoso e ágil. Veste calças brancas boca de sino e camisa de meia.*

COCA   Buenas.

GALEGO   Opa!

DEDÉ   Boa tarde, Mestre Coca.

COCA   Dedé Cospe-Rima, precisa arranjar um serviço de homem, meu camarado... (*Para o* GALEGO:) Me dá um porongo. (GALEGO *serve a cachaça. Ouvem-se trovões longínquos.*) Dia de Santa Bárbara, tem que roncar trovoada.

DEDÉ   Já largou a estiva, Mestre Coca?

COCA   Já. Descarreguei um cargueiro holandês até a uma hora e caí no mundo. Hoje, dia de Iansã; não é dia de carregar peso, é dia de vadiar.

DEDÉ   Vamos ter capoeira hoje?

COCA   Mais logo. Mais logo vamos ter vadiação. Vou jogar com Manuelzinho Sua Mãe. (*Nota* ZÉ DO BURRO.) Me disseram que tinha um homem querendo entrar na igreja com uma cruz e o Padre não queria deixar.

GALEGO   É esse aí.

COCA   Mas lugar de cruz não é dentro da igreja?

DEDÉ   É, mas parece que a cruz é pra Iansã, e o Padre não gostou da história.

COCA   E fechou a porta?

DEDÉ   Não é de admirar. Outro dia ele não quis proibir que eu vendesse meus livros aqui na porta da igreja?

COCA   Por quê?

DEDÉ   Disse que o "ABC da Mulata Esmeralda" era indecente. Falou isso num sermão. E de lá pra cá, essas beatas quando passam por mim viram a cara, como se eu fosse a pintura do Cão.

GALEGO	No me gustan los padres. Pero esse está haciendo un buen servicio. Por causa dele a freguesia aumentou e já fui até fotografado.
DEDÉ	Se ele quisesse, eu fazia o Padre abrir a porta em dois tempos.
GALEGO	Nada. Deixa el hombre aí. Quanto mais demorar, mejor...
DEDÉ	Vou dar um pulo até o Mercado de Santa Bárbara.
COCA	Ah, lá a festança já começou é de hoje. Capoeira, roda de samba... está bom que está danado.
DEDÉ	Tem turista?
COCA	Vi uns gringos.
DEDÉ	Vou até lá. (*Sobe a ladeira com os folhetos embaixo do braço.*)
ROSA	(*Para o marido:*) Sabe que horas são? Três horas da tarde. Você não está com fome?
ZÉ	Não. Vá ali na mulher do tabuleiro, compre qualquer coisa pra você. (*Tira do bolso uma nota.*)

ROSA *toma a nota e vai a* MINHA TIA.

MINHA TIA	Que é, iaiá?
ROSA	Qualquer coisa pra matar a fome.
MINHA TIA	Precisa mesmo. É de hoje que vosmincês estão aí...
ROSA	Desde manhã cedo.
MINHA TIA	(*Fitando* ZÉ DO BURRO *com simpatia e incredulidade.*) E ele parece um homem tão bom...
SECRETA	(*O "tira" clássico. Óculos escuros, mãos nos bolsos, inspira mais receio que respeito. À primeira vista, tanto pode ser o representante da lei como o fugitivo da lei. Entra pela direita e atravessa a cena, lentamente, em*

direção à vendola. Ao passar por ZÉ DO BURRO, demora nele um olhar de desabusada curiosidade.) Uma dupla. (Olha em torno, procurando alguém, consulta o relógio.)

ROSA — (Durante a entrada do SECRETA, esteve escolhendo alguns quitutes no tabuleiro da baiana. Recebe-os agora, embrulhados em folha de banana, das mãos da preta. Paga.)

MINHA TIA — Diga a ele que não desanime, Iansã tem força!

ROSA ri, leva os quitutes para ZÉ DO BURRO. Este recusa com um gesto. Entra da direita o GUARDA, com um jornal na mão.

GUARDA — Vejam! Primeira página com retrato e tudo! (Mostra o jornal a ROSA, que corre ansiosamente.)

ROSA — Meu retrato?

GUARDA — Eu também saí.

ROSA — (Examina o retrato.) Hum... o senhor saiu muito bem. A cópia fiel!

GUARDA — (Sorri, vaidoso.) É, eu acho que saí bem. Vou levar pra minha mulher.

ROSA — Quem saiu mal fui eu. (Faz uma careta de desagrado.) Horrível.

GUARDA — Não ligue. Fotografia de gazeta é assim mesmo.

ZÉ — (Sua atitude para com ROSA é agora de recalcada e surda revolta. Embora ele não pareça ter certeza ainda de sua infidelidade, instintivamente começa a perceber que ela se encontra do outro lado, do lado daqueles que, por este ou aquele motivo, não o compreendem, ou fingem não compreendê-lo.) Afinal, que é que diz aí?

GUARDA — (Como se só agora lhe ocorresse ler a reportagem.) Ah, sim... (Lê:) "O novo Messias prega a revolução."

ZÉ — (*Estranha.*) Revolução?... (*Espicha o pescoço e lê por cima do ombro do* GUARDA.)

GUARDA — É, revolução. Está aqui. (*Continua:*) "Sessenta léguas carregando uma cruz, pela reforma agrária e contra a exploração do homem pelo homem." (*Entreolham-se sem entender.*)

ZÉ — Eu bem achei que aquele camarada não era certo da bola...

GUARDA — (*Continuando a ler:*) "Para o vigário da paróquia de Santa Bárbara, é Satanás disfarçado. Quem será afinal Zé do Burro? Um místico ou um agitador? O povo o olha com admiração e respeito, pelos caminhos por onde passa com sua cruz, mas o vigário expulsa-o do templo. No entanto, Zé do Burro está disposto a lutar até o fim." Acho que o moço não entendeu bem o seu caso. (*Olha-o com certa desconfiança.*) Ou então fui eu que não entendi. (*Dá o jornal a* ZÉ DO BURRO.) Podem ler. Mas não joguem fora. (*Iniciando a saída.*) Quero levar pra casa. (*Sai.*)

ROSA — Zé, não estou gostando disso.

ZÉ — Nem eu.

ROSA — Não entendi bem o que botaram na gazeta, mas uma coisa me diz que isso não é bom.

ZÉ — (*Não esconde o ressentimento que guarda dela.*) Bem Maria de Iansã disse. A promessa tinha que ser bem grande. Com certeza Santa Bárbara achou que não era bastante o que eu prometi e está cobrando o restante. (*Fita* ROSA.) Ou está me castigando por eu ter prometido tão pouco.

ROSA — Então eu também estou sendo castigada...

ZÉ — Ou pode ser que esteja me fazendo passar por tudo isso pra me experimentar. Pra ver se eu desisto da promessa. Santa Bárbara está me tentando... e ainda há pouco quase que eu caio.

ROSA   Quando?

ZÉ   Quando aquela sujeita disse tudo aquilo. O sangue me subiu na cabeça e se eu me deixo tentar tinha matado um homem ou uma mulher. Ia preso e não podia cumprir a promessa. Pensei nisso, naquela hora, e aguentei tudo calado. Foi uma prova. Tudo isso é uma provação.

ROSA   (*Agarrando-se a uma justificativa para sua própria falta.*) Deve ser, sim. É a única explicação pra tudo que aconteceu. Santa Bárbara me usou pra pôr você à prova.

ZÉ   Mas Santa Bárbara não tinha feito isso se não conhecesse você melhor que eu...

ROSA   (*Veemente.*) Eu senti, Zé, senti que havia uma vontade mais forte do que a minha me empurrando pra lá... E você ajudando. Você também é culpado. Eu não queria ir, e você insistia. Não é pra me desculpar, mas se tudo é obra de Santa Bárbara, o que é que eu podia fazer?

ZÉ   Podia resistir à tentação, como eu tenho resistido.

ROSA   Era diferente. Não era a mim que ela estava pondo à prova. Era a você. E se ela é santa, se ela pode fazer milagre, pode me obrigar a fazer o que eu não quero, como obrigou. Pode botar o Diabo no meu corpo, como botou. Mas isso não vai acontecer mais. Acho até que isso nem aconteceu. Pois se foi uma provação divina...

ZÉ   (*Não muito convencido.*) Esse assunto nós vamos resolver depois, na volta. (*Lê o jornal.*)

Entra BONITÃO *pela direita e vai diretamente à vendola. Aproxima-se do* SECRETA. *Traz um jornal embaixo do braço.*

BONITÃO   (*Em voz baixa, disfarçadamente.*) Você veio depressa. (*Para o* GALEGO:) Uma dose.

O GALEGO *serve.*

SECRETA — (*Idem.*) Que é que você quer falar comigo? Se é sobre a sua volta à Polícia...

BONITÃO — (*Corta, sorrindo.*) Não, nada disso. Nem estou pensando mais em voltar. Estou muito bem de vida.

SECRETA — Mas tome cuidado. Estão com sua ficha em dia...

BONITÃO — (*Ri.*) Não acredito. Vocês vivem comendo mosca. Olha aí... (*Indica, com o olhar,* ZÉ DO BURRO.) No meu tempo, esse cabra já estava no xilindró. (*Noutro tom.*) E vocês me expulsaram...

SECRETA — Quem é ele?

BONITÃO — (*Mostrando o jornal.*) Tome, leia... Vocês nem leem gazeta e querem estar em dia. (*O* SECRETA *põe-se a ler o jornal atentamente, dando de vez em quando uma mirada para* ZÉ DO BURRO, *como a comprovar as afirmativas.* BONITÃO *atira uma nota sobre o balcão.*)

SECRETA — Você já conversou com ele?

BONITÃO — Já. O homem é perigoso. Banca o anjo de procissão, mas não é à toa que o padreco dali de frente fechou a igreja e jurou que ele não entra.

SECRETA — É, mas a coisa é esquisita.

BONITÃO — Eu, se fosse você, "guardava" ele por uns dias.

SECRETA — Também não pode ser assim. Tenho que investigar, depois comunicar ao Comissário.

BONITÃO — Qual, vocês não sabem trabalhar. Dá o flagra no homem!

SECRETA — Flagra de quê? Ele não está fazendo nada...

BONITÃO — Como não? Agitação social!

SECRETA — Venha comigo.

BONITÃO	(*Iniciando a passagem.*) Ele vai lhe contar a história de um burro, mas não vá nessa conversa.
GALEGO	(*Para* MESTRE COCA:) Polícia... Estão querendo prender el hombre!
COCA	Está certo, não. Fazer promessa não é crime.

ZÉ DO BURRO *recebe* BONITÃO *e o* SECRETA *com desconfiança.*

ROSA *mostra certo constrangimento diante de* BONITÃO. *Este apresenta o* SECRETA.

BONITÃO	Um amigo. Quer conversar com vocês. Quer ajudar.
SECRETA	Olá!
ZÉ	(*Dentro dele, uma revolta de proporções imprevisíveis começa a crescer.*) Ajudar... todo mundo quer ajudar... (*Arrebata o jornal das mãos de* ROSA *e o faz em pedaços.*)
ROSA	(*Assustada.*) Não faça isso, homem! É do guarda! Ele pediu pra guardar!
ZÉ	O guarda também quer ajudar. (*Repete como uma obsessão.*) Todos querem ajudar... (*Seu olhar, que começa a ser agora um olhar de fera acuada, cai sobre* BONITÃO.) Todos...
SECRETA	O senhor sabe que suas ideias são muito perigosas?
ZÉ	Perigosas?
SECRETA	O senhor não devia dizer isso no jornal. E muito menos aqui, em praça pública. Porque isso pode lhe dar muita aporrinhação.
ZÉ	Mais do que já tive?
SECRETA	Por muito menos, tenho visto muita gente ir parar no xadrez.
ROSA	Xadrez?

SECRETA	Estou avisando como amigo.
ZÉ	Amigo. Já vi que estou cercado de amigos. É amigo por todo lado. Cada qual querendo ajudar mais do que o outro.
SECRETA	O senhor é um revoltado.
ZÉ	Não era, não. Mas estou ficando.
SECRETA	É por isso que está aqui desde esta madrugada?
ZÉ	É. (*Inflamando-se.*) E daqui não saio enquanto não fizer com que todo mundo me entenda! Todo mundo!
SECRETA	Como pretende fazer isso?
ZÉ	Como... sei lá... mas tem de haver um jeito... tem de haver um jeito... (*Desesperado.*) A vontade que eu tenho é de jogar uma bomba... (*Inicia um gesto, como se atirasse uma bomba contra a igreja, mas o braço se imobiliza no ar, ele percebe a heresia que ia proferir, deixa o braço cair e ergue os olhos para o céu.*) Que Deus me perdoe! (SECRETA *e* BONITÃO *trocam olhares significativos.* ZÉ DO BURRO *avança dois ou três passos em direção à igreja, isola-se do grupo e grita a plenos pulmões:*) Padre! Padre! (DEDÉ *desce a ladeira e fica assistindo à cena, curioso.*) Padre, eu andei sete léguas pra vir até aqui! Deus é testemunha! Ainda não comi hoje... e não vou comer até que abra a porta! Um dia, dois... um mês... vou morrer de fome na porta da sua igreja, Padre!
	O GALEGO *deixa a vendola e vem para o meio da praça, no momento em que surgem também na ladeira dois tocadores de berimbau, de instrumento em punho. Colocam-se ao lado de* MESTRE COCA *e ficam apreciando.*
ZÉ	(*Gritando, alucinadamente.*) Padre, é preciso que me ouça, Padre!
	Abre-se de súbito a porta da igreja e entra o PADRE. *O* SACRISTÃO *atrás dele, amedrontado. Grande silêncio. O* PADRE *avança até o começo da escada.*

PADRE	Que pretende com essa gritaria? Desrespeitar esta casa, que é a casa de Deus?
ZÉ	Não, Padre, lembrar somente que ainda estou aqui com a minha cruz.
PADRE	Estou vendo. E essa insistência na heresia mostra o quanto está afastado da Igreja.
ZÉ	Está bem, Padre. Se for assim, Deus vai me castigar. E o senhor não tem culpa.
PADRE	Tenho, sim. Sou um sacerdote. Devo zelar pela glória do Senhor e pela felicidade dos homens.
ZÉ	Mas o senhor está me fazendo tão infeliz, Padre!
PADRE	(*Sinceramente convicto:*) Não! Estou defendendo a sua felicidade, impedindo que se perca nas trevas da bruxaria.
ZÉ	Padre, eu não tenho parte com o Diabo, tenho com Santa Bárbara.
PADRE	(*Agora para toda a praça:*) Estive o dia todo estudando esse caso. Consultei livros, textos sagrados. Naquele burro está a explicação de tudo. É Satanás! Só mesmo Satanás podia levar alguém a ridicularizar o sacrifício de Jesus.
ROSA	Não, Padre, não!
PADRE	Por que não?
ROSA	Porque eu conheço ele. É um bom homem. Até hoje só fez o bem.
PADRE	Lúcifer também foi anjo.
ROSA	É até bom demais. Nunca fez mal a ninguém, nem mesmo a um passarinho. É capaz de repartir o que é dele com os outros. De deixar de comer até... pra dar de comer a um burro. É um homem bom, isso eu garanto.

PADRE	Como pode garantir?
ROSA	Sou mulher dele. Vivo com ele. Durmo na mesma cama, como na mesma mesa.
PADRE	Isso não quer dizer nada...
ROSA	(*Com mais veemência.*) Como é que não?!

Entra o GUARDA *da direita e se detém no meio da praça.*

PADRE	Lúcifer iludiu o Senhor até o último momento! (*Leva o dedo em riste.*) Mas eu conheço seus adeptos! Mesmo quando se disfarçam sob a pele do cordeiro! Mesmo quando se escondem atrás da cruz de Cristo! A mesma cruz que querem destruir! Mas não destruirão! Não destruirão!

Neste momento, entra o MONSENHOR. *O* PADRE *está no auge de sua cólera. Ao ver o* MONSENHOR, *seu braço se imobiliza no ar, como ante uma aparição sobrenatural.*

PADRE	Monsenhor!
SACRISTÃO	Monsenhor Otaviano!
PADRE	(*Grita para a praça:*) Deixem passar o Monsenhor!

Todos abrem passagem e se curvam respeitosamente. O MONSENHOR *avança para a igreja. Ao passar por* ZÉ DO BURRO, *este lhe cai aos pés e beija-lhe a mão.*

MONSENHOR	(*Paternal, magnânimo.*) Já sei. Estou tratando do seu caso. (*Entra na igreja, seguido dos seminaristas, do* PADRE *e do* SACRISTÃO. *Fecha-se a porta.*)
GUARDA	É Monsenhor Otaviano! Deve ter vindo a mando do arcebispo!
ROSA	E o Padre ficou apavorado quando viu ele, reparou?
DEDÉ	Com certeza o arcebispo mandou puxar as orelhas do Padre.
MINHA TIA	Bem feito!

GALEGO	Bem feito nada. Se deixam el hombre entrar, prejudicam nuestro negócio.
ZÉ	(*Com esperança.*) Será?... Será que o arcebispo chegou a saber?!
GUARDA	Ora, a cidade inteira já sabe! O rádio já deu!
COCA	Não se fala noutra coisa, da Cidade Baixa até a Cidade Alta!
ZÉ	E ele vir até aqui por causa disso...
ROSA	É porque veio trazer alguma ordem. E ordem do arcebispo!
DEDÉ	Mandou o Padre deixar de ser besta.
COCA	Mandou abrir a porta!
MINHA TIA	Eu disse: Iansã tem força! Agora ele vai entrar! Vai entrar!
ZÉ	Eu sabia que Santa Bárbara não ia me desamparar!

Abre-se a porta da igreja. Surgem o MONSENHOR *e o* PADRE, *seguidos do* SACRISTÃO. *Há um grande silêncio de expectativa.*

MONSENHOR	Venho aqui a pedido do Monsenhor Arcebispo. S. Exa. está muito preocupado com o vulto que está tomando este incidente e incumbiu-me, pessoalmente, de resolver a questão. A fim de dar uma prova de tolerância da Igreja para com aqueles que se desviam dos cânones sagrados...
ZÉ	(*Interrompe.*) Padre, eu sou católico. Não entendo muita coisa do que dizem, mas queria que o senhor entendesse que eu sou católico. Pode ser que eu tenha errado, mas sou católico.
MONSENHOR	Pois bem. Vamos lhe dar uma oportunidade. Se é católico, renegue todos os atos que praticou por inspiração do Diabo e volte ao seio da Santa Madre Igreja.

ZÉ (*Sem entender.*) Como, Padre?

MONSENHOR Abjure a promessa que fez, reconheça que foi feita ao Demônio, atire fora essa cruz e venha, sozinho, pedir perdão a Deus.

ZÉ (*Cai num terrível conflito de consciência.*) O senhor acha mesmo que eu devia fazer isso?!

MONSENHOR É a sua única maneira de salvar-se. A Igreja Católica concede a nós, sacerdotes, o direito de trocar uma promessa por outra.

ROSA (*Incitando-o a ceder.*) Zé... talvez fosse melhor...

ZÉ (*Angustiado.*) Mas, Rosa... se eu faço isso, estou faltando à minha promessa. Seja Iansã, seja Santa Bárbara, estou faltando...

MONSENHOR Com a autoridade de que estou investido, eu o liberto dessa promessa, já disse. Venha fazer outra.

PADRE Monsenhor está dando uma prova de tolerância cristã. Resta agora você escolher entre a tolerância da Igreja e a sua própria intransigência.

ZÉ (*Pausa.*) O senhor me liberta... mas não foi ao senhor que eu fiz a promessa, foi à Santa Bárbara. E quem me garante que como castigo, quando eu voltar pra minha roça, não vou encontrar meu burro morto?

MONSENHOR Decida! Renega ou não renega?

MINHA TIA Êparrei! Maleme pra ele, minha mãe!

COCA Maleme!

ZÉ Não! Não posso fazer isso! Não posso arriscar a vida do meu burro!

PADRE Então é porque você acredita mais na força do Demônio do que na força de Deus! É porque tudo que fez foi mesmo por inspiração do Diabo!

MONSENHOR Nada mais posso fazer, então. (*Atravessa a praça e sai.*)

ZÉ   (*Corre na direção do* SACRISTÃO.) Monsenhor! Me deixe explicar! (*No auge do desespero.*) Me deixe explicar!

PADRE   Que ninguém agora nos acuse de intolerantes. E que todos se lembrem das palavras de Jesus: "Porque surgirão falsos Cristos e falsos profetas, e farão tão grandes sinais e prodígios que, se possível fora, enganariam a muitos."

ZÉ   Padre, eu não quero enganar ninguém.

PADRE   Enganaria a muitos, sim. E muitos o seguiriam ao sair daqui.

ZÉ   Eu não quero que ninguém me siga!

PADRE   Mas seguiriam, como já o seguiram pelas estradas, sem saber que seguiam a Satanás!

ZÉ   (*Subitamente fora de si, corre para a cruz, levanta-a nos braços como um aríete e grita:*) Padre! Por Santa Bárbara ou por Satanás, vou colocar esta cruz dentro da igreja, custe o que custar!

PADRE   (*Ante a decisão que vê estampada no rosto de* ZÉ DO BURRO, *recua, amedrontado.*) Eis a prova: um católico não ameaça invadir a casa de Deus! Guarda! Prenda esse homem! (*E ante a investida de* ZÉ DO BURRO, *que caminha para a igreja, corre seguido do* SACRISTÃO *e cerra a porta no momento mesmo em que* ZÉ *sobe os degraus. Este, revoltado e vencido, atira a cruz contra a porta. A cruz tomba, estrondosamente, sobre a escada.* ZÉ DO BURRO *senta-se num dos degraus e esconde o rosto entre as mãos.*)

COCA   (*Para os tocadores de berimbau:*) Fiquem aqui. Vou chamar o resto do pessoal. (*Sobe a ladeira.*)

BONITÃO   (*Para o* SECRETA:) Que está esperando? Não está convencido ainda?...

SECRETA   (*Faz um sinal afirmativo com a cabeça.*) Espere... (*Sai pela direita.*)

ROSA   (*Que percebeu a troca de palavras entre o* SECRETA *e* BONITÃO.) Espere o quê? Quem é ele?

BONITÃO   Um secreta.

ROSA   (*Começando a compreender.*) Polícia! Você...? Você denunciou...?!

BONITÃO   Daqui a pouco você vai ficar livre desse idiota.

ROSA   (*Horroriza-se ante a ideia da traição.*) Você não devia ter feito isso! Não devia!

BONITÃO   É pro seu bem. Pro nosso bem.

ROSA   (*Angustiada pelo conflito de consciência que se apossa dela.*) Não... assim, não! Eu não queria assim!

BONITÃO   Agora... está feito.

ROSA *se debate em seu conflito: de um lado, sua noção de lealdade gerando um repúdio natural à delação. Do outro, todos os seus recalques sexuais, sua ânsia de libertação, de realização mesmo, como mulher, que* BONITÃO *veio despertar. Enquanto isso,* ZÉ DO BURRO, *sentado nos degraus da igreja, sofre uma crise nervosa. Soluça convulsivamente. Os tocadores de berimbau fazem gemer a corda de seus instrumentos.*

E lentamente, enquanto as luzes de cena se apagam.

CAI O PANO

TERCEIRO ATO

Entardecer. A praça está cheia de gente. Na escadaria da igreja, ZÉ DO BURRO *e* ROSA. *Na vendola, o* GALEGO. *À frente da vendola formou-se uma roda de capoeira. Dois tocadores de berimbau, um de pandeiro e um de reco-reco, sentados num banco, e os "camarados", formando um círculo, ao centro do qual, de cócoras, diante dos músicos, estão* MESTRE

COCA *e* MANUELZINHO SUA MÃE. DEDÉ COSPE-RIMA *está entre os componentes da roda e* MINHA TIA *não se encontra em cena. Choram os berimbaus, e* ROSA, *dominada pela curiosidade, aproxima-se da roda.*

MESTRE   (*Canta:*)   Sinhazinha, que vende aí?
DO CORO   Vendo arroz do Maranhão
                              Meu sinhô mandô vendê
                              Na terra do Salomão.
                              Aruandê
                              Camarado

CORO   Ê, ê
                Aruandê
                Camarado

MESTRE   Galo cantô

CORO   Ê, ê
                Aruandê
                Camarado

MESTRE   Cocorocô

CORO   Ê, ê
                Aruandê
                Camarado

MESTRE   Goma de gomá

CORO   Ê, ê
                Goma de gomá
                Camarado

MESTRE   Ferro de matá

CORO   Ê, ê
                Ferro de matá
                Camarado

MESTRE   É faca de ponta

CORO   Ê, ê
                Faca de ponta
                Camarado

MESTRE	Vamos embora
CORO	Ê, ê Vamos embora Camarado
MESTRE	Pro mundo afora
CORO	Ê, ê Pro mundo afora Camarado
MESTRE	Dá volta ao mundo
CORO	Ê, ê Volta ao mundo Camarado.

E tem início o jogo. MESTRE COCA *e* MANUELZINHO SUA MÃE *percorrem a roda virando o corpo sobre as mãos e começam a luta-dança, cuja coreografia é ditada pelo toque do berimbau.*

DEDÉ	(*Grita.*) Quero ver um rabo de arraia, Mestre Coca!
UMA VOZ	Manuelzinho Sua Mãe é porreta no aú!
OUTRA VOZ	Eu queria vê isso à vera.
MESTRE DO CORO	Quem te ensinô essa mandinga? Foi o nego de sinhá. O nego custô dinhero, dinhero custô ganhá, Camarado
CORO	Cai, cai, Catarina, sarta de má, vem vê Dalina
MESTRE DO CORO	Amanhã é dia santo, dia de corpo de Deus. Quem tem roupa vai na missa, quem não tem faz como eu
CORO	Cai, cai, Catarina, sarta de má, vem vê Dalina

MESTRE DO CORO	Minino, quem foi teu mestre? quem te ensinô a jogá? — Sô discip'o que aprendo meu mestre foi Mangangá, na roda que ele esteve, outro mestre lá não há, Camarado
CORO	Cai, cai, Catarina, sarta de má, vem vê Dalina
	ROSA, *apreensiva, nervosa, desinteressa-se da capoeira; vai até a ladeira, olha para o alto, ansiosamente, como se esperasse alguém, depois volta para junto do marido. Muda o ritmo do jogo.*
MESTRE DO CORO	Panha a laranja no chão, tico-tico ai, se meu amô fô s'imbora eu não fico
CORO	Panha a laranja no chão, tico-tico
MESTRE DO CORO	Minha camisa é de renda de bico
CORO	Panha a laranja no chão, tico-tico
MESTRE DO CORO	Ai, se meu amô fô s'imbora eu não fico
	E novamente muda o jogo, agora rápido, com os dois jogadores empenhando-se em golpes de espantosa agilidade, no ritmo cada vez mais acelerado da música.
MESTRE DO CORO	Santa Bárbara que relampuê Santa Bárbara que relampuá
CORO	Santa Bárbara que relampuê Santa Bárbara que relampuá
MESTRE DO CORO	Vou pidi à Santa Bárbara Pra ela me ajudá

CORO	Santa Bárbara que relampuê Santa Bárbara que relampuá***
	Esse estribilho é repetido várias vezes em ritmo cada vez mais rápido, até que MINHA TIA *surge no alto da ladeira e merca, num canto sonoro.*
MINHA TIA	Óia, o ca-ru-ru!
	Cessam de repente o canto e o acompanhamento. Os jogadores param de jogar.
MINHA TIA	É o caruru de Santa Bárbara, minha gente!
	A roda de capoeira se desfaz, alegremente. Todos cercam MINHA TIA, *que vai instalar seu tabuleiro no local costumeiro, ajudada pelos capoeiristas. Apenas os músicos continuam nos seus bancos, e* MESTRE COCA *vai à vendola.* ROSA *também permanece junto ao marido, demonstrando um nervosismo, uma ansiedade crescente.*
DEDÉ	O primeiro caruru é meu, Minha Tia!
	MINHA TIA *enche um prato e coloca-o de lado, no chão.*
DEDÉ	Pra quem é esse?
MINHA TIA	É pra Santa. (*Enche outro prato, dá a* DEDÉ.) Agora sim, é seu.
	DEDÉ *recebe o prato e dirige-se à vendola.*
COCA	(*Tira do bolso uma nota e coloca-a sobre o balcão.*) Aposto cem.
GALEGO	(*Coloca uma nota sobre a de* MESTRE COCA.) Casado.
COCA	Fica na mão de quem? (DEDÉ *vem se aproximando.*) De Dedé Cospe-Rima.

*** A capoeira não deve durar mais que dois minutos, a fim de não quebrar a continuidade dramática da peça.

DEDÉ	Também quero entrar nessa aposta.
COCA	O Galego diz que o padreco não deixa o homem entrar. Eu digo que vai acabar entrando, hoje mesmo, com cruz e tudo.
GALEGO	Entra nada. Yo conheço esse Padre. Moça com vestido decotado no entra nesta igreja. Yo mismo já vi ele parar la missa até que uma turista americana, de calças compridas, se retirasse...
DEDÉ	E eu digo que o homem entra, mas não hoje, amanhã. O Padre quer humilhar ele primeiro, mas depois vai ficar com medo dele ir se queixar pra Santa Bárbara e vai abrir a porta.
GALEGO	Pero usteds no entenderam la cosa. Ele no fez promessa para Santa Bárbara. Fez para Iansã, num candomblé.
COCA	E que tem isso?
GALEGO	Tem que candomblé és candomblé e igreja és igreja.
COCA	E a santa não é a mesma?
DEDÉ	Não, o Galego tem razão. A santa pode ser a mesma, mas o Padre tem medo da concorrência e quer defender o seu negócio.
COCA	Mas não adianta. Iansã tem força. O homem entra.
GALEGO	Nem Iansã nem todos os orixás do candomblé fazem ele entrar.
DEDÉ	Entra, sim. Amanhã ele entra. (*Num tom de mistério.*) E não se admirem se for eu que fizer ele entrar...
GALEGO	Usted?
DEDÉ	Sim, eu, Dedé Cospe-Rima.
COCA	E como?
DEDÉ	Ah, isso é segredo profissional.

COCA Então, se ele entrar hoje, ganho eu. Se entrar amanhã, ganha você. Se não entrar, ganha o Galego.

DEDÉ Fechado.

COCA Bota cem pratas. (*Estende a mão.*)

DEDÉ (*Segura o prato com uma das mãos, com a outra remexe os bolsos.*) Não tenho ainda, não, mas de noite eu lhe dou.

COCA (*Desconfiado.*) Vê lá, hein? (*Dá o dinheiro ao* GALEGO.) Por via das dúvidas, fica com o dinheiro, Galego.

MANUELZINHO (*Aproxima-se de* MESTRE COCA.) Tu tá um bicho na capoeira, Mestre Coca.

COCA Você é quem diz.

MANUELZINHO Tinha ido pro mercado, pensando que ia ser lá a vadiação. Lá me disseram que tinha vindo todo mundo pra cá.

COCA Por causa do homem da cruz.

MANUELZINHO Diz que ele quer cumprir obrigação pra Iansã.

UM CAPOEIRA Quer botar essa cruz lá dentro da igreja.

OUTRO CAPOEIRA E já quiseram até prender ele.

MANUELZINHO Só por causa disso?

UM CAPOEIRA Então.

MANUELZINHO Não pode!

COCA Não pode e não vão fazer. O homem não fez nada.

DEDÉ (*Aproxima-se de* ZÉ DO BURRO.) Amanhã... amanhã você entra, meu camarado. Lhe garanto. Vou hoje pra casa escrever a história desse Padre. Sei umas coisas dele... e se precisar a gente inventa. Amanhã vou chegar aqui com uma tabuleta: "Aguardem! O Padre que fechou a casa de Deus!" Vai ver se ele abre ou não abre a porta. Ou abre ou vai ter que me passar uma gaita pra não publicar os versos. (*Pisca o olho e afasta-se.*)

MINHA TIA   (*Para* ROSA:) Não quer também, iaiá?

ROSA   Não.

MINHA TIA   Caruru de Santa Bárbara. Antigamente a gente fazia isso e era de graça. Hoje, com a vida do jeito que está, a gente tem mesmo é que cobrar.

GALEGO   (*Atravessa a praça com um prato de sanduíches na mão e vai a* ZÉ DO BURRO.) Pero yo no cobro nada. (*Oferece.*) Oferta da casa.

ZÉ   Pra mim?

GALEGO   Si, para usted. Cachorro-quente. Después trarê un cafezito.

ZÉ   Não, obrigado.

GALEGO   Pode aceitar sin constrangimento. E podemos até hacer un negócio. Se usted promete no arredar pé de acá, yo me comprometo a fornecer comida e bebida gratuitamente para los dos.

ZÉ   Não, não tenho fome.

GALEGO   (*Muito preocupado.*) Pero asi usted no poderá resistir!

ZÉ   Não importa.

GALEGO   (*Oferece a* ROSA.) A senhora não quer?...

ROSA   Não estou com vontade.

GALEGO   (*Encolhe os ombros, conformado.*) Bien... (*Volta à venda.*)

ZÉ   (*Ele observa a intranquilidade indisfarçável de* ROSA, *que a todo momento olha assustada para a ladeira ou para a rua, esperando ver surgir a Polícia.*) Que é que você tem?

ROSA	Nada. Queria era ir embora.
ZÉ	Sozinha?
ROSA	Não, com você.
ZÉ	(*Com intenção.*) Pensei que estivesse farta de mim.
ROSA	(*Nervosamente.*) Estou farta é dessa palhaçada. Estamos aqui bancando os bobos. Toda essa gente está rindo de nós, Zé! Quem não está rindo, está querendo se aproveitar. É uma gente má, que só pensa em fazer mal. (*Sacode-o pelos ombros, como para chamá-lo à realidade.*) Largue a cruz onde está, Zé, e vamos embora pra nossa roça, antes que seja tarde demais!
ZÉ	De que é que você está com medo?
ROSA	De tudo.
ZÉ	Não é de você mesma?
ROSA	Também! Mas já não sou eu quem corre perigo, é você.
ZÉ	Que perigo?
ROSA	Você não vê? Não sente? Não respira? Está no ar!... E cada minuto que passa, aumenta o perigo. (*Olha para todos os lados, como fera acuada.*) Esta praça está ficando cada vez menor... como se eles estivessem fechando todas as saídas. (*Volta-se para ele, com veemência:*) Vamos embora, Zé, enquanto é tempo!
ZÉ	(*Desconfiado.*) Que deu em você assim de repente?
ROSA	Não é de repente, desde que chegamos que eu estou querendo voltar. Você foi que teimou em ficar. Por mim, você tinha largado aí essa cruz e voltado no mesmo pé. (*Com intenção.*) A esta hora, já estava na estrada, longe daqui, e nada tinha acontecido.
ZÉ	Você acha que depois de andar sete léguas eu ia voltar sem cumprir a promessa?

ROSA	Você já pagou essa promessa, Zé. Não é sua culpa se há gente sempre disposta a ver demônios em toda parte, até mesmo naqueles que estão do lado deles e que odeiam também o Demônio. E gente que vai acabar enxergando na própria sombra a figura do Diabo.

Entreabre-se a porta da igreja e surge na fresta a cabeça do SACRISTÃO, *que ao ver* ZÉ DO BURRO *torna a entrar e fechar a porta.*

ROSA	Está vendo? O Padre mandou ver se você ainda está aqui; não vai abrir a porta enquanto a gente não for embora. Vamos, Zé!
ZÉ	(*Reage com irritação, procurando combater em si mesmo o desejo de ceder.*) Não, já disse que não. Só arredo pé daqui depois de levar a cruz lá dentro da igreja.

O SECRETA *entra da direita e atravessa a praça em direção à vendola, observando, dissimuladamente,* ZÉ DO BURRO. *Ao vê-lo,* ROSA *não esconde sua inquietação. Acompanha-o com um olhar amedrontado até a vendola.*

SECRETA	(*Para o* GALEGO:) Uma meladinha.

GALEGO *serve a cachaça com mel.*

ZÉ	(*Notando a apreensão de* ROSA.) Que foi?
ROSA	Ele não é nosso amigo.
ZÉ	E que tem isso?
ROSA	Ouvi dizer que é da Polícia.
ZÉ	Não sou nenhum criminoso, não fiz mal a ninguém.
ROSA	Por isso mesmo que eu tenho medo, porque você não sabe fazer mal... e eles sabem!

MESTRE COCA *e* MANUELZINHO *vão à vendola, encostam-se no balcão junto do* SECRETA.

GALEGO	Que van hacer com o homem?

SECRETA	Deixe que eu cuido disso.
COCA	Mas ele não fez nada...
SECRETA	(*Lança a* MESTRE COCA *um olhar de intimidação.*) E é melhor não se meterem onde não são chamados.
	SECRETA *bebe a cachaça de um trago, coloca uma moeda sobre o balcão e volta a atravessar a cena, com ar misterioso, saindo pela rua da direita.* MESTRE COCA *e* MANUELZINHO *trocam um olhar de solidariedade.*
ROSA	Ele só veio ver se a gente ainda estava aqui. Vamos aproveitar, antes que ele volte.
ZÉ	Deixe de bobagem. Não sou menino que quando brinca com fogo mija na cama. (*Põe-se a picar fumo com uma faquinha.*)
MARLI	(*Entra da direita, atravessa a cena, lentamente, num andar provocante.*)
DEDÉ	(*Referindo-se a* MARLI:) Boa moça... só que casou com a humanidade...
	MESTRE COCA *ri.*
MARLI	(*Na venda, para o* GALEGO:) Viu Bonitão?
GALEGO	Já esteve aqui várias vezes, hoje.
MARLI	(*Referindo-se a* ROSA.) Eu sei... e sei também o motivo.
GALEGO	Festa de Iansã?...
MARLI	Não é bem Iansã, é outro orixá...
ROSA	(*Para* ZÉ DO BURRO:) Vou ali, preciso falar com aquela mulher.
ZÉ	Que é que você ainda tem que falar com ela? Não lhe basta a vergonha que ela lhe fez passar?
ROSA	Mas eu preciso, Zé! Eu preciso! (*Vai à vendola.* ZÉ DO BURRO *a segue com um olhar de profunda desilusão.*) Preciso falar com você.

MARLI   (*Hostil, estranhando.*) Comigo?

ROSA   Ou melhor, com ele, Bonitão. Onde ele está?

MARLI   Sujeita sem-vergonha. Dá em cima do meu homem e ainda tem o descaramento de vir me pedir pra dizer onde ele está! Não lhe basta o seu? Precisa do meu pra se contentar?

ROSA   Não preciso do seu homem pra nada. Quero só falar com ele, pra evitar uma desgraça.

MARLI   (*Ameaçadora.*) Se você quer mesmo evitar uma desgraça, o melhor é deixar ele em paz.

ROSA   Mas eu tenho que falar com ele. Juro que é assunto sério.

MARLI   Você pode enganar o trouxa do seu marido. Mas a mim, não!

ROSA   Onde ele mora?

MARLI   Mora comigo.

ROSA   Mentira. Eu sei que ele mora num hotel.

MARLI   Pois vá lá atrás dele, pra ver o que lhe acontece.

ROSA   (*Reagindo.*) Pare com isso que eu não tenho medo de você.

MARLI   Nem eu de você.

As duas se olham desafiadoramente a ponto de quase se atracarem. ZÉ DO BURRO, *que ouviu a discussão, aproxima-se.*

ZÉ   Rosa, você perdeu a cabeça? Não sabe qual é o seu lugar? Discutindo na rua com uma... (*Completa a frase com um gesto de desprezo.*)

MARLI   Com uma o quê, seu beato pamonha? Carola duma figa! A mulher dando em cima do homem da gente e

	ele aí agarrado com essa cruz! Isso também faz parte da promessa?
ROSA	Cale essa boca! Não se meta com ele. Ele não tem nada com isso!
MARLI	Não tem! Não é seu marido?
ROSA	É, mas não se rebaixa a discutir com você.
MARLI	(*Mede-o de cima a baixo, com mais desprezo ainda.*) Corno manso! (*Dá-lhe as costas, bruscamente, e sobe a ladeira.*)

GALEGO *solta uma gargalhada, que corta de súbito, ante o olhar ameaçador de* ZÉ DO BURRO. *Este, num gesto instintivo, ergue a pequena faca de picar fumo.*

ROSA	Zé!
GALEGO	(*Intimidado.*) Perdón... no se puede dar confiança a essas mujeres...
ZÉ	(*Para* ROSA, *num tom que revela sua desilusão, sua revolta e sua decisão de não mais deixar-se iludir:*) Esta noite a gente vai embora.
ROSA	E por que não agora?
ZÉ	Vamos deixar passar o dia de Santa Bárbara.
ROSA	De noite, talvez seja tarde.
ZÉ	Tarde pra quê?
ROSA	Pra voltar!
ZÉ	O que você ainda queria falar com aquele sujeito?
ROSA	Pedir pra ele deixar você em paz.
ZÉ	A mim?
ROSA	Ele denunciou você à Polícia.
ZÉ	Mas eu sou um homem de bem. Nunca tive nada com a Polícia.

ROSA

Eu sei. Mas eles torcem as coisas. Confundem tudo. (*Angustiada.*) Zé! Ouça o que eu digo. A gente devia ganhar a estrada agora mesmo. Neste minuto.

O REPÓRTER *e o* FOTÓGRAFO *entram pela direita, a tempo de ouvir a última fala de* ROSA.

REPÓRTER

Eh, que é isso? Já estão pensando em ir embora?!

ZÉ

(*Hostil.*) Vou embora quando quiser, não tenho que dar conta disso a ninguém. (*Dá as costas ao* REPÓRTER, *ostensivamente, e volta para junto da cruz, na escadaria da igreja. O* FOTÓGRAFO *conversa qualquer coisa com os componentes da roda de capoeira e sai seguido de* MESTRE COCA *e mais três ou quatro.*)

REPÓRTER

Vocês não estão falando sério, não? Sim, porque eu espero que vocês cumpram o que prometeram. Meu jornal está cumprindo. Já tomei todas as providências para que sua estada aqui até segunda-feira seja a mais agradável possível.

ROSA

Como?

Neste instante, entram os capoeiristas conduzindo primeiro uma tenda de pano já armada e em seguida um colchão de molas. Na tenda, há um letreiro: Oferta da Casa da Lona. No colchão há outro: Gentileza da Loja Sonho Azul. Com enorme espanto de ZÉ DO BURRO *e* ROSA, *eles colocam a barraca no meio da praça e o colchão dentro da barraca.*

REPÓRTER

Fomos aos nossos clientes e eles se dispuseram prontamente a colaborar conosco.

Entra o FOTÓGRAFO *trazendo uma mesinha e um rádio de pilha, que coloca também na barraca.*

ZÉ

(*Surpreso.*) O senhor trouxe essas coisas... pra nós?

REPÓRTER

Bem, julgamos que um pouco de conforto durante esses dias não reduzirá o valor de sua promessa. Além disso, segunda-feira, depois da entrada triunfal na igreja, o senhor percorrerá a cidade em carro aberto, com batedores, num percurso que irá daqui até a redação do nosso jornal. De lá, irá ao Palácio do Governo, onde será recebido pelo governador. (ZÉ *vai dizer qualquer coisa e ele o interrompe.*) Já sei: vai dizer que se o vigário de Santa Bárbara não o deixa entrar em sua igreja, o Governador vai também lhe bater com a porta na cara. Não se preocupe. Já estamos mexendo os pauzinhos. E se o senhor puder dizer uma palavrinha a favor do candidato oficial nas próximas eleições, estará tudo arranjado.

ROSA — Por favor, leve tudo isso daqui. Nós estamos de partida.

REPÓRTER — De partida? Não, não pode ser, isso seria um desastre para mim! O jornal já fez despesas, já compramos foguetes, contratamos uma banda de música para a volta...

ROSA — A volta vai ser hoje mesmo.

REPÓRTER — Hoje?! Mas não dá tempo!... Não está nada preparado... O que é que a senhora pensa? Que é assim tão simples organizar uma promoção de venda? É muito fácil pegar uma cruz, jogar nas costas e andar sessenta léguas. Mas um jornal é uma coisa muito complexa. Mobilizar todos os departamentos para dar cobertura... e depois, eu já lhe disse, amanhã é domingo, não tem jornal!

ROSA — (*Irritando-se.*) E qual é o meu?! Que se dane o seu jornal! Eu quero é ir embora daqui! O Zé tem razão, vocês todos querem ajudar, ajudar... ajudam mas é a desgraçar a vida da gente.

REPÓRTER — Está precisando de alguma ajuda... particular?

ROSA — Estou. A Polícia anda rondando a praça.

REPÓRTER — A Polícia?

ROSA — Um secreta. Estão querendo levar ele preso.

REPÓRTER   Por quê?

ROSA   (*Pensa um pouco.*) Talvez porque ele é bom demais. E o resto é gente safada.

REPÓRTER   Hum... bem me pareceu que por trás dessa história do burro, da promessa, havia qualquer coisa... uma intenção oculta e um objetivo político. A Polícia, naturalmente, percebeu também.

ROSA   Mas ele não tem nenhuma intenção, a não ser a de pagar a promessa!

REPÓRTER   (*Sorri, descrente.*) É claro que a senhora não vai dizer. Nem ele também. Mas podem contar comigo e com o meu jornal. Se ele for preso, daremos toda a cobertura. Abriremos manchetes na primeira página. Será uma maravilha para ele!

ROSA   Maravilha! Maravilha ser preso?!

REPÓRTER   Todo líder precisa ser preso pelo menos uma vez!

ROSA   Eu acho que o senhor é maluco. O senhor, esse Padre, a Polícia, todos. E eu também, se não me cuidar, vou acabar ficando. (*Olha, ansiosamente, para o alto da ladeira.*)

REPÓRTER   (*Chama de parte o* FOTÓGRAFO.) Prepare-se, que daqui a pouco é capaz de haver bafafá.

ROSA, *angustiada, volta para junto do marido.*

ROSA   Desista, Zé. Desista.

ZÉ   Por que você não senta aqui e espera até a hora de ir embora?

ROSA   (*Senta-se num degrau.*) É, o jeito é esperar.

DEDÉ   (*Vai a eles com seus folhetos.*) E enquanto espera, deve aproveitar para melhorar sua cultura. O "ABC da Mulata Esmeralda", modéstia à parte, é uma verdadeira joia da literatura brasileira. Por 10 cruzeiros apenas, o senhor poderá ler os mais inspirados versos que

	uma mulata jamais inspirou. (ZÉ DO BURRO *balança negativamente a cabeça.* DEDÉ *vai a* MINHA TIA.)
DEDÉ	Poesia está muito por baixo, Minha Tia. Quem está por cima é o caruru. (*Aproxima-se da roda de capoeira.* ZÉ DO BURRO *sobe um ou dois degraus, fita, revoltado, a porta cerrada.*)
MINHA TIA	(*Para* ZÉ DO BURRO:) Não desanime, moço. Hoje é dia de Iansã, mulher de Xangô, orixá dos raios e das tempestades. Mais logo, nos terreiros, ela está descendo no corpo dos seus cavalos. Vai falar com ela, moço, vai pedir a proteção de Iansã, que tudo quanto é porta há de se abrir. (*Ouvem-se trovões mais fortes que da vez anterior.*) Óia!... (*Aponta para o céu.*) Iansã está falando!... (*Abaixa-se, toca o chão com a ponta dos dedos, depois a testa, e saúda Iansã.*) Êparrei, minha mãe!
	Neste momento, surge BONITÃO *na ladeira.* ROSA *levanta-se, movida por uma mola.* ZÉ DO BURRO, *com os olhos pregados na porta da igreja, não o vê. Não vê que os olhares de* ROSA *e* BONITÃO *se cruzam de um extremo a outro da praça. E que ele, da ladeira, faz para ela um gesto, convidando-a a acompanhá-lo.* ROSA *hesita, presa de tremendo conflito. Olha para* ZÉ DO BURRO, *para* BONITÃO. *Este a espera, certo de que ela acabará por ir ao seu encontro.* MINHA TIA, GALEGO *e* DEDÉ *percebem o que se passa e aguardam atentamente. Vendo que ela não se decide,* BONITÃO *dá de ombros, sorri e acena num gesto curto de despedida. Inicia a subida da ladeira, mas para depois de dar dois ou três passos, fora do ângulo visual de* ROSA *e* ZÉ DO BURRO. *Ela, como que atraída por um ímã, inicia o movimento para segui-lo, quando* ZÉ DO BURRO *volta-se.*
ZÉ	Aonde vai, Rosa?
ROSA	(*Detém-se.*) Vou ali, já volto.
ZÉ	Ali aonde?

ROSA	No hotel onde dormi. Lembrei agora que esqueci lá o meu lenço. (*Avança mais na direção da ladeira.*)
ZÉ	Rosa!
ROSA	(*Para, já na altura da ladeira, vê* BONITÃO *à sua espera.*) Que é?
ZÉ	(*Num apelo e numa advertência que é quase uma súplica.*) Deixe esse lenço pra lá!
ROSA	(*Hesita ainda um pouco.*) Não posso, Zé. Eu preciso dele!
ZÉ	Compro outro pra você, Rosa!
ROSA	Pra que, Zé, gastar dinheiro à toa... é daquele que eu gosto. (*Sobe a ladeira.*)
	BONITÃO *passa o braço pela cintura dela e os dois saem.* GALEGO *e* DEDÉ COSPE-RIMA *trocam olhares significativos.*
DEDÉ	(*Canta:*) Quem corta e prepara o pau Quem cava e faz a gamela, Toma a si todo o trabalho E depois fica sem ela...
	O sino da igreja começa a tocar as Ave-marias. A BEATA *surge no alto da ladeira, apressada. Ao passar pela roda de capoeira, que novamente se anima, tem um ar de repulsa e indignação.*
BEATA	Falta de respeito! Bem em frente da igreja. Este mundo está perdido!
MINHA TIA	(*Oferece:*) Caruru, iaiá?
BEATA	(*Para junto a ela.*) Quê?
MINHA TIA	Caruru de Iansã...
BEATA	(*Como se ouvisse o nome do Diabo.*) Iansã?! E que é que eu tenho com dona Iansã? Sou católica apostólica romana, não acredito em bruxarias!

MINHA TIA	Adiscurpe, iaiá, mas Iansã e Santa Bárbara não é a mesma coisa?
BEATA	Não é, não, senhora! Santa Bárbara é uma santa. E Iansã é... é coisa de candomblé, que Deus me perdoe! (*Benze-se repetidas vezes e sai.*)
CORO	Quem corta e prepara o pau Quem cava e faz a gamela, Toma a si todo o trabalho E depois fica sem ela.

MESTRE COCA *entra correndo.*

COCA	(*A ZÉ DO BURRO:*) Meu camarado, trate de ir embora! Estão lhe arrumando uma patota!
ZÉ	O quê?
COCA	Chegou um carro da Polícia! Eles estão com o Padre, na sacristia.
MINHA TIA	Vieram por causa dele?
COCA	Então!
ZÉ	Mas eu não roubei, não matei ninguém!
DEDÉ	Quer um conselho? Experiência própria: com a Polícia, é melhor fugir do que discutir.
COCA	Ande depressa que nós aguentamos eles aqui até você ganhar o mundo!
ZÉ	Não, eu não vou fugir como qualquer criminoso, se estou com a minha consciência tranquila.
DEDÉ	Ele não se separa da cruz.
COCA	A gente esconde a cruz.
MINHA TIA	E de noite ele leva ela pra Iansã.
COCA	Vamos todo mundo levar! Todos os capoeiras da Bahia!

MINHA TIA   É a mesma coisa, meu filho! Iansã é Santa Bárbara. Eu lhe mostro lá no peji a imagem da santa.

COCA   É preciso se decidir, meu camarado! Antes que seja tarde.

ZÉ   (*Balança a cabeça, sentindo-se perdido e abandonado.*) Santa Bárbara me abandonou! Por que, eu não sei... não sei!

ROSA   (*Desce a ladeira correndo.*) Zé! Não adianta... não adianta mais... Falei com ele, mas não adianta. A Polícia já está aí! Vem cercar a praça!

COCA   Eu não disse?

DEDÉ   É preciso andar depressa, meu irmão!

MINHA TIA   Some daqui, meu filho!

ROSA   Vamos, Zé!

ZÉ   Santa Bárbara me abandonou, Rosa!

ROSA   Se ela abandonou você, abandone também a promessa. Quem sabe se não é ela mesma que não quer que você cumpra o prometido?

ZÉ   Não... mesmo que ela me abandone, eu preciso ir até o fim. Ainda que já não seja por ela... que seja só pra ficar em paz comigo mesmo.

         Subitamente, abre-se a porta da igreja e entram o DELEGADO, *o* SECRETA, *o* GUARDA, *o* PADRE *e o* SACRISTÃO.

SECRETA   (*Aponta para* ZÉ DO BURRO.) É esse aí. (*Avança para* ZÉ DO BURRO, *seguido do* DELEGADO *e do* GUARDA.)

GUARDA   (*Como que se desculpando.*) Eu já cansei de pedir a ele pra sair daqui, seu delegado, não adiantou.

DELEGADO   (*Faz o* GUARDA *calar com um gesto autoritário.*) Seus documentos.

ZÉ	(*Estranha.*) Documentos?...
DELEGADO	Carteira de identidade.
ZÉ	Tenho não.
DELEGADO	Outra carteira, outro documento qualquer.
ZÉ	Moço, eu vim só pagar uma promessa. A Santa me conhece, não precisava trazer carteira de identidade.
DELEGADO	(*Sorri irônico.*) Pagar uma promessa... Pensa que nós somos idiotas.
SECRETA	Não demora e ele conta a história do burro.
DELEGADO	Ele vai contar essas histórias todas mas é na Delegacia. Vamos, acompanhe-me.
ZÉ	(*Seu olhar vai do* DELEGADO *ao* SECRETA *e ao* GUARDA, *sem entender o que se passa.*) Acompanhar o senhor... pra quê?
DELEGADO	Mais tarde você verá. Sou delegado deste distrito. Obedeça.
ZÉ	Não posso. Não posso sair daqui.
DELEGADO	Não pode por quê?
COCA	Promessa, seu delegado. Ele é crente.
DELEGADO	O Padre disse que ele ameaçou invadir a igreja. Pediu garantias.
SECRETA	Eu mesmo ouvi ele dizer que ia jogar uma bomba. Todo mundo aqui é testemunha!
DELEGADO	Uma bomba, hein... Vamos à Delegacia, quero que o senhor me explique isso tudo direitinho.
SECRETA	Vamos. (*Segura* ZÉ DO BURRO *por um braço, mas este se desvencilha.*) Que é? Vai reagir?
GUARDA	(*Apaziguador.*) Acho melhor o senhor obedecer...

DELEGADO	Se ele reagir, pior para ele. Não estou disposto a perder tempo e conheço de sobra esses tipos. Só se entregam mesmo é à bala.
ROSA	Não!
ZÉ	Os senhores devem estar enganados. Devem estar me confundindo com outra pessoa. Sou um homem pacato, vim só pagar uma promessa que fiz a Santa Bárbara. (*Aponta para o* PADRE.) Aí está o vigário para dizer se é mentira minha!
PADRE	É mentira, sim! E não somente mentira, também um sacrilégio!
ZÉ	Padre, o senhor não pode dizer que é mentira, que não fiz essa promessa!
PADRE	Sim, talvez tenha feito, por inspiração de Satanás. Há quem diga que não estamos mais em época de acreditar em bruxas. No entanto, elas ainda existem. Mudaram talvez de aspecto, como Satanás mudou de métodos. É mais difícil combatê-las agora, porque são inúmeros os seus disfarces. Mas o objetivo de todas continua a ser um só: a destruição da Santa Madre Igreja!
DELEGADO	Padre, este homem...
PADRE	Este homem teve todas as oportunidades para arrepender-se. Deus é testemunha de que fiz todo o possível para salvá-lo. Mas ele não quer ser salvo. Pior para ele.
DELEGADO	(*Que ganhou decisão com o sermão do* PADRE.) Sim, pior para ele. (*Avança um passo na direção de* ZÉ DO BURRO, *que recua e fica encurralado contra a parede.*)
ZÉ	(*Decidido a resistir.*) Não. Ninguém vai me levar preso! Não fiz nada pra ser preso!
DELEGADO	Se não fez não tem o que temer, será solto depois. Vamos à Delegacia.

ROSA	Não, Zé, não vá!
GUARDA	É melhor... na Delegacia o senhor explica tudo.
DEDÉ	Não caia nessa, meu camarado.
ZÉ	Agora eu decidi: só morto me levam daqui. Juro por Santa Bárbara, só morto.
SECRETA	(*Vê a faca na mão de* ZÉ DO BURRO.) Tome cuidado, chefe, que ele está armado! (*Observa a atitude hostil dos capoeiras.*) E essa gente está do lado dele!
COCA	Estamos mesmo. E aqui vocês não vão prender ninguém!
DELEGADO	Não vamos por quê?
MANUELZINHO	Porque não está direito!
DELEGADO	Estão querendo comprar barulho?
COCA	Vocês que sabem...
DELEGADO	Não se metam, senão vão se dar mal!
SECRETA	E é melhor que se afastem.
ROSA	Zé!
ZÉ	Me deixe, Rosa! Não venha pra cá!

ZÉ DO BURRO, *de faca em punho, recua em direção à igreja. Sobe um ou dois degraus, de costas. O* PADRE *vem por trás e dá uma pancada em seu braço, fazendo com que a faca vá cair no meio da praça.* ZÉ DO BURRO *corre e abaixa-se para apanhá-la. Os policiais aproveitam e caem sobre ele para subjugá-lo. E os capoeiras caem sobre os policiais para defendê-lo.* ZÉ DO BURRO *desaparece na onda humana. Ouve-se um tiro. A multidão se dispersa como num estouro de boiada. Fica apenas* ZÉ DO BURRO *no meio da praça, com as mãos sobre o ventre. Ele dá ainda um passo em direção à igreja e cai morto.*

ROSA	(*Num grito.*) Zé! (*Corre para ele.*)
PADRE	(*Num começo de reconhecimento de culpa.*) Virgem Santíssima!
DELEGADO	(*Para o* SECRETA:) Vamos buscar reforço. (*Sai seguido do* SECRETA *e do* GUARDA.)

O PADRE *desce os degraus da igreja, em direção ao corpo de* ZÉ DO BURRO.

ROSA	(*Com rancor.*) Não chegue perto!
PADRE	Queria encomendar a alma dele...
ROSA	Encomendar a quem? Ao Demônio?

O PADRE *baixa a cabeça e volta ao alto da escada.* BONITÃO *surge na ladeira.* MESTRE COCA *consulta os companheiros com o olhar. Todos compreendem a sua intenção e respondem afirmativamente com a cabeça.* MESTRE COCA *inclina-se diante de* ZÉ DO BURRO, *segura-o pelos braços, os outros capoeiras se aproximam também e ajudam a carregar o corpo. Colocam-no sobre a cruz, de costas, com os braços estendidos, como um crucificado. Carregam-no assim, como numa padiola, e avançam para a igreja.* BONITÃO *segura* ROSA *por um braço, tentando levá-la dali. Mas* ROSA *o repele com um safanão e segue os capoeiras.* BONITÃO *dá de ombros e sobe a ladeira. Intimidados, o* PADRE *e o* SACRISTÃO *recuam, a* BEATA *foge e os capoeiras entram na igreja com a cruz, sobre ela o corpo de* ZÉ DO BURRO. *O* GALEGO, DEDÉ *e* ROSA *fecham o cortejo. Só* MINHA TIA *permanece em cena. Quando uma trovoada tremenda desaba sobre a praça.*

MINHA TIA	(*Encolhe-se toda, amedrontada, toca com as pontas dos dedos o chão e a testa.*) Êparrei, minha mãe!

E O PANO CAI LENTAMENTE.

FIM

a invasão

PERSONAGENS

Bené
Isabel
Lula
Bola Sete
Lindalva
Malu
Justino
Santa
Tonho
Rita
Profeta
Primeiro Tira
Segundo Tira
Mané Gorila
Comissário
Deodato Peralva
e mais um punhado de favelados de todas as idades, negros, brancos e mulatos.

AÇÃO: *Rio de Janeiro*
ÉPOCA: *1960*

primeiro ato

PRIMEIRO QUADRO

Cena quase inteiramente às escuras. É impossível ao espectador identificar o cenário. Ele divisa apenas alguns vultos, que se movimentam nas trevas, e ouve as primeiras "falas" sem saber quem as pronuncia.*

BENÉ — (*Num tom abafado.*) Por aqui. Podem vir.

ISABEL — Espera aí, homem. Tá tudo cheio de prego. Já me estrepei...

LULA — Fala baixo, mãe! O guarda pode ouvir...

BENÉ — O guarda tá longe. Aproveita, gente! (*Os vultos de* ISABEL, BENÉ *e* LULA *se movimentam da direita para a esquerda. Ouvem-se outras vozes:*) Depressa! Vamos! Cuidado aí!

ISABEL — Olha, aqui eu acho que tá bom. Vamos tomar conta desse pedaço antes que chegue gente.

LULA — Fiquem vocês aí, eu vou buscar o resto dos troços.

LULA sai correndo. Mais adaptado à obscuridade, que já não é tão intensa, o espectador identificará o esqueleto de cimento armado de um edifício em construção. Não há paredes, apenas as colunas e os pisos. Destes, vê-se, além do térreo, o 1º andar. Adivinham-se outros acima. Cada um dos pisos é dividido ao meio por

---

* O tom de representação durante todo esse quadro deve ser, necessariamente, abafado, à meia voz, num clima de "suspense".

uma série de pilastras, de modo que a cena abrange, na realidade, os esqueletos de quatro apartamentos,** dois no térreo e dois no 1º andar, ligados ao fundo por uma escada, que continua para os andares superiores. Mas a aparência é de uma obra paralisada há bastante tempo. Uma pilha de tábuas. Um tabique cerca a construção, à E. à D. e ao F., havendo uma pequena área na frente. ISABEL *e* BENÉ *procuram ajeitar-se no "apartamento" térreo da esquerda.*** Cada um deles trouxe um saco com utensílios de cozinha, uma enorme trouxa de roupas etc. Há também uma cadeira velha e um colchão que foram trazidos por* LULA. *As vozes de* BOLA SETE *e* LINDALVA *vêm do 1º andar, abafadas também, receosas.*

LINDALVA   (*Assustada.*) Tu ouviu? Tem gente aí!

BOLA SETE   Será o guarda?...

LINDALVA   Não é um só, é muita gente!

BOLA SETE   Deve ter chamado a polícia... te manca aí que eu vou dar uma olhada...

LINDALVA   Espera, desgraçado! Deixa eu me vestir primeiro!

BOLA SETE *surge no apartamento da esquerda do 1º andar, levantando-se cautelosamente do piso, onde estivera deitado com* LINDALVA. *É um negro alto, musculoso e desempenado. Está de tronco nu, veste calças brancas de brim ordinário. Ele espia lá de cima o movimento no andar térreo e ergue também a vista para os andares superiores, cautelosamente. No andar térreo, surgem* JUSTINO, SANTA, MALU, TONHO *e* RITA. *Vêm também carregados de trouxas, sendo que* SANTA *traz ao colo uma criança de meses, adormecida e embrulhada em panos. Todos os cinco têm a mesma expressão de*

** Convencionaremos chamar "apartamentos" a essas divisões.
*** A critério da direção, figurantes homens, mulheres e crianças sobem as escadas para os "andares superiores".

	atordoamento. Por alguns instantes ficam sem saber o que fazer, olhando para os lados, receosos e intimidados.
JUSTINO	Vamos arrumar um lugar pra nós. (*Olha em volta. É um homem de mais de 50 anos, magro, faces encovadas e olhar de fera acuada. A despeito de sua magreza, de tez moreno-amarelada, e do cansaço que marca suas feições, dá a impressão de uma força interior difícil de explicar, pois tudo nele é a imagem de derrota. Desde a roupa empoeirada à barba rala crescida.*)
MALU	(*Nota que há espaço no apartamento da direita.*) Aqui, pai...
SANTA	E a gente pode invadir assim...?
JUSTINO	Poder não pode, mas tá todo mundo invadindo...
TONHO	(*Aponta para os andares superiores.*) Olha lá pra riba: é gente de meter medo.
JUSTINO	Tome o caixote. Bote o menino dentro dele.
SANTA	(*Entregando a criança a* RITA.) Segure o menino aqui.
	SANTA *trata de improvisar um berço no caixote que* JUSTINO *lhe deu, enquanto* MALU *e* TONHO *procuram acomodar a "bagagem" no espaço que lhes coube.* LINDALVA *aparece no andar superior, enfiando um vestido pela cabeça. É uma mulata de formas exuberantes e sensuais.*
BOLA SETE	Polícia coisa nenhuma. É o pessoal lá do morro.
LINDALVA	Do morro?
BOLA SETE	Sim, gente que ficou sem barraco, como nós. Já ouvi a voz do Bené aí embaixo.
	LULA *entra carregando um tamborete, um par de chuteiras e algumas peças de roupa. Terá 20 anos, ou pouco mais. Sente-se nele um desejo de afirmação, de quebrar as cadeias que o prendem a condições e concepções de vida primárias. Uma consciência, ainda*

embrionária, de um papel mais importante na sociedade. Seu conflito com o meio é flagrante. Seu processo de libertação também parece evidente.

LULA — Tem mais nada lá não.

BENÉ — E a garrafa de pinga?

LULA — Procurei mas não achei. Acho que alguém afanou.

BENÉ — (*Enfurece-se.*) Afanou?! Quero saber quem foi o filho da puta!

ISABEL — Chiiiu... não faça escândalo, homem! Quer que a polícia venha logo botar a gente pra fora?

BENÉ — Sacanagem... a garrafa tava quase cheia... (*Sai.*)

ISABEL — Tomara mesmo que tenham levado. Tomara.

LULA — Adianta não. Ele compra outra. (*Vendo que* ISABEL *procura arrumar os utensílios.*) Você vai arrumar agora?

ISABEL — Vou nada. Vou mais é dormir. Amanhã a gente vê como faz. (*Com pessimismo.*) Se amanhã a gente ainda estiver aqui. (*É uma mulher forte, decidida, afeita ao trabalho duro. Sua coragem — uma espécie de valentia animal e pouco consciente — é capaz de levá-la a rasgos heroicos. Seu companheiro* BENÉ, *ao contrário, é um vencido, física e moralmente. Sua única esperança está no filho,* LULA, *para o qual transferiu toda a sua capacidade de luta e de quem espera uma espécie de vingança pelas injustiças sofridas, de desforra pelo ostracismo a que se viu relegado. No fundo, é o anseio de continuidade, inerente a todo indivíduo.* ISABEL *não tem consciência do drama do companheiro, evidentemente. E embora não lhe falte uma certa dose de compreensão humana, de solidariedade, principalmente em suas relações com ele há sempre um travo de revolta e sarcasmo.*)

LULA	Amanhã nada. Logo mais. O sol não tarda a nascer.
	ISABEL *improvisa uma cama.* LULA *avança para o terreno à frente do prédio, onde há mais claridade, e põe-se a enfiar os cordões de uma chuteira.*
BOLA SETE	(*No andar superior, para* LINDALVA:) É o filho do Bené, o Lula.
LULA	(*Volta-se, olha para cima e vê* BOLA SETE *e* LINDALVA.) Olá, Bola Sete. Você tá aí?
BOLA SETE	(*Um pouco constrangido.*) Tou... que foi que aconteceu?
LULA	(*Sem entender a pergunta.*) Por enquanto, nada.
BOLA SETE	Vocês invadiram o esqueleto?
LULA	Então?! Íamos continuar dormindo na rua? (*Estranha a pergunta.*) Você não veio com a gente, nego?
BOLA SETE	Não, eu já tava aqui... com a Lindalva...
LULA	(*Compreende.*) Ah... viemos estragar a lua de mel...
ISABEL	Lula, você não vem deitar?
LULA	Vou esperar o pai. Ele pode arrumar encrenca...
LINDALVA	(*Para* BOLA SETE:) Eu acho melhor você fazer o mesmo: ir buscar os nossos trens.
BOLA SETE	É mesmo. (*Vê-se ele descer a escada e sair.*)
PROFETA	(*Aparece, de súbito, no 1º piso, no compartimento da direita. É um mulato de pequena estatura, longa barba negra, cabeleira hirsuta. Veste calças escuras e surradas. A camisa também escura por fora das calças, sandálias, porta-se com a dignidade e a serenidade de um verdadeiro profeta. É um neurótico, não há dúvida, mas, entre a gente humilde que o cerca, infunde, se não algum respeito, pelo menos um certo temor.*) Louvado seja Nosso Senhor Jesus Cristo! Bem-aventurados os mansos, porque eles herdarão a terra.

De todos os lados vêm "psius".

TONHO   O Profeta também veio.

SANTA   (*Com temor supersticioso.*) Mexa com ele não. Beato anda sempre metade com Deus, metade com o Cão.

RITA   Eu quero dormir. Estou com sono. (*Tem 14 anos, mas aparenta muito menos em seu raquitismo, sua desidratação.*)

JUSTINO   (*Anda de um lado para outro com uma rede na mão.*) Se a gente pudesse armar essa rede...

SANTA   Rede coisa nenhuma. Trate de deitar no chão mesmo. Inda estamos com sorte de ter um telhado. Rita, veja se se ajeita aí. (RITA *deita-se no chão.* SANTA *ajeita-se ao lado do filho.*) Há cinco noites que isso não acontece. (*Repara que* MALU *está debruçada sobre o caixote, olhando a criança.*) Que foi?

MALU   Nada não. Ele tá tão quieto... que parece morto.

SANTA   Deus me perdoe, mas era uma sorte pra ele.

TONHO   Se ele danar a chorar?

SANTA   Que tem?

TONHO   O guarda... íamos ser descobertos.

MALU   Chora não. Ele tá tão quieto. (*Sob o seu linfatismo, percebem-se alguns traços de uma beleza irregular, uma beleza triste, doentia, sem cor e sem vida, que não chegou a se afirmar por falta de proteínas.*)

PROFETA   (*No andar superior, de pé, de olhos fechados.*) É preciso rezar. Rezar. Elevar o pensamento até Deus, pra que Ele nos defenda, porque nós somos o Seu povo. Deus sabe escolher. Deus sabe quem tá de Seu lado. Deus conhece a Sua gente. É gente perseguida, humilhada, gente sem teto e sem pão. Por isso Jesus disse: bem-aventurados os que têm fome e sede de justiça, porque eles serão fartos.

Curiosa por ver o PROFETA, MALU *avança para a área onde se encontra* LULA.

LULA — Se esse cara continuar a pregar sermão, vai acabar todo mundo em cana.

MALU — Ele tá rezando.

LULA — Besteira. Não acredito nisso. Com toda a reza dele, com todo o apadrinhamento com Deus, o barraco dele foi o primeiro a rolar pelo morro abaixo, na noite da enchente. Que adiantou? Ele diz que é profeta, que tem visões e recebe avisos. Mas da enchente se esqueceram de avisar...

MALU — Diz que morreu todo mundo.

LULA — A mulher, só. As duas crianças se salvaram.

MALU — Mulher dele?

LULA — Não, irmã. Vocês também perderam o barraco?

MALU — Não. Nem chegamos a construir. Pai tinha arrumado um lugar, uns pedaços de madeira, quando veio a chuva.

LULA — Chuva do diabo.

MALU — Engraçado...

LULA — O quê?

MALU — Vocês aqui xingam a chuva. No Nordeste, a gente reza pra ela vir. E a peste não vem. Acaba a gente tendo que vender os teréns, comprar uma passagem num pau de arara e vir pra cá. Pra não morrer de sede... pra vir morrer aqui de fome, de desabamento ou outra coisa qualquer.

LULA — (*Depois de uma pausa, sem saber o que dizer.*) É, a vida é dura... E o pior é que não estão querendo deixar refazer os barracos. Botaram polícia lá pra não deixar.

MALU — Por quê?

LULA	Diz que o lugar é perigoso. Que pode rolar outra pedra e fazer mais mortes. Conversa. Como se eles estivessem muito preocupados com a vida da gente. Aquela pedra tava pra rolar há mais de um ano. Tudo quanto foi jornal falou. Eles ligaram? Nem bola.
MALU	Por que, então?...
LULA	Eles querem é que a gente saia de lá. Grileiro combinado com a polícia. Aproveitaram. E quem quiser que se arrume.
	BOLA SETE *sobe a escada, carregado com os utensílios que conseguiu salvar do seu barraco. Leva-os para o apartamento onde está* LINDALVA.
LINDALVA	Como você demorou!
BOLA SETE	Tive que esperar o guarda fazer de novo a volta no quarteirão pra entrar. (*Descarrega os objetos, roupas, um colchão, panelas, um violão etc.*) Veja, nega, que Lua! Uma vontade de castigar o violão...
LINDALVA	Você tá maluco.
MALU	(*Na área.*) Lá ou cá, é tudo a mesma coisa: a gente vive sempre escorraçada.
LULA	Se a gente pudesse ficar morando aqui...
MALU	E vão deixar?
LULA	Podiam deixar. Há três anos que essa porcaria tava aí abandonada. Nem vigia tinha. Um prédio de dez andares, sem serventia nenhuma. E nós jogados fora, dormindo no Hotel das Estrelas. Que custava?...
MALU	Acredito não. E tenho medo de que vá ser pior. Quando o dia clarear e descobrirem nós aqui...
LULA	É, mas aqui tem gente que tá pro que der e vier.
MALU	Se vier a polícia?
LULA	Na hora é que vai se ver. Você tá aí do lado?

MALU	Tou.
LULA	Agora a gente vai se ver todo dia... se não tirarem a gente daqui.
MALU	É...
LULA	Vai ser bom.
MALU	Capaz.
LULA	Você trabalha?
MALU	Inda não. Tou procurando emprego.
LULA	Quem sabe lá na fábrica onde eu trabalho...? Tem muita moça empregada na fiação. Quer que eu veja se tem vaga?
MALU	Se quero.
LULA	Você veio do Norte?
MALU	Da Paraíba.
LULA	Longe à beça, não?
MALU	Você precisava viajar quinze dias espremido num pau de arara pra ver... Quinze dias sentado num banco duro, sem poder nem espichar as pernas. Tem que espichar uma de cada vez, pras duas não dá espaço.
LULA	(*Ri.*) Deve ser uma dureza. Já ouvi falar de sua terra... que foi mesmo que eu ouvi falar? Ah! Foi uma música de carnaval... besteira. (*Ri.*) Engraçado...
MALU	O quê?
LULA	Você vir de tão longe... e a gente se encontrar aqui, invadindo um prédio. Não é engraçado?
MALU	Acho não. Cada vez acho menos graça no que a vida faz com a gente.
BENÉ	(*Entrando.*) Cambada!
LULA	Não achou?

BENÉ	Nada. Roubaram. Depois a gente mata um cara desses... (*Dirige-se ao seu apartamento, resmungando.*)
LULA	(*Para* MALU:) Amanhã eu falo na fábrica. Não vou esquecer.
MALU	Obrigada.
BENÉ	Que faz você aí que não vem dormir? Lembre que amanhã é domingo, tem jogo e um olheiro do Flamengo vai lá.

LULA *vai a* BENÉ. MALU *afasta-se para a direita.*

LULA	Não sei nem se vou jogar.
BENÉ	(*Indignado.*) Não sabe?! Você não tá escalado?
LULA	Tou, mas... (*Faz um gesto de fastio.*) Era melhor que botassem o Biriba no meu lugar.
BENÉ	Biriba coisa nenhuma. Biriba é perna de pau.
LULA	Mas sou eu que não tou querendo...
BENÉ	E você vai perder uma oportunidade dessas? Já disse: um olheiro do Flamengo vai lá. Me garantiram.

LULA *dá de ombros e deita-se no colchão.*

LULA	(*Vencido, para encerrar o assunto.*) Tá bem.
JUSTINO	(*Na direita, para* MALU:) Estendi a rede no chão. Pode deitar. Tonho já ferrou no sono e Rita também.
MALU	E o senhor?
JUSTINO	Eu me arrumo. Tenho sono não.
BENÉ	(*Para* LULA:) Já pensou? Um olheiro do Flamengo! (LULA *tem um gesto de impaciência e revolve-se no colchão.*)
JUSTINO	(*Na direita.*) Tem fome não?
MALU	Tava com muita inda agora. Passou.

JUSTINO   É isso de não saber o que tá pra acontecer que tira até a fome da gente.

MALU   O senhor acha que nós não devíamos ter tomado parte na invasão?

JUSTINO   Acho é que a gente nunca devia ter saído de nossa terra. Nunca.

MALU   E ficar lá pra quê?

JUSTINO   E aqui? Nós somos demais aqui, Malu. A cidade empurra a gente pra fora. Tudo empurra a gente pra fora. Até parece que nós cometemos algum crime. Invadimos terra alheia.

MALU   Quem sabe? Pode ser que as coisas melhorem. Tonho já vai trabalhar. Prometeram arranjar pra ele um lugar de pedreiro.

JUSTINO   (*Pessimista.*) Prometeram...

MALU   Verdade. Ele não lhe disse?

JUSTINO   Há quinze dias que ando de um lado pra outro, me oferecendo pra qualquer emprego. Me olham como se eu fosse leproso. E tem uns que querem me dar dinheiro, roupa. Quero trabalho, não quero esmola.

MALU   É por causa da idade, pai. Mas Tonho é moço...

JUSTINO   E eu sou algum velho? Será que não presto mais pra nada? Nem dois Tonhos fazem o que eu faço no cabo duma enxada. (*Numa transição.*) Mas talvez eles tenham razão. Fora da terra da gente a gente perde a força, não é mais o mesmo. Estou sentindo que não sou mais o mesmo. Uma frouxidão...

MALU   Deixa disso, pai.

JUSTINO   Frouxidão, sim, Malu. Nunca tive medo de nada... e agora tudo me mete medo.

MALU   Isso é de não comer, de não dormir direito.

JUSTINO	Sei não. Só sei que me rói cá por dentro uma vontade danada de voltar. Até sonho com isso.
MALU	Voltar pra'quela terra seca, esturricada, de onde tivemos que sair pra não morrer?
JUSTINO	A culpa não é da terra, Malu. A culpa é dos homens. A terra também sofre. Também tem sede, como a gente. Mas em vez de dar de beber à terra, a gente o que faz é xingar, amaldiçoar, ou então fugir num pau de arara, como nós. A terra é boa, nós é que somos frouxos.
MALU	Pai, quando nós saímos já tinha secado tudo quanto era cacimba!
JUSTINO	(*A indisfarçada hostilidade com que a cidade os recebe gera nele um sentimento de culpa. Culpa que ele não sabe bem precisar se advém do abandono da terra natal ou da invasão da terra estranha; não tem ele, na realidade, a menor noção dos seus direitos nesta comunidade que o trata como um intruso, um criminoso.*) Sei não. (*Balança a cabeça, desnorteado.*) Sei mais nada não. Estou feito cavalo cego, me batendo pelos barrancos. (*Inicia o movimento para a direita.*)
PROFETA	(*No andar superior.*) Porque Jesus disse: não adianta juntar tesouros na terra. A terra tá cheia de ladrões, eles roubam tudo. Nosso dinheiro, nossa casa, eles tomam conta de tudo e dizem que é deles, que nós não temos direito a nada. Por isso, disse Nosso Senhor... que adianta? Nós devemos juntar tesouros mas é no céu. Lá a gente deve ter a nossa casa, as nossas riquezas, porque lá não entra quem roubou na terra o que era de todos. Os donos da terra, os donos das casas, dos automóveis, eles não sabem que não são donos de nada. Nós, sim, somos donos de tudo, porque temos a fé! Porque Jesus disse...

Ouve-se, um pouco afastado, o apito estridente do guarda-noturno, cortando a fala do PROFETA. BENÉ, LULA, TONHO, BOLA SETE *e* ISABEL *ergueram metade do corpo, subitamente.* JUSTINO *e* MALU *ficam imóveis, todos apreensivos.*

BENÉ — Esse filho da...

ISABEL — (*Corando.*) Não xinga o Profeta, Bené! Dá azar! Sete anos de atraso!

BENÉ — (*Num gesto brusco.*) Ah!

Há um longo silêncio, cheio de apreensão. Por fim, ouve-se outro apito do GUARDA, *bem distante. Todos se deitam, tranquilizados.*

MALU — Passou...

JUSTINO — É, mas, quando o dia amanhecer, ele não vai passar... (*Acomoda-se num canto, fazendo uma trouxa de travesseiro.*)

MALU *para junto ao berço e fica olhando a criança, tristemente. A luz vai-se apagando em resistência, enquanto...*

LINDALVA — Que foi?

BOLA SETE — Nada, nega. A panela de pressão que tirou um fino em nós. Esses caras não respeitam nem o amor da gente...

LINDALVA — Olha, cuidado que o dia tá clareando...

BOLA SETE — Ah, nega, tu nasceu pra fazer nego sofrer...

A luz se apagou de todo.

SEGUNDO QUADRO

Cerca de dez horas da manhã do mesmo dia. ISABEL *entra com uma trouxa de roupas, que se põe a estender num varal armado na área, à esquerda. Simultaneamente,* JUSTINO *procura armar a rede no apartamento da direita, enquanto* MALU *tenta uma arrumação primária em seus teréns. E, no elevado,* BOLA SETE *canta, ao violão, para* LINDALVA, *o seu samba ("O morro não tem vez", composto especialmente por Tom Jobim e Vinicius de Moraes):*

BOLA SETE — O morro não tem vez
E o que ele fez
Já foi demais

Mas olhem bem vocês
Quando derem vez ao morro
Toda a cidade vai cantar.

Samba pede passagem
Morro quer se mostrar
Abram alas pro morro
Tamborim vai falar!

É um, é dois, é três,
É cem, é mil
A batucar!

O morro não tem vez,
mas se derem vez ao morro
Toda a cidade vai sambar!

LINDALVA — Legal, nego.

BOLA SETE — Você inda vai ouvir este samba gravado e nome do crioulo falado no rádio.

LINDALVA — Você não vai vender esse pra'quele tal de compositor? (*Prepara o café num fogão a carvão.*)

BOLA SETE — Vou não, nega. Vendi aquele outro porque tava mesmo numa disga miserável. Mas este eu hei de ter o prazer de ouvir o espíquer castigar no micro: "Minhas senhoras e meus senhores, vamos ouvir agora o samba de Orivaldo Santos..." Já pensou?

LINDALVA — Ia ser um abafa. Aquelas neguinhas fedidas lá do morro iam morrer de inveja. Então a Doracy, pensando sempre que é maior do que os outros só porque o marido é fiscal da Light, queria ver...

BOLA SETE   Pois vai ver. Nem que eu tenha que ir no Joãozinho da Goméa fazer um despacho.

LINDALVA   Se você quiser, eu faço.

BOLA SETE   Fazemos os dois. É preciso cercar o bicho pelos sete lados.

LINDALVA   Você parece que não confia muito no samba...

BOLA SETE   Confio, sim. Mas a luta é dura. Bossa só não chega. Se não tiver um orixá pra ajudar...

LINDALVA   Será que Xangô é bom pra isso?

BOLA SETE   O Babalorixá é quem vai dizer. (*Volta a dedilhar o violão e a cantar baixinho o estribilho.*)

JUSTINO   (*Continua tentando prender a rede nas pilastras.*) Inda tem quem cante...

MALU   Que horas devem ser?

JUSTINO   Sei lá. Umas dez horas, ou mais.

MALU   Até agora nada... não apareceu um guarda, um polícia... ninguém veio reclamar. (*Incrédula.*) Será que vão deixar a gente ficar aqui, pai?

JUSTINO   Vá esperando. (*Faz uma pausa em sua ocupação.*) Essa demora é mau sinal.

MALU   (*Vem à área, olha demoradamente para os andares superiores.*) E parece que ninguém tá ligando. Só nós.

JUSTINO   (*Volta ao seu trabalho.*) Estão fingindo que não estão ligando. Já vi cabra subir aí pra riba armado de faca, de pau...

MALU   Acha que vão resistir, se a polícia vier?

JUSTINO   Acredito não. Como eles botaram a gente pra fora do morro, botam pra fora daqui também.

           MALU *aproxima-se do caixote onde está a criança, ajoelha-se e põe-se a ajeitá-la entre os panos.*

LINDALVA	Tome o café.
BOLA SETE	(*Para de tocar, toma o café de um trago.*) Eles estão demorando.
LINDALVA	Quem?
BOLA SETE	Os tiras.
LINDALVA	Você acha que eles inda vêm?...
BOLA SETE	Você tem dúvida? Estão aí não demora muito. (*Entrega a caneca a* LINDALVA.) Vou lá fora dar uma sapeada. (*Encaminha-se para a escada, enquanto* LINDALVA *se põe a arrumar os utensílios.*)
MALU	Vai ser ruim se a gente tiver que sair daqui antes da mãe, Tonho e Ritinha chegarem.
JUSTINO	Também, que era que eles tinham de sair tão cedo?
MALU	Tonho foi ver se vendia aquela parnaíba de bainha de couro bordada. (*Exteriorizando uma revolta subconsciente.*) A gente precisa comer!
JUSTINO	Eu sei. Mas sua mãe mais sua irmã?
MALU	Foram procurar emprego. (*De novo a revolta.*) Também não se pode ficar esperando, esperando que a polícia chegue e toque a gente daqui pra fora, como tocou do morro pro Maracanã. E depois de lá pro meio da rua. A gente tem que ter um rumo!
JUSTINO	(*Dolorosamente, como se a palavra o ferisse mortalmente.*) Um rumo!
	BOLA SETE, *que desceu a escada, está agora diante deles.*
MALU	Que foi?
BOLA SETE	Tonho?
MALU	Saiu.

BOLA SETE	Queria combinar com ele pra'manhã. Saio cedo pro batente, ele precisava ir comigo.
MALU	Foi o senhor quem prometeu arrumar emprego pra ele?
BOLA SETE	Foi. Lá na construção onde eu tou trabalhando pode ser que se arranje. Vai ter que começar de ajudante...
MALU	Qualquer coisa serve. Ele demora não.
BOLA SETE	Diga pra ele. (*Aponta para o andar superior.*) Tou lá em cima.
MALU	Tá bem.

ISABEL *armou uma tábua de passar roupa e aviva as brasas de um ferro de engomar, assoprando-as.*

BOLA SETE	(*Inicia a saída e, ao passar por* ISABEL, *detém-se.*) Castiga o ferro, Zabé!
ISABEL	Vai pro diabo que te carregue!
BOLA SETE	(*Solta uma gargalhada sonora. Observa a arrumação dos compartimentos.*) Vocês estão bem-alojados por aqui... Até parece que vão ficar pra toda vida...
ISABEL	E não vamos? Daqui só saio se deixarem voltar pro morro, pra refazer o meu barraco.
BOLA SETE	Mas vão deixar, hein? Grileiro botou a mão naquilo...
ISABEL	Porque vocês não são homens. Se fossem, não tinha saído ninguém de lá, tinham botado a polícia pra correr.
BOLA SETE	Enganaram a gente. Que iam dar um apartamento pra cada um.
ISABEL	Bem feito! Pra vocês não irem em conversa de padre.
BOLA SETE	Eu sei que eles também estão nessa boca. Mas não há de ser nada. Lá no céu a gente acerta as contas... (*Ameaça novamente a saída.*)

ISABEL	Se você encontrar aquele folgado do Bené, mande ele pra cá.
BOLA SETE	Aonde ele foi?
ISABEL	No futebol, com o Lula. Fica a infeliz aqui dando duro pra eles se divertirem. Tou com toda essa roupa pra entregar inda hoje...
BOLA SETE	Bené não é de fazer força.
ISABEL	É, mas um dia ele vai se dar mal... Tou lhe dizendo.
	BOLA SETE *ri e sai.* ISABEL *põe-se a passar a roupa.* JUSTINO *conseguiu, enfim, armar a rede.*
JUSTINO	Pronto. (*Experimenta a firmeza da rede.*) Tá firme.
MALU	Que adianta? Quer ver que a gente vai ter que sair daqui hoje mesmo? (*Apanha uma panela de alumínio.*)
JUSTINO	Que vai fazer?
MALU	Inda tem um resto de farinha. Vou fazer um mingau pra ele. (*Olha para dentro do caixote, tristemente.*) Ele tá tão feio, empalamado. Parece um macaco. (*Abre uma lata, despeja a farinha na panela. A* ISABEL.) Tem um bocadinho de água?
ISABEL	(*Aponta a garrafa.*) Tire ali.
	MALU *apanha a garrafa, derrama um pouco na panela.*
ISABEL	Mingau de farinha?
MALU	É pro menino.
ISABEL	(*Estranha.*) E ele toma isso?
MALU	Nunca tomou outra coisa.
ISABEL	E leite?
MALU	A mãe não tem.
ISABEL	Quantos meses?
MALU	Cinco.

ISABEL	Nasceu um bocado fora de tempo...
MALU	Nasceu não. É que os outros não vingaram. Era pra ter mais seis.
ISABEL	Morreram de quê?
MALU	A gente nunca sabe, né?
ISABEL	Também, divertimento de pobre é ter filho. Quer levar a garrafa, pode levar.
MALU	Precisa não. A gente bebe na bica que tem lá fora.
	Entra BENÉ. *Traz uma garrafa de cachaça embaixo do braço.*
MALU	Obrigada. (*Volta para seu apartamento e trata de acender o fogareiro a álcool, para fazer o mingau.*)
BENÉ	(*Está indignado, a ponto de estourar.*) Cadê o Lula?
ISABEL	Sei lá. Não tava contigo?
BENÉ	Saiu antes de mim. Pensei que tivesse vindo pra cá.
ISABEL	Já acabou o jogo?
BENÉ	Acabou nada.
ISABEL	(*Sem grande preocupação.*) Ele se machucou?
BENÉ	(*Desabafando.*) Nem entrou em campo, o sacana! Deu parte de doente e botaram o Biriba. (*Abre a garrafa fazendo pressão da tampa contra a guarda de uma cadeira.*)
ISABEL	Quem sabe se ele não tá mesmo...?
BENÉ	Tá nada. Fez isso pra não jogar.
ISABEL	Mas se ele não quer jogar...
BENÉ	Mas hoje! Hoje que o olheiro do Flamengo tava lá! Perder uma chance dessa! Nunca mais na vida ele vai ter outra igual!

LULA entra, com o par de chuteiras ao ombro, preso pelos cordões. Ao ver o pai, baixa os olhos, um tanto acabrunhado. BENÉ, ao vê-lo, toma um gole de cachaça e volta-lhe as costas ostensivamente. Em meio a um grande silêncio, LULA avança, atira as chuteiras a um canto, bebe um copo de água.

LULA — (*Subitamente irritado.*) Que foi?! Morreu alguém aqui?!

ISABEL — (*Depois de uma pausa.*) Você tá doente?

LULA — Tou indisposto. Acho que foi de não dormir esses dias.

ISABEL — Então por que não aproveita? Deite aí, vá dormir.

LULA — Acho que é o que eu vou fazer mesmo.

BENÉ — (*Volta-se para ele, subitamente, e grita como um insulto:*) Sabe o que o olheiro do Flamengo disse quando viu o Biriba fazer o primeiro gol? Eu estava junto dele e ouvi. Disse que vai levar ele pra treinar na Gávea!

LULA — E que tem isso?

BENÉ — Que tem? Você ainda pergunta? Se fosse você que tivesse jogado, era você quem ia!

LULA — Não sei por quê. Ele gostou do Biriba, podia não gostar de mim.

BENÉ — Você joga mais que dez Biribas.

LULA — É só você quem diz. Quando cheguei no campo, tava todo mundo falando que era injustiça não escalarem o Biriba.

BENÉ — Foi só por isso então que você não quis jogar.

LULA — Foi. E eu sei que é verdade. Biriba joga muito mais que eu. Só me escalam porque sou seu filho e você pede. É o que é. Tou cheio desse troço! E não quero mais jogar futebol.

BENÉ — (*Pausa. Ele como que procura refazer-se do choque que lhe causaram as palavras do filho.*) Você não quer...

LULA	Não!
BENÉ	Que é que você quer, então?
LULA	Sou operário. Quero continuar sendo.
BENÉ	E viver sempre na merda! É isso que você quer? (*Pausa.*) Não vê que ser operário não dá futuro? Você tá nessa fábrica há seis anos. Que adiantou até hoje? Nada!
ISABEL	(*Tomando a defesa do filho.*) E você? Foi jogador. Teve fama. Jogou até na seleção. Pra quê? Ninguém nem lembra de você! A chuva leva seu barraco, você é jogado na rua com os outros. (*Com sarcasmo.*) Bené! Bené! O grande Bené! Não tem nem emprego...
BENÉ	(*Ela tocou no ponto sensível.*) No meu tempo era diferente. A gente ganhava uma miséria, não dava pra juntar dinheiro. E eu também não pensava no futuro. Mas hoje é outra coisa. Tem jogador milionário, comprando apartamento pra alugar em Copacabana. Se eu tivesse a sua idade, tava feito na vida. Porque na minha posição não teve outro que nem eu. (*Traindo o seu desejo de continuação.*) E você tem o meu jogo, meu estilo, garanto que todo mundo ia notar isso.

LULA, *enfastiado, deita-se no colchão.*

BENÉ	Mas ele quer ser operário! Operário a vida toda! (*Saindo.*) Vá ser burro assim no inferno!
ISABEL	(*Grita.*) Espera aí! Aonde vai, homem? Fica aqui que é capaz da polícia... (BENÉ *sai sem lhe dar ouvido.*) Com certeza vai encher a cara.

Entra TONHO.

LULA	Ele não quer entender... não quer entender!
ISABEL	Liga pra ele não. Se futebol desse pra ficar rico, ele não tava vivendo de biscates e bebendo pra esquecer que não é mais nada na vida.

No compartimento da direita, TONHO *tira do cinto uma faca com bainha de couro, atira-a sobre um caixote.*

TONHO — Nada. Ninguém quis. Teve um que ofereceu cinco cruzeiros. Tive vontade de enfiar a faca na barriga dele. (*Noutro tom.*) Depois me arrependi. Devia ter pegado os cinco cruzeiros. (*Vê* MALU *fazendo o mingau.*) Comida?

MALU — Mingau de farinha pro menino.

TONHO — (*Decepcionado.*) Ah... (*Deita-se na rede.*) Vim logo também porque fiquei com receio... pensei que já tivessem tocado vocês daqui.

JUSTINO — Viu nenhum movimento aí fora, não?

TONHO — Polícia? Vi não. Mas vi muita gente aí por cima olhando, como se esperasse alguma coisa.

JUSTINO — Talvez fosse até melhor a gente arribar daqui agora, em vez de ter que fazer depois, debaixo de bala.

TONHO — Arribar por quê?

JUSTINO — Porque mais cedo ou mais tarde tocam a gente daqui! Este prédio tem dono! E o dono não vai deixar...

TONHO — Bem, quando o dono aparecer, a gente sai.

LINDALVA — (*Ocupada em seus afazeres domésticos, canta:*)
O morro não tem vez
E o que ele fez
Já foi demais...

Entram SANTA *e* RITA. MALU *sopra o mingau pra esfriar.*

MALU — Arrumaram trabalho?

SANTA — Trouxe comida. (*Deposita alguns embrulhos sobre o caixote.*) Feijão, farinha...

RITA — (*Mostra o embrulho que traz.*) Carne-seca!

TONHO	(*Levanta-se da rede e vem olhar, incrédulo, como* JUSTINO *e* MALU.) Carne-seca?!
SANTA	Vocês comeram hoje?
MALU	Um pedaço de pão dormido.
TONHO	Eu nem isso.
SANTA	O menino?
MALU	Fiz um mingau com o resto da farinha. Ia dar agora.
SANTA	Dê isso não. Trouxe leite pra ele.
RITA	Bota o feijão logo pra cozinhar, mãe. Tou com fome.
SANTA	Calma. Não é só você que tá com fome. (*Abre os embrulhos. Apanha uma panela.*)
JUSTINO	(*Num princípio de desconfiança.*) Santa... como foi que você conseguiu tudo isso?
SANTA	Que importa saber?
RITA	E ainda sobrou dinheiro.
JUSTINO	(*Compreendendo.*) Sobrou dinheiro? Que dinheiro? De onde veio esse dinheiro, Santa?
SANTA	Achei na rua.
JUSTINO	Mentira! Você foi pedir... você foi pedir esmola!
	SANTA *baixa a cabeça, sem coragem para defender-se.*
TONHO	E ainda levou sua filha! As duas pedindo esmola na rua, como mendigo! Teve vergonha não, mulher?
MALU	(*Salta, heroicamente, em defesa da mãe.*) E que era que o senhor queria que ela fizesse?! Que deixasse todo mundo morrer de fome?! Que ficasse aqui, de braços cruzados, esperando, esperando não sei o quê?! Que tem pedir esmola? É crime?
JUSTINO	Não, mas é humilhante.

MALU   Humilhante é não fazer nada.

RITA   (*Com voz de choro, sentindo-se responsável.*) Eu tava com fome, pai. Foi por minha causa que a mãe começou a pedir!

SANTA   (*Muito baixo, como se desse explicações somente a si mesma.*) Era só pra comprar um copo de leite e um pão pra ela, juro... mas depois me lembrei de vocês... era fácil... bastava estender a mão, nem precisava falar... tão fácil...

JUSTINO   (*Ele se sente profundamente acabrunhado, como se só naquele momento fizesse esta grande descoberta: que uma nova realidade determina forçosamente um novo comportamento e uma nova ética.*) É, muito fácil... Nunca pensei que a gente tivesse que chegar a esse ponto. Pedir... estender a mão. (*Vem à frente, como se se sentisse deprimido só em contemplar o fruto da mendicância.*) Mas é capaz de vocês terem razão. (*Como se procurasse convencer-se a si mesmo.*) Pedir não é crime.

TONHO   E que adianta a gente discutir? O que tá feito, tá feito. Bota o feijão no fogo, mãe.

SANTA   (*Dá a panela a* TONHO.) Vá buscar uma panela de água. Tem uma bica aqui perto.

TONHO   Eu sei onde é. (*Sai pela direita.*)

RITA *debruça-se sobre o caixote onde está a criança.*

SANTA   Precisa água também pra dissolver o leite.

RITA   (*Ingenuamente, impressionada.*) Mãe, por que é que ele tá roxinho?

MALU *estremece. Vai ao caixote e toma a criança nos braços. Ausculta-lhe o coração.*

SANTA   (*Separando o feijão, sem dar conta dos movimentos de* MALU.) Isto é fome. Ele já vai comer. Trouxe leite em pó. Só que ele é capaz de estranhar. Lembro do filho da *Geluca*, a primeira vez que tomou leite teve uma caganeira... Ele é capaz de estranhar também. Nunca provou comida de filho de rico...

MALU   (*Volta a colocar a criança no caixote, lenta e silenciosamente.*) E nunca vai provar...

SANTA   (*Compreende o sentido das palavras de* MALU, *procura em seu rosto uma confirmação e a encontra. Corre ao caixote e vê que o filho está morto. Toma-o nos braços, silenciosamente, leva-o até* JUSTINO.) Veja. Tá morto.

JUSTINO   Morreu agora?

SANTA   Inda tá quente.

JUSTINO   Eu sabia. Sabia que ele não ia aturar.

RITA   (*Impressionada.*) Ele tá morto mesmo, mãe?!

MALU   Ele já vinha morrendo há muitos dias.

ISABEL *ouviu a conversa, aproxima-se.*

ISABEL   Que foi que houve com o garoto?

SANTA   Morreu.

ISABEL   (*Apresenta maior emoção do que* SANTA.) Coitadinho. De quê?

SANTA   (*Com simplicidade.*) Fome.

LULA *levanta-se do colchão e fica olhando, à distância.*

ISABEL   (*Sem saber o que dizer, num impulso de solidariedade.*) Se a gente soubesse...

SANTA   Adiantava não.

ISABEL   É aquele mingau. Aquilo não sustenta. Farinha com água...

SANTA   Foi melhor pra ele. (*Vai recolocar a criança no caixote, em meio a um respeitoso silêncio.*)

LINDALVA	(*Canta:*)	É um, é dois, é três, É cem, é mil A batucar...

ISABEL E LULA   Psiu...

ISABEL   Cala essa boca!

LINDALVA   (*Vem à beira do piso e olha para baixo.*) Cala a boca por quê?

LULA   O garotinho morreu.

SANTA   (*Depois de longa pausa.*) Precisa ficar todo mundo com cara de palerma, não. (*Apanha a panela.*) Cadê o Tonho, que não vem com essa água?

Ouve-se o grito de BOLA SETE, *fora:* "Pessoal, eles vêm aí!"

BOLA SETE   (*Entra correndo, vem à frente, grita para cima.*) Tão aí! Os tiras tão aí!

MALU   (*Com receio.*) A polícia!

Entram BENÉ *e* TONHO, *correndo também, de pontos diferentes, enquanto* BOLA SETE *sobe para o pavimento superior.*

TONHO   Parou um carro aí fora: diz que é da polícia!

SANTA   Você fica quieto aqui!

BENÉ   (*Percebe-se que bebeu um pouco, mas a situação o força a reagir.*) Estão aí! Vieram botar a gente pra fora!

LULA   São muitos?

BENÉ   Não sei. Vi só o carro chegar...

LINDALVA   (*No pavimento superior, para* BOLA SETE:) E agora?

BOLA SETE   Te planta, nega. Espera o galo cantar.

Há um rumor surdo, que vem de todos os andares e que cessa de repente, com a entrada de dois TIRAS.

Ante o silêncio e a imobilidade geral, eles avançam até o meio da área. Olham demoradamente para todos os lados e depois para os andares superiores, com uma arrogância que trai um receio maldisfarçado. Súbito, um pedaço de madeira, atirado de cima, vem cair junto a eles, que se assustam e dão um salto para trás, com a mão no revólver.

PRIMEIRO TIRA — Qual foi o engraçadinho?

Um silêncio geral.

PRIMEIRO TIRA — Viemos aqui falar por bem. Se vão querer briga, vai ser pior pra vocês. (*Fita um por um, pretendendo intimidá-los.*) Vai todo mundo sair daqui.

BENÉ — Sair pra onde?

PRIMEIRO TIRA — Isso é lá com vocês. Tenho ordem de botar todo mundo pra fora. E quero fazer isso sem precisar usar de violência. Vocês podem ir pro Albergue da Boa Vontade.

ISABEL — Estivemos lá. Depois de três dias, botaram a gente na rua.

PRIMEIRO TIRA — Bem, isso não é comigo. Eu tou aqui pra fazer respeitar a ordem. Isso é invasão de propriedade. E nós temos que defender a propriedade.

SEGUNDO TIRA — É isso mesmo. Vão pegando seus troços e tratando de fazer a pista.

Ninguém se move.

SEGUNDO TIRA — Não ouviram? Pensam que a gente tá aqui pra brincadeira?

ISABEL — (*Avança para os* TIRAS.) Sinto muito, mas a gente não vai poder sair daqui agora.

SEGUNDO TIRA — E por quê?

ISABEL	Porque morreu uma criança. É preciso chamar um médico pra passar o atestado e depois fazer o enterro.
PRIMEIRO TIRA	Onde tá a criança?
	ISABEL *aponta.* TONHO *lança à mãe um olhar interrogador.* SANTA *confirma com a cabeça. Os* TIRAS *vão até lá, olham, voltam.*
PRIMEIRO TIRA	Bem, os outros vão saindo. Depois eu chamo o rabecão.
ISABEL	(*Com decisão.*) Ninguém vai sair. Todo mundo vai ficar pra acompanhar o enterro.
LULA	Isso mesmo: todo mundo vai ao enterro.
BOLA SETE	Todo mundo. (*Desce a escada.*)
	Imediatamente, como um movimento combinado, vão descendo dos andares superiores homens e mulheres, alguns armados de paus, todos trazendo no rosto a decisão de expulsar os policiais.
PRIMEIRO TIRA	(*Assustado.*) Que é isso?... Estão querendo barulho? (*Recua, com a mão no revólver.*) Pensem bem... vão se dar mal...
SEGUNDO TIRA	(*Recuando também.*) Que vão fazer?
BOLA SETE	Nada, chefe. Tudo isso aí veio fazer quarto pro anjinho.
PRIMEIRO TIRA	(*Intimidado, resolve optar por uma saída honrosa.*) Bem, nós vamos chamar o rabecão.
	Os TIRAS *batem em retirada, enquanto o pano cai lentamente.*

segundo ato

TERCEIRO QUADRO

Três dias depois. Aproximadamente 5 horas da tarde. Com exceção do apartamento do PROFETA, *em todos os outros se nota um esforço para torná-los mais habitáveis, notando-se a melhor arrumação dos móveis. Roupas penduradas em varais, principalmente na área, à esquerda, em que se vê também uma grande bacia, onde* ISABEL *lava algumas peças.* BENÉ, *estendido no colchão, curte uma ressaca. No apartamento da direita,* SANTA *esquenta um prato de comida. O 1º piso está vazio.* MANÉ GORILA *entra, do fundo, e vem até a área. O detalhe marcante de sua personalidade é a agressividade que emana de seu físico avantajado e de seu sorriso felino. O apelido advém, naturalmente, do tipo rústico, da força e do andar gingado. Contrastando com tudo isso, sua fala é sempre macia, envolvente. Quando ameaça, sua voz corta como navalha, mas sem nunca se alterar. Ele percorre com o olhar, demoradamente, toda a cena. Ergue os olhos para os andares superiores e seus lábios se abrem num sorriso que é quase uma careta, um sorriso de gato.* ISABEL, *desde que o vê, mantém-se numa atitude de receosa expectativa.*

GORILA	É, vocês se arrumaram bem. Há quanto tempo estão aqui?
ISABEL	Três dias.
GORILA	Tou besta.
ISABEL	Por quê?
GORILA	Era pra terem botado vocês pra fora daqui há muito tempo.
ISABEL	Quiseram.
GORILA	Eu sei. Ouvi que botaram a polícia pra correr.

ISABEL	Botamos, sim, que é que há?
GORILA	(*Irônico.*) Não sabia que tinha tanto valente por aqui.
BENÉ	(*Ergue a cabeça.*) Quem taí, Zabé?
ISABEL	É seu Mané Go... (*Detém-se.*)
GORILA	(*Sorri.*) Pode dizer, eu não ligo.
ISABEL	Seu Mané Gorila.

BENÉ *solta um grunhido e torna a deitar-se.*

ISABEL	Tá de ressaca.
GORILA	A polícia não voltou mais?
ISABEL	Não, o advogado da União dos Favelados está vendo se arranja uma ordem do juiz, um troço de nome complicado, pra gente ficar aqui. Mas não é nada seguro. De uma hora pra outra eles tão aí pra botar a gente pra fora.
GORILA	Tou informado que não passa de hoje.
ISABEL	Quem disse?
GORILA	Eu que sei. (*Respira fundo.*) É, aquela enchente foi o diabo.
ISABEL	O senhor também... perdeu a renda dos barracos... devia dar um bom dinheiro...
GORILA	Dava pra viver. (*Lamenta-se.*) Sabe, tenho mulher e um monte de crianças pra sustentar...
ISABEL	Verdade que o senhor ficou com os filhos da irmã do Profeta?
GORILA	Verdade. Estão lá em casa. São uns capetas. Com os quatro que eu já tinha, são seis.
ISABEL	E nenhum é seu?
GORILA	Nada. Tudo apanhado na rua. E são seis. Seis bocas pra dar de comer, e mais a mulher, que come por dez.

	Vê a senhora a desgraça que foi pra mim também essa enchente.
ISABEL	Imagino.
GORILA	É bem verdade que o grileiro me deu uma gaita pra ficar quieto...
ISABEL	É, vocês sempre se entendem. A gente é que paga.
GORILA	Deve ter comprado também a Polícia e a Prefeitura pra não deixarem vocês voltarem pra lá. Eles querem o terreno pra fazer arranha-céu. (*Ri.*) A pedra rolou em boa hora...
ISABEL	Engraçado: eu antes pensava que o terreno era seu.
GORILA	(*Com simplicidade.*) Não, quem sou eu?!
ISABEL	(*Consegue vencer por um momento o medo que* MANÉ GORILA *produz.*) Então como é que o senhor cobra aluguel?...
GORILA	Eu cobro porque dou a madeira pra fazer os barracos, converso a polícia... quer dizer: entro com o capital e o trabalho. Não é justo que leve algum?
	Há uma pausa; ISABEL *cala-se, intimidada.*
GORILA	Esse tal dono do morro, que apareceu agora, também não é dono de nada. E quer botar todo mundo pra fora. Arranjou uns papéis falsos, proteção de gente graúda e vai acabar ficando com tudo. O mundo é de quem pode.
ISABEL	Safadeza.
GORILA	Eu, pelo menos, não faço safadeza. Não digo que o terreno é meu nem nada. Meu negócio é honesto. O que eu cobro é até muito pouco pelo que faço. Não gosto de explorar ninguém. Faço isso mais porque gosto de ajudar.

ISABEL — (*Há um leve traço de ironia em sua voz.*) É, o senhor tem ajudado muito...

GORILA — Ontem mesmo dei dez contos do meu bolso pra comprar bancos pra escolinha lá do morro. (*Olha em volta.*) Se vocês ficassem aqui, eu era até capaz de fazer uma escola aqui também. É preciso ensinar essas crianças a ler. Sem saber ler, elas não vão poder votar amanhã.

ISABEL — O senhor já é candidato a deputado?

GORILA — (*Modesto.*) Quem sou eu, dona Isabel? Meu candidato a senhora sabe qual é: Dr. Deodato. Só trabalho pra ele. É meu compadre e um homem de bem, amigo dos pobres. A senhora sabe o que ele tem feito pela gente lá do morro. Bica, luz elétrica, tudo que a gente quer ele consegue. Um homem e tanto.

JUSTINO *entra, lento, desanimado.*

GORILA — Olá.

JUSTINO — (*Reconhece-o.*) Ah... boa tarde.

GORILA — O senhor também tá aqui...

JUSTINO — Enquanto deixarem.

GORILA — O senhor não teve sorte. Nem chegou a terminar o barraco...

JUSTINO — Foi.

GORILA — E olhe que o lugar que lhe arranjei era bem bom. Reforçando bem, com boas estacas, não tinha perigo...

JUSTINO — Falta de sorte.

GORILA — O garotinho... me disseram que morreu.

JUSTINO — É, foi.

GORILA — Se tivessem me avisado, eu arranjava de graça o caixão. Caixão branco, com friso dourado, de anjinho mesmo.

JUSTINO   Não sabia. Fiquei até devendo.

GORILA   Eu pago. Me diga onde comprou que eu pago.

JUSTINO   Não precisa...

GORILA   Faço questão. Sempre fiz isso lá no morro. Taí dona Isabel que não me deixa mentir.

ISABEL   Lá isso é verdade. Criança tem tudo dele.

GORILA   Anjinho vai pro céu garantido, seu Justino. E o que vai pro céu deve levar boa informação da gente.

JUSTINO   Tava pensando... se o senhor não se ofende, aquele dinheiro que eu lhe dei...

GORILA   Que é que tem?

JUSTINO   Se o senhor pudesse devolver...

GORILA   Devolver por quê?

JUSTINO   A gente não chegou a construir o barraco...

GORILA   Aquele dinheiro foi pelo direito de utilizar o terreno.

JUSTINO   Mas a gente não utilizou...

GORILA   E de quem foi a culpa? Minha? Quem mandou a enchente não fui eu, foi Deus. Cobre d'Ele. (*Dá-lhe as costas e inicia a saída com seu passo lento e gingado.*)

Dois garotos descem dos andares superiores, gritando: "MANÉ GORILA, *me dá uma prata!* MANÉ GORILA, *me dá uma prata!*"

GORILA   (*Tira do bolso dinheiro e distribui entre os garotos.*) Tome lá. (*Sai, seguido dos garotos, batendo paternalmente na cabeça deles.*)

SANTA   (*Aproxima-se de* JUSTINO.) Que foi?...

JUSTINO   Aquele desgraçado que arrumou aquela beira de ribanceira e as tábuas pra fazer o casebre... pedi pra devolver o dinheiro, me deu as costas...

ISABEL   Isso é uma peste. Capaz de explorar até a mãe dele. Inda bem que estamos livres desse miserável.

SANTA   Era o dono do terreno...

ISABEL   Era dono de nada. Acabou de dizer. Arranjava uns pedaços de pau e depois passava a vida cobrando aluguel.

SANTA   E por que pagavam?

ISABEL   E quem era que tinha coragem de dizer pra ele que não pagava? Só se não quisesse mais dormir sossegado. E acordar uma noite com o barraco pegando fogo.

SANTA   Ele...?

ISABEL   Fez isso muitas vezes. Ninguém nunca descobria quem tinha sido.

JUSTINO   E a polícia?

ISABEL   Ora, a polícia é quem garante ele... Que eu sei, já matou dois.

JUSTINO   E não foi preso?

ISABEL   Tem as costas quentes. Gente da política. Deputado. Precisam dele. Por isso faz o que quer. (*Olha em volta com desprezo.*) E também porque aqui não tem homem. (*Voltando à bacia de roupa.*) Ah, eu devia ter nascido macho... (*Torce as peças de roupa e pendura-as no varal.*) Bené! Levanta, homem! Vai emendar o dia com a noite?

          LINDALVA *passa ao fundo com uma lata de água na cabeça, sobe a escada e vai ao seu apartamento, enquanto* SANTA *e* JUSTINO *dirigem-se para a direita.* LINDALVA *assobia o samba de* BOLA SETE.

JUSTINO   (*Vê o prato de comida.*) Tonho trouxe dinheiro?

SANTA   Não. Ele ainda não chegou do trabalho.

JUSTINO   E esse prato?...

SANTA	Come. Você não tá com fome?
JUSTINO	(*Sem conseguir aceitar ainda a ideia da esmola.*) Santa, você foi de novo...!
SANTA	(*Interrompendo.*) Come, homem de Deus. Que importa? (*Coloca um pouco de comida em outro prato, na mesa improvisada.*)
	JUSTINO *fica um instante imóvel, depois senta-se num caixote, lentamente, diante do prato de comida. Põe-se a comer silenciosamente.*
SANTA	Arrumou nada não?
JUSTINO	Prometeram, pra semana que vem. Um lugar de vigia, numa construção.
SANTA	Pagam bem?
JUSTINO	Doze contos. (*Pausa.*) Fiz as contas: guardando a metade, dava pra comprar passagem pra todo mundo em menos de um ano.
BENÉ	(*Levanta-se, mal-humorado.*) Que horas são?
ISABEL	Quase de noite. Quer café, tem no bule. É só esquentar.
	BENÉ *apanha o bule, acende o fogo, com gestos preguiçosos.*
ISABEL	Esteve um cara aí procurando Lula.
BENÉ	Não era do Flamengo? Me prometeram mandar chamar o Lula pra treinar...
ISABEL	Era nada. Conheço ele. Aquele tal de Rafael que andava lá no morro. (*Volta ao seu serviço.*)
BENÉ	Lula tá de novo metido com essa gente?
	Entram MALU *e* RITA.
JUSTINO	Onde vocês andaram?

MALU	Por aí tudo. Vendo aqueles anúncios do jornal. (*Senta-se, exausta.*) Tou que não posso mais. (*Tira os sapatos, movimenta os dedos doloridos.*)
SANTA	Arrumaram alguma coisa?
RITA	Malu arrumou.
MALU	Pra começar amanhã.
SANTA	Que serviço?
MALU	Arrumar casa. (*Não parece muito animada.*) Pagam quatro contos.
RITA	E tem onde dormir.
SANTA	Graças a Deus.
MALU	Um quarto sem janela, que só cabe uma cama.
SANTA	Mas é melhor do que isto.
RITA	Mãe, posso comer?
SANTA	Pode. Deixe um pouco pra sua irmã.

RITA *separa um pouco de comida para si em outro prato. Põe-se a comer.*

SANTA	(*Para* MALU:) Você não quer? É pouco, mas dá pra enganar. Você não almoçou.
MALU	(*Levanta-se, num gesto cansado.*) Lula me chamou pra sair com ele de noite.
JUSTINO	(*Bruscamente.*) Você tá dando confiança?...
MALU	Tou não. Tou só pensando que ele podia me levar pra comer em algum lugar.
JUSTINO	Tonho vai chegar daqui a pouco, vai trazer dinheiro.
MALU	Lula prometeu também arrumar emprego pra mim na fábrica. (*Come qualquer coisa.*)
SANTA	Pra quê? Você não tá empregada?

JUSTINO	Quatro contos. Quem sabe dá pra guardar um pouco. Você vai ter casa e comida.
MALU	(*Vem até a área.*) Tem muita diferença não entre isto aqui e o quarto onde vou ter de dormir. Aqui, pelo menos se vê o céu.
RITA	Malu disse pra moça que não cabia naquela cama. A moça respondeu que ela encolhesse as pernas. (*Ri.*)
LULA	(*Entra, vindo do fundo.*) Olá.
ISABEL	Esteve um cara aí procurando por você. Aquele tal de Rafael.
LULA	Eu sei. Encontrei com ele aí na esquina.
BENÉ	Que é que aquele sujeito tá querendo aqui?
LULA	Foi um colega lá da fábrica, o Antônio, que mandou.
BENÉ	Mandou pra quê?
LULA	Pra ajudar a gente.
BENÉ	Ajudar em quê?
LULA	Na resistência.
BENÉ	Você ainda vai se dar mal. Quando pegar uma cana, não diga que não avisei. Essa gente chama cadeia!
ISABEL	Também acho que você devia se afastar dessa gente.
LULA	Eles estão do nosso lado, mãe!
BENÉ	(*Desconfiado.*) Que interesse têm eles nisso?
LULA	Interesse nenhum. Quer dizer... Eles sabem que nós estamos com a razão.
BENÉ	E será que nós estamos mesmo? Eles dizem isso pra levar a gente na conversa. Sei como é.
ISABEL	E se a polícia souber que eles estão metidos nisso, então é que a gente não fica nem mais um dia aqui.

LULA	Porque vocês não viram na fábrica, na última greve. Eles que organizaram tudo. Antônio foi preso, mas depois tiveram de soltar. E da prisão ele só mandava dizer pra gente: aguenta firme, pessoal. Aguenta que eles têm de ceder.
BENÉ	E cederam?
LULA	Bem, não deram 40 por cento, deram 25. Mas era o que a gente queria.
ISABEL	E que adiantou? Aumentaram também o preço de tudo. Greve é besteira.
LULA	(*Com veemência.*) Besteira não, mãe. Greve é um direito, é... (*A incredulidade e o quase sarcasmo estampados nos rostos de* ISABEL *e* BENÉ *o fazem desistir de sua argumentação.*) Mas que adianta? Vocês... (*Retoma com ardor, com palavras que, percebe-se, não são suas.*) Mas isto aqui é coisa muito mais séria que uma greve. Nós estamos mexendo com um dos pilares da sociedade capitalista: a propriedade privada! É muito sério! É preciso que a gente se organize e trace um plano de defesa.
BENÉ	Isso é coisa que eles andaram metendo em sua cabeça. (*Inicia o movimento para sair.*)
ISABEL	Aonde é que você vai?
BENÉ	No boteco.
ISABEL	Começar de novo?
BENÉ	Não, tomar uma homeopatia. (*Sai pelo fundo.*)
LINDALVA	(*Grita do 1º piso para* ISABEL:) Tem um pedaço de sabão aí que m'empreste, Zabé? O meu acabou...
ISABEL	(*Com manifesta má vontade, apanha um pedaço de sabão.*) Pega lá. (*Atira-o e* LINDALVA *o apara.*)
LINDALVA	Obrigada. (*Põe-se a lavar roupa também, numa bacia.*)

ISABEL — Mas veja se compra sabão. (*Resmunga.*) É todo dia a mesma história, que o sabão acabou. Tou pra sustentar seu homem não. Já sustento o meu e chega.

LULA — (*Aproxima-se de* MALU *na área*). Seu lugar tá quase arrumado.

MALU — Onde?

LULA — Lá na fábrica, ué. Falei hoje de novo. Mês que vem parece que vão mandar um bocado de moças embora, na fiação. Gente que tá com muitos anos de casa. Safadeza... mas então vão admitir gente nova...

MALU — Já arrumei emprego hoje.

LULA — Arrumou? Onde?

MALU — Casa de família.

LULA — (*Revelando certo preconceito.*) Você vai ser criada?

MALU — Que é que tem?

LULA — Nada. Operário ganha mais. Tem direito a férias e fundo de garantia... é oprimido também, mas é outra coisa.

MALU — Que é que a gente vai fazer? A vida não é como a gente quer. Se fosse, eu não ia ser criada nem operária.

LULA — Que era que você queria ser?

MALU — Sei lá. Só sei que às vezes tenho inveja dos meus irmãos que nasceram mortos.

LULA — Não diga bobagem. Tudo isso vai mudar um dia.

MALU — Você crê mesmo?

LULA — Então! É coisa certa! Nem Deus é capaz de impedir!

A convicção de LULA *deixa* MALU, *por alguns segundos, magnetizada. Mas esse magnetismo é quebrado pela entrada de* TONHO.

TONHO	(*Para* LULA:) Olá.
LULA	Olá, Tonho.
	TONHO *dirige-se para casa e* MALU *faz menção de segui-lo.*
LULA	(*Detendo-a por um braço.*) Tá combinado, hoje de noite...?
MALU	(*Com ar prometedor.*) Vamos ver. (*Segue o irmão.*)
	BOLA SETE *entra ao fundo e sobe a escada para o 1º piso. Antes de subir, assobia de maneira característica.* LINDALVA *volta-se, reconhecendo o assobio.*
JUSTINO	(*Para* TONHO:) Tudo bem?
TONHO	Tudo. Só que... trouxe dinheiro não. Só pagam no fim da semana. No sábado.
	Há uma pausa de decepção.
SANTA	Também, sábado já é depois de amanhã. Até lá a gente se arruma.
	No 1º piso, LINDALVA, *vergada sobre a bacia, lava roupa,* BOLA SETE *vem por detrás e dá-lhe uma palmada nas nádegas.*
BOLA SETE	Tá no lesco-lesco, nega?
LINDALVA	Lavando tua camisa, infeliz.
BOLA SETE	(*Ri.*) Nega, juro por São Jorge, inda vou te dar uma lavadeira de madama. Daquelas que é só apertar um botãozinho e a roupa já sai do outro lado, lavada e passada.
LINDALVA	Você só tem conversa.
BOLA SETE	O samba do moreno vai dar dinheiro, nega. É só encontrar quem grave.
LINDALVA	Não conseguiu nada?

BOLA SETE — Tenho andado aí por essas gravadoras. Só querem música de gringo. Mas não há de ser nada. Um dia a gente toca todos eles daqui, com música e tudo.

Súbito, ouvem-se as sirenas de vários carros da polícia. Tocados por uma mesma mola, todos se põem à escuta. BOLA SETE *e* LINDALVA, *do 1º piso, olham na direção do ruído.*

LINDALVA — Bola!...

BOLA SETE — É a cana, nega!

LINDALVA — Quanto carro!... (*Conta.*) Um, dois, três, quatro!

BOLA SETE — Vão cercar o quarteirão. É tira que não é vida! Dessa vez eles vieram pra valer! (*Grita para baixo.*) Minha gente, se preparem que o negócio agora vai ser feio!

MALU — A polícia de novo!

RITA — E agora é um batalhão!

BENÉ — Eles tavam demorando!

ISABEL — Bem, Mané Gorila disse...

LULA — (*Para os nordestinos, que estão mais assustados que os outros:*) Tenham calma. E nada de mostrar medo, senão vai ser pior.

Os TIRAS *invadem a cena. O* PRIMEIRO TIRA, *o* SEGUNDO TIRA *e mais dois, chefiados todos por um inspetor. Entram abruptamente, dispostos a tudo.*

INSPETOR — (*Para os* TIRAS:) Guardem as saídas, deixem que eu me entendo com eles! (*Avança para a área.*) Primeiro que tudo, fiquem sabendo que o prédio está cercado e que ninguém vai ser besta de resistir. Tenho vinte homens comigo, com ordem de descer a borracha em quem se fizer de engraçado.

BENÉ — Ninguém tá fazendo nada...

INSPETOR — Tou avisando. (*Lança em volta um olhar de intimidação.*) Quem deu ordem pra vocês invadirem esta construção?

BENÉ — O Presidente da República.

Há uma gargalhada geral.

INSPETOR — Não quero graça comigo. E mesmo que fosse o Presidente da República, vocês iam sair daqui agora, por bem ou por mal. Vamos! Têm meia hora pra desocupar o prédio.

LULA — Nós não temos pra onde ir.

INSPETOR — Procurem.

ISABEL — Tem um advogado tratando do nosso caso.

LULA — O juiz vai resolver.

INSPETOR — (*Ri, zombeteiro.*) Advogado... com certeza prometeu conseguir que o Governo dê o prédio de presente a vocês.

Os TIRAS *riem.*

LULA — A União dos Favelados...

INSPETOR — (*Corta.*) Comunistas...

LINDALVA — Também aqueles padres prometeram...

INSPETOR — Comunistas, todos comunistas!

ISABEL — Na rua é que a gente não pode ficar.

INSPETOR — E eu não vim aqui pra discutir. Vim dar cumprimento a uma ordem. Comecem a desocupar o prédio, se não querem que mande meus homens atirarem tudo na rua.

Há um momento de hesitação. Todos se entreolham.

INSPETOR — Vamos. Que estão esperando?

JUSTINO	É, tem jeito não. (*Entra em seu apartamento e desarma a rede.*)
	Aos poucos, lentos e de má vontade, cada qual vai apanhando um móvel, uma trouxa etc., e vai saindo.
PRIMEIRO TIRA	Vocês aí de cima também.
SEGUNDO TIRA	E mais depressa.
INSPETOR	É, ligeiro, ligeiro que eu não vou ficar aqui a vida toda.
	Os favelados voltam, um a um, depois de descarregar fora o fardo. Apanham novos utensílios e preparam-se para sair novamente, quando entram DEODATO PERALVA *e* MANÉ GORILA. DEODATO *é moço ainda. Bem-falante, demagogo sem qualquer limitação.*
DEODATO	(*Aparenta surpresa e indignação.*) Que é isso? Que está acontecendo aqui?
INSPETOR	Estamos despejando essa cambada.
DEODATO	Despejando com ordem de quem?
INSPETOR	Sou inspetor de polícia.
DEODATO	Mas isso é uma violência. Não podem fazer isso!
INSPETOR	E quem é o senhor pra dizer que não podem?
DEODATO	Sou o deputado Deodato Peralva. Não admito que procedam desse modo.
INSPETOR	Não posso proceder de outro modo. Eles invadiram o prédio. E se instalaram aqui como se isto fosse deles.
DEODATO	E fizeram muito bem. Se o Governo não resolve o problema de habitação popular, o povo tem o direito de dar a solução que estiver ao seu alcance.
INSPETOR	Essa teoria é um perigo, excelência!
DEODATO	Eu me responsabilizo por ela, como me responsabilizo por essa gente.

INSPETOR	Excelência, eu tenho de tirá-los daqui!
DEODATO	O senhor não vai tirar coisa nenhuma! Eles vão continuar onde estão. Eu assumo a responsabilidade, já disse.
VOZES	Isso! Muito bem! Isso é que é!
INSPETOR	Mas excelência, compreenda...
GORILA	O deputado não tá dizendo que se responsabiliza?
INSPETOR	(*Mostra-se intimidado.*) Está bem... se é assim... se o senhor assume a responsabilidade... o senhor que sabe... Vamos... vamos, pessoal...

Saem o INSPETOR *e os* TIRAS. *Os favelados explodem numa grande demonstração de alegria.*

BENÉ	(*Ri.*) Eles meteram o pé!...
ISABEL	Não quiseram mais conversa!
TONHO	Sujeito pai-d'égua, esse deputado!
RITA	Chegou na hora!...

Todos cercam DEODATO, *que recebe os agradecimentos com um sorriso de triunfo.*

ISABEL	Gostei de ver. Se não fosse o senhor...
SANTA	Também, ele é deputado...
RITA	Como é que ele se chama?
BOLA SETE	Deodato Peralva.
GORILA	Dr. Deodato sempre foi amigo da gente, protetor dos pobres.
DEODATO	E enquanto eu for deputado, vocês podem contar comigo.
LULA	Vamos apanhar os troços que levamos pra rua.
BOLA SETE	É, vamos, antes que levem!

TODOS	Vamos, vamos...

Saem todos, alegremente. Ficam apenas DEODATO *e* GORILA.

DEODATO	(*Certificando-se antes de que estão a sós.*) Parabéns, Gorila. Bom serviço.
GORILA	(*Sorri.*) O doutor sabe que Mané Gorila não falha...
DEODATO	Quanto você prometeu aos tiras?
GORILA	O combinado. Pro comissário é que é mais. Dessa vez ele quis endurecer. Mas em compensação fez a encenação bem-feita...
DEODATO	Passe amanhã no meu escritório e eu lhe dou o dinheiro. O que é preciso depois é você trabalhar essa gente...
GORILA	Pode deixar por minha conta.

Voltam todos, alegremente, trazendo os objetos que haviam levado.

DEODATO	(*Procura, a princípio, falar sem ênfase, mas, aos poucos, vai-se deixando arrastar pela oratória.*) Meus amigos, sou um homem simples, igual a vocês. Sou um homem do povo, filho de pais humildes, criado em ambiente humilde, que por isso sente na própria carne o drama que estão vivendo. É um drama vivido por centenas de milhares de pessoas nesta cidade, ante a indiferença criminosa das autoridades competentes. Fizeram muito bem, invadindo esta construção, resolvendo por suas próprias mãos um problema que os homens públicos não querem resolver. Fizeram muito bem e aqui estou, não só para lhes dar o meu apoio, como também para assumir um compromisso solene. (*Faz uma pausa de efeito.*) Se reeleito nas próximas eleições, comprometo-me a apresentar um projeto desapropriando este prédio e entregando-o aos seus heroicos conquistadores!

LINDALVA (*Não se contém.*) Muito bem!

BOLA SETE Chiu! Cale a boca!

DEODATO Desse modo, não só poderão continuar a habitá-lo, como serão, de fato, cada qual proprietário de parte que hoje ocupa.

Os favelados que desceram dos andares superiores mostram-se entusiasmados com as palavras de DEODATO. *Entre eles ouvem-se vozes: "Isso mesmo!" — "Isso é que é!"*

DEODATO (*Anima-se com os apartes e perde todo o senso de medida.*) E prometo mais: prometo arranjar financiamento para terminar os apartamentos. Assim terão, todos, habitações dignas de seres humanos!

MANÉ GORILA *puxa uma salva de palmas.* ISABEL, LULA, JUSTINO *e* BOLA SETE *se abstêm.*

DEODATO É um compromisso que eu, Deodato Peralva, assumo neste momento e que cumprirei se, com a ajuda de Deus e de vocês, for eleito.

LULA *e* BOLA SETE *mostram certa frieza.* JUSTINO *e* ISABEL, *apenas descrentes. Mas* TONHO *e* RITA *não escondem seu entusiasmo.*

RITA Vão dar uma casa pra gente, mãe?

TONHO Esse cabra é bom de fala!

DEODATO (*Para* MANÉ GORILA:) Devia ter trazido uns retratos para distribuir.

GORILA Pode deixar, doutor, eu distribuo. Aqui é tudo voto garantido.

DEODATO (*Num gesto democrático, estende a mão a* TONHO, *depois a* JUSTINO.) Podem contar comigo. (*Estende a mão a* SANTA, *dá uma pancadinha paternal na cabeça de* RITA *e, ao estender a mão a* MALU, *nota a sua beleza linfática e desidratada.*) São do Norte?

MALU	(*Balança afirmativamente a cabeça.*) Aham...
DEODATO	Está empregada?
MALU	Tou quase.
DEODATO	Apareça no meu escritório. Talvez eu lhe arranje um emprego. (*Tira da carteira um cartão.*) Aqui tem o meu cartão. Pode ir me procurar. Não tenha cerimônia. (*Despede-se de todos com um gesto largo.*) Adeus, minha gente. Contem comigo, que eu conto com vocês. (*Sai, sem notar que* LULA *voltou-lhe as costas, para não lhe apertar a mão.* MANÉ GORILA *o segue, no seu passo balançado. Os favelados que desceram dos andares superiores voltam aos seus pavimentos.*)
RITA	(*Curiosa, espicha o pescoço para ver o cartão.*) Que é que tem escrito aí?
MALU	(*Bruscamente.*) Ixe! É o nome do homem, gente! (*Atraída por uma curiosidade irreprimível, avança lentamente até o fim do corredor, por onde saiu* DEODATO. *Fica olhando para fora, com o cartão entre os dedos.*)
	LULA, *da área, fita-a, triste, enciumado.*
ISABEL	Ela tá pensando que ele vai mesmo fazer alguma coisa. De conversa de candidato eu tou cheia. É sempre assim. Antes da eleição eles prometem mundos e fundos. Depois... dão uma banana!
	RITA *corre e vai unir-se a* MALU.
LINDALVA	Quem sabe? Se ele diz que pode conseguir isto pra gente, é que deve poder mesmo. É só querer.
BOLA SETE	Você parece que nasceu ontem...
TONHO	Sei não. Que o cabra fala um bocado bonito, fala.
JUSTINO	Gente que promete muito, não cumpre.
SANTA	Mas ele defendeu a gente da polícia. Até prometeu emprego pra Malu.

JUSTINO (*Balança a cabeça, em dúvida.*) Sei não.

Ouve-se o ruído de um carro que parte. RITA *vem correndo, alvoroçada.*

RITA Que carro, mãe! Pai-d'égua!

MALU *volta, lentamente.* LULA *tem os olhos presos nela.*

LULA Isso é conversa, Malu. Você chega lá, ele manda vir depois. E depois. E vai embromando até chegar o dia da eleição.

MALU *não responde. Apenas olha o cartão, parada no meio da área.*

LINDALVA (*Do 1º piso.*) Tá com tudo, hein, Malu?

TONHO Se você quiser, eu te levo lá...

MALU Pra quê? Sou cega pra precisar de guia?

LULA (*Incrédulo e sentido.*) Você vai mesmo, Malu?

MALU (*Quase com arrogância.*) E por que não? (*Guarda o cartão no seio.*) O moço quer me ajudar. E pode.

No 1º piso, BOLA SETE *dedilha o violão. Pelo fundo, entra* MANÉ GORILA. *Vem até o meio da área.* BOLA SETE *para de tocar.*

GORILA É um homem e tanto, esse Dr. Deodato. Com ele não tem polícia. Vocês devem a ele não terem sido despejados.

TONHO O senhor acha que ele garante mesmo a gente ficar aqui?

GORILA Ora, você não viu, homem? E tem mais. Já combinei com ele. Amanhã mesmo vou providenciar madeira, pregos, sou capaz até de arranjar luz elétrica. Já pensou? Fechar todas essas paredes com madeira, fazer porta, janela... vai ficar uma beleza. Apartamento mesmo, de verdade.

LULA — Ninguém tá lhe pedindo isso.

GORILA — Mas eu quero fazer. Vocês não podem continuar morando com tudo isso assim, aberto, apanhando chuva. Como disse Dr. Deodato, vocês merecem habitação digna de seres humanos.

ISABEL — E depois? Vamos ter de pagar aluguel?

GORILA — Que diabo, Mané Gorila também é filho de Deus... E lembre que lá no morro vocês pagavam não era só pelos barracos, era também pelo direito de morar e viver em paz. Pela certeza de não vir ninguém disputar a posse do seu pedaço de morro. Pela tranquilidade de não ter de acordar de noite com o barraco pegando fogo... Tudo isso quem garantia era eu, Mané Gorila. E vou garantir aqui também... se todo mundo andar direito comigo.

LULA — E se não...

GORILA — (*Sorri.*) Bem, não garanto nada. Já vi que ainda cabe muita gente aqui. (*Aponta para o compartimento de* ISABEL.) Ali cabe mais uns três. Lá em cima ainda cabe o dobro. Conheço muito cara, gente que anda sempre fugindo da justa, que gostaria de vir pra cá...

ISABEL — Não queremos aqui nenhum malfeitor.

GORILA — E fazem bem, porque se amanhã a polícia resolvesse dar uma batida aqui pra prender algum... sabe, nessa hora apanha todo mundo. Eles vão descendo a borracha, sem olhar... (*Faz uma pausa.*) Mas nada disso vai acontecer. Mané Gorila tá aqui pra garantir a ordem e a tranquilidade, com a ajuda de Deus e da polícia. No fim do mês venho acertar as cotas de cada um. Como tem aí uma lei que proíbe aumentar os aluguéis, e eu gosto de respeitar a lei, vocês continuam pagando a mesma coisa que pagavam no morro.

JUSTINO — Nós também?

GORILA — Pagam o que iam pagar lá.

JUSTINO   Nós tamos sem dinheiro.

GORILA   Trate de arranjar. Tem tempo pra isso. (*Lança a* MALU *um olhar libidinoso.*) E olhe que pra vocês isso até que não é difícil... Vou lá em cima avisar o resto do pessoal. (*Vai na direção da escada e esbarra com o* PROFETA, *que entra.*) Oh, o Profeta também tá aqui?... Olhe, os seus sobrinhos estão lá em casa.

PROFETA   Eu sei... Deus há de pagar... O senhor é um homem bom, neste mundo de maldade.

GORILA   Sou mesmo. Onde é que você tá?

PROFETA   Ali em cima. (*Aponta para o seu alojamento.*)

GORILA   Hum... vou providenciar umas tábuas e melhorar aquilo ali.

PROFETA   Muito obrigado.

GORILA   É claro que você vai ter de pagar alguma coisa.

PROFETA   Aluguel?

GORILA   É o mesmo que sua irmã pagava no morro.

PROFETA   Mas eu... eu não tenho...

GORILA   Então, vai ter de desocupar o lugar.

PROFETA   (*Suplicante.*) Eu não tenho pra onde ir... O senhor sabe... Não tenho renda... Vivo da caridade de algumas pessoas...

GORILA   E por que não trabalha?

PROFETA   Trabalho sim, mas pra Deus Nosso Senhor. Ele me confiou uma nobre missão na Terra: sou profeta.

GORILA *tem um gesto de impaciência.*

PROFETA   Muita gente pensa que sou louco. Mas eu sou um homem de juízo perfeito. Também Jesus disse a seus profetas: sereis perseguidos e tomados por loucos...

	A diferença que há entre mim e os outros homens é que eu tive o privilégio de ver o futuro!
GORILA	Pois veja qual vai ser o seu futuro se não arranjar dinheiro pra pagar o aluguel... (*Inicia o movimento para sair, mas o* PROFETA *agarra-se a ele.*)
PROFETA	Espere! Deixe que lhe conte a visão que tive!...
GORILA	(*Com brutal safanão, atira-o ao solo.*) Ah!... vai pro inferno com tuas visões!... (*Sobe a escada para o 1º piso e depois a que vai dar ao segundo, saindo, enquanto o* PROFETA, *estendido ao solo, profetiza.*)
PROFETA	Eu vi a terra em chamas, rolando, rolando, como uma enorme bola de fogo!...

E a luz se apaga em resistência.

QUARTO QUADRO

Passa da meia-noite. Todos dormem. A cena está quase às escuras. Apenas a luz da lua batendo nas pilastras. Entram MALU *e* LULA. *Param no meio da área.*

MALU	Bem... até amanhã.
LULA	(*Segura-a por um braço e puxa-a para si.*) Você vai assim?
	Ele tenta beijá-la, ela esboça uma reação.
MALU	Não faça isso. (*Liberta-se dos braços dele.*) Que é que você tá pensando? Que eu sou dessas?
LULA	Que é que tem? Ninguém tá vendo. E eu gosto de você. Você não gosta de mim?
MALU	Gosto. Mas isso é outra coisa.
LULA	É coisa de quem gosta. Quem gosta faz isso... e eu estou louco por você. (*Torna a enlaçá-la.*)
MALU	Olhe que podem ver...

LULA	Tá todo mundo dormindo. Vamos lá pra trás dos tabiques... lá não tem perigo...
MALU	(*Reage vigorosamente.*) Não!
LULA	(*Muito sincero.*) Que bobagem...
MALU	Eu sei o que você tá querendo.
LULA	E que tem isso? Não quer dizer que eu não tenha boa intenção com você.
MALU	Eu sou moça.
LULA	E daí?
MALU	Você casa comigo?
LULA	Não vou largar você depois. Nem depois nem nunca mais.
MALU	Você fala assim e não tem onde cair morto.
LULA	No terceiro andar ainda tem lugar. Se a gente se juntasse, eu podia arranjar umas tábuas, fechar as paredes... Depois a gente comprava uns móveis em segunda mão, eu mesmo fazia, conheço o ofício de carpinteiro. Ia ficar uma beleza de barraco, com a vista bonita que tem lá de cima...
MALU	Isso é sonho. Amanhã botam a gente daqui pra fora.
LULA	Botam, mas custa. Tá todo mundo disposto a resistir até o fim.
MALU	E será que vale a pena?
LULA	O quê?
MALU	Lutar tanto... por isto?
LULA	Você acha que não? Que a gente não deve lutar pelo que tem direito?
MALU	Mas é só a isto que a gente tem direito? Miséria... fome... lixo...?

LULA Claro que não, mas... a gente tinha menos que isto. Foi uma conquista. É preciso lutar pra conservar. Entende?

MALU Entendo não. Lutar pra conservar uma coisa que a gente devia acabar com ela. Conservar o que devia ser destruído.

LULA Tenho um amigo que diz que o importante não é a gente ganhar, é ter consciência de nossa força. E isso a gente só consegue lutando.

MALU Esse seu amigo acha que a gente deve morrer por este monte de lixo?

LULA Acha. E ele sabe o que diz. Ele tem preparo e tem experiência.

MALU Experiência de quê?

LULA De luta. Já foi preso um monte de vezes. Preso e espancado pela polícia. Arrancaram o bigode dele, fio por fio, à pinça.

MALU Por quê?

LULA Porque queriam que ele falasse. E ele não falou.

MALU Você era capaz disso?

LULA Não sei... a gente nunca sabe. Na hora é que se vê. Mas eu não sou Rafael. Eu agora é que estou começando a entender uma porção de coisas... Não é fácil porque... eu não tive estudo e... sou meio burro. Por isso eu não sei lhe responder quando você diz que a gente devia lutar era pra acabar com isto e não pra conservar. Mas eu garanto que Rafael lhe dava a resposta.

MALU Nós deixamos a nossa terra quando já tinha secado tudo quanto era cacimba e a gente vivia mastigando raiz de umbuzeiro pra matar a sede. Mas nem assim o pai queria arredar pé dali. Sem água, sem comida, e ele queria ficar. Ficar pra morrer. É como vocês. Lutam pra ficar, quando deviam lutar pra sair daqui.

LULA   Sair... pra onde?

MALU   Sei lá. Mas o mundo é grande. Tem que haver, em alguma parte, um lugar pra gente.

LULA   (*As palavras de* MALU *o abalam um pouco.*) Acho que você tem razão. Mas isso é depois. Agora a gente tem que lutar por isto aqui. Pelo menos aqui a gente está junto... e se você gostasse um pouco de mim... se você imaginasse, como eu imaginei, o nosso barraco no terceiro andar... (*Ele a aperta desesperadamente contra o peito.*) Se eu tivesse você, Malu, ninguém mais botava a gente daqui pra fora. Nem morto! (*Ele a beija. Ela resiste um pouco e logo se abandona. Depois repele-o bruscamente.*)

MALU   Aí é que está: você não quer sair daqui nem morto... e eu quero sair viva. A vida é feia, muito feia, pra gente querer resolver tudo com palavras bonitas. Antes de nós entrarmos na fila dos retirantes, o coronel mandou me chamar na casa dele. Disse que, se eu quisesse, não precisava ir embora... Ele arrumava uma casa pra mim na cidade e garantia o meu futuro... E quis me agarrar à força.

LULA   Você?

MALU   Mandei ele à merda e fugi.

LULA   Fez bem. Filho da mãe!

MALU   Tou arrependida até hoje.

LULA   Não acredito. Você não nasceu pra isso. Pra se vender.

MALU   O que você quer de mim é a mesma coisa que ele queria. A diferença é que ele me dava uma casa de verdade e você promete só uma gaiola lá no terceiro andar.

LULA   Não, Malu, a diferença é que eu gosto de você e ele só queria se aproveitar.

MALU   Homem só quer a gente pra levar pra cama. Pelo menos a dele devia ser grande e macia... com ele eu não precisava ir pra trás do tabique.

LULA   (*Segura-a pelo braço.*) Malu... me desculpe. Eu disse aquilo porque... porque não me aguento junto de você! Não quis te humilhar!

MALU   Eu sei! É que com você não pode ser de outro modo... tem que ser mesmo atrás do tabique... (*Encaminha-se para o seu apartamento.*)

LULA   (*Tem um gesto para detê-la.*) Malu...

MALU   (*Detém-se.*) Obrigada pelo jantar. (*Entra em casa.*)

LULA *fica no meio da área, imóvel.*

SANTA   (*Deitada.*) Malu, é você?

MALU   Sou, mãe.

SANTA   Ele levou você pra comer?

MALU   Levou.

SANTA   Inda bem. (*Vira-se para o outro lado e dorme.*)

MALU *começa a arrumar sua cama, enquanto as luzes se apagam em resistência.*

QUINTO QUADRO

Decorreram dois meses. Notam-se algumas melhorias nas habitações. As paredes laterais foram construídas com pedaços de madeira. Amanhece. Todos dormem, com exceção de JUSTINO *e* MALU, *que não se encontram em cena, e* SANTA *e* ISABEL, *que já estão de pé. Ouve-se um despertador no apartamento de* BENÉ; ISABEL *sacode* LULA.

ISABEL   Lula? Acorda...

LULA *resmunga, vira-se para o outro lado e continua a dormir.* ISABEL *prepara o café e a marmita do filho. No 1º piso,* LINDALVA *levanta-se e acorda* BOLA SETE.

LINDALVA	É hora, nego.
BOLA SETE	(*Boceja ruidosamente.*) Sono desgraçado. (*Espreguiça-se e levanta-se.*)

JUSTINO *entra da direita, abotoando as calças.*

JUSTINO	Tonho acordou não?
SANTA	Deixe ele dormir mais um pouco. Tenho de acabar de preparar as marmitas.
JUSTINO	Tá ficando dorminhoco, esse cabra. Na roça, dava cinco horas já tava de pé.
SANTA	Tem necessidade disso?
JUSTINO	É, a cidade amolece a gente.

BOLA SETE *desce a escada, atravessa a cena com uma toalha no ombro e sai na direção de onde veio* JUSTINO.

ISABEL	(*Sacode* LULA *novamente.*) Lula?
LULA	(*Mal-humorado.*) Já vou, mãe! (*Levanta-se, por fim, de um salto. Apanha uma toalha, uma escova de dentes e sai pela direita, na mesma direção de* BOLA SETE.)

JUSTINO *tira do bolso um maço de notas e põe-se a contá-lo.*

SANTA	Você tá sempre contando esse dinheiro.
JUSTINO	Na esperança de ter contado errado, de ter mais um pouco.
SANTA	Falta muito?
JUSTINO	Mais da metade.
SANTA	Também, em dois meses...
JUSTINO	Estive ontem no Campo de São Cristóvão...
SANTA	Fazendo?...

JUSTINO	Fui indagar o preço das passagens.
SANTA	E não é o mesmo da vinda?
JUSTINO	É nada. Já tinham me dito. É muito mais caro. Diz que por causa da gasolina que subiu. Seu Mané Gorila me disse.
SANTA	Tava lá?
JUSTINO	Tava. Tá sempre esperando chegar pau de arara. Caboclo não tem pra onde ir, ele faz como fez com a gente: arruma um pedaço de despenhadeiro num morro desses, umas tábuas...
SANTA	E depois fica vivendo à custa dos coitados.
JUSTINO	Aqui tudo é assim, uns vivendo à custa dos outros. Não vejo a hora de ir embora, Santa. Num vejo a hora. A seca já deve tá terminando.
SANTA	Tá nada.
JUSTINO	(*Como se não tivesse ouvido, sonhador.*) Você já imaginou? A terra enfeitada de verde... esperando a gente, perfumada de chuva... como mulher esperando seu homem. Terra boa, aquela, Santa. A gente é que não presta.
	TONHO *levanta-se.*
TONHO	Já é hora?
JUSTINO	Então. Você não pega às sete? Pra Malu é que ainda tem... (*Nota que* MALU *não está no colchão.*) Cadê?...
SANTA	(*Finge-se de desentendida.*) Cadê o quê?
JUSTINO	Malu.
SANTA	(*Procurando encarar o fato como coisa natural.*) Veio dormir não.
JUSTINO	Não veio dormir? E você tá nessa calma, não me disse nada...

TONHO	Capaz de ter acontecido alguma coisa com ela.
SANTA	Por que deve ter acontecido?
TONHO	Pra ela não vir pra casa...
SANTA	Deve ter ficado trabalhando no escritório.
JUSTINO	Trabalhando? De noite?
SANTA	É. Ela disse ontem que ia trabalhar depois da hora, pra adiantar o serviço. Com certeza ficou tarde e ela dormiu lá mesmo.
JUSTINO	Lá onde? No escritório?
SANTA	(*Está evidentemente insegura, pouco convencida de tudo o que diz.*) Sim... não sei... como quer que eu saiba?
JUSTINO	Tou perguntando.
SANTA	Você sabe como é o emprego dela. Tem dia que vai só de tarde, dia que não vai... O doutor tem sido muito bom pra ela, um dia que ele precise que ela fique de noite, ela não pode negar, você não acha?
TONHO	É, pai...
JUSTINO	Mas devia ter avisado. E onde ela dormiu?
SANTA	E eu sei? Quando chegar, ela diz. Tem umas amigas... (*Nota que* JUSTINO *não se satisfaz com as explicações.*) Que é, homem? A vida é dura. Ela tá querendo melhorar de vida... tá se esforçando...
JUSTINO	(*Acomodando-se à justificativa.*) Tá bem, eu não sabia que ela ia trabalhar até depois da hora.
	TONHO *lava o rosto numa bacia. Entram, da direita,* LULA *e* BOLA SETE. LULA *ainda se enxugando.*
BOLA SETE	Vambora, Tonho!
TONHO	Tou indo. Espere por mim.

LULA	(*Para* BOLA SETE:) Tome café depressa e venha pra gente decidir.
BOLA SETE	Tá. (*Sobe a escada, vai para o seu apartamento, onde* LINDALVA *prepara o café e a marmita.*)
	LULA *entra em casa.* BENÉ *acorda.*
BENÉ	Que horas são?
ISABEL	Uma hora que não existe pra você: 6 e 10.
	BENÉ *levanta-se, sonolento.*
ISABEL	(*Enorme espanto.*) Ué! Você vai se levantar?!
BENÉ	(*Mal-humorado.*) Que é que tem? Nunca viu?...
ISABEL	Não. Você deve estar doente, ou o mundo tá pra se acabar.
BENÉ	Arranjei um biscate pra hoje. Hoje só, não. Três vezes por semana.
ISABEL	Três vezes?! Vai ficar tuberculoso de tanto trabalhar!
BENÉ	Ora, vá pro inferno!
ISABEL	Mas que serviço é esse? Tou curiosa.
BENÉ	Lavar o carro do Dr. Deodato.
LULA	(*Volta-se, repentinamente.*) Daquele filho da mãe?
BENÉ	Filho da mãe por quê? Vai me dar cem pratas de cada vez. Chato é que tem de ser de madrugada. (*Apanha a toalha.*) Nem mesmo quando jogava no Vasco eu acordava a esta hora... (*Sai pela direita.*)
ISABEL	Que é que você tem?... Falou no nome do Dr. Deodato...
LULA	(*Corta bruscamente.*) Tenho nada. (*Avança para a área.*)
ISABEL	Ele precisava era se agarrar com esse Dr. Deodato, pra ver se arranjava um emprego.

LULA — Arranja nada.

ISABEL — Quem sabe? Agora, em véspera de eleição...

LULA — Tudo conversa. Ele também disse que garantia a gente ficar aqui. Soube ontem que o juiz tá pra assinar a ordem de despejo. Vão tocar a gente daqui pra fora de hoje pra amanhã.

ISABEL — Como você soube?

LULA — Rafael que me disse. Informação segura. A coisa tá por horas.

BOLA SETE *se aproxima.*

LULA — Já falei com Bola Sete. Preciso agora falar com os outros.

ISABEL — Pra quê? Se é ordem do juiz, que é que a gente vai fazer?

LULA — Temos de ir à Câmara.

BOLA SETE — Eu e você?

LULA — Não, todo mundo. Mulheres, crianças, todos. Quanto mais gente, melhor. E também umas faixas. Podemos fazer aqui mesmo. Se todo mundo trabalhar, vai ser bacana!

JUSTINO *e* TONHO *se aproximam, curiosos. Do 1º piso,* LINDALVA *escuta.*

BOLA SETE — Não tou entendendo. A gente vai à Câmara fazer o quê?

LULA — Protestar!

ISABEL — (*Desconfiada.*) Isso é ideia sua ou do Rafael?

LULA — Não importa de quem seja. Se a gente não fizer alguma coisa, amanhã vai ser tarde. Ontem eu soube da história... Isto aqui era pra ser um hospital do Governo. Uma companhia particular foi encarregada de

	construir. Mas o Governo não pagou o dinheiro todo e a companhia parou a construção. O caso tá rolando na Justiça há três anos. A companhia quer devolver o prédio pro Governo como está, mas o Governo não quer receber porque o prédio não tá pronto.
TONHO	Mas então a coisa tá boa pro nosso lado. Se nenhum dos dois quer ficar com o prédio, a gente vai ficando.
BOLA SETE	Pois é!
LULA	É, mas ontem eu soube que tem gente querendo se aproveitar da situação e ficar com o prédio por uma ninharia. E essa gente comprou um juiz pra assinar um mandado de despejo.
ISABEL	Gente safada!
LULA	Por isso é que a gente tem de agir!
	BENÉ *entra e vem reunir-se ao grupo.*
JUSTINO	Agir como?
LULA	Indo todo mundo, em massa, à Câmara de Deputados. Com faixas, cartazes, tudo que a gente puder levar pra chamar a atenção.
JUSTINO	Ir quando? Agora?
LULA	Agora, não. A Câmara só abre uma hora da tarde. Mas nós temos de estar lá ao meio-dia.
TONHO	E o trabalho? Nós pegamos às sete.
LULA	Ninguém trabalha hoje, companheiro. Vocês não entenderam ainda? Amanhã eles tão aí pra botar a gente na rua. E dessa vez não tem apelação, é ordem do juiz! Isso é mais importante que um dia de trabalho!
BENÉ	Não acho. Acho é que você tá querendo arrumar encrenca. Isso é coisa que esse tal de Rafael andou metendo na sua cabeça.
LULA	Rafael tem experiência dessas coisas.

BENÉ   Pra ele é muito fácil dizer que a gente deve fazer isso ou aquilo, ele não mora aqui...

JUSTINO   E se não mora, não tem nada com isso.

ISABEL   Ele tá querendo é que a polícia bata aqui de novo.

BENÉ   Isso mesmo: o que ele quer é que botem a gente pra fora. Conheço esses caras! Só querem desgraçar a vida da gente.

LULA   (*As palavras do pai o ferem profundamente.*) Não diga bobagem! Você não sabe o que tá dizendo!

BENÉ   (*Avança agressivamente para* LULA.) Eu não sei?...

LULA   Não! Você não passa de um bêbado!

BENÉ *tenta agredir* LULA.

ISABEL   (*Grita.*) Bené!

BOLA SETE *se interpõe entre* LULA *e* BENÉ. MANÉ GORILA *entra.*

GORILA   Eh, que é que há aqui?...

Diante de MANÉ GORILA, *todos procuram disfarçar.*

BOLA SETE   Não há nada. Brincadeira.

Dispersam-se. BENÉ *volta para casa.* ISABEL *o segue.* LULA *permanece ao lado de* BOLA SETE, *ao fundo.* TONHO *vai acabar de tomar o seu café.*

BENÉ   (*Para* SANTA:) E vem me chamar de bêbado...

ISABEL   Deixe isso pra lá. Ele anda nervoso, você sabe.

BENÉ   Sei, e sei também por quê: dor de corno. Mas não tenho nada com isso.

GORILA   (*Para* JUSTINO, *na área:*) Era com o senhor que eu queria falar.

JUSTINO   Comigo? Tou em dia...

GORILA	Tá em dia no aluguel. Mas tá devendo.
JUSTINO	Devendo o quê?
GORILA	Não lembra aquelas tábuas que eu lhe dei pra fazer o barraco, lá no morro?
JUSTINO	Mas aquilo... ficou lá!
GORILA	Pois é, ficou lá e se perdeu. Foi soterrado. Quem é que paga o meu prejuízo?

BOLA SETE *e* LULA *prestam atenção ao diálogo.* TONHO *interrompe o café, escuta a conversa, apreensivo, como* SANTA.

JUSTINO	Nenhum de nós tem culpa...
GORILA	Nenhum de nós tem culpa, mas quem perdeu fui eu. (*Num tom levemente ameaçador.*) E eu não posso perder, seu Justino. Tenho família pra sustentar... mulher e seis crianças. Sou um homem que luta.
JUSTINO	O senhor tá querendo... que eu lhe pague a madeira?
GORILA	(*Condescendente.*) Toda, não. Vou mostrar que sou um homem justo. Vamos repartir irmãmente o prejuízo. A madeira valia uns vinte contos. O senhor paga só dez.
TONHO	Dez contos! (*Ameaça levantar-se, num gesto agressivo, mas* SANTA *o detém.*)
JUSTINO	Tenho não! O senhor sabe.
GORILA	(*Sorri.*) Não pague o bem com o mal, seu Justino. Tou sendo camarada, cobrando só metade do prejuízo, e o senhor tá querendo me enganar?
JUSTINO	Não tou enganando! Não tenho esse dinheiro!
GORILA	Ontem, no Campo de São Cristóvão, o senhor me disse que tinha dez contos guardados.
JUSTINO	Mas é pra comprar a passagem de volta!

GORILA   E o senhor, como homem decente que é, vai voltar sem pagar suas dívidas?

JUSTINO   (*Angustiado.*) Mas esse dinheiro... eu não posso! É um dinheiro que eu venho juntando com sacrifício. Eu e minha gente temos passado fome, juntando tostão a tostão! É um dinheiro sagrado!

GORILA   (*Insensível.*) Suas dívidas também devem ser sagradas.

JUSTINO   Aquelas tábuas... a gente nem as usou... Depois da enchente, ficou tudo lá... é capaz do senhor inda achar e aproveitar...

GORILA   (*Corta.*) Seu Justino, o senhor quer ir embora pra sua terra, não quer?

JUSTINO   Tou juntando esse dinheiro pra isso.

GORILA   (*Sua voz é ameaçadora, mas sempre macia.*) Então trate primeiro de pagar o que deve. Ou o senhor pensa que vai sair daqui sem me pagar? Se tá pensando nisso, afaste essa ideia do pensamento. Tenho gente minha por toda parte, seu Justino. Aqui, na favela, na polícia, no Campo de São Cristóvão... não sai um pau de arara sem que Mané Gorila seja avisado.

JUSTINO   Não vou fugir sem lhe pagar.

GORILA   Além do mais, é uma ingratidão de sua parte. Se não fosse eu, a mocinha não tava com o futuro garantido, como tá... (*Pisca um olho, mas* JUSTINO *não compreende a insinuação.*) Fui eu que trouxe o Dr. Deodato aqui e depois ajudei a arrumar as coisas... Sabe, Dr. Deodato precisa de mim. Sou cabo eleitoral dele. Uma palavra minha é ordem. E a mocinha vai tão bem... era uma pena...

JUSTINO   (*Intimidado.*) Até quando o senhor quer esse dinheiro?

GORILA   Agora, seu Justino. Tou precisando e o senhor tem o dinheiro. Pra que esperar?

Num gesto lento, sofrido, como se arrancasse o próprio coração, JUSTINO *puxa do bolso o maço de notas e o entrega a* MANÉ GORILA.

GORILA — (*Sorri.*) Olhe, quando quiserem voltar, falem comigo. Eu talvez arranje um abatimentozinho. Conheço tudo quanto é chofer de pau de arara...

JUSTINO — Precisa não.

GORILA — (*Saindo.*) É um favor que não custa nada. (*Sai, ante os olhares de revolta de* LULA, BOLA SETE, TONHO *e* SANTA.)

SANTA — (*Corre para* JUSTINO, *que parece arrasado.*) Ele levou tudo?!

JUSTINO — Levou.

TONHO — O dinheiro das passagens!...

JUSTINO — (*Mais como uma justificativa para sua própria fraqueza.*) Fiquei com medo de que prejudicasse Malu.

LULA — (*Avança para* JUSTINO, *revoltado.*) Você devia mesmo esse dinheiro pra ele?

JUSTINO — Sei lá... ele falou numas tábuas...

TONHO — A enchente carregou com tudo!...

JUSTINO — Ele não obriga todo mundo a pagar aluguel aqui, só porque fez esses tabiques?

LULA — Porque a gente quer. Porque a gente não se revolta!

BENÉ *vem para a área, pronto já para sair.* ISABEL *o segue.*

LULA — Nós somos muitos e ele é um só!

ISABEL — Ele não é um só, Lula...

LULA — Sim, eu sei que ele tem capangas, que é um malfeitor. Mas e a polícia? Nós botamos a polícia pra correr e vamos ter medo desse sujeito?

ISABEL · Brigar com a polícia é brigar com a polícia só. Brigar com Mané Gorila é brigar com os dois.

LULA · Nada, ele faz isso porque a gente se submete. Querem ver? Quando ele voltar aqui, vamos dizer que o Comitê de Resistência decidiu que ninguém mais vai pagar um tostão.

BENÉ · Mas o Comitê não decidiu coisa nenhuma. Quem decidiu foi você!

SANTA · E quem é que vai dizer isso a ele?

LULA · Um de nós.

BENÉ · Não eu.

TONHO · Nem eu.

LULA · Pois digo eu.

BENÉ · Quando eu falo que esse cara só tá querendo arrumar encrenca...

LULA · (*Para* JUSTINO:) Se você quiser, eu arranjo um advogado e garanto que ele vai ter que devolver o seu dinheiro.

JUSTINO · (*Acovardando também ante a ideia de fazer frente a* MANÉ GORILA.) Eu não quero coisa nenhuma! Não pedi nada pra você!

LULA · Não tenha medo. Nós todos, unidos, podemos expulsar esse sujeito daqui pra sempre!

BENÉ · (*Agressivo.*) Você não vai expulsar ninguém! Você vai é sumir daqui agora mesmo!

JUSTINO · (*Unindo-se a* BENÉ.) É o que é!

SANTA · Pra deixar de se meter onde não é chamado!

BENÉ · Se não sair daqui já, eu chamo a polícia e denuncio você! Você, Rafael e toda essa cambada!

LULA	Pois chame. Denuncie. Assim eu fico sabendo de uma vez de onde foi que eu nasci! De um dedo-duro!
BENÉ	(*Atira* LULA *ao chão com um bofetão.*)
	LULA *levanta-se e ameaça investir novamente contra* BENÉ, *mas* BOLA SETE *o contém.*
ISABEL	Lula! É seu pai!...
	BENÉ *hesita um instante e por fim sai bruscamente. Há um enorme silêncio.* LULA *fica imóvel no meio da área.* BOLA SETE *vem até* TONHO.
BOLA SETE	Tonho, vambora?
TONHO	Vamos. (*Apanha sua marmita e sai com* BOLA SETE.)
ISABEL	(*Aproxima-se de* LULA.) Você não vai trabalhar? Vai chegar atrasado...
LULA	Tenho vontade é de encher a cara.
ISABEL	Seu pai tá com a razão...
LULA	(*Corta bruscamente.*) Não fale mais! (*Dirige-se para casa,* ISABEL *lhe entrega a marmita. Ele vai sair quando surge* MALU. *Vem da rua. Sofreu grande transformação. Pinta-se com algum exagero e veste-se com acentuado mau gosto. Mas vê-se que sua situação, financeiramente, melhorou bastante. Suas maneiras adquiriram também certa afetação, fruto exclusivo de um macaquismo provinciano, exceto nos momentos de grande sinceridade. Ao vê-la,* LULA *detém-se como se levasse um choque.* JUSTINO *também a recebe com um ar de censura.*)
MALU	(*Mostra-se ligeiramente intimidada ao deparar com* LULA *e o pai, mas resolve reagir e enfrentar a situação. Entra em casa com passo firme.*) Que foi? Por que tá todo mundo aqui com essas caras?
JUSTINO	Onde é que você esteve?

MALU	Dormi no apartamento duma colega. É por isso?
JUSTINO	E por que essa cara pintada desse jeito? (*Passa o polegar com violência nos lábios de* MALU.) E essa boca toda lambuzada...
MALU	(*Reage.*) Pai, eu não sou mais criança, não! Faço o que quero da minha vida!
JUSTINO	Faz o que quer!... E o que você tá querendo fazer? Tá querendo pegar homem na rua?
MALU	Tou querendo sair daqui, desta desgraça!
JUSTINO	Todos nós tamos querendo sair daqui. Ninguém tá aqui porque quer!
MALU	Mas vocês nunca hão de sair.
JUSTINO	E você, já arranjou um jeito?
MALU	(*Faz uma pausa e diz corajosamente.*) Já.
JUSTINO	Já?!
MALU	Aluguei um apartamento, vou viver sozinha.
JUSTINO	Você que alugou?!
MALU	Não, Deodato.
JUSTINO	(*Avança para ela, compreendendo tudo.*) Deodato!... Então você deu confiança praquele...
SANTA	Justino!
MALU	Ele gosta de mim. Não pode casar porque é casado. Alugou um apartamento pra mim em Copacabana e vai me dar tudo! (*Grita desesperadamente, como se quisesse impor ao mundo inteiro as suas justificativas.*) Ele é rico! Vou poder me vestir como todo mundo, comer e dormir numa cama de verdade! Tou cansada de passar fome, de viver como porco em chiqueiro! Se os outros podem viver de outro jeito, eu também

	devo poder! E se não pode ser de outro modo, que importa... tou decidida!
	RITA *desperta, senta-se na rede, sonolenta.*
JUSTINO	Quer dizer que o trabalho de noite no escritório... era isso. (*O silêncio de* MALU *é uma confirmação.*) Sua fêmea! (*Grita.*) Fêmea! (*Avança para ela, como para espancá-la, mas* SANTA *toma-lhe a frente, resoluta.*)
SANTA	Não! Você não vai fazer nada com ela!
JUSTINO	Você inda defende ela! Não entendeu então que...
SANTA	(*Corta.*) Entendi tudo! Há muito tempo!
JUSTINO	(*Ele tem um choque.*) Há muito tempo?! E ficou calada?!
SANTA	Tive dez filhos. Três nasceram mortos. Quatro morreram de fome... tuberculosos. Ela, pelo menos, não vai morrer assim. O moço tem dinheiro. Ela vai comer bem, vai se tratar...
JUSTINO	E a honra?
SANTA	Nossos quatro filhos que morreram de fome morreram com honra.
	JUSTINO *baixa a cabeça arrasado.*
SANTA	(*Para* MALU:) Vá embora. Você teve sorte.
	MALU *beija a mãe, beija a irmã e faz menção de abraçar o pai. Mas* JUSTINO *está de costas, os olhos pregados no chão. Ela hesita, volta-se e sai bruscamente para a área, onde encontra* LULA *à sua espera. Ele presenciou toda a cena. Está também arrasado.*
LULA	Malu!
	Ela se detém.
LULA	Malu! Não vá! Você vai se arrepender!

Ela olha-o demorada e angustiosamente, como se, no fundo, sentisse ter que dar aquele passo. Súbito, como se temesse que ele ainda pudesse prendê-la ali, volta-se e sai correndo.

O PANO CAI RÁPIDO

terceiro
ato

Seis meses depois. Os apartamentos têm já portas e janelas feitas de madeira desigual e pintadas das mais desencontradas cores. Assim, o interior das habitações já não é tão devastado, vendo-se mesmo, no térreo, que um tabique separa o quarto de RITA. *É domingo, cerca de meio-dia. O* PROFETA *está no centro da área pregando.* ISABEL, LINDALVA, TONHO *e mais alguns favelados escutam atentamente.*

PROFETA (*De olhos cerrados, continuando.*) Porque, meus caríssimos irmãos, está na Bíblia: José, também chamado Barnabé, vendeu a casa que tinha e entregou o dinheiro aos apóstolos. E assim faziam os primeiros cristãos, repartindo o que possuíam entre todos. Ninguém dizia que era dono de nada, porque o que era de um era também dos outros.

Entram INSPETOR, PRIMEIRO TIRA *e* SEGUNDO TIRA. *Ficam parados à distância, ouvindo o* PROFETA.

PROFETA Ninguém então passava necessidades, porque quem possuía terras vendia essas terras e quem possuía joias vendia essas joias, e tudo era atirado aos pés dos apóstolos e distribuído a cada um segundo as necessidades que cada um tinha. (*Aponta para um ponto vago, como que tendo uma visão profética.*) E eu vi!... todos os mundos fazendo um só mundo! Todos os países misturados num só país! E todas as riquezas formando uma enorme montanha, onde cada um vinha buscar o que precisava, sem ter de pagar, pedir ou roubar! Era assim na minha visão. E se era assim, assim será, porque eu sou apenas um apóstolo do Senhor. (*Baixa a cabeça, num gesto de humildade.*) É Ele quem fala pela minha boca. É Ele quem aponta pelo meu braço o caminho! (*Seu braço se imobiliza no ar, o indicador apontando para o alto, e depois de alguns segundos cai bruscamente.*)

INSPETOR   (*Faz um sinal ao* PRIMEIRO TIRA, *que avança e segura o* PROFETA *por um braço.*) Vamos até o distrito.

PROFETA   (*Espantado.*) Distrito? Por quê?

PRIMEIRO TIRA   Queremos ter uma conversinha com você.

INSPETOR   Você conhece o Rafael?

PROFETA   Rafael? Na Bíblia existe...

INSPETOR   (*Corta.*) Não quero saber da Bíblia. Quero saber de Rafael, que vocês sabem muito bem quem é.

PROFETA   Não sei...

PRIMEIRO TIRA   Sabe, sim, seu Inspetor. Todos eles sabem.

INSPETOR   É ele que nós queremos, não é você. Portanto é melhor falar. Onde está Rafael?

PROFETA   Não conheço! Juro por Deus Nosso Senhor que não sei!

ISABEL   Ele não sabe mesmo.

TONHO   Ele é beato.

LINDALVA   É profeta.

SANTA   Tem dom divino!...

ISABEL   E nunca fez mal a ninguém, coitado.

INSPETOR   E vocês? Vão me dizer que não sabem quem é Rafael?

Há um instante de silêncio. Ninguém responde.

INSPETOR   (*Insiste.*) Hein? Respondam! Não sabem também quem é Rafael?

ISABEL   Eu sei. Mas não sei onde ele mora.

INSPETOR	(*Avança para ela, procurando intimidá-la.*) Não sabe mesmo?
ISABEL	(*Enfrenta-o, sem intimidar-se.*) Não. E não vou com a cara dele. Mas mesmo assim, se soubesse, não dizia.
SEGUNDO TIRA	(*Irônico.*) Ela é metida a valente.
INSPETOR	Valentia de mulher a gente cura com duas palmadas na bunda. (*Gira o olhar em torno.*) Quer dizer que ninguém sabe onde está Rafael... (*Para os* TIRAS:) Vamos levar esse aí. Tenho certeza de que sabe onde ele está.
PROFETA	Os senhores estão enganados... eu não sei de nada... não sei de quem estão falando... sou um apóstolo do Senhor...
ISABEL	Vocês não têm vergonha de prender um homem desse?...
SANTA	É até pecado!
TONHO	É atraso na certa!
INSPETOR	Não acredito nisso. Vamos!
PROFETA	O Senhor é testemunha de que só vivo para transmitir aos homens as suas palavras.
INSPETOR	É que ouvi há pouco o seu sermão. Pode ser que você engane aos trouxas, a mim, não. Há 20 anos que lido com comunistas. Vamos embora!

Saem o INSPETOR *e os* DOIS TIRAS, *arrastando o* PROFETA.

PROFETA	(*Saindo.*) Senhor!... Senhor!...
LINDALVA	Coitado! Vão dar nele?
ISABEL	Sei lá. Polícia é capaz de tudo.
SANTA	Mas por quê?... Ele que vive aqui sem tomar conhecimento de nada... fora de tudo, lá com suas visões...

TONHO   Tão procurando Rafael. Eu sei por quê. A ordem de despejo já foi assinada pelo juiz.

SANTA   Ah, tem seis meses que todo dia dizem isso. E a gente vive nesse aperreio.

ISABEL   Mas desta vez a coisa tá feia mesmo. Dr. Deodato disse pro Bené.

TONHO   Deodato perdeu a eleição e tá desinteressado. Dizem também que ele levou bola.

LINDALVA   Que lista era aquela que o Lula andou correndo, pedindo a todo mundo pra assinar?

SANTA   (*Para* TONHO:) Você não devia ter botado seu nome naquilo. Seu Bené não assinou. Disse que era coisa pra dar cadeia.

ISABEL   Coisa do Rafael.

SANTA   E você tá vendo o resultado...

TONHO   Era pro juiz. Pra tentar impedir o despejo.

LINDALVA   Não entendo é por que prenderam justamente o Profeta.

SANTA   Eles vão ver a maldição que vai cair sobre eles. (*Afasta-se para a direita, parecendo assaltada por outras preocupações.*)

LINDALVA   Um homem que nunca fez mal a ninguém...

TONHO   E tem sabença!

ISABEL   Tem, sim. Estudou num colégio de padre. Tem vez que fala umas coisas numa língua que aprendeu lá. E é um santo homem.

TONHO   Você acredita nele?

ISABEL   Não acredito nem desacredito. Negócio de santo, de religião, é como futebol: besteira discutir.

LINDALVA   A gente podia fazer alguma coisa pra soltar o coitado.

ISABEL   Fazer o quê? Que é que a gente pode fazer?

TONHO   (*Vai a* SANTA, *que parece preocupada, esperando alguém.*) O pai tá demorando.

SANTA   Mandou que eu arrumasse os teréns...

LINDALVA   (*Para* ISABEL, *em frente ao apartamento desta:*) Falar em futebol, Bola Sete disse que Lula foi treinar no Flamengo. Verdade?

ISABEL   Foi hoje. Bené levou ele. Levou quase à força.

LINDALVA   Por quê?

ISABEL   Sei lá. Esse menino anda de cabeça virada.

LINDALVA   Se ele fosse contratado pelo Flamengo, hein?... Puxa vida! Seu Bené ia morrer de alegria.

ISABEL   Nem me fale.

Entra JUSTINO. *Vai direto ao seu apartamento.* LINDALVA *sobe a escada.*

SANTA   Como é?...

JUSTINO   Tudo certo! O caminhão sai às três horas.

TONHO   Comprou as passagens?

JUSTINO   Comprei. Foi a conta certa. Fiquei com cem cruzeiros.

TONHO   E como é que vão fazer pra comer no caminho? São dez dias de viagem.

SANTA   A gente se arruma. Agora somos só eu, Justino e Ritinha.

JUSTINO   Estava com medo era de encontrar Mané Gorila.

TONHO   Agora não tem mais perigo, o senhor já tá com as passagens pagas...

JUSTINO	Não é isso. É que pra comprar as passagens eu tive que lançar mão do dinheiro do aluguel deste mês. Senão, só mês que vem a gente ia poder...
TONHO	Quer dizer que vocês vão embora sem dar o dinheiro dele?
JUSTINO	É o jeito...
SANTA	(*Receosa.*) Se aquele peste souber, é capaz de...
TONHO	Tenha medo não. Ele não vai saber. Quando souber, vocês já tão longe.
SANTA	E você?...
TONHO	Eu digo que não tenho nada com isso. E vou tratar de sair daqui. Isso tá mesmo por pouco. A ordem de despejo já foi assinada pelo juiz... Como hoje é domingo, não puderam fazer nada. Mas amanhã a polícia deve tá aí de novo. Se bem que o Rafael andou correndo uma lista...
JUSTINO	Eu assinei.
SANTA	Não devia.
TONHO	Só Bené não assinou.
JUSTINO	É cabra tinhoso, esse Rafael.
TONHO	É, mas desta vez eu acho que vamos ter de sair, tem jeito não.
JUSTINO	(*Inconformado com a decisão de* TONHO *de ficar.*) E você vai ficar mesmo?...
TONHO	Vou, pai. Quero voltar não.
JUSTINO	Não tá convencido ainda de que isso aqui é uma desgraça? Tem lugar pra nós aqui não, Tonho!
TONHO	Quero tentar, pai.
JUSTINO	(*Vencido.*) Tá bem. O dia que você cansar de bater cabeça, tamos lá à sua espera.

TONHO   Brigado, pai.

JUSTINO   (*Para* SANTA:) Podemos ir?

SANTA   Rita...

JUSTINO   Que tem?

SANTA   Saiu dizendo que ia ali na esquina, voltava logo; tem uma hora.

JUSTINO   Ela não tá sabendo que nós temos de sair cedo?

SANTA   Tá.

JUSTINO   Daqui lá é um estirão... e não tem bonde que vá direto, vamos ter de gramar um pedaço a pé.

TONHO   Vou ver se encontro ela por aí... (*Sai.*)

JUSTINO vem para a porta do apartamento, preocupado. LINDALVA *faz funcionar uma vitrola. Ouve-se um samba triste, dolente.*

LINDALVA   (*Grita para* ISABEL:) Zabé! Sabe que o samba de Bola Sete tá pra sair por esses dias? Com o nome dele e tudo!

ISABEL   Só vendo pra crer.

JUSTINO   (*Para* SANTA:) Você disse pra alguém que a gente ia viajar?

SANTA   Disse não. Você pediu pra não contar...

JUSTINO   É melhor... alguém podia dizer praquele desgraçado...

Entra LULA. *Traz na mão o par de chuteiras. Atira-o a um canto, dentro de casa.*

ISABEL   Treinou?

LULA   Meio tempo.

ISABEL   Por que só meio tempo?

LULA Bastou pra eles verem que eu sou um perna de pau. Eles e o velho.

ISABEL Cadê ele?

LULA Vem aí. Parou no boteco pra afogar as mágoas. Foi bom. Assim ele desiste de uma vez.

ISABEL (*Com uma leve desconfiança.*) Você se esforçou mesmo?

LULA Esforcei, o mais que pude. Juro! Joguei o que sabia! (*Noutro tom.*) Não por mim, por ele.

Entra BENÉ. *Vem um pouco "alto".* LINDALVA *desliga a vitrola.*

BENÉ (*Bate amigavelmente no ombro do filho.*) Tou zangado não. Você fez o que pôde. (*Procurando uma justificativa mais para o seu próprio fracasso do que para o dele.*) É a falta de preparo físico. Se você pudesse treinar mais, levar outra vida... dormir e se alimentar bem... Mas é a desgraça de todos nós... ninguém pode ser atleta no Brasil... trabalhando como uma besta, comendo mal... quem é que pode? Quando chega na sua idade, já tão todos estourados. Um ou outro escapa... uns heróis! Em mil, aparece um... um Bené!... Ninguém sabe como é difícil aparecer um Bené, numa raça como esta de tuberculosos, de sifilíticos. (*Sua mágoa é profunda.*) Se soubesse, não esquecia deles tão depressa... (*Pousa novamente a mão no ombro do filho.*) Liga pra isso não.

LULA E eu tou ligando? Tou contente de ser o que sou.

BENÉ Operário... aquele seu amigo diz que é a classe do futuro. (*Ri, sarcástico.*) Pode ser... (*Numa confissão.*) Eu só queria que eles vissem que Bené inda pode dar alguma coisa... Era uma vingança! Iam ser obrigados a falar de mim, a se lembrar de mim... mas não pôde ser... (*Inicia a saída.*) Operário... classe do futuro... (*Sai.*)

ISABEL Vai amarrar três dias de porre.

LULA	(*Bruscamente.*) Vou tomar um troço também. (*Inicia a saída.*)
ISABEL	Olhe, tome cuidado, a polícia tá atrás de Rafael. Estiveram aqui e prenderam o Profeta.
LULA	O Profeta?!
ISABEL	É, parece que ele também tá fichado. Eu achava bom você se esconder.
LULA	Nada disso. Tenho é que avisar Rafael. (*Sai e cruza com* RITA, *que entra, seguida de* TONHO.)
JUSTINO	Tamos te esperando...
SANTA	Aonde é que você foi?
RITA	(*Hesita um instante, como se tomasse coragem.*) Fui ver um emprego.
SANTA	Emprego?! Emprego pra quê?
JUSTINO	A gente vai agora de tarde. Já comprei as passagens.
RITA	Quero ir não. Quero ficar.
SANTA	Tá louca, menina? Então nós vamos deixar você...
RITA	(*Corta, procurando defender com veemência a sua resolução.*) Arranjei um emprego numa casa de família. Pra começar hoje mesmo.
SANTA	Emprego de quê?
RITA	De babá.
JUSTINO	(*Investe paru ela.*) Você não se enxerga?!...
RITA	(*Enfrenta-o.*) Tenho quinze anos, pai... já posso ganhar minha vida!
	JUSTINO *titubeia ante aquela insubmissão inesperada.*
SANTA	Mas você não pode ficar aqui sozinha!
RITA	Não vou ficar sozinha. Tenho Malu...

JUSTINO	(*Corta.*) Não me fale!...
RITA	E Tonho.
TONHO	Se ela quer mesmo ficar, podem deixar. Eu olho por ela.
SANTA	(*Hesita.*) Esse emprego...
RITA	Casa e comida, três contos e quinhentos.
SANTA	Começa hoje?
RITA	Vim só buscar a roupa.
JUSTINO	Quer dizer que você já tava de plano feito.

SANTA *troca um olhar com* JUSTINO. *Um olhar triste, angustiado, de súplica, impotência e conformação.*

JUSTINO	É, vamos só nós... (*Apanha uma sacola. Para* TONHO:) Você ajuda a levar isso até o bonde.
TONHO	Ajudo.
RITA	(*Preocupada, como se desejasse retê-los mais um pouco.*) Vocês já vão?
JUSTINO	Já. Daqui lá é longe.
RITA	Mas tem tempo. Podiam esperar mais um pouco...
JUSTINO	Pra quê?

Surge MALU. RITA, *ao vê-la, exprime a sua satisfação, assumindo logo uma atitude de maldisfarçada cumplicidade.*

TONHO	Veja... Malu!

JUSTINO *procura mostrar-se frio.* SANTA, *porém, não esconde a sua alegria, como se isso lhe tirasse um peso da consciência.*

SANTA	(*Baixo.*) Graças a Deus!
MALU	(*Sente-se um pouco constrangida com a frieza do pai.*) Vim me despedir de vocês...

JUSTINO   Como soube?...

MALU   Rita me disse.

                RITA *baixa os olhos, ante o olhar de censura do pai.*

SANTA   Foi bom você vir. Eu não ia embora sossegada...

MALU   Acabou a seca, pai?

JUSTINO   (*Seco.*) Acabou.

MALU   Que bom! Pena que eu não possa ir com vocês.

SANTA   Você tá bem?

MALU   (*Procura aparentar uma felicidade um tanto exagerada.*) Tou muito bem. Tenho de tudo. Um apartamento que é uma beleza...

RITA   Pai-d'égua, mãe! (*Logo arrepende-se de seu entusiasmo, percebendo que se traiu.*)

MALU   Rita conhece.

SANTA   E ele... é bom pra você?

MALU   Muito bom. É doido por mim. Tive sorte, mãe. Acredite. Ele já falou até em casar...

SANTA   Casar? Como é que pode? Não é casado?

MALU   Ora, pobre é que só casa uma vez. Rico casa quantas quer.

TONHO   Com a mulher viva?

MALU   Então.

SANTA   Tou contente. Você, pelo menos, se salvou. Já é alguma coisa.

JUSTINO   Vambora. Senão não dá tempo.

MALU   Rita não vai?

SANTA   Vai não. Arrumou emprego, quis ficar. Olhe por ela.

RITA	(*Beija a mão do pai.*) Bênção, pai.
JUSTINO	Deus te abençoe.

MALU *repete o gesto da irmã, quebrando a resistência de* JUSTINO.

JUSTINO	Sua mãe é que tem razão. Em tudo. Ou então fui eu que fiquei frouxo duma vez. (*Sai um tanto bruscamente, para não ceder mais ainda.* SANTA *e* TONHO *o seguem, carregando trouxas e sacolas. Na área, são detidos por* ISABEL.)
ISABEL	Aonde vocês vão?
SANTA	Simbora.
ISABEL	De vez?
SANTA	De vez.
ISABEL	Tão de repente. Não disseram nada...
SANTA	(*Aflita, vendo que* JUSTINO *já saiu.*) Repare não... Tonho explica depois...(*Sai apressadamente, seguida de* TONHO, *ante o olhar intrigado de* ISABEL.)
ISABEL	Esses paus de arara... quando chegam, parece que vêm fugidos, quando voltam, parece que vão fugidos também...
MALU	Eles não acharam ruim de você ficar?
RITA	Acharam. Mas qual é o meu? Também tenho o direito de viver a minha vida. Dr. Deodato vai mesmo casar com você?
MALU	Vai nada. Já me largou tem mais dum mês.
RITA	(*Um tanto ingenuamente, um tanto movida pela curiosidade.*) Por quê?
MALU	Enjoou.
RITA	E agora?...

MALU	Agora é arrumar outro, até esse outro enjoar também. (*Noutro tom.*) Você ainda é muito criança pra entender essas coisas...
RITA	(*Levanta o queixo, com arrogância.*) Você que pensa que eu sou criança. Entendo tudo muito bem.
	Entra LULA, *do fundo, como se alguém o tivesse avisado da presença de* MALU. *Eles se encontram na área. Seus olhares se chocam, inicialmente, dentro de um silêncio constrangedor.*
MALU	Olá.
LULA	Você aqui...
MALU	Vim me despedir dos velhos.
LULA	Vi eles carregados de trouxas... vão viajar?
MALU	Vão voltar pro Norte.
LULA	E você?
MALU	Eu fico. (*Há um contraste chocante entre a pureza que* LULA *ainda conserva e a atitude irônica, desencantada, de* MALU.)
LULA	Fica... aqui?
MALU	Não. Tenho meu apartamento.
LULA	(*Depois de longa pausa, a pergunta vem como se tivesse aguardado anos para ser feita.*) Você é feliz?
MALU	(*Sorri, um sorriso amargo, o sorriso das desencantadas.*) Como é que a gente é feliz? Quando come todos os dias? Quando tem cama pra dormir, roupa pra vestir e pode andar de automóvel de vez em quando?
LULA	A vida não pode ser só isso.
MALU	Que mais?
LULA	A gente precisa lutar por alguma coisa. Nem que essa coisa seja... o barraco que a gente mora... o salário que

	a gente ganha... ou a pessoa que a gente gosta. Mas lutar sem se vender, sem se trair... e sem trair quem tá do nosso lado, lutando pelas mesmas coisas.
MALU	Tudo isso é muito bonito. Mas antes de mais nada a gente precisa comer e saber que vai comer no dia seguinte.
LULA	(*Sente-se sem argumentos ante a crueza da argumentação de* MALU.) É pena que você não possa compreender... e que eu também não saiba explicar. Tenho pouco estudo. Se eu fosse um cara como Rafael, que leu uma porção de coisas, que sabe falar...
MALU	Você já dormiu num colchão de molas?
LULA	Nunca.
MALU	No dia que você dormir vai ver que o colchão de molas faz muito mais bem ao corpo que as palavras do seu amigo.
	Entra MANÉ GORILA. *Tanto* MALU *como* LULA *o recebem com certa frieza.*
GORILA	(*Tem um ar desconfiado, mas ao ver* MALU *sorri.*) Olá... voltou pra cá de novo?
	De dentro de casa, RITA *vê* MANÉ GORILA. *Receosa, esconde-se em seu quarto.*
MALU	Não. Tou aqui de passagem.
GORILA	Ah... logo vi que o doutor não ia largar a mocinha sem um pé-de-meia...
LULA	(*Compreende, olha para* MALU *de modo interrogativo.*) Malu, ele...?
MALU	(*Para* GORILA:) Tá muito enganado. Não fiquei com um tostão dele.
GORILA	Burrice. Devia ter exigido. Tinha direito a uma indenização. Afinal de contas, você perdeu alguma coisa... e ele não perdeu nada. A não ser a eleição, mas você

	não tem nada com isso. E era tão fácil... Bastava ameaçar um escandalozinho... Político tem um medo de escândalo.
MALU	Não sou mulher de escândalo.
GORILA	(*Ri.*) Hum... com esses escrúpulos, minha filha, você nunca vai fazer carreira. (*Dirige-se para a direita, passo lento, olha, pela janela, para o interior do apartamento de* JUSTINO, *com ar desconfiado.*)
LULA	(*Segura-a pelos ombros, ansiosamente.*) Malu... acho que você agora entendeu o que eu quis dizer. Não é preciso palavra nenhuma pra explicar... Você já deve ter aprendido, por si mesma... a vida já lhe ensinou...
MALU	Aprendi muita coisa nesses seis meses. Mas não tou entendendo o que você tá querendo dizer agora.
LULA	(*Com veemência, quase gritando.*) É preciso ser mais claro, Malu? Tou querendo dizer que apesar de tudo... se você tá disposta a mudar de vida... eu ainda te quero! (*Noutro tom.*) Sei que vão dizer... que você já foi de outro, que eu tou pegando resto... mas não importa. Se você quer, não importa.
MALU	Não, Lula. Agora, tem mais jeito não.
LULA	Por quê? Será que você ficou gostando daquele cara?
MALU	Detesto ele. Tenho nojo.
LULA	Então?...
MALU	Mas sou resto mesmo. E comida feita pra outro nunca tem o tempero que a gente gosta.
LULA	Não quis te ofender...
MALU	Eu sei. Mas não ia dar certo. Não quero também enganar você. Esta vida... nunca mais eu ia me habituar... tou já mal-acostumada...
LULA	Nossa vida não vai ser sempre esta. Um dia há de mudar!

MALU	Mas vai demorar muito... e a vida é curta. Posso morrer amanhã... que m'interessa que isso mude, se eu não puder aproveitar?
	LULA *sente o abismo que agora os separa.* TONHO *entra, vindo do fundo. Vê* MANÉ GORILA *e se assusta.*
TONHO	Quem é que o senhor tá procurando?
GORILA	Cadê seu pai?
TONHO	Saiu.
GORILA	Sua mãe?
TONHO	Também.
GORILA	Ouvi dizer que vocês tão pensando em voltar pro Norte...
TONHO	(*Não consegue dominar o seu nervosismo, embora procure manter-se firme.*) Ninguém tá pensando nisso, não.
GORILA	Me informaram. Garantiram até que já tavam de mala pronta...
TONHO	Quem disse, mentiu.
GORILA	Queria só lembrar que o aluguel vence amanhã. Se estão pensando em sair sem pagar...
TONHO	Ninguém vai fazer isso.
GORILA	É, mas o jeito de vocês não me agrada. Estão com cara de quem tá querendo me fazer de palhaço. (*Vai até a porta do apartamento e olha para dentro.*) E aqui não tem quase nada... (*Volta-se, bruscamente.*) Falem a verdade: eles foram embora? Se me enganarem, vai ser pior!
MALU	Foram, sim. Mas o senhor não vai fazer nada.
TONHO	Eles iam pagar o senhor antes de ir, mas o dinheiro não deu.

GORILA	(*Sorri.*) Ah, o dinheiro não deu... então o jeito era passar a perna no Mané Gorila. Ganhar a estrada e amanhã quando o otário chegasse aqui...
TONHO	Eu não vou com eles...
GORILA	(*Lamenta-se.*) O que é a ingratidão. A gente se sacrifica, luta pra melhorar a vida dos outros... Fazer o que eu tenho feito aqui. Escola, bica de água, tenho até dado dinheiro do meu bolso pra controlar a polícia e no fim... fazer isso comigo.
MALU	O dinheiro fazia falta pra eles. Pro senhor não vai fazer.
GORILA	Como é que não? Minha vida é dura! Suada! E vejam, tudo que eu ganho é pra fazer o bem. Por isso não gosto quando me pagam o bem com o mal. (*Consulta o relógio.*) Que horas eles embarcam?
MALU	Pra que o senhor quer saber?
LULA	Que é que você vai fazer?
GORILA	(*Irônico.*) Nada... me despedir deles, desejar boa viagem...
TONHO	Se é pelo dinheiro, eu não tenho agora, mas um dia eu pago.
GORILA	Um dia... sim, um dia alguém ia ter de pagar... mas eles podem pagar hoje mesmo.
MALU	(*Suplicante.*) Deixe eles irem embora! Eles não pensavam noutra coisa desde que chegaram aqui! Juntaram esse dinheiro com tanto sacrifício! Tostão a tostão!... deixando de comer... de tudo!
LULA	Tonho já disse que paga...
GORILA	Não é só isso. O outro também quis me tapear.
MALU	Que outro?

GORILA	O chofer do pau de arara. Quando é gente minha, ele tem que me dar comissão, é do trato. E ficou quieto. Os dois se combinaram pra me passar a perna. (*Torna a consultar o relógio.*) Mas a coisa talvez saia um pouco diferente... (*Inicia a saída,* TONHO *o detém.*)
TONHO	O senhor não vai impedir eles de viajar!
GORILA	Isso vai depender mais deles que de mim. Primeiro nós vamos acertar nossas contas. (*Afasta* TONHO *com um gesto brusco e sai pelo fundo.*)

TONHO *fica um instante imóvel, vendo, cheio de ódio e revolta,* MANÉ GORILA *sair. Subitamente, lança-se numa carreira desabalada para dentro da casa, apanha qualquer coisa e sai na mesma direção de* MANÉ GORILA.

MALU	(*Pressente a tragédia e grita.*) Tonho! Não, Tonho!

Alguns segundos e surge MANÉ GORILA *ao fundo, com as duas mãos sobre o ventre. Cambaleia, de olhos esbugalhados até o centro da área. Consegue manter-se de pé ainda por um momento, com a morte nos olhos, e por fim cai de bruços.* TONHO *entra atrás dele, com a faca ainda na mão, um tanto assustado com o próprio gesto. Há um silêncio terrível.* MALU, LULA, ISABEL *e* TONHO *contemplam o cadáver de* MANÉ GORILA *tomados de pavor.*

ISABEL	Nossa mãe!
LINDALVA	(*Do 1º piso.*) É Mané Gorila?!
ISABEL	(*Para* TONHO:) Rapaz... você tá perdido!
MALU	(*Agarrando-se ao irmão.*) Tonho!
LINDALVA	Ele está morto? Mataram Mané Gorila!
VOZ	(*Fora.*) Mataram Mané Gorila!
OUTRA VOZ	(*Fora.*) Mataram Mané Gorila!

Os favelados começam a surgir de todos os lados, tomados de incredulidade. No fundo, cada um deles alimentava uma sede insaciada de vingança contra MANÉ GORILA. *A contemplação de seu corpo estendido ao solo, morto, faz aparecer em todos os rostos alegria sádica de desforra, misturada ao temor gerado pelo fato de cada um deles sentir-se coautor do crime. E, mesmo morto,* MANÉ *infunde temor.*

ISABEL (*É a única que tem coragem de chegar bem perto do corpo.*) Tá morto mesmo. Se não fosse covardia, eu ainda cuspia nele.

MALU (*Aflita.*) E agora, Tonho?! Como vai ser?

LULA A polícia não tarda a dar por aqui!...

ISABEL Eles farejam defunto!

LULA Trate de fugir, ao menos pra evitar o flagrante!...

TONHO (*Inteiramente atordoado.*) Fugir pra onde?!

LULA Mete a cara num morro desses e ninguém nunca mais te acha!

TONHO *parece disposto a fugir, quando surge* BOLA SETE, *ao fundo. Traz um disco na mão e está completamente fora de si de alegria.*

BOLA SETE (*Grita, brandindo o disco no ar.*) Pessoal! Tá aqui! Pra quem não acreditava, tá aqui! (*Sua alegria é tanta que nem nota o corpo de* MANÉ GORILA. *Grita para* LINDALVA, *que está no 1º piso.*) Espia, nega!... saiu da máquina agora!... Tá fresquinho!... Apanhei o primeiro!... (*Sobe a escada correndo e sua euforia imobiliza a todos, inclusive a* TONHO.) Quero que você veja... o nome do crioulo gravado na cera!... Gravado com todas as letras, como manda o figurino!... Oriovaldo Santos!... (LINDALVA *não sabe como conter aquela torrente de alegria. Ele coloca o disco na vitrola.*) Vocês vão ouvir... em primeira audição!...

LINDALVA	Não...
BOLA SETE	Não por quê?! A gravação tá uma beleza, nega!

A vitrola começa a tocar o samba de BOLA SETE.

BOLA SETE	Dança, nega! O samba é seu! Foi você quem inspirou! (*Começa a dançar, a fazer figurações diante de* LINDALVA, *que ri nervosamente.*)

Entram o PRIMEIRO TIRA *e o* SEGUNDO TIRA. *Parecem intrigados, pressentindo que algo de anormal está ocorrendo.*

MALU	(*Baixo.*) Pronto!...

Todos procuram interpor-se entre os TIRAS *e o cadáver, ocultando este inteiramente.*

PRIMEIRO TIRA	(*Desconfiado.*) Que é que tá havendo por aqui?...
SEGUNDO TIRA	Todo mundo assim reunido...
LULA	É nada não! É o samba do Bola Sete! Foi gravado! Com o nome dele e tudo! Não tá ouvindo?

Os TIRAS *prestam atenção ao samba, olhando para o apartamento de* BOLA SETE, *que dança com* LINDALVA, *alucinadamente.*

BOLA SETE	Este vai ser pra cabeça, nega!
LINDALVA	(*Rindo sempre.*) Se Deus quiser!

Como numa reação em cadeia, um após outro, todos se põem a dançar. A princípio, discretamente, apenas para ludibriar os TIRAS. *Depois, com mais calor, contagiados já pelo ritmo do samba.*

ISABEL	(*Baixo, para* TONHO:) Anda, rapaz!... aproveita!...
TONHO	Malu!...
MALU	Vai!...

TONHO *foge, todos fazendo parede para que ele escape sem que os* TIRAS *o notem.*

BENÉ (*Entra do fundo, com uma garrafa de cachaça na mão, um tanto embriagado. Grita:*) Pessoal! Ganhamos!

LULA O quê?

BENÉ O despejo!... O juiz voltou atrás, depois que viu o abaixo-assinado! Disse que não sabia que morava tanta gente aqui!... tinham enganado ele, que era só meia dúzia de vagabundos...

LULA (*Radiante.*) Eu não disse?

ISABEL E agora?...

LULA Agora ninguém mais tira a gente daqui!

BENÉ E sabem quem me deu a notícia? Rafael!

LULA Rafael?!

BENÉ Ele vem pra cá... vem vindo aí... não é mau sujeito, esse Rafael...

LULA Malu, Rafael vem aí!

RITA *aparece na porta do seu apartamento. Excessivamente pintada, de salto alto, parece subitamente amadurecida. Acaba de pintar os lábios, com trejeitos sofisticados.* MALU *e* LULA *a veem e se mostram surpresos.* RITA *responde com um olhar arrogante e sai num passo que lembra a própria irmã.* MALU, *impressionada, faz menção de segui-la, mas* LULA *segura-a pelo braço, num último apelo.*

LULA Malu!...

MALU Adianta não, Lula...

LULA Espere ao menos Rafael! Ele vem aí!... Vamos esperar por ele! Só pra você conhecer...

MALU (*Hesita um instante e por fim cede.*) Tá bem, só pra conhecer...

Os TIRAS *veem, por fim, o corpo de* MANÉ GORILA. *Debruçando-se sobre ele, verificam que está morto e olham em torno à procura do assassino. Mas, com exceção de* MALU *e* LULA, *que de mãos dadas esperam* RAFAEL, *todos os outros dançam alucinadamente, tomados por um verdadeiro delírio. Como se diante do corpo sem vida de* MANÉ GORILA *se sentissem vingados de todos os* MANÉS GORILAS.

E lentamente...

CAI O PANO

FIM

a revolução
dos beatos

PERSONAGENS

Vendedor de orações
Romeiro
Romeiro 2
Romeiro 3
Romeiro 4
Penitente
Beata
Menino
Menino 2
Zabelinha
Bastião
Vaqueiro
Beato da Cruz
Moribundo
Mateus
Mocinha
Padre Cícero
Floro Bartolomeu
Cego
Cabo
Romeiros e Soldados
e o Boi

AÇÃO: *Juazeiro, Ceará*
ÉPOCA: *1920*

primeiro
ato

PRIMEIRO QUADRO

Um telão representa o mapa do estado do Ceará, assinalado apenas o município de Juazeiro. A um canto do mapa, os dizeres.

JUAZEIRO
População: 20.000 habitantes
Milagres: 1.302
Escolas: 2
Crianças sem Escolas: 94%

Diante do telão, começam a desfilar os ROMEIROS, *enquanto o* VENDEDOR DE ORAÇÕES *vem ao proscênio e declama:*

VENDEDOR
Quem for para o Juazeiro,
vá com dor no coração
visitar Nossa Senhora
e o Padre Cícero Romão.

Que meu Padrim é um santo,
isso tá mais que provado;
basta atentar os milagres
que ele tem realizado.

O primeiro foi ter feito,
em certa manhã pacata
— isso já faz tantos anos,
não me alembro bem a data —
a hóstia virar sangue
na boca duma beata!
Houve então quem dissesse
que aquilo era balela,
milagre coisa nenhuma!

o sangue era mesmo dela,
e vinha de um tumor
que a beata tinha na goela.

Mandaram o sangue a exame
numa junta de doutor
e chegou o diagnosco
escrito neste teor:
é sangue de Jesus Cristo,
sangue de Nosso Senhor!

Em setembro deste ano,
num domingo, dia três,
perante muitos romeiros,
meu padrinho então fez
falar um menino que
tinha nascido há um mês!

Um romeiro, o velho Cunha,
veio da Várzea do Ovo,
do Rio Grande do Norte;
fez abismar todo o povo
ele ser cego há trinta anos
e cobrar a vista de novo!

Veio de Campina Grande,
da Paraíba do Norte,
aqui para o Juazeiro,
sem guia nem passaporte,
a irmã de Chica Caçamba,
Lili Mimosa sem sorte.
Fazia mais de três anos
que essa moça não dormia,
que essa moça não rezava,
que essa moça não sorria,
que essa moça não chamava
por Deus nem Santa Maria!

Logo que ela chegou
e teve os santos tremores,
pôs-se logo a rezar,

de alegria, jogava flores
e de alegria, exclamava:
Nossa Senhora das Dores!

Eu carecia de cem anos
pra contar com exatidão
os milagres que tem feito
o padre Cirso Romão
na matriz de Juazeiro
para nossa salvação!

FIM DO PRIMEIRO QUADRO

SEGUNDO QUADRO

Rua, em frente à casa do PADRE CÍCERO. *É uma casa baixa, com uma janela gradeada. Tanto a porta como a janela estão fechadas. Os* ROMEIROS, *uns sentados, outros de pé, entre eles alguns doentes e aleijados, aglomeram-se diante da casa, à espera da bênção do "Padrinho". Sujos e abatidos trazem chapéus de couro ou de palha de carnaúba, alpargatas amarradas à cintura ou pendentes do cano do rifle. De vez em quando, um deles se aproxima da casa do* PADRE *e beija o portal. Um* MORIBUNDO, *deitado numa rede sustentada nas extremidades por dois* ROMEIROS, *geme angustiosamente. Um* FANÁTICO, *de joelhos, reza, enquanto bombas e foguetes espoucam aos gritos de "Viva meu Padrim!*

FANÁTICO — Santa Mãe de Deus e Mãe Nossa, Mãe das Dores, pelo amor do nosso Padrinho Cícero, nos livre e nos defenda de tudo quanto for perigo e miséria; dai-nos paciência para sofrer tudo pelo Vosso Amor e do meu Padrinho, ainda que nos custe a morte. Minha Mãe, trazei-me o Vosso retrato e o do meu Padrinho no Vosso altar retratado, dentro do meu coração, daqui para sempre; reconheço que vim aqui por Vós e meu Padrinho; dai-me a sentença de Romeiro da Mãe de Deus, dai-me o Vosso Amor e a dor dos meus pecados, para nunca cair no pecado mortal; dai-me a Vossa Graça, que precisamos para amar com perfeição nesta vida e gozar na outra, por toda a eternidade. Amém. Viva-o meu Padrinho Cícero!

VENDEDOR	(*Traz pendurado ao pescoço, um pequeno tabuleiro, com folhetos, imagens de santos, bentinhos etc.*) Vigie, moço, vossoria que vem de longe, fique com esta oraçãozinha de lembrança do nosso santo Juazeiro.
ROMEIRO	Quanto é?
VENDEDOR	É só dois tões.
ROMEIRO	(*Compra a oração.*) O Padrim vai aparecer hoje?
VENDEDOR	Tem quinze dias que ele não bota a santa cara na janela. Sabia não?
ROMEIRO	Tou sabendo.
VENDEDOR	Esteve doente. Mas Beata Mocinha, que mora com ele, disse que hoje ele vai aparecer. Depende é do Dr. Floro. Se o Dr. Floro deixar...
ROMEIRO	Médico dele?
VENDEDOR	É, Dr. Floro Bartolomeu. Traz o santo num cortado... (*Segue adiante, vendendo as orações.*) Dois tões, dois tões a oração do Padrinho. Cura qualquer mal, livra de pecado e quebrante...
PENITENTE	Tou aqui tem três dias...
ROMEIRO 2	Vosmicê donde veio?
PENITENTE	Do Pilar. Perto de Maceió.
ROMEIRO 2	Um estirão.
PENITENTE	Se é! Cheguei caindo aos pedaços. Não posso voltar sem tomar a bênção do meu Padrim.
ROMEIRO 2	Adisculpe a indiscrição, mas qual é o mal que lhe aperreia?
PENITENTE	Uma filha que desgarrou. Fiz de tudo pra trazer a peste pro bom caminho, mas o quê, meu senhor, o Cão montou nela. Só meu Padrim, com seus santos poderes, pode salvar aquela infeliz. Vosmicê?...

ROMEIRO 2	Sou romeiro não. Quer dizer: sou e não sou, sendo. Tou aqui pra me acoitar da Polícia e pedir a proteção do meu Padrim mode uma vadiação que andei fazendo na Capital...
PENITENTE	Crime de morte?
ROMEIRO 2	Não por culpa minha, culpa de arma que eu trazia... (*Mostra a "peixeira".*)
PENITENTE	E o Padrim dá proteção pra isso?
ROMEIRO 2	Então. Tem dado pra tanta gente. Juazeiro tá cheio de cabra fugido. Até cangaceiro ele protege. (*Convicto.*) É um santo!
MORIBUNDO	(*Dentro da rede, ergue os braços para o céu.*) Meu Padrim!... Meu Padrim!...
ROMEIRO 3	(*Sustentando a rede.*) Tá nas últimas.
ROMEIRO 4	(*Idem.*) Só a esperança de ver o Padrim impede ele de morrer. (*Dois meninos brigam por causa de um pedaço de rapadura.*)
BEATA	Parem com isso, meninos! Respeitem a casa do Padrim!
MENINO	Ele roubou minha rapadura!
MENINO 2	Mentira! A rapadura é minha!
BEATA	Parece que estão com o diabo no corpo! (*Benze-se repetidas vezes.*)
MENINO	(*Agarra-se à saia da* BEATA *e chora.*) Eu tou com fome!
BEATA	Ajoelhe e reze que a fome passa.
FANÁTICO	(*Canta:*) Não tenho capacidade mas sei que não digo à toa: — Padre Cirso é uma pessoa da Santíssima Trindade!

ZABELINHA *entra durante o canto do* FANÁTICO. *Está aflita, e, ao ver a janela da casa do* PADRE *fechada, torce as mãos, angustiada.* BASTIÃO *entra logo depois, como se a seguisse. Olhar triste e apaixonado, ele a observa, a pequena distância.*

ZABELINHA — O Padrim deu a bênção inda não?

PENITENTE — Até agora, não. Tamos esperando.

ZABELINHA — Será que ele não vai aparecer?

PENITENTE — E eu sei? Tou aqui tem três dias. Não tenho saído nem pra fazer as necessidades.

ZABELINHA — (*Angustiada.*) Minha Mãe das Dores!... (*Vai até a janela da casa do* PADRE, *beija-a e procura ver alguma coisa pelas frestas. Ao voltar-se, dá com* BASTIÃO, *que a segue como que hipnotizado.*) Quer parar de andar atrás de mim, como o jegue do leiteiro?

BASTIÃO — (*Suplicante.*) Zabelinha...

ZABELINHA — Me deixe! Já disse que não quero conversa com você, Bastião!

BASTIÃO — Duas palavrinhas só... prometo nunca mais...

ZABELINHA — Sou uma mulher casada!

BASTIÃO — Todo pecado tem seu preço, Zabelinha. Depois a gente falava com Padrim e ele arranjava uma penitência bem grande pra nós...

ZABELINHA — Devia era ter mais respeito pelo Padrim.

BASTIÃO — Tenho certeza que, se falasse com ele, o Padrim ia entender... Por mais santo que ele seja.

ZABELINHA — (*Quase gritando, nervosamente.*) Pare de dizer besteira, Bastião! Você não vai poder forçar a minha natureza nem o meu gosto.

BASTIÃO — Gosto é também questão de provar... Às vezes a gente pensa que não gosta de uma comida, depois que prova um bocado... não pode mais passar sem ela.

ZABELINHA	Mas de você eu não hei de provar bocado nenhum, Bastião. Perca a esperança. (*Sai.* BASTIÃO *a segue com o olhar triste, amargurado.* VAQUEIRO *entra trazendo um boi amarrado a uma corda. É um boi de bumba-meu-boi, isto é: uma grande canastra de cipós, coberta de pano branco com manchas escuras. Numa das extremidades, a cauda, na outra, uma caveira de boi. Dois atores carregam a canastra às costas, imitando todos os movimentos do* BOI.)
MENINO 2	Eh, boi!
MENINO	Eh, boi! (*Os meninos correm à frente do* BOI, *provocando-o.*)
VAQUEIRO	Menino, olha o bicho!
MENINOS	Eh, boi! Eh, boi!
VAQUEIRO	Olha que o boi é valente! Te dá uma chifrada!
MENINOS	Eh, boi! Eh, boi!
BEATA	Meninos, deixem o boi e respeitem o santo! Este lugar é sagrado. Bicho de chifre lembra o Demônio! (*Benze-se.*) (*Os meninos deixam o* BOI, *no momento em que entra o* BEATO DA CRUZ. *Todas as atenções se voltam para ele. Barba Nazarena, veste comprida opa preta, enfeitada de cadarços, rendas e galões de defunto. Traz nos braços, erguida acima da cabeça, uma cruz rústica de madeira, toda enfeitada de santos, rosários, bentinhos, fitas, medalhas e outras bugigangas. Na cabeça, um solidéu também preto, com uma cruz dourada. Entra, ereto, com ar de sonâmbulo e para diante da casa do* PADRE.)
BEATO	Foi aqui! Foi aqui que o Senhor me mandou vir! (*Volta-se para os* ROMEIROS:) É aqui, meus irmãos, que mora o Messias! (*Há um murmúrio geral de aprovação.*)
ROMEIRO	Meu santo Padrim!

BEATO	Quem morrer por Ele, morre por Deus Nosso Senhor e ressuscita na cidade d'Ele, santificado por Ele! (*O murmúrio vai crescendo.*)
MORIBUNDO	(*Da rede.*) Meu Padrim!...
ROMEIRO	Sua bênção, meu Padrim!
FANÁTICO	(*Canta:*) Não tenho capacidade mas sei que não digo à toa: — Padre Cirso é uma pessoa da Santíssima Trindade.
CORO	Padre Cirso é uma pessoa da Santíssima Trindade.
BEATO	Eu recebi o aviso do céu! O mundo vai se consumir em chamas! O fogo vai destruir o pecado! Só vai escapar do fogo final aquele que estiver com Ele, o escolhido de Deus, o nosso Padrinho! (*Beija a porta da casa e cai de joelhos, agitando a cruz numa das mãos e beijando o chão repetidas vezes.*)
FANÁTICO	(*Canta:*) Viva Deus Onipotente, viva a cruz da Redenção, e o Padre Cirso Romão viva! Viva eternamente!
CORO	E o Pade Cirso Romão viva! Viva eternamente!

Sobre o último canto, ouvem-se bombas e foguetes espoucarem, aos gritos de "Viva meu Padrim!" Todos gritam, cantam, rezam ou se agitam alucinadamente, beijando a porta da casa do , num clima de insânia.

MORIBUNDO	(*Ergue-se na rede.*) Quero descer! Me deixem descer! (*Os* ROMEIROS *que carregam a rede procuram impedir.*) Quero ir lá!... Quero beijar a porta!
ROMEIRO	Deixem ele ir...
VAQUEIRO	Deixem ele descer!

ROMEIRO 2	Quer beijar a porta da casa...
ROMEIRO 3	(*Sem soltar a rede.*) Pode não, está moribundo!
ROMEIRO 4	(*Idem.*) Há três meses que não anda!
MORIBUNDO	(*Sentando-se na rede.*) Vou andar, sim! Vou ficar bom! Meu Padrim vai me curar! (*Força os* ROMEIROS *a baixarem a rede.*)
BEATO	Deixem! Deixem! Deixem ele vir!... Tenham fé! Fé no Padrim!
MORIBUNDO	(*Firma-se nos ombros dos* ROMEIROS, *a princípio, depois solta-se e dá alguns passos, trôpegos, na direção da casa do* PADRE.) Meu Padrim, valei-me... valei-me...
ROMEIRO 3	(*Abismado.*) Tá andando!
ROMEIRO 4	Inda há pouco tava morrendo!
ROMEIRO 3	Já tinha recebido a extrema-unção!
ROMEIRO 4	Milagre!
TODOS	Milagre!
	Espoucam foguetes e bombas. Vivas ao Padrinho.
BEATO	Louvado seja Nosso Senhor Jesus Cristo!
BEATA	Louvado seja!
PENITENTE	(*Explode numa gargalhada nervosa.*)
FANÁTICO	(*Canta:*) Viva Deus Onipotente, viva a cruz da Redenção, e o Pade Cirso Romão viva! Viva eternamente!
CORO	E o Pade Cirso Romão viva! Viva eternamente!
BEATO	Venha! Venha mais! Com fé! Fé em Deus e no Padrim!

MORIBUNDO *dá mais dois ou três passos em direção do* BEATO, *leva uma das mãos à garganta e cai por terra.*

FIM DO SEGUNDO QUADRO

TERCEIRO QUADRO

A cena abrange uma sala e uma parte do quintal da casa do PADRE CÍCERO. *Na sala, ao fundo, vê-se a porta e a janela que dão para a rua. Continuam a ouvir-se os gritos e vivas dos* ROMEIROS, *em segundo plano, bem como o espoucar de foguetes e bombas, quando* MATEUS *atravessa o quintal e entra na casa. É um negro de meia-idade, que tem no porte e no olhar a arrogância dos beatos, quebrada de vez em quando pela humildade atávica de sua raça. Chega à sala no momento em que* MOCINHA *nela penetra, vinda do interior da casa.*

MATEUS	Padrim?
MOCINHA	(*Meia-idade, triste, vagarosa e essencialmente caquética. Traz a cabeça sempre descoberta e os cabelos à escovinha. Testa curta e protuberante. O rosto é quase sempre inexpressivo, a não ser nos momentos de exaltação de seu fanatismo militante.*) Já se levantou.
MATEUS	Graças a Deus! Temos rezado muito, eu e toda a Irmandade.
MOCINHA	Ele está bom há muitos dias. Dr. Floro é que teima em não deixar ele sair do quarto.
MATEUS	Dr. Floro é médico, sabe o que faz.
MOCINHA	Deus sabe mais que ele.
MATEUS	Lá isso é verdade.
MOCINHA	Mas Dr. Floro tem substituído tanta coisa nesta casa e nesta terra, que é capaz de querer substituir Deus também.
MATEUS	Padrim confia nele como um cego em seu guia.
MOCINHA	Quem enxerga com a luz do céu não precisa de guia. Padrim nunca precisou de quem lhe mostrasse o

	caminho, porque Deus sempre guiou seus passos. Até que Dr. Floro chegou a Juazeiro.
MATEUS	Me lembro. Chegou aqui como romeiro...
MOCINHA	(*Irônica.*) Romeiro...
MATEUS	Também já ouvi dizer... (*Baixa a voz.*) Que ele veio da Bahia, fugido... Mas é capaz de ser invenção do povo.
MOCINHA	(*Numa indignação contida.*) Fingiu-se de romeiro pra ganhar a proteção de Padrim.
MATEUS	Padrim deu uma cela pra ele morar...
MOCINHA	Ele pediu.
MATEUS	Depois fez ele vereador, deputado...
MOCINHA	Agora quer ser deputado federal!
MATEUS	E vai ser. Padrim tem força. É só mandar votar, todo mundo vota.
PADRE	(*Vindo do interior da casa, entra, apoiando-se num bordão. É septuagenário, de pequena estatura, apresentando uma gibosidade natural. A voz é branda e harmoniosa, tem a doçura e os acentos da fala de uma criança. Mas os olhos são movediços e brilhantes. Eis o retrato psíquico que dele pinta o médico e político cearense Dr. Fernandes Távora:* "Terreno mental mioprágico, traduzido num conjunto de estados psicopáticos constitucionais degenerativos; transformação profunda da personalidade em notáveis perturbações da vontade e da emotividade; delírio de perseguição algo velado, e de grandeza, evidentíssimo; organização de um sistema interpretativo, não alucinatório, com prevalência de uma ideia fixa, que lhe empolgou o espírito e orientou toda a sua atividade religiosa e social; marcha lenta e crônica; incurabilidade. Ante sintomatologia tão completa, não sei como possa alguém cogitar de outro diagnóstico que não o de paranoia." — *Revista do Instituto do Ceará, dezembro de 1938. Convém en-*

tretanto frisar que, com setenta anos e doente, o PADRE *só muito raramente dá vazão ao delírio de grandeza e ao espírito dominador que marcaram a sua vida. Velho, alquebrado, é ele agora um instrumento dócil nas mãos de* FLORO BARTOLOMEU.) Mocinha?

MOCINHA — Senhor?

MATEUS — Bênção, meu Padrim!

PADRE — Deus lhe abençoe, Mateus. (*Para* MOCINHA:) Muita gente aí fora?

MOCINHA — Como sempre.

MATEUS — A rua está cheia, de ponta a ponta. Na cidade não há mais comida pra tanta gente.

MOCINHA — Há quinze dias que Padrinho não aparece aos romeiros.

MATEUS — Tem gente que está há duas semanas esperando, dormindo na rua, porque a cidade não tem mais lugar.

MOCINHA — Convinha ao senhor aparecer hoje.

MATEUS — Ao menos pra ir um bocado de gente embora.

PADRE — Dr. Floro acha que eu não devo... Mas eu estou me sentindo bem.

MOCINHA — Então? O senhor é quem sabe, não Dr. Floro.

PADRE — (*Pensa um instante, hesita ainda, ouvem-se com mais nitidez os gritos, vivas e o foguetório, ele se decide.*) Está bem... abra a janela. (MOCINHA *dirige-se à janela, no momento em que* FLORO BARTOLOMEU *entra pelo quintal. Ele chega à sala quando* MOCINHA *vai retirar a tranca.*)

FLORO — (*Apesar de médico, não passa de um aventureiro sagaz, valente, atrevido e ambicioso. É violento, por vezes, sabendo ser envolvente e persuasivo, quando lhe convém. Seu domínio sobre o* PADRE *é evidente e chocante.*) Que vai fazer? (MOCINHA *detém-se.*)

PADRE — Vou aparecer aos romeiros...

FLORO — (*Corta, decisivo.*) O senhor não vai aparecer coisa nenhuma. (MATEUS *sai, discretamente, pelo quintal.*)

PADRE — (*Justificando-se.*) A cidade está cheia de romeiros. Há perigo de faltar alimentos. É preciso atender alguns, para que voltem...

FLORO — Não importa. O que importa é a sua saúde. Já o proibi de fazer qualquer esforço. O senhor não devia nem estar aqui na sala, devia estar na cama.

PADRE — Ia somente abençoá-los da janela gradeada. Isso não me custaria esforço algum.

FLORO — Eu sei como é. Esses loucos gritam, penduram-se nas grades...

MOCINHA — (*Contendo a custo a sua indignação.*) Eles têm fé no Padrinho. Andam léguas e léguas para vê-lo!

FLORO — Eu sei, eu sei como é isso. Não se esqueça, Mocinha, de que eu também cheguei aqui como romeiro, vindo da Bahia...

MOCINHA — (*Baixa um pouco a voz.*) Não sei bem se foi como romeiro...

PADRE — (*Repreende-a.*) Que é isso, Mocinha?

MOCINHA — Não sou eu quem diz, é o povo.

FLORO — Calúnias que os nossos inimigos políticos andam espalhando, agora que sabem que vou candidatar-me a deputado federal. Querem que o Padre retire o apoio que me dá e ficam inventando mentiras. Mas não adianta, não. Padrinho conhece a minha alma e o meu caráter. Sabe que foi a Divina Providência que me mandou aqui, pra ser um instrumento do Padrinho, como o Padrinho é um instrumento de Deus.

Os gritos, fora, aumentam. Ouvem-se batidas na janela.

PADRE — (*As palavras de* FLORO *tocaram o seu messianismo.*) O doutor diz bem, eu sou o instrumento de Deus, enviado a Juazeiro, a nova Jerusalém, onde Cristo, para salvação dos homens, de novo derramou seu sangue.

MOCINHA — (*Dirige-se à janela.*) E só Satanás pode querer deter a mão do instrumento de Deus!

FLORO — (*Compreende que perdeu a parada.*) Está bem. Um minuto só. (MOCINHA *retira a tranca, abre a janela de par em par. Através das grades vêm-se os* ROMEIROS, *que explodem num grito delirante de fanatismo. Atiram-se sobre as grades, todos ao mesmo tempo, como loucos. O* PADRE *aproxima-se da janela.*)

ROMEIRO — Padrim! Sua bênção, meu Padrim!

PENITENTE — Meu Padrim Cirso! Proteção, meu Padrim!

ROMEIRO 2 — Deus me benza por sua mão, meu Padrim! Sou um desgraçado!

BEATO — Meu pai! Meu pai! Livrai-nos do fim do mundo! Livrai-nos do fogo e do inferno!

ROMEIRO — (*Passando um embrulho por entre as grades.*) Um presente, meu Padrim! (MOCINHA *recebe o presente.*)

BEATA — Deus esteja com ele! Deus esteja com ele e ele com a gente!

VAQUEIRO — Também lhe trouxe um presente, meu Padrim!

PENITENTE — Minha filha, Padrim! Faz ela voltar ao caminho do bem! Salva aquela desgraçada! (*Cai num acesso de choro.*)

ROMEIRO — Me cure, meu Padrim! Me cure! Tou condenado!

FANÁTICO — (*Canta:*)   Tem duas beatas santas
na matriz de Juazeiro,

                    meu Padrim Cirso Romão
                    é o rei do mundo inteiro!

CORO   Meu Padrim Cirso Romão
                é o rei do mundo inteiro!

                Sobre o canto, explode um foguetório terrível, ao mesmo tempo que os ROMEIROS *continuam a gritar e a saltar, empurrando-se, à frente da janela gradeada. Alguns enfiam as mãos aflitas pelas grades, tentando tocar a batina do* PADRE. *Outros tentam mesmo galgá-las, como macacos. Outros ainda fazem chegar às mãos do* PADRE *presentes que* MOCINHA *ajuda a receber.*

PADRE   (*Quando o clima de insânia atinge o auge, ergue a mão e o silêncio se faz de súbito.*) Em nome do Padre, do Filho e do Espírito Santo, Amém!

FLORO   Chega. Feche a janela.

                MOCINHA *fecha a janela, quando os gritos de "Viva meu Padrim!" explodem de novo, com foguetes e bombas. Continuarão por mais alguns segundos da cena seguinte.*

FLORO   O senhor precisa suspender por alguns dias essas bênçãos. Até se restabelecer de todo. Tenho que viajar amanhã para o Rio, não quero ir preocupado.

PADRE   Pode ir tranquilo, estou passando bem.

FLORO   Mas pense na sua idade. Não pode continuar fazendo tudo que fazia quando chegou aqui.

PADRE   Oh, não faço mais nem a décima parte. O doutor não me conheceu moço. Quando cheguei aqui, Juazeiro era só uma fazenda.

FLORO   Eu sei.

PADRE   Fui eu quem fez isto virar cidade. E depois município. Saí por aí construindo poços e açudes. E a grande seca de 77, não fosse eu, teria sido uma calamidade bem maior. Não trouxe para cá somente a palavra de Deus,

	trouxe também a ação. Isso, aliás, foi reconhecido pelo Presidente Venceslau, em carta que me escreveu.
FLORO	O padre fala como se eu estivesse duvidando. Então não fizemos juntos a Revolução de 14? Não depusemos o Rabelo? E não era o padre o chefe?
PADRE	O chefe era o doutor...
FLORO	Nomeado pelo padre... que foi quem iniciou o movimento, desarmando o batalhão da Força Pública e me fazendo Governador do Estado. (*Ri.*) Governador por três meses...
PADRE	(*Sorri, sem poder dissimular um certo envaidecimento.*) Não fica bem dizer que um sacerdote católico chefiou uma revolução. Eu só queria contestar suas palavras, que eu continuo fazendo tudo que fazia quando era moço. Isso, infelizmente, não é verdade.
FLORO	Seja como for, o senhor precisa se poupar. Lembre-se de que na minha campanha para deputado o senhor vai ter que fazer uns comícios, ir à praça pública. Precisa estar bem forte para isso. (MATEUS *entra pelo quintal, trazendo o* BOI. *Amarra-o num mourão.*)
PADRE	Não fique preocupado, ainda que eu não possa me levantar da cama, o doutor está eleito.
FLORO	É, mas não podemos facilitar. Essa campanha de calúnias que estão fazendo contra mim pode desnortear algumas pessoas. Precisamos desfazer essas intrigas. Se eu for derrotado, a derrota será também sua e de Juazeiro. (*Inicia a saída, quando entra* MATEUS.) Que é?
MATEUS	Um romeiro trouxe um garrote de presente pro meu Padrim.
FLORO	(*Sem dar importância ao fato.*) Eu vou até a Prefeitura. Tenho que deixar tudo arrumado, antes de viajar.

PADRE	Acho que amanhã ou depois eu já vou poder reassumir.
FLORO	Não, nem pense nisso. Nem pense nisso. (*Sai.*)
MOCINHA	(*Mordaz.*) Não se preocupe, o doutor substitui o senhor como Prefeito. E é pena que o Bispo tenha proibido o padrinho de celebrar...
PADRE	Por quê?
MOCINHA	Porque com toda a certeza o doutor ia querer rezar missa em seu lugar. (*Benze-se várias vezes.*) Que Deus me perdoe! Que Deus me perdoe!
MATEUS	Meu Padrim?
PADRE	Que é, Mateus?
MATEUS	Que é que eu faço com o garrote?
PADRE	Ah, sim... Onde está ele?
MATHEUS	Meu Padrim pode ver daqui... (*Mostra o* BOI, *pela janela.*) O romeiro diz que é em paga de uma receita pra espinhela caída que meu Padrim deu pra ele.
PADRE	É zebu?
MATEUS	Mestiço.
PADRE	Então não quero que misture com o gado da fazenda.
MATEUS	É, não deve. Lá é tudo raça pura...
PADRE	Tome você conta dele. Arrume um lugar... aí mesmo no quintal.
MATEUS	Sim, senhor, meu Padrim, pode deixar... pode deixar. (*Passa ao quintal.*)
MOCINHA	Com toda a certeza, quando Dr. Floro chegar vai dar outra ordem. Se não resolver tomar o boi pra ele.
PADRE	Por que você não gosta do doutor, Mocinha?

MOCINHA	Porque conheço bem ele.
PADRE	Dr. Floro é meu médico e meu amigo. Tenho que ouvir o que ele diz.
MOCINHA	Acho que o senhor só devia ouvir o que diz Nossa Mãe das Dores e Deus Nosso Senhor. Porque o Dr. Floro... só ouve o Demônio! (*Benze-se rapidamente.*)
PADRE	Não diga isso!
MOCINHA	Eu não queria dizer... mas já disse! Há anos que quero dizer e não tenho coragem! Hoje tive! (*Inicia a saída, gritando, histericamente.*) Hoje tive! Hoje tive!
	O PADRE *fica um momento surpreso com a explosão de* MOCINHA. *Depois sai atrás dela. No quintal,* MATEUS *dá um pedaço de mandacaru ao* BOI.
MATEUS	Toma lá... mandacaru... Nesse tempo de seca, meu filho, capim e água valem mais que ouro. Trate de se arrumar com esse mandacaru.
BASTIÃO	(*Entra, mas não se aproxima de* MATEUS. *Chama, a meia voz.*) Mateus!
MATEUS	(*Olha em volta.*) Bastião...
BASTIÃO	Posso chegar?
MATEUS	Pode, homem. Os cachorros estão presos.
BASTIÃO	Entrei aqui pelos fundos pra ver se conseguia falar com meu Padrim.
MATEUS	Ah, ele hoje não fala com ninguém. Dr. Floro proibiu.
BASTIÃO	(*Angustiado.*) Será que você não arranjava, Mateus? Você é homem da confiança dele, tem prestígio...
MATEUS	Já lhe disse, Bastião, Dr. Floro proibiu, tá acabado!
BASTIÃO	Eu precisava tanto!...
MATEUS	(*Observa o desespero de* BASTIÃO.) Tanto assim?

BASTIÃO	Você nem calcula!
MATEUS	Doença?
BASTIÃO	Pior que doença.
MATEUS	Pior?
BASTIÃO	Tou morrendo, Mateus! Tou me acabando!
MATEUS	Sabe que eu sou da Irmandade dos Penitentes. Sei umas rezas pra ajudar a morrer...
BASTIÃO	Mas não é morrer assim... por fora. É morrer por dentro.
MATEUS	Entendo não.
BASTIÃO	Mateus, sabe o que é um homem enrabichado?
MATEUS	Sei não. Fiz voto de castidade.
BASTIÃO	Então você não pode me entender.
MATEUS	Quem é a moça?
BASTIÃO	Zabelinha.
MATEUS	A mulher do Capitão Boca-Mole?!
BASTIÃO	(*Balança afirmativamente a cabeça.*) É ela, Mateus, é ela que está me matando. Já não como, não durmo... tou como árvore que deu cupim... um buraco assim dentro de mim, me roendo, me secando, me matando.
MATEUS	E Zabelinha sabe disso?
BASTIÃO	Sabe, mas é como se não soubesse. Pra ela só tem um homem no mundo: o excomungado do Capitão Boca-Mole. Excomungado de sorte...
MATEUS	E você ia falar com o Padrim amóde...
BASTIÃO	Ia pedir pra ele tirar essa coisa de dentro de mim, ou então... (*Para um pouco, encabulado.*)
MATEUS	Então?

BASTIÃO	Fazer a Zabelinha pegar por mim a mesma doença.
MATEUS	Botar os chifres no Capitão Boca-Mole?
BASTIÃO	E você acha justo que eu me acabe desse jeito, Mateus, só pro Capitão continuar de testa limpa?
MATEUS	Sei não... Só sei que você ia se arriscar a levar uma descompostura.
BASTIÃO	De quem?
MATEUS	Do Padrim. Ele não faz desses arranjos, não! Mulher casada cornear marido... isso é graça que se peça pra um santo fazer? Isso é negócio de rezador, não é negócio de santo!
BASTIÃO	Com Zabelinha não adianta rezador. Já tentei. Até já coei café na ceroula...
MATEUS	Pra quê?
BASTIÃO	Então não sabe? Coar café na ceroula e depois dar pra mulher beber faz ela esquecer o homem que gosta e gostar da gente.
MATEUS	E você fez a Zabelinha...?
BASTIÃO	Fiquei dias e dias de tocaia na janela, esperando ela passar. Até que um dia surgiram ela e o marido, o Capitão Boca-Mole. Corri na porta, fiz uns rapapés pro Capitão e convidei pra entrar, tomar um cafezinho que eu tinha recebido de São Paulo, naquele dia. Ela não queria, mas eu tanto fiz que o Capitão obrigou ela a entrar. Eu já tinha preparado tudo: um bule com café de coador e outro com café de ceroula. Fui depressa no fogão, esquentei, trouxe uma xícara de cada café e servi a eles.
MATEUS	E Zabelinha bebeu o café coado na ceroula?
BASTIÃO	Nada, quem bebeu foi ele! Ela não quis, o miserável bebeu as duas xícaras! E ainda disse que o dela esta-

va melhor! (*Desanimado.*) Adianta não, Mateus. Só mesmo meu Padrim é que podia fazer esse milagre.

MATEUS — Quer um conselho? Coe mais café na ceroula e tente de novo, porque com o Padrim vai ser difícil... (*Aproxima-se do* BOI.) Acho que ele ainda está com sede...

BASTIÃO — Quem? O Padrim?

MATEUS — Não, homem, o Boi!

BASTIÃO — Ah, sim... É do Padrim?

MATEUS — É. Fique aqui olhando ele que eu vou buscar mais um pedaço de mandacaru lá no fundo do quintal.

BASTIÃO — (*Estranha.*) Mandacaru?

MATEUS — É o que tem.

BASTIÃO — Boi do Padrim... comendo mandacaru cheio de espinho! Isso é até uma ofensa! Boi do Padrim só devia comer capim fresquinho, verdinho... beber água de pote, como gente.

MATEUS — Com essa seca, queria ver você arranjar esse capim fresquinho. (*Sai.*)

BASTIÃO — (*Dirigindo-se ao* BOI:) É ou não é, meu compadre? Boi do Padrim não é boi como os outros... é boi que merece trato, respeito. Se meu Padrim é santo, santifica tudo que anda em volta dele. (*Vem-lhe a ideia.*) Quem sabe até se... se você também não tem poder, como ele, poder de fazer milagre? Nesse caso, você mesmo podia me valer... Mateus acha que o Padrim ia se escandalizar com o meu pedido. Garanto que você ia achar muito natural. Boi não tem dessas coisas. Qual é o boi que acredita na honra de vaca? Então?... Você ia ter acanhamento de pregar um chifre na testa do Capitão Boca-Mole, você que já nasceu com dois? Pois olhe, Boi do meu Padrim, eu lhe prometo um feixe de capim da melhor qualidade, fresquinho, macio... como só mesmo um boi que vai pro céu merece comer! Prometo, juro pelo meu Padrim Cirso, vou buscar esse capim até no inferno, se você fizer a Zabelinha cair pro meu lado e me tirar desse desespero!

ZABELINHA (*Ainda fora, solta um grito de dor.*) Ai!... (*Entra pelo quintal, mancando de uma perna.*)

BASTIÃO (*Boquiaberto.*) Za... Zabelinha!

ZABELINHA Eu... fui pular a cerca, torci o pé! (BASTIÃO *continua a fitá-la, incrédulo.*)

ZABELINHA Também carece de arregalar esses olhos? Carece? Eu não sou a mula sem cabeça!

BASTIÃO Até parece arte do Cão!... Indagorinha mesmo eu...

ZABELINHA Não fale no Cão na casa do Padrim, Bastião! Tesconjuro!

BASTIÃO O Padrim me perdoe, mas...

ZABELINHA (*Interrompe.*) E seja um pouco mais delicado. Em vez de ficar aí me olhando com essa cara de quem viu lobisome, venha me ajudar.

BASTIÃO (*Corre a ampará-la. Ela se apoia no ombro dele, que não esconde a sua emoção.*) Pode... pode se apoiar em mim... todo o peso do corpo...

ZABELINHA *passa o braço em volta do pescoço dele, provocante.*

BASTIÃO Tá doendo muito?

ZABELINHA (*Sensual.*) Agora não... mas quando boto o pé no chão dói muito. (*Apoiada no ombro de* BASTIÃO, ZABELINHA *vai até o banco. Senta-se.* BASTIÃO *ajoelha-se aos seus pés.*)

BASTIÃO Posso, posso pegar?

ZABELINHA Pode...

BASTIÃO *toma o pé dolorido de* ZABELINHA *e procura massageá-lo.*

ZABELINHA Ai... devagar...

BASTIÃO (*Acaricia-lhe o pé.*) Assim?...

ZABELINHA (*Delicada.*) Assim está passando... Mas por que você disse, quando me viu, que parecia arte do Cão?

BASTIÃO Porque indagorinha mesmo eu estava... estava sozinho aqui... com o Boi do meu Padrim, não sabe?... conversando... contando pra ele as minhas mágoas, quando de repente...

ZABELINHA Entrei pelos fundos pra ver se Mateus me arrumava falar com o Padrim...

BASTIÃO Ah, não arruma não. Floro proibiu ele de falar, receber qualquer pessoa.

ZABELINHA (*Mostra-se angustiada.*) Então como é que vai ser?!

BASTIÃO Precisada assim de falar com o Padrim, Zabelinha?

ZABELINHA Se estou, Bastião! Se não falar com o Padrim hoje... eu não sei... não sei o que fazer da minha vida!... (*Cai em pranto.*)

BASTIÃO Zabelinha! (*Senta-se ao lado dela, no banco.*)

ZABELINHA (*Abraça-se a ele, chorando.*) Eu sou uma infeliz, Bastião!

BASTIÃO Infeliz sou eu, Zabelinha!

ZABELINHA Que nada, você não casou com aquele desgraçado!

BASTIÃO O Capitão Boca-Mole? Ele não é bom pra você?

ZABELINHA Ele nem se lembra de que eu sou mulher dele!

BASTIÃO Nem se lembra! Como é que pode ser uma coisa dessas?! Um homem que tem a sorte de casar com um anjo desse e...

ZABELINHA ... e nem parece que eu tenho marido.

BASTIÃO Meu Padrim Cirso Romão! Que pecado!

ZABELINHA E, se a gente não tem filho, ele diz que a culpa é minha. Não é! É do Espírito Santo, que é só quem podia dar jeito...

BASTIÃO (*Atordoado.*) E eu que sempre pensei que vocês... Nem olhar pra gente na rua você olhava!...

ZABELINHA Sabe, não é por ser infeliz que a gente vai olhar pra qualquer um.

BASTIÃO (*Sentido.*) Bastião, por exemplo...

ZABELINHA (*Olha-o, provocante.*) Eu tou olhando pra você, não tou?

BASTIÃO Tá... e eu tou pegando fogo cá por dentro, Zabelinha!

ZABELINHA (*Suspira fundo.*) Se eu tivesse casado com um homem como você, Bastião!

BASTIÃO (*Não resiste, agarra-a violentamente e beija-a. Depois levanta-se de um salto.*) Milagre! Milagre! Não tem por onde, o Boi fez o milagre!

ZABELINHA Boi? Que Boi?

BASTIÃO (*Muito agitado.*) Eu... eu fiz uma promessa... Bem, depois eu lhe falo... Zabelinha, você sabe, eu sempre fui doido por você! Se esse miserável desse Capitão Boca-Mole não lhe trata como deve, eu dou um fim nele e depois nós...

ZABELINHA (*Corta.*) Precisa não.

BASTIÃO Por quê?

ZABELINHA Ele foi embora? Fugiu esta noite, o peste!

BASTIÃO Fugiu?

ZABELINHA Com a trapezista do circo! Só me deixou um bilhete dizendo que não voltava.

BASTIÃO	(*Incrédulo.*) Que não voltava... nunca mais?
ZABELINHA	Nunca mais.
BASTIÃO	(*Abismado.*) Não é possível! Isso é milagre demais! Eta Boi paidégua!

As luzes se apagam em resistência.

FIM DO TERCEIRO QUADRO

QUARTO QUADRO

Na sala, MATEUS *está diante do* PADRE, *dando uma explicação. No quintal, há agora um pequeno curral onde se vê o* BOI.

PADRE	Mas o que é que ele tem a fazer lá?
MATEUS	Quer pagar uma promessa que fez.
PADRE	Sim, isso eu já entendi. Só não entendo por que ele tem de entrar no curral.
MATEUS	Porque ele fez a promessa pro Boi.
PADRE	Pro Boi?
MATEUS	(*Sem jeito.*) É, eu também achei que isso não tava muito direito. Se eu estivesse junto, na hora, não tinha deixado.
PADRE	Claro, isso não tem cabimento! Os bois são também criaturas de Deus, mas nem por isso o Senhor lhes concedeu o dom de servir de intermediários das graças divinas.
MATEUS	Aí é que tá...
PADRE	Aí é que está o quê?
MATEUS	Bastião recebeu a graça pedida. E agora tem que pagar.
PADRE	(*Irônico.*) Quer dizer que o meu boi já faz milagres.
MATEUS	Tá claro que não foi o Boi. Também não podia ter sido o Padrim...

PADRE   Por que não?

MATEUS   Porque a graça que Bastião pediu... não era coisa que um santo decente atendesse. Mas, fosse como fosse, verdade verdadeira é que ninguém podia imaginar que o Capitão Boca-Mole fosse fugir de Juazeiro com uma artista de circo, como fugiu... e que Zabelinha fosse ficar enrabichada por Bastião, como ficou. Dá pra pensar, não é, meu Padrim?

PADRE   (*Pensativo.*) É, dá... (*Reagindo.*) Mas tudo não passou, com certeza, de uma coincidência.

MATEUS   É o que eu acho. Mas Bastião tá convencido que não. Que nada podia ter acontecido sem interferência divina. Diz que naquele mesmo dia, de manhã, aqui em frente da casa do Padrim, Zabelinha tratou ele como se trata um cão danado. E de noite, depois que ele falou com o Boi... Zabelinha era outra! Quem mudou Zabelinha?

PADRE   A senvergonhice!

MATEUS   Mas antes ninguém nunca falou nada de Zabelinha, Padrim! Sempre foi tida como modelo.

PADRE   Mulher que o marido larga numa noite e na noite seguinte já tem outro na cama, só pode ser modelo de descaramento!

MATEUS   Bem, lá isso é...

PADRE   (*Encurtando o assunto.*) Bem, bem, deixe ele entrar, e vamos acabar logo com isso. E é melhor que o caso não se comente. (*Sai.*)

MATEUS   Senhor, sim, meu Padrim. (*Abre a porta da rua.*) Pode entrar, ele deixou. (*Entram* BASTIÃO *e* ZABELINHA. *Ele na frente, com um feixe de capim na cabeça.*)

BASTIÃO   Com licença.

MATEUS   (*Ao ver* ZABELINHA:) Você também veio?

ZABELINHA — Que tem? Posso não?

MATEUS — É que... o Padrim não gostou muito...

ZABELINHA — De quê? Do milagre?

MATEUS — (*Intencional.*) É, do milagre... Mas agora entre. E andem depressa!

BASTIÃO, *seguido de* ZABELINHA, *dirige-se ao estábulo, enquanto* MATEUS *fecha a porta.*

BASTIÃO — (*Chega diante do curral, arria o capim no chão.*) Pronto, meu boizim. Pensou que eu não vinha pagar? Promessa é dívida! Bastião, quando promete, cumpre! Capim verdinho, fresquinho, de primeira!

ZABELINHA — Deixe eu ver bem a cara dele. Naquele dia, não reparei direito. (*Contempla o* BOI.) É um boi simpático...

BASTIÃO — É uma beleza! (*Abraça* ZABELINHA.) Bem se vê que é um boi mandado do céu pra fazer a nossa felicidade!

MATEUS — (*Examina o feixe de capim.*) Onde foi que você arrumou esse feixe de capim, Bastião?

BASTIÃO — Ah, fui buscar a doze léguas daqui, numa várzea onde a seca nunca chega. A várzea fica na fazenda dum coronel.

MATEUS — O coronel lhe deu o capim?

BASTIÃO — Não... quer dizer...

MATEUS — Você roubou!

BASTIÃO — Não tinha outro jeito, Mateus! Eu prometi capim fresco, verdinho... Com essa seca, onde é que eu ia arrumar capim fresco e verdinho por aqui? Onde, Mateus?

ZABELINHA — Onde?

MATEUS — É, por aqui, não arrumava, não. Boi aqui tá comendo é galho de xiquexique.

BASTIÃO	Eu pensei nisso, antes de pular a cerca do coronel, que não era direito pagar uma promessa roubando.
MATEUS	Podia ter pedido ao coronel.
BASTIÃO	Fiquei com medo dele não dar. E daí é que eu não ia poder roubar, porque a jagunçada ia estar de olho. Pelo sim, pelo não, preferi pular a cerca e roubar o capim. Pelo menos eu vou agora pagar a promessa conforme o prometido.
ZABELINHA	Isso é o que vale.
MATEUS	Veja então se paga logo de uma vez. O Boi tá esperando.
BASTIÃO	(*Apanha o feixe de capim e fica indeciso.*) Acha que eu devo me ajoelhar?
MATEUS	Ajoelhar diante de um boi?
BASTIÃO	(*De pé, dirige-se ao* BOI, *como numa oração.*) Boi do meu Padrim, venho aqui lhe agradecer a graça que recebi.
ZABELINHA	(*Sussurra no ouvido de* BASTIÃO:) Eu também...
BASTIÃO	Ela também. Desculpe se demorei um pouco em pagar, mas é que não foi fácil conseguir um feixe de capim, como eu tinha prometido. Espero que este esteja do seu gosto. (*Fica um instante indeciso, sem saber como terminar.*) Amém. (*Coloca o capim na manjedoura. O* BOI *cheira o capim, ante respeitoso silêncio de* BASTIÃO, ZABELINHA *e* MATEUS. *Depois levanta a cabeça e dá as costas para a manjedoura.*) Mateus!
ZABELINHA	Ele não quis!
MATEUS	(*Também abismado.*) Não quis capim fresco!
BASTIÃO	(*Aterrado.*) E os olhos que ele botou em mim!... Vocês viram?... Parecia que tava dizendo: "Você roubou!

Este capim é roubado!" (*Cai de joelhos.*) Misericórdia, meu Padrim! Misericórdia! Eu furtei, mas não furto mais! Misericórdia!

ZABELINHA   O Boi descobriu que o capim era roubado!

BASTIÃO   É um Boi santo, Mateus! Um Boi santo!

MATEUS   Agora eu acredito! Boi que recusa capim só porque foi roubado... só mesmo santo!

MATEUS *e* ZABELINHA *caem de joelhos diante do* BOI. *E...*

FIM DO PRIMEIRO ATO

segundo ato

QUINTO QUADRO

Casa do PADRE CÍCERO. *Ouvem-se o foguetório e os vivas do início, em segundo plano, porém com menos intensidade,* MOCINHA *olha a rua por uma fresta da janela,* PADRE *entra, lendo uma carta. Quando vê o* PADRE, MOCINHA *fecha a janela, rapidamente.*

PADRE — Carta do Dr. Floro. Avalie você o que ele diz. Que o Diretor da Instrução Pública foi queixar-se de mim ao Ministro.

MOCINHA — Queixar-se de quê?

PADRE — Diz que eu me oponho a que se criem mais escolas em Juazeiro.

MOCINHA — Não teria sido aquele homem que esteve aqui, querendo saber o número de crianças...?

PADRE — Foi ele mesmo, com certeza. Queria que eu andasse com ele para baixo e para cima, que arranjasse casas para fazer escolas, dinheiro para pagar professoras e mais uma porção de coisas. Disse a ele que tinha mais o que fazer e que não via motivos para criar mais escolas em Juazeiro, quando as duas que existem não estão nem com as matrículas completas. Me veio com uma porção de mapas e estatísticas, querendo provar que outros municípios estão mais adiantados e uma porção de tolices.

MOCINHA — Escolas, escolas... igrejas eles não pensam em construir. A capela do Horto está até hoje por terminar.

PADRE	Foi o que eu disse, que o homem não precisa de tantas escolas para chegar até Deus. E toquei ele daqui.
MOCINHA	Fez muito bem.
PADRE	Agora foi se queixar. Mas o Dr. Floro já desfez toda a intriga.
MOCINHA	Ele... volta?
PADRE	Dr. Floro? Mas claro. Esta carta... (*Verifica a data.*) É de um mês atrás. Ele deve estar estourando por aí.
	Espoucam bombas e foguetes, em plano afastado.
FANÁTICO	(*Afastado.*) Viva meu Padrim Cirso Romão!
VOZES	(*Idem.*) Vivaaa!
ROMEIRO 2	(*Idem.*) Sua bênção, meu Padrim!
PADRE	(*Caindo em si.*) É hora de atender aos romeiros... esqueceu?
MOCINHA	(*Intranquila.*) Esqueci não. Pensei que... que meu Padrim não fosse dar a bênção hoje...
PADRE	E por quê?
MOCINHA	(*Arranja um pretexto.*) Sua saúde.
PADRE	Que é isso? Você tomou o lugar do Dr. Floro? Ontem já não me deixou abrir a janela...
MOCINHA	(*Procurando desviar o assunto.*) A carta do Dr. Floro...
PADRE	(*Corta.*) A rua deve estar cheia de gente. Esse foguetório...
MOCINHA	(*Timidamente.*) Nos últimos dias tem vindo menos gente. Mas a carta...
PADRE	É, tenho notado.
MOCINHA	(*Sem coragem para abordar o assunto.*) A carta do Dr. Floro...

PADRE — (*Um pouco irritado.*) Que viu você na carta do Dr. Floro?

MOCINHA — Nada... Quer dizer... o senhor não vai responder?

PADRE — Responder? Até a resposta chegar ao Rio, o doutor já está aqui morrendo de velho. Mas vamos, abra a janela.

MOCINHA *hesita ainda.*

PADRE — Que está esperando?

MOCINHA — Nada. Está bem... (*Vai à janela, abre-a de par em par. Não há ninguém diante da janela.*)

PADRE — (*Surpreso.*) Que houve?... Ninguém!

MOCINHA *baixa a cabeça, constrangida.*

PADRE — Você não ouviu a gritaria, o foguetório? (MOCINHA *não responde.*) É verdade que o número de romeiros vem diminuindo dia a dia, mas... nunca imaginei que um dia... Isso nunca aconteceu, em 25 anos!

MOCINHA — Agora, eles só passam por aqui, beijam o portal, dão um "viva meu Padrim", e seguem...

PADRE — Notei também que os presentes...

MOCINHA — Eles seguem com os presentes.

PADRE — Seguem para onde?

MOCINHA — Para o curral.

PADRE — Para o curral?

MOCINHA — Vão adorar o Boi!

MATEUS *entra pelo quintal, conduzindo a fila de* RO-MEIROS *que se dirige ao curral. Aí surge o* BOI, *como se se levantasse do chão, onde estivera até então oculto. Tem agora fitas e bentinhos amarrados nos chifres e no pescoço. Espoucam foguetes e bombas. Entre os novos*

ROMEIROS, *figuram também o* BEATO DA CRUZ, *o* FANÁTICO, *a* BEATA, *o* ROMEIRO 2, MENINO *e* MENINO 2.

FANÁTICO — Viva o Boi santo! Viva o Boi de meu Padrim!

BEATO — Meu Pai! Meu Pai!

BEATA — Não empurra! Mais respeito!

ROMEIRO 2 — Olha o cego!

CEGO — (*Conduzido por um menino.*) Vim de longe, vim da Paraíba!

MATEUS — Calma! Calma, irmão! Um de cada vez! Senão eu boto todo mundo pra fora! (*Toma posição em frente ao curral, enquanto todos caem de joelhos diante dele.*) Quem trouxe presente pro Boi deixa ali na manjedoura. Lugar de ajoelhar é aqui. Com ordem, com ordem, que isto é um lugar de respeito.

Da sala, PADRE *e* MOCINHA *apreciam a cena.*

MOCINHA — Meu Padrinho, que acha de tudo isso?

PADRE — Francamente, não sei. A princípio, pensei que fosse um grande sacrilégio. Mas depois... diante dos milagres que todos os dias se produzem, já nem sei o que pensar!

MOCINHA — (*Iluminada.*) Quem sabe se Deus não resolveu manifestar-se através do Boi?

O PADRE *olha* MOCINHA *como se as suas palavras o tivessem chocado um pouco, balança a cabeça, perturbado, e sai.*

ROMEIRO 2 — Meu boizim, trouxe aqui um presente... vosmicê vai gostar. (*Oferece um grande bolo ao* BOI.)

MATEUS — (*Tomando o bolo.*) Me dá aqui... dou pra ele depois. (*Guarda o bolo na manjedoura.*)

BEATO — (*De joelhos, agita a cruz.*) Meu Pai! Meu Pai está nele! Tem o céu aquele que se mostra mais humilde que ele! De quatro, como ele!

BEATA   Diz que um pedacim do chifre cura quebrante...

MATEUS   Do chifre direito. Do chifre esquerdo cura espinhela caída.

BEATA   Tem pra vender?

MATEUS   (*Apanha um embrulhinho numa prateleira.*) É três tões.

CEGO   Isso também cura cegueira, moço?

MATEUS   Não, pra cegueira, sapiranga, qualquer doença da vista, o remédio está aqui dentro deste frasco. (*Apanha um frasco com um líquido amarelado.*) Vosmicê passa no olho de noite, no dia seguinte amanhece enxergando.

CEGO   É do Boi?

MATEUS   Não tá vendo que é? Inda tá quente...

CEGO   Quanto? (*Recebe o frasco.*)

MATEUS   Dois tões só... (CEGO *paga.*) E pra ferida, cabreiro, bicheira de gado, tem aqui um santo remédio: a bosta do Boi santo! Cura qualquer ferida, mesmo feita com faca ou com bala.

ROMEIRO 2   (*Rezando.*) Meu boizim adorado do meu Padrim Cirso, protegei-me de todo mal, que eu vim aqui por vós e pelo meu Padrim!

BEATA E ROMEIROS   (*Como resposta.*) Santa Mãe de Deus e Mãe Nossa, Mãe das Dores, pelo amor do nosso Padrim Cirso e de seu Boi santo, nos livre e nos defenda de tudo quanto for perigo e miséria, nesta vida e na outra, onde queremos estar, ao lado do nosso Padrim e do seu santo Boi. Amém!

    DIREÇÃO: *as falas são ditas simultaneamente, num clima de fanatismo.*

FANÁTICO   (*De joelhos, diante do* BOI.) É um santo! Tenho fé em Deus, tenho fé no Padrim, tenho fé no meu Boi! Meu Boi é sagrado, seu chifre é sagrado!

MATEUS (*Com um frasco de urina do* BOI *na mão.*) É dois tões o frasco! Quem quiser ande depressa, tá acabando!

CEGO Quero beijar o meu Boi! Quero beijar o chifre dele!

Os meninos brincam diante do BOI, *açulando-o.*

BEATO (*Brandindo a cruz.*) Uai, uai, meu Pai!

CEGO (*Beija, emocionado, os chifres do* BOI.) Tem pena de mim, meu Boi! Há três anos que não vejo a luz do sol! Manda pra mim uma luz do céu!
(*Canta:*) Meu boizim que virou santo,
como santa é Maria,
tem pena do pobre cego
que não vê a luz do dia.

Todos rezam, gritam, lamentam-se, ao mesmo tempo, num clima de verdadeira insanidade. Os meninos correm à frente do BOI, *enquanto alguns* ROMEIROS *se acotovelam para ter o privilégio de beijar a madeira do curral.*

MATEUS (*Sobrepondo sua voz à barulhada geral.*) Vamos com calma! Vamos com calma! Mais respeito pelo santo!

As luzes se apagam em resistência.

FIM DO QUINTO QUADRO

SEXTO QUADRO

Em casa do PADRE. *Em cena, além deste,* FLORO BARTOLOMEU *e* MOCINHA.

FLORO (*Indignado.*) Isso é um absurdo! Não podemos permitir uma coisa dessas!

PADRE O doutor estava no Rio de Janeiro...

FLORO Por isso. Se estivesse aqui, isso não teria nem começado. E muito me admira que o senhor, Padre, tenha consentido em semelhante heresia. Um Boi adorado como um Deus!

PADRE   Ninguém podia prever que a coisa tomasse esse vulto.

MOCINHA   Nem que, através do Boi, Deus resolvesse se revelar.

FLORO   A senhora acredita nisso?!

MOCINHA   Quando a hóstia consagrada virou sangue na boca de Maria de Araújo, houve hereges que negaram o milagre. Houve até médicos como o senhor que afirmaram que o sangue vinha de uma ferida na garganta de Maria, e não do corpo de Nosso Senhor Jesus Cristo. Hoje, todos eles pagam pela sua descrença: um morreu envenenado, outro cegou, outro morreu de repente. É o castigo dos que não sabem ver Deus quando Ele aparece!

FLORO   Isso é diferente. A transformação da hóstia consagrada em sangue de Cristo foi um milagre do Padre Cícero, que se repetiu várias vezes durante a comunhão da Beata Maria de Araújo. Eu acredito que Deus se manifeste através do Padre. Mas não creio que faça isso pelos chifres de um zebu.

PADRE   O doutor talvez tenha razão. Mas os fatos miraculosos atribuídos ao Boi são tantos que...

FLORO   (*Interrompe.*) Será possível que o Padre também acredite na santidade do Boi?

PADRE   Está claro que não. Mas o povo crê. Os romeiros não param mais diante de minha janela, não esperam pela minha bênção. Seguem e vão ajoelhar-se no curral, diante do Boi. Não me pedem mais receitas, compram pedaços de chifres, embrulhinhos com estrume, e outros produtos do Boi, para curar suas moléstias. E, quando precisam de uma graça especial, não é mais a mim que se dirigem, é ao Boi.

FLORO   E o senhor tem consentido isso?!

PADRE Tenho pensado... que talvez Deus esteja querendo me dar uma lição de humildade. Talvez que eu tenha me mostrado muito orgulhoso como intermediário das graças divinas... e Deus está me fazendo ver que eu nada sou superior ao meu Boi.

FLORO (*Irritado.*) O senhor me perdoe, Padre, mas nunca ouvi tanta tolice. Como quer se comparar a um boi, um irracional? Se Deus quer humilhá-lo, igualando o senhor a um quadrúpede, por que não deu também ao bicho o dom de pensar e falar? Por que não lhe deu inteligência? O senhor continua sendo superior! Deus então não ia ver isso?

PADRE (*O argumento de* FLORO *satisfaz a sua vaidade, um tanto abalada.*) De fato... não havia pensado nisso...

FLORO Deus não é nenhum tolo. E sabe perfeitamente que o Padre também não é.

PADRE Foi um pensamento que me ocorreu, diante do que estamos assistindo.

FLORO Padre, precisamos pôr um fim a essa história. Ou então... estaremos perdidos!

PADRE Perdidos?

FLORO Será possível que o senhor ainda não tenha percebido o perigo que esse culto representa?

PADRE Não...

FLORO O santo de Juazeiro não é mais o senhor, é o Boi! Daqui a pouco, esse Boi será também o Prefeito e o chefe político do município!

PADRE Absurdo!

FLORO Não tanto quanto parece. Vamos ser realistas, Padre. Seu prestígio nasceu dos milagres que fez e que ninguém discute. Das chuvas que fez cair em tempo de seca, dos paralíticos que fez andar, dos cegos que fez

	recuperar a vista. Com esse prestígio, o senhor se fez Prefeito...
MOCINHA	... e o doutor chegou a Deputado.
FLORO	Isso mesmo.
MOCINHA	Se votam no senhor, é porque o Padrinho manda votar.
PADRE	Também não é assim... Dr. Floro tem seu valor.
FLORO	Mocinha tem razão, em parte. Além do meu valor pessoal, eu preciso do seu prestígio. Dentro de poucas semanas, teremos eleições para deputado federal. É preciso que o povo vote em mim, como tem votado.
PADRE	Eu tenho mandado votar.
FLORO	(*Grita.*) Mas é preciso também que o senhor seja obedecido, como das outras vezes, senão seremos derrotados! Afinal de contas, uma derrota minha será também sua!
PADRE	Claro!
MOCINHA	(*Sarcástica.*) O doutor pode ficar tranquilo, o Boi não tem candidato.
FLORO	Mas tem prestígio! Prestígio que está roubando do Padre!
PADRE	O doutor exagera.
FLORO	Não exagero. É verdade. É estúpido, mas é verdade! O Padre sabe que tenho inimigos. Zé Pinheiro me trata bem, mas eu sei que se ele pudesse mandava me arrancar a língua e comia com cebola. Ele e os outros podem se aproveitar da situação pra desviar votos. Esse Mateus também não me merece muita confiança. Inda mais que eu soube que o candidato do Coronel Costa Lima, de Iguatu, esteve aqui pra pedir a proteção do Boi. Um dia espalham que o Boi balançou a cabeça e mandou votar nele... estou perdido!

PADRE — Bem, mas... que sugere o doutor que se faça? Proibir que os romeiros façam promessas ao Boi e tragam presentes para ele? Obrigá-los a vir de novo, como antigamente, postar-se diante de minha janela? Não posso fazer isso, doutor.

MOCINHA — Claro que não.

PADRE — Diriam que estou com inveja do Boi.

FLORO — Seja lá como for, temos que achar um meio.

PADRE — Mandar o Boi para uma de minhas fazendas?

FLORO — Isso!

PADRE — Os romeiros iriam atrás.

MOCINHA — Seria pior, Juazeiro ficaria deserta, não restaria ninguém para votar no doutor.

PADRE — Podíamos era pedir ao Bispo que nomeasse uma comissão que estudasse os milagres do Boi, tal como foi feito com Maria de Araújo.

FLORO — (*Anima-se.*) Sim, uma comissão! A comissão verificaria a farsa, e o Boi seria desmascarado!

MOCINHA — O povo jamais acreditaria nessa comissão.

PADRE — Lá isso é verdade. Os milagres de Maria de Araújo foram negados pela própria comissão que de início os afirmara. E isso não abalou em nada a crença do povo.

FLORO — Serve, não. Serve, não! Além disso, ninguém nos garante que essa comissão não será formada de idiotas que acabarão canonizando o Boi. (*Benze-se.*) Que Deus me perdoe!

PADRE — Francamente, não vejo saída.

FLORO — (*Pensa um instante.*) Me diga... esse Bastião, que tipo de homem é ele?

PADRE	Bom rapaz... trabalhador... várias vezes veio me capinar o quintal, sem cobrar um tostão.
FLORO	Ambicioso?
PADRE	Nunca me pareceu.
FLORO	Dos nossos?
PADRE	Sempre votou no doutor.
FLORO	O senhor acha que ele era capaz de compreender a dificuldade política em que nos achamos?
PADRE	Como?
FLORO	Quero dizer: era capaz de ficar do nosso lado, contra o Boi?
PADRE	Isso nunca. Se foi ele quem obteve a primeira graça do Boi!
FLORO	(*Nervosamente.*) Sim, sim, é claro... O nível político dessa gente é muito baixo. Votam por votar, sem nenhuma consciência.
MOCINHA	É a sorte do doutor... (*Sai.*)
FLORO	Mas quanto à ambição... um homem apaixonado por uma mulher bonita ambiciona o céu e a terra!...

FIM DO SEXTO QUADRO

SÉTIMO QUADRO

Casa de BASTIÃO. *Sala. Numa das paredes, um feixe de capim já seco, amarrado com uma fita colorida, da qual pendem vários bentinhos e medalhas. É o capim que o* BOI *não comeu, o capim sagrado.*

ZABELINHA	(*Abre a porta, mostra surpresa.*) Dr. Floro!
FLORO	(*Entra, sorridente, cativante.*) Boa tarde, Zabelinha! Posso chegar?

ZABELINHA	Mas nem se pergunta... É uma honra. Só que... o doutor não repare, é casa de pobre...
FLORO	Ora... (*Galanteador.*) É de pobre, mas é de gosto. Espelho da dona...
ZABELINHA	(*Encabulada.*) Dr. Floro... o senhor tá mangando de mim.
FLORO	(*Gira os olhos em torno, num reconhecimento tático do terreno.*) O Bastião não está?
ZABELINHA	Tá não. Mas não demora. Foi na plantação de mandioca.
FLORO	Ele já tem plantação de mandioca?
ZABELINHA	Comprou na semana passada.
FLORO	Quer dizer que as coisas estão indo bem pro lado dele. Mulher bonita, plantação de mandioca... Será que a plantação foi também milagre do Boi?
ZABELINHA	Foi não senhor. Foi o Capitão, não sabe? Que, na pressa de fugir com a mulher do circo, esqueceu o relógio de ouro e mais umas coisas. Nós vendemos, juntamos com umas economias do Bastião e compramos uma rocinha na Serra do Araripe. Pagamos metade, a outra metade vamos pagar em 2 anos.
FLORO	(*Irônico.*) Mas será que não foi o Boi quem fez o Capitão esquecer o relógio e as outras coisas?...
ZABELINHA	Capaz. A bem dizer, nossa sorte a gente deve a ele.
FLORO	Você acha, é?
ZABELINHA	Não havia de achar? Foi ele quem me fez enxergar de repente o homem bom que é Bastião.
FLORO	Dizem que você não podia ver Bastião nem pintado... como foi que de repente descobriu nele tantas qualidades?

ZABELINHA   Sei não... Foi uma coisa esquisita... divina mesmo.

FLORO   Eu só sinto não estar aqui quando o Capitão... bateu asas.

ZABELINHA   Por quê?

FLORO   Porque senão quem ia fazer promessa pro Boi era eu...

ZABELINHA   (*Encabulada.*) Dr. Floro!

FLORO   Mas se o Boi é santo, com certeza que pode repetir o milagre...

ZABELINHA   Como?

FLORO   Fazendo a mulher que eu sempre cobicei largar tudo e vir comigo pra Capital.

ZABELINHA   O doutor tá dizendo isso só pra me escabriar.

FLORO   É não... você sabe. Estou falando sério. Vou me eleger deputado federal. Você nunca sonhou morar no Rio? Numa bonita casa, com todo o conforto, vestidos, joias, perfume francês... (*Tenta enlaçá-la, ela reage.*)

ZABELINHA   ... e uma mulher-dama!

FLORO   Mulher-dama?

ZABELINHA   É pra quem o senhor deve fazer essa proposta. Tem algumas aqui em Juazeiro, e diz que na Capital tem mais ainda.

FLORO   (*Sorri, um tanto desarmado.*) Você se ofendeu? Mas não há motivo. Pois se seria um milagre... mais um milagre do Boi santo. Sim, porque todo santo que se preze repete o milagre pra não deixar dúvidas. Ou você não acredita que a fuga do Capitão Boca-Mole e seu novo "casamento" com Bastião tenham sido... fatos sobrenaturais?

ZABELINHA   Acredito, sim. Herege e ingrata é o que eu era, se não acreditasse.

FLORO	Então?... Se o Boi fez o Capitão sumir e Zabelinha se enrabichar por Bastião, não pode também fazer Zabelinha fugir com o doutor?
ZABELINHA	Mas Bastião fez promessa. O doutor não fez.
FLORO	Isso é o de menos. Posso fazer. E, em vez de um feixe de capim, vou oferecer um capinzal. (*Tenta novamente enlaçá-la.*) A graça pedida vale mais que isso...
ZABELINHA	(*Repele-o bruscamente. Lança-lhe um olhar de desafio.*) Pois faça a promessa. Duvido que o Boi lhe atenda! (*Entra* BASTIÃO. *Traz no ombro uma enxada e um gadanho.*)
FLORO	(*Abre os braços, sorridente, num excesso de expansividade que deixa* BASTIÃO *instintivamente desconfiado.*) Oh, aí está ele! Estava à sua espera. (*Bate nas costas de* BASTIÃO, *amigavelmente.*) Então... grandes progressos! Meus parabéns! Acabo de saber.
ZABELINHA	Ele está falando da plantação.
BASTIÃO	(*Modestamente.*) Um roçado.
FLORO	Mas é assim que se começa. (*Intencional.*) E, quando se tem uma mulher bonita estimulando a gente, dentro em pouco o roçado vira sítio e o sítio vira fazenda. Vim aqui mesmo pra lhe falar sobre isso... (*Tem um olhar de constrangimento ante a presença de* ZABELINHA.)
BASTIÃO	É particular?
FLORO	Não, não é, mas...
ZABELINHA	(*Compreende que é demais.*) O doutor fique à vontade. (*Sai.*)
FLORO	(*Oferece um charuto a* BASTIÃO.) Charutos da Bahia.
BASTIÃO	Obrigado, me dá tonteira.
FLORO	(*Acende o charuto. Vê o capim sagrado.*) Esse feixe de capim?...

BASTIÃO	É o capim sagrado.
FLORO	Ah! O tal feixe de capim roubado que o Boi não quis comer.
BASTIÃO	Guardo como coisa santa.
FLORO	Bastião, você já pensou em política?
BASTIÃO	Se eu já pensei... pra eu me meter?
FLORO	Sim.
BASTIÃO	(*Ri.*) Pensei não, doutor.
FLORO	Pois sabe que você tem um grande futuro na política?
BASTIÃO	O doutor tá debochando.
FLORO	Palavra. Não vim aqui pra brincar. Vim lhe fazer um convite. (*Pausa.*) Quer ser vereador?
BASTIÃO	(*Sorri, tomado de surpresa e incrédulo.*) Vereador?
FLORO	E, depois, quem sabe? Deputado estadual...
BASTIÃO	Mas eu, doutor? Eu não tenho preparo nem merecimento...
FLORO	Sabe ler e escrever?
BASTIÃO	Isso sei, mas...
FLORO	Metade da Câmara de Juazeiro mal sabe assinar o nome. Em política, meu caro, o que conta em primeiro lugar é a habilidade de tirar de qualquer acontecimento o máximo de vantagem em benefício próprio... Quer dizer, do partido. Numa palavra, é preciso ser esperto... e isso você *é* mais do que ninguém. Haja vista essa história do Boi Santo, que você arrumou para ficar com a mulher do Capitão Boca-Mole...
BASTIÃO	(*Ofende-se.*) Seu doutor, eu não arrumei história nenhuma. Sempre gostei de Zabelinha, sempre fui doido por ela. O resto quem fez foi o santo Boi do meu Padrim.

FLORO

Está bem, está bem... Mas voltando ao assunto, que diz da minha proposta? Eu garanto a sua eleição. Garanto o apoio do Padre Cícero. Sabe que isso é o bastante.

BASTIÃO

(*Hesitante.*) Eu sei... mas acho melhor o doutor procurar outro. Dou pra isso não.

FLORO

Pense bem, Bastião, você está dando um pontapé na sorte. E pense na Zabelinha. Vocês não são casados. Todo mundo agora vira a cara pra ela, por causa disso...

BASTIÃO

Que importa? Nem eu nem ela tamos ligando. (*Com superioridade e convicção.*) Foi Deus quem me deu Zabelinha. Nós nos juntamos pela graça divina, manifestada no santo Boi. Casamento mais legítimo que esse?

FLORO

Também acho. Mas nem todos são da mesma opinião. E por isso viram a cara, fazem Zabelinha passar vexame. Quando você for vereador, depois deputado, quem é que vai se atrever a virar a cara pra Zabelinha? (*Sentencioso.*) Bastião, amiga de pobre é mulher à toa, amiga de deputado é madama!

BASTIÃO

Isso é verdade.

FLORO

Dinheiro compra tudo, Bastião. Compra certidão de casamento, compra até virgindade. (*Ri.*) Filha de pobre dá mau-passo e cai na vida; filha de coronel continua virgem e casa na igreja.

BASTIÃO

Verdade verdadeira.

FLORO

E ser cabo eleitoral do Dr. Floro significa dinheiro na mão. Zabelinha me disse que vocês ficaram devendo metade do preço da roça...

BASTIÃO

Vamos pagar em dois anos.

FLORO

Nada disso. Mando pagar amanhã.

BASTIÃO

(*Sem entender.*) O doutor? Mas por quê?

FLORO   Porque você é do meu partido e é meu afilhado político.

BASTIÃO   Nesse caso, eu fico devendo ao senhor?...

FLORO   Não, homem, você não fica devendo nada a ninguém. É um presente que eu lhe faço. Presente de correligionário. Preciso de você, Bastião. Você é um reforço valioso para a nossa causa. Vale o presente.

BASTIÃO   (*Sorri, envaidecido, deixando extravasar uma alegria quase infantil, que sente necessidade de partilhar com alguém.*) Zabelinha?

FLORO   Espere... por que está chamando?

BASTIÃO   Ela vai pular de contente!

FLORO   Depois, depois você conta tudo a ela. Primeiro vamos terminar o nosso acerto. Eu até agora só lhe disse o que você pode esperar de nós. Não disse o que nós esperamos de você.

BASTIÃO   É verdade, o doutor não disse o que eu tenho que fazer.

FLORO   Coisa muito simples. Basta que você dê uma declaração — e que Zabelinha confirme — negando os milagres do Boi.

BASTIÃO   Negando?!

FLORO   Isso mesmo.

BASTIÃO   Mas como é que eu posso negar uma coisa que está vista, provada?

FLORO   Não é preciso negar o milagre. Basta que negue a autoria. O milagre foi feito, mas pelo Padre Cícero, e não pelo Boi.

BASTIÃO   Mas isso não é verdade!

FLORO   (*Sorri.*) Aprenda, Bastião! Em política, verdade é aquilo que nos convém. Há sempre a verdade da situação

	e a verdade da oposição. Ambas são verdadeiras, para cada lado.
BASTIÃO	Mas isso não é questão de política, doutor.
FLORO	É muito mais do que você pensa. Porque disso depende a minha eleição... e a sua. (*Intencional.*) E depende tudo o mais... E afinal de contas, o Boi é do Padre Cícero. Se o Boi faz milagres, é ao Padre que se deve creditar. Você nunca pediu ao Padrinho que Zabelinha gostasse de você?
BASTIÃO	De viva voz, não. Só em pensamento.
FLORO	Vale. Não é assim que a gente se dirige aos santos? E o Padrinho é um santo. Ouviu seu pedido. E você pensa que foi o Boi.
BASTIÃO	E a recusa do capim roubado?
FLORO	Ora, isso não é milagre. Boi também tem fastio.
BASTIÃO	E os outros milagres? A menina que não dormia havia três anos, o cego de nascença que saiu enxergando?
FLORO	(*Interrompe.*) Nada disso diz respeito a vocês. Eu só quero que você diga que deve ao Padre Cícero e não ao Boi a graça que recebeu.
	BASTIÃO *cai em tremendo conflito de consciência.*
FLORO	Diga isso, e amanhã a escritura da roça está em suas mãos. E a sua cadeira de vereador está também garantida. (*Coloca a mão no ombro de* BASTIÃO, *num gesto protetor!*) Sob a minha proteção, você vai ser gente, Bastião.
BASTIÃO	E se eu não aceitar?
FLORO	Bem, se você não aceitar, perde tudo... e ganha um inimigo. Um, não, dois: eu e o Padrinho, que está muito triste com você.
BASTIÃO	(*A revelação choca-o profundamente.*) O Padrim triste comigo?!

FLORO	E não é pra menos. Tantos milagres que ele fez, tantas graças e tanto bem que espalhou por aí... e agora ser trocado por um Boi... O santo padre está amargurado.
BASTIÃO	Mas eu não tenho culpa!
FLORO	Não sei, Bastião, não sei se você não tem culpa.
BASTIÃO	Eu não disse a ninguém que trocasse o Padrim pelo Boi. Eu por mim não troquei um pelo outro — sou devoto dos dois. E continuo tendo pelo Padrim o mesmo amor, o mesmo respeito.
FLORO	Era bom que o Padrinho soubesse disso.
BASTIÃO	O doutor podia dizer a ele, me fazia um favor.
FLORO	É preciso não. Basta que você faça o que lhe pedi há pouco e o Padrinho fica sabendo.
BASTIÃO	O senhor quer que eu diga... Tenho que dizer onde?
FLORO	Por aí, em qualquer lugar. Na botica, na venda, onde puder falar. Basta que diga e que confirme quando eu disser nos comícios. Amanhã mesmo vou falar no Largo da Cadeia. Quero você junto de mim. Combinado?
FLORO	Eu não podia... pensar um pouco mais?
FLORO	Não há tempo pra pensar.
BASTIÃO	(*Depois de longa pausa, mas ainda não convencido da justeza de sua decisão.*) Combinado.
FLORO	(*Estende a mão a* BASTIÃO, *alegremente.*) Vamos selar com um aperto de mão esta aliança política.
	BASTIÃO *aperta a mão do deputado, cabisbaixo.*
FLORO	(*Inicia a saída, para na porta.*) Uma coisa: é preciso que Zabelinha confirme.
BASTIÃO	Deixe ela por minha conta.
FLORO	Eu sei que ela vai compreender a situação melhor do que você. Basta que lhe diga que vai ser mulher

de deputado, dona de terras... Mulher sabe o quanto vale uma situação. (*Sai.*)

BASTIÃO *fica um instante pensativo, fitando a porta por onde* FLORO *saiu.* ZABELINHA *entra, enquanto isso, sem que ele perceba. Quando ele se volta, dá com ela e assusta-se ligeiramente.*

BASTIÃO — Zabelinha...

ZABELINHA — (*Marcando bem as palavras.*) Você vai fazer isso que ele pediu, Bastião? Vai trair o santo que nos juntou, que fez a nossa felicidade? Vai, Bastião?

FIM DO SÉTIMO QUADRO

OITAVO QUADRO

Casa do PADRE. FLORO *e* PADRE *na sala.*

PADRE — E o doutor acha que isso é suficiente?

FLORO — Acho que sim. Se Bastião nega o milagre do Boi, confessa a farsa, o Boi está desacreditado.

PADRE — Mas houve outros milagres...

FLORO — O povo passará a duvidar deles. E enquanto isso, eu e o Padre faremos uma campanha de desmoralização do Boi. O Padre deve dizer que o Boi não é emissário de Deus, mas de Satanás. E deve ameaçar com o Inferno todos aqueles que forem adorá-lo.

PADRE — Não posso fazer isso!

FLORO — Por quê?

PADRE — Porque não há nenhum indício, nada que justifique.

FLORO — Como não há, Padre? Quem pode ter interesse em desviar os crentes da Igreja, senão o Diabo? Quem tem poderes sobrenaturais, além de Deus, senão o Diabo? Quem pode enfeitiçar um animal, senão o Diabo?

PADRE   Não são provas suficientes.

FLORO   E se nós estamos com Deus e o Boi está contra nós, isso não é prova de que ele está com o Demônio? Não é prova suficiente?

PADRE   Era preciso estudar mais o caso. É uma acusação muito séria pra se fazer assim... mesmo a um animal.

FLORO   Pois então, Padre, pegue os livros de teologia e estude o assunto. Porque as eleições estão aí... E o Boi é o nosso maior adversário, não tenha dúvida.

PADRE   Acho também que o doutor exagera. Se há tanta gente que hoje acredita nos milagres do Boi, é porque o Boi me pertence. Fosse ele de outra pessoa e teria o destino de todos os bois. O próprio Bastião jamais teria feito a promessa. E ninguém viria de tão longe para adorar um quadrúpede, se o dono dele não fosse o Padre Cícero.

FLORO   O senhor acha então que eles veem no Boi a segunda pessoa do Padrinho?

PADRE   (*Não gosta muito da comparação.*) Mais ou menos.

FLORO   E o Senhor conclui daí o quê, Padre?

PADRE   Concluo que o meu prestígio não está abalado, como o doutor julga. E que, quando eu mandar votar no doutor, eles obedecerão, como das outras vezes.

FLORO   Não me fio nisso, Padre. Mesmo sabendo que nós temos a máquina eleitoral nas mãos e que podemos alterar os resultados até certo ponto... mesmo contando a nosso favor com os votos dos analfabetos e dos mortos, ainda assim, tenho medo. É preciso liquidar politicamente esse Boi. E isso nós começaremos no comício de amanhã.

FIM DO OITAVO QUADRO

NONO QUADRO

Praça em frente à cadeia pública. Um palanque armado, sobre o qual estão FLORO, *o* PADRE *e* BASTIÃO. *O* PADRE *está sentado.* BASTIÃO, *ao fundo, cabisbaixo.* FLORO *discursa. Entre os assistentes estão* ZABELINHA, BEATA, FANÁTICO, BEATO DA CRUZ, VENDEDOR AMBULANTE, MATEUS, VAQUEIRO, MENINO, MENINO 2, ROMEIRO, ROMEIRO 2. *Envolvendo o palanque horizontalmente há uma faixa com os dizeres:* O PADRINHO MANDA: VOTE NO DR. FLORO BARTOLOMEU.

FLORO — ... e lembre-se, minha gente, que há quarenta anos Juazeiro era um lugar esquecido de Deus e dos homens. Foi quando o Senhor nos mandou o Padre Cícero Romão...

ROMEIRO — Viva meu Padrim!

TODOS — Vivaaa!

FLORO — ... o Padre Cícero Romão e Juazeiro se transformou na nova Jerusalém. Gente de toda parte vem receber do Padrinho a palavra salvadora, o remédio para seus males. Não é preciso dizer que, apesar das secas, das doenças, da fome e de todas as provações por que passamos, Juazeiro é hoje um lugar abençoado por Deus. Não há quem não deseje, já não digo viver, mas morrer em Juazeiro. Porque em todas as cidades do Nordeste se morre de fome e de sede, mas em nenhuma delas se morre abençoado e recomendado pelo Padrinho!

Aplausos.

ROMEIRO 2 — Padrim! Padrim!

ROMEIRO — Viva meu Padrim!

TODOS — Vivaaa!

FLORO — Grita a oposição que em Juazeiro não há escolas, que em Juazeiro não há hospitais, que nada fazemos contra as secas. Como não há escolas, se Juazeiro é uma imensa escola de fé cristã, onde o Padrinho é o mestre?

Aplausos.

Como não há hospitais, se os paralíticos daqui saem andando, se os cegos recuperam a visão, se dezenas e dezenas de enfermos daqui saem curados, todos os dias?

Aplausos.

E quem diz que nada fizemos contra as secas? Então no ano atrasado mesmo, para não ir mais longe, no ano atrasado mesmo o Padrinho não fez chover quinze dias seguidos, quando já não havia nem esperança de chuva?

Aplausos entusiásticos.

VAQUEIRO   Viva meu Padrim Cirso e seu Boi santo!

TODOS   Vivaaa!

FLORO   (*Lança um olhar a* BASTIÃO, *como a preveni-lo de que vai chegar a sua vez.*) Mas... é preciso não abusar da clemência divina! É preciso saber ser reconhecido àquele a quem Deus escolheu para intermediário de suas graças! É preciso, sobretudo, saber distinguir o verdadeiro do falso escolhido... E ai daqueles que trocam a Igreja pelo curral!

ROMEIRO 2   Mas o Boi é santo também!

ROMEIRO   Então não é?

FLORO   (*Aponta* BASTIÃO.) Vocês conhecem Bastião. Dizem que ele presenciou o primeiro milagre e recebeu a primeira graça desse Boi que afirmam ser santo. Pois ele aqui está para dizer a vocês toda a verdade. Venha cá, Bastião.

BASTIÃO, *sempre cabisbaixo, chega à frente do palanque.*

FLORO — Diga a essa gente, você mesmo, com sua voz. Você acredita que tenha sido o Boi o autor das graças que recebeu?

Há uma pausa. BASTIÃO *hesita, presa de tremendo conflito de consciência.*

FLORO — Responda, Bastião. Você deve ao Boi essas graças? Acredita que seja ele o autor dos milagres que presenciou?

Nova pausa. Todos os olhares estão presos em BASTIÃO.

FLORO — Lembre-se, Bastião, da importância que terá a sua resposta... para essa gente... e para você, principalmente! Você acredita na santidade do Boi?

ZABELINHA — Bastião!

BASTIÃO — (*Seu olhar cruza com o olhar angustiado de* ZABELINHA.) Acredito! (*Grita nervosamente.*) Acredito! Acredito!

Um clamor se eleva do povo.

BASTIÃO — Acredito e vou pedir perdão a ele por ter prometido negar! *Desce do palanque e sai correndo.*

ZABELINHA — Bastião, espere! (*Sai correndo atrás dele.*)

FLORO — (*Furioso, gritando.*) Ele mente! Ele mente!

Os ROMEIROS *vão saindo, sem dar ouvidos a* FLORO.

VAQUEIRO — Queriam que ele negasse!

ROMEIRO — Como era que podia?!

ROMEIRO 2 — Ele que recebeu a primeira graça!

BEATA — Havia de ser uma heresia!

BEATO DA CRUZ	(*Agitando a cruz.*) Negar a santidade do nosso Boi! Hereges! Hereges! Vamos nos purificar desse pecado rastejando diante dele...
VENDEDOR	Meu Padrim não disse nada; isso é só coisa de Dr. Floro.
FANÁTICO	Coisa do Demo! Coisa do Demo!

Saem todos os assistentes, com exceção de MATEUS, *que continua de pé na praça.* PADRE *e* FLORO *permanecem como que fulminados sobre o palanque.*

FLORO	Idiota!
PADRE	O senhor fez mal em confiar nele.
FLORO	Como eu podia imaginar?...
PADRE	Sofremos uma grande derrota, que podia ter sido evitada. Agora as coisas vão ficar muito mais difíceis.
FLORO	Só há um jeito agora. Matar o Boi.
PADRE	(*Espanta-se.*) Matar o Boi! Está falando sério?
FLORO	Por que se espanta? Por acaso os bois não nasceram pra isso mesmo, para serem sacrificados?
PADRE	Mas esse... não é um boi comum...
FLORO	Não vejo diferença. É ruminante, quadrúpede, irracional, como todos os outros.
PADRE	O povo não pensa assim, o senhor viu!
FLORO	Porque alguns idiotas inventaram que o Boi faz milagres.
PADRE	Não são alguns idiotas, são milhares. Matá-lo seria provocar uma revolta!
FLORO	Não creio, mas se houver, estou disposto a enfrentá-la.
MATEUS	(*Que ouviu o diálogo anterior, estarrecido, sobe ao palanque.*) Ouvi o doutor dizer...

FLORO — Ah, Mateus não é o guarda do Boi?

PADRE — É... ele é quem toma conta do animal.

MATEUS — Com muita alegria, graças a Deus Nosso Senhor e ao Padrim Cirso. Fui eu quem cuidou dele desde o dia do primeiro milagre.

FLORO — Vamos acabar com isso, Mateus. Essas coisas envergonham uma cidade como Juazeiro. E você, como membro da Irmandade dos Penitentes, devia me ajudar.

MATEUS — A Irmandade...

FLORO — (*Interrompe.*) Padre Cícero, que é um santo, e a quem vocês tudo devem, condena o culto do Boi.

MATEUS — Meu Padrim...

FLORO — (*Interrompe.*) E obedecendo a ordens dele, amanhã, nesta praça, o Boi será sacrificado.

MATEUS — O senhor vai matar o Boi?!

FLORO — Eu, não. Mas alguém fará isso.

MATEUS — (*Fora de si, numa exaltação crescente.*) Ninguém! Ninguém vai fazer isso com o meu Boi santo!

FLORO — E por que não?

MATEUS — Porque eu não vou deixar! Nem eu, nem Deus Nosso Senhor!

FLORO — Não meta Deus nessa história.

MATEUS — Foi Deus quem fez os bois. E se fez desse um santo, é porque está com ele, contra quem quiser lhe fazer mal. Deus defende sua gente!

FLORO — Mesmo contra o Padrinho?

MATEUS — Eu não creio que o Padrim queira matar o Boi! O doutor pode dizer, mas eu não creio! Um santo não pode querer a morte de outro santo!

FLORO	(*Perde a paciência.*) Pois você acredite ou não acredite, o Boi será morto.
MATEUS	Pode ser, doutor. Mas por essa luz que me alumia, vão ter que me matar primeiro!

As luzes se apagam em resistência.

FIM DO NONO QUADRO

DÉCIMO QUADRO

É noite. O Largo da Cadeia está novamente repleto. Entre os assistentes, BEATA, FANÁTICO, BEATO DA CRUZ, VENDEDOR AMBULANTE, VAQUEIRO, MENINO, MENINO 2, ROMEIRO, ROMEIRO 2; *sobre o palanque,* MATEUS.

MATEUS	Apois é isso, meus irmãos, querem matar o nosso santo Boi!
TODOS	Não! Nunca! Não vamos deixar!
FANÁTICO	Nós morremos com ele!
BEATA	Ele me curou de quebrante!
ROMEIRO	Me curou de sapiranga!
BEATA	Deus não há de permitir!
ROMEIRO 2	Nem Deus, nem nós.
TODOS	(*Gritam, fanáticos.*) Nem nós!
FANÁTICO	Ninguém bota a mão no Boi! Ninguém!
MATEUS	É o Dr. Floro Bartolomeu quem quer fazer essa barbaridade. Meu Padrim não falou nada. Mas o doutor faz dele o que quer. E diz que amanhã vão matar o Boi, aqui, nesta praça!
TODOS	(*Num grito de horror.*) Não!
BEATO	(*Agitando a cruz.*) A maldição de Deus há de cair sobre quem fizer isso! E também sobre quem consentir!

BEATA   Sobre nós!

BEATO   Sobre a terra e a gente cairá um castigo!

FANÁTICO   Uma seca de sete anos!

BEATA   A peste!

BEATO   Ou, quem sabe, o fim do mundo!

TODOS   O fim do mundo? Será o fim do mundo!

BEATO   (*Iluminado.*) Quando o sangue do santo Boi encharcar a terra, vai virar fogo! E o fogo vai limpar o mundo de todos os pecados! De todos os vícios! De todos os crimes!

VAQUEIRO   (*Desesperadamente.*) Não! Não podem matar o meu Boi! Fui eu quem deu o Boi de presente ao Padrim! Não deixem matar meu Boi!

MATEUS   A Irmandade dos Penitentes vai defender o santo Boi com a própria vida!

TODOS   Nós também!

MATEUS   (*Iluminado.*) Quem morrer pelo Boi tem vida eterna!

VENDEDOR   (*Olhando para fora.*) Minha gente, lá vem o Bastião com o Boi! (BASTIÃO *entra, trazendo o* BOI.)

TODOS   O Boi! Bastião trouxe o Boi!

Há uma verdadeira explosão de alegria. Uns se arrojam aos pés do animal, outros beijam sua testa, seus chifres, rindo, gritando, dançando.

BASTIÃO   Por via das dúvidas, garrei o Boi e trouxe.

MATEUS   Fez bem, Bastião. Temos que guardar o Boi bem guardado! (*Todos circundam o* BOI, *alegremente.*)

VAQUEIRO   Viva o meu boizim!

TODOS   Vivaaa!

VAQUEIRO	(*Canta:*)	Vem, meu boi lavrado, vem fazer bravuras, vem dançar bonito, vem fazer mesuras!
CORO		Vem dançar, meu boi, aqui no terreiro, que o dono da casa tem muito dinheiro.

O BOI *dança, roda, inclina-se, conforme as ordens do* VAQUEIRO.

VAQUEIRO	Alô, meu boi!
CORO	Eh! bumba!
VAQUEIRO	Dança de jeito!
CORO	Eh! bumba!
VAQUEIRO	Faz a mesura!
CORO	Eh! bumba!
VAQUEIRO	Espalha a gente!
CORO	Eh! bumba!

O BOI *investe contra o povo, que corre.*

VAQUEIRO	Meu boi laranjo!
CORO	Eh! bumba!
VAQUEIRO	Meu boi bargado!
CORO	Eh! bumba!
VAQUEIRO	Dá volta e meia!
CORO	Eh! bumba!
VAQUEIRO	Vai sossegado!
CORO	Eh! bumba!

A dança é interrompida pelo grito de ZABELINHA, *que entra correndo.*

ZABELINHA	Bastião! Bastião!
BASTIÃO	Zabelinha! Que aconteceu?
ZABELINHA	(*Arfante.*) Espere... deixe... deixe eu respirar... vim correndo do telégrafo até aqui...
BASTIÃO	Do telégrafo?
ZABELINHA	É... seu Maneca telegrafista disse... que o Dr. Floro acaba de telegrafar pra Capital... pedindo tropa!
BASTIÃO	Tropa? Soldados?
ZABELINHA	Isso mesmo... por causa do Boi! (*Todos rodeiam* ZABELINHA.)
VENDEDOR	Soldados! Dr. Floro mandou buscar macacos na Capital!
ROMEIRO 2	Pra matar o Boi?
ZABELINHA	E quem não quiser deixar, com certeza!
BEATA	Minha Mãe das Dores!
BEATO	É o Anticristo!
ZABELINHA	Seu Maneca disse que ele pediu um batalhão!
BASTIÃO	Um batalhão?
VAQUEIRO	Um batalhão quantos soldados tem?
ROMEIRO	Acho que uns cem...
ROMEIRO 2	Mais! Tem trezentos!
VENDEDOR	Me adisculpe, mas eu servi na Polícia: um batalhão tem quinhentos homens.
TODOS	Quinhentos!
BASTIÃO	Pois que venham! Que tragam dois batalhões até! Vou levar o Boi pra nossa casa. E nem o exército brasileiro arranca ele de lá!

MATEUS   Isso! Nós cercamos a casa e quero ver!

ZABELINHA   E se eles tiverem ordem pra matar?

MATEUS   Que matem! Quem está disposto a morrer pelo Boi santo que levante o braço!

Todos erguem os braços, sem hesitação. E...

FIM DO SEGUNDO ATO

terceiro ato

DÉCIMO PRIMEIRO QUADRO

Casa de BASTIÃO. *A* BEATA *está a um canto, encolhida, com um terço na mão, rezando;* BASTIÃO, *junto a uma janela fechada, tenta ver algo por uma fresta. Ouve-se um tiro, ele se esconde. Outros tiros se seguem.*

FLORO — (*Fora de cena, afastado, grita:*) Não adianta, Bastião! A casa está cercada, é melhor se entregar!

BASTIÃO — (*Grita, junto à janela:*) Venham me buscar! Venham me buscar, se são homens!

FLORO — (*Fora.*) Os romeiros já se entregaram! Você está sozinho, Bastião!

BASTIÃO — Não está sozinho quem está com Deus Nosso Senhor!

FLORO — (*Fora.*) Pois vamos ver quem está com Deus e quem está com o Cão!

Nova descarga de quatro ou cinco tiros de fuzil.

BEATA — (*Reza em voz alta:*) "Santa Mãe de Deus e Mãe Nossa, Mãe das Dores, pelo amor de nosso Padrim Cirso e de seu Boi Santo, nos livre e nos defenda de tudo quanto for perigo e miséria, nesta vida e na outra, onde queremos estar, ao lado de nosso Padrim e de seu Boi Santo, amém!"

ZABELINHA — (*Entra.*) Bastião, prenderam Mateus e os penitentes!

BASTIÃO — Gente frouxa!

ZABELINHA — Frouxa nada. Vi Mateus todo ensanguentado levantar os braços para o céu e cair junto da porta do quintal.

Os outros arrodearam ele e começaram uma reza pra ajudar a morrer. Foi aí que os macacos chegaram e prenderam todo mundo!"

CORO DOS PENITENTES (*Afastado.*) Nossa Mãe Nossa Senhora
Virgem Santa e Mãe das Dores
é a guarda de nós todos,
de nós todos pecadores.

BEATA (*Logo no início do coro.*) Escutem!...

Eles escutam o coro até o fim.

ZABELINHA São eles...

BEATA Um "canto de sentinela!"

BASTIÃO Mateus morreu!

BEATA *benze-se,* BASTIÃO *e* ZABELINHA *imitam.*

CORO DOS PENITENTES (*Afastando-se cada vez mais.*) Oh! Mãe gloriosa,
Oh! Mãe de Juazeiro,
Oh! Mãe virtuosa,
Oh! Mãe dos romeiros.

BEATA (*Afasta-se para o seu canto, rezando.*) "Jesus vai contigo e Nossa Mãe das Dores é tua guia até a porta de São Pedro. E o Arcanjo Gabriel com a espada na mão te defenderá contra os ataques do Cão!"

ZABELINHA Bastião, tou com medo.

BASTIÃO E quem é que não tá?

ZABELINHA É de morrer não. É de ser castigada.

BASTIÃO Castigada por quê?

ZABELINHA Eu sou culpada, Bastião, culpada de tudo que tá acontecendo.

BASTIÃO Porque foi por sua causa que o Boi fez o primeiro milagre? Nesse caso, eu sou mais culpado que você;

	fui eu quem fez a primeira promessa. Eu que provoquei o bicho.
ZABELINHA	É isso não, Bastião. É isso não.
BASTIÃO	Que é, então?
	O BOI entra.
BEATA	Olhe o Boi! O Boi se soltou!
BASTIÃO	Se assustou com com os tiros, com certeza. (*Aproxima-se do BOI, segura-o pela corda e tenta levá-lo para fora. Mas o BOI resiste.*) Vamos, meu santo, vamos lá pra dentro. Aqui é perigoso, podem lhe acertar um tiro. (*O BOI resiste.*)
ZABELINHA	Ele não quer ir, Bastião. É melhor deixar. Ele sabe mais que você onde deve ficar.
	BASTIÃO *afrouxa a corda. O BOI se encaminha para o feixe de capim seco pendurado na parede. A ante os olhares estarrecidos de BASTIÃO, ZABELINHA e da BEATA, arranca o capim com os dentes.*
ZABELINHA	O capim! O capim sagrado!...
	O BOI come o capim.
BASTIÃO	(*Impressionadíssimo.*) Ele tá comendo! Ele tá comendo o capim que eu roubei, Zabelinha!
ZABELINHA	E o capim tá seco!
BASTIÃO	Então... por que ele não comeu daquela vez? Se é o mesmo capim...
BEATA	É um novo milagre!
ZABELINHA	Ou é fome.
BASTIÃO	Fome não; de manhãzinha eu dei de comer a ele. E milagre, milagre não é... comer capim, mesmo seco, qualquer boi come.

O BOI, *ainda ruminando, inicia a saída.* BASTIÃO, *estático, nada faz para detê-lo.*

ZABELINHA — Ele pode fugir... (*Sai atrás do* BOI.)

BASTIÃO — Ele devia saber que era o mesmo capim... ele devia saber!... E não recusou!

BEATA — Que é que você acha? Que o Boi perdeu a santidade?

BASTIÃO — (*Tremendamente confuso.*) Sei não... sei não!...

ZABELINHA — (*Entra.*) Prendi ele de novo no quarto.

BASTIÃO — (*Meditando profundamente sobre o acontecido, não parece tê-la ouvido.*) Ele comeu o capim roubado...

ZABELINHA — Bastião... queria lhe dizer uma coisa.

BASTIÃO — Ahn?

ZABELINHA — Há muito que eu tou pra lhe dizer e não tenho coragem. Agora tou com remorso. Remorso de ter escondido de você.

BASTIÃO — Escondido o quê?

ZABELINHA — Naquele dia que o Dr. Floro esteve aqui, antes de você chegar, ele... ele se engraçou comigo.

BASTIÃO — Se engraçou como?

ZABELINHA — Disse que me cobiçava e que ia fazer promessa pro Boi, pra eu largar de você e ir com ele pro Rio de Janeiro.

BASTIÃO — Filho da mãe! Ele disse isso?!

ZABELINHA — Disse. E eu acho que fez. E como o Boi não atendeu, ele tá danado fazendo tudo isso. De raiva.

BASTIÃO — É capaz. Agora tou entendendo... Por isso ele queria que eu negasse a santidade do Boi. Pro Boi me castigar, atendendo o pedido dele. Cabra safado.

ZABELINHA — E agora?... Se ele, de vingança, matar o Boi? Eu vou ser a culpada!

BASTIÃO	Você?
ZABELINHA	Não fui eu que fiz ele ficar com raiva? Não fui eu que disse a ele pra fazer aquela proposta pra uma mulher-dama, não pra mim?
BASTIÃO	E disse bem. Tá arrependida?
ZABELINHA	Tou não. Mas se o Boi morrer por causa disso? Por causa de uma palavra minha?
BASTIÃO	É palavra de mulher honesta.
ZABELINHA	E será que minha honestidade vale mais que a vida de um santo?
BASTIÃO	(*Custa a entender o conflito de* ZABELINHA. *Suas palavras o deixam extremamente confuso.*) Sei não... não entendo o que você tá dizendo. Será que você acha que devia ter ido dormir com o doutor?!
ZABELINHA	Se o Boi morrer...
BASTIÃO	Se o Boi morrer... E na minha honra você não pensa? (*Há uma pausa. Silêncio absoluto.*) Você reparou?... Pararam de atirar...
ZABELINHA	(*Pressentindo.*) Esse silêncio...

BASTIÃO *vai até a janela e olha pela fresta. É quando* FLORO *e o* CABO *entram pela porta dos fundos.* FLORO *empunha um revólver e o* CABO, *um fuzil.*

ZABELINHA	Bastião! (BASTIÃO *volta-se.*)
CABO	(*Aponta-lhe o fuzil*). Se reagir, leva fogo!
BEATA	(*Leva as mãos aos lábios, abafando um grito.*) Minha Mãe das Dores!
FLORO	Espere, Cabo. Ele não vai ser besta de reagir. Onde está o Boi?
BASTIÃO	Sei não.
FLORO	Onde esconderam o bicho? É melhor dizer.

BASTIÃO	Sei, mas não digo.
FLORO	Leve ele, Cabo.
CABO	Pra onde, doutor?
FLORO	Pra cadeia. O Boi há de aparecer.
CABO	(*Segura* BASTIÃO *por um braço e arrasta-o consigo.*) Vamos! (*Saem. De fora, grita:*) Tá aqui o Boi, seu doutor! Os meus homens acharam ele!
FLORO	(*Vai até a porta interna, grita para fora:*) Levem ele pra casa do PADRE. Deixe dois homens lá montando guarda. (*Aproxima-se de* ZABELINHA.) Toda essa carnificina por causa de um boi!
ZABELINHA	A gente deve lutar por aquilo que acredita.
FLORO	Mesmo errado?
ZABELINHA	Acho que sim. Mesmo errado.
FLORO	Isso é ignorância.
ZABELINHA	Ninguém tem culpa de ser ignorante.
FLORO	(*Olha-a demoradamente.*) É... é possível que a culpa seja nossa mesmo. (*Inicia a saída.*)
ZABELINHA	E Bastião? Que vão fazer com ele?
FLORO	Vai ficar guardado uns dias... Talvez tenha que ser removido pra Capital.
ZABELINHA	Mas ele não tem culpa!
FLORO	Como não tem culpa? Chefiou uma revolta, desacatou as autoridades constituídas, desafiou a Igreja e o Estado, representados na pessoa do Padre Cícero, e o Poder Legislativo, representado na minha pessoa...
ZABELINHA	(*Apavorada.*) Mas se ele fez tudo isso... vai passar o resto da vida na prisão!

FLORO	(*Som.*) E Zabelinha vai ficar de novo solteira... Quem sabe se não será esse o último milagre do Boi?... (*Sai.*)
BEATA	(*Aponta na direção em que* FLORO *saiu.*) É o Demônio! É o Demônio!

FIM DO DÉCIMO PRIMEIRO QUADRO

DÉCIMO SEGUNDO QUADRO

Na cadeia. BASTIÃO *está deitado de bruços sobre um catre, parecendo ter levado boa surra. É noite.* CABO *entra com* ZABELINHA.

ZABELINHA	Bastião!
BASTIÃO	Zabelinha...
CABO	(*Abre a porta da cadeia.*) Podem conversar aqui fora. Mas não demorem muito, se o doutor aparece aqui tou frito. (BASTIÃO *sai do cubículo.*)
ZABELINHA	Eu podia... falar com ele em particular?
CABO	Sozinha?
ZABELINHA	Um instantinho só...
CABO	(*Um pouco desconfiado.*) Tá bem. Mas veja lá, hein? Tou arriscando o meu galão. (*Apanha o cinturão com o revólver e o sabre, que estão pendurados num cabide e sai.*)
ZABELINHA	Te bateram?
BASTIÃO	Uns covardes.
ZABELINHA	Já sabe? O Boi vai ser morto amanhã cedinho. E o sacrifício vai ser aqui na frente da cadeia.
BASTIÃO	Pra que eu veja.
ZABELINHA	Acho que sim, que é pra que você veja.
BASTIÃO	É um cabra mau que nem cobra. Quer me machucar até o fim.

ZABELINHA   Tá todo mundo imaginando a desgraça que vai cair sobre Juazeiro. Muita gente já fugiu da cidade. E eu tenho a impressão que todos me olham como se eu fosse culpada do que vai acontecer!

BASTIÃO   Você? Por quê? Você contou a alguém?...

ZABELINHA   Contei pro Beato da Cruz.

BASTIÃO tem um olhar de censura.

ZABELINHA   Eu carecia, Bastião! Carecia de um conselho!

BASTIÃO   O Beato que disse?

ZABELINHA   (*Convicta, iluminada.*) Que eu fui a escolhida de Deus pra salvar o Boi.

BASTIÃO   Escolhida? Escolhida, como?

ZABELINHA   Cedendo aos caprichos do Anticristo.

BASTIÃO   Ele quer... que que você vá se dar em troca...

ZABELINHA   Em troca da vida do Santo Boi e de sua liberdade, Bastião.

BASTIÃO   Não quero! Não quero liberdade comprada com desonra!

ZABELINHA   (*No mesmo tom messiânico.*) O Beato disse que não vai haver desonra nem pecado. Que eu vou sair tão pura como antes... porque tudo não vai passar de um sacrifício pela salvação do Santo Boi.

BASTIÃO   E eu, Zabelinha? Você acha que eu posso aceitar essa situação?

ZABELINHA   É a tua parte no sacrifício, Bastião.

BASTIÃO   O Beato também disse isso?

ZABELINHA   Disse. Ele acha que nós fomos escolhidos pra uma provação. E que devemos estar felizes por Deus ter se lembrado de nós, entre tantos.

BASTIÃO	Feliz por Deus, entre tantas testas, ter escolhido a minha!
ZABELINHA	Foi o que ele disse.
BASTIÃO	E você... você tinha coragem de ir se oferecer?... De se humilhar como... qualquer mulher-dama?
ZABELINHA	O Beato disse que, se eu não fizer e o Boi for sacrificado, o castigo vai ser pior.
BASTIÃO	Pior?... Pior castigo que esse? E eu já duvido que venha algum castigo.
ZABELINHA	(*Como se ele houvesse proferido uma heresia.*) Duvida?! Pois se o Beato disse...
BASTIÃO	Ah, o Beato, o Beato!... O Beato só vê castigo... Há dez anos que ele vive anunciando o fim do mundo. Desde ontem que estou começando a desacreditar de uma porção de coisas.
ZABELINHA	Desde ontem?
BASTIÃO	Você viu... o Boi comeu o capim roubado. Se eu roubasse outro feixe, ele era capaz de comer também. Naquele dia mesmo, no dia do milagre, se eu tivesse insistido, se tivesse deixado lá o capim, mais tarde, quem sabe se ele não comia? Só não comeu porque eu levei o capim pra casa, como coisa sagrada.
ZABELINHA	Bastião, você não tá duvidando do milagre, tá?!
BASTIÃO	(*Confuso.*) Sei não, Zabelinha... sei não se houve mesmo milagre.
ZABELINHA	E a fuga do Capitão?
BASTIÃO	Quando eu fiz a promessa pro Boi, o Capitão já tinha fugido.
ZABELINHA	E eu embeiçar por você de repente?...
BASTIÃO	Foi mesmo de repente? Você nunca pensou em mim?

ZABELINHA	Bem, verdade-verdade, às vezes eu pensava. Mas aquele dia me deu uma coisa... uma vontade de ser sua que eu não tinha antes. E a felicidade que nós temos gozado todo esse tempo? Maior prova do milagre que essa, Bastião?
BASTIÃO	Sei não, Zabelinha, sei não... Tou meio tonto. Acho que me bateram muito...
ZABELINHA	Quer ver que o miolo saiu do lugar...
BASTIÃO	Sei não... Mas que tem alguma coisa fora do lugar, tem. Não sei se é na minha cabeça... ou é no mundo.
ZABELINHA	No mundo?
BASTIÃO	Mateus deu a vida pelo Boi... Tanta gente que podia ter também morrido — e morrido feliz — por ele...
ZABELINHA	Tanta gente que morreu feliz pelo Padrim...
BASTIÃO	Por ele ou pelo Padrim. É a mesma coisa.
ZABELINHA	E você tem culpa?
BASTIÃO	Sei não... o pior é isso, que eu não sei quem tem a culpa.
ZABELINHA	A culpa é minha, Bastião. É por minha causa que o doutor tá fazendo tudo isso. E por isso o Beato disse que eu tenho que me sacrificar.
BASTIÃO	Uma ova!
ZABELINHA	O Beato disse, Bastião.
BASTIÃO	O Beato pode dizer o que quiser. Mulher minha não faz esse tipo de penitência.
	O BEATO entra, abruptamente, seguido do CABO, que tenta detê-lo.
CABO	Espere... não pode ir entrando assim... Isto é uma cadeia, é preciso respeitar!
ZABELINHA	Ele veio comigo.

BEATO	(*Avança para* BASTIÃO, *de cruz em punho, em atitude agressivamente profética.*) Minha Mãe das Dores me apareceu e falou: se matarem o Boi, virá uma seca de sete anos, como nunca houve! E todos aqueles que tentarem fugir pra outras terras verão a água virar sangue e a terra virar fogo! E os que puderem salvar seu povo e não fizerem, esses serão duplamente castigados!
ZABELINHA	Tá ouvindo, Bastião?!
BEATO	Porque em verdade vos digo: o fim do mundo tá próximo e o Anticristo vai soprar sobre a terra o vento da destruição e do pecado! Nessa hora, é preciso esquecer todo egoísmo, toda vaidade, todo orgulho e ouvir a voz de Deus! Porque só os humildes hão de gozar as delícias da vida eterna!
	O BEATO *sai, tão abruptamente como entrou, e* ZABELINHA, *magnetizada, segue-o.*
BASTIÃO	Zabelinha!
ZABELINHA	(*Da porta.*) Coragem, Bastião! (*Sai.*)
	BASTIÃO *ameaça segui-la, mas o* CABO *barra-lhe a passagem.*
CABO	Eh, espera lá! Que anarquia é essa? Pensa que aqui todo mundo pode entrar e sair a hora que quer?
BASTIÃO	Ele vai levar ela pro doutor!...
CABO	Pra se tratar?
BASTIÃO	Não, pra me trair! Disse que Nossa Mãe das Dores mandou!
CABO	Tou entendendo não... Nossa Mãe das Dores deu agora pra...
BASTIÃO	Nossa Mãe nada, mãe dele! Me deixe sair, Cabo! Eu prometo que volto! Antes do dia clarear estou aqui, juro!

CABO   Vou nessa conversa não. Fiz isso uma vez com um cabra, até hoje tou esperando por ele. (*Tira o cinturão, com o sabre e o revólver, pendura-o no cabide.*)

BASTIÃO   Seu Cabo, o senhor me conhece, sou homem de palavra.

CABO   A única palavra que vale aqui é a Lei. E a Lei diz que lugar de preso é ali, no xadrez.

BASTIÃO   (*Apossa-se do cinturão do* CABO.) Pois então, seu Cabo, sinto muito, mas vou ter que desrespeitar a Lei. (*Empunha o sabre.*)

CABO   Que é isso? Largue essa arma!

BASTIÃO   Largo não. E saia da minha frente, se não quer que a Lei seja ainda mais desrespeitada.

CABO   Tá maluco, menino? Pense no que vai fazer...

BASTIÃO   Quantos filhos o senhor tem, Cabo?

CABO   Tenho seis, trabalhando pra mais um.

BASTIÃO   Então pense o senhor neles e saia da minha frente. (*Inicia a saída.*)

CABO   Eh, espere!

BASTIÃO   (*Detém-se.*) Que é?

CABO   Me prenda ali, ao menos, senão vai ficar feio pra mim... (CABO *entra na cela*, BASTIÃO *fecha a porta a chave.*)

CABO   Obrigado.

BASTIÃO *sai.*

FIM DO DÉCIMO SEGUNDO QUADRO

DÉCIMO TERCEIRO QUADRO

Na casa do PADRE. PADRE *e* MOCINHA, *na sala, ambos muito preocupados. No quintal, dois soldados encarregados de montar guarda ao* BOI, *dormem.*

PADRE   Eu sabia. Sabia que isso ia acontecer. Avisei o doutor...

MOCINHA   Se ele teima em matar o Boi, não sei o que será de nós. A cidade está em pé de guerra desde ontem. A morte de Mateus revoltou os penitentes, que agora são capazes de tudo!

PADRE   Não haviam sido todos presos?

MOCINHA   Foram soltos depois. Não havia lugar na cadeia. O senhor sabe que no xadrez não cabe mais que um preso.

PADRE   Também nunca houve necessidade de lugar pra mais.

MOCINHA   Levaram o corpo de Mateus pro Horto e estão lá, desde ontem, de quarto e sentinela.

PADRE   Pobre Mateus. O doutor acha perigoso eu ir até lá, mas eu tenho que ir. Não posso permitir que sepultem o corpo desse infeliz sem ao menos uma oração por sua alma.

MOCINHA   É a primeira vez que eu concordo com o doutor: acho que o senhor não deve ir.

PADRE   Não ia me acontecer nada. Eles me respeitam.

MOCINHA   É bem verdade que ninguém acredita que tenha sido o Padrinho quem mandou matar o Boi.

PADRE   E não foi mesmo, você sabe.

MOCINHA   Muita gente acha mesmo que o senhor não aprova o procedimento do Dr. Floro.

PADRE   O que também não é mentira.

MOCINHA   É, o Padrinho fez bem em não se pronunciar claramente. Foi de boa política, como diz o doutor. Mas mesmo assim, acho que o senhor não deve ir ao Horto. Ninguém sabe o que pode acontecer de hoje pra amanhã.

FLORO *entra, vindo da rua.*

PADRE	Ah! O doutor...
FLORO	Que há? Parecem assustados...
PADRE	E não é pra estar?
FLORO	Depois que o Boi morrer, tudo voltará à calma.
PADRE	Mas até lá...
FLORO	Já tomei todas as providências, pode ficar tranquilo.
PADRE	Que providências?
FLORO	Pedi mais reforços à Capital.
MOCINHA	Mais soldados!
FLORO	Vão ser precisos amanhã, pra garantir a execução.
PADRE	O doutor teme que o povo, na hora, se revolte?
FLORO	Acredito não. Mas esses cabras são muito capazes de chamar algum bando de cangaceiros pra defender o Boi; é bom estar prevenido.
MOCINHA	Lampião?...
FLORO	Não, Lampião tem muito respeito pelo Padrinho. Mas outro bando qualquer. Até mesmo Zé Pinheiro, que, agora, soube, está mancomunado com o Coronel Costa Lima de Iguatu.
PADRE	Zé Pinheiro tem muitos jagunços.
FLORO	E sabe que se eu perder essa parada do Boi perco também as eleições.
PADRE	(*Conciliatório.*) Doutor... acho que devemos agir com mais cautela. Compreendo que seja preciso dar um fim ao Boi. Mas não podemos, em torno disso, provocar uma guerra santa. Mesmo porque, nessa guerra, nós estaremos sozinhos, contra todos.
MOCINHA	Até mesmo contra Deus.
PADRE	É uma loucura.

FLORO   Agora é tarde, padre. Tarde demais pra recuar.

PADRE   Por quê?

FLORO   Um recuo, nesta altura, era um suicídio político. Era o mesmo que eleger o candidato do Coronel Costa Lima. E o Padre pode bem imaginar as consequências disso: Zé Pinheiro ia mandar e desmandar em Juazeiro. Era capaz de ser nomeado Prefeito. Na primeira oportunidade, mandava um dos seus jagunços me passar fogo e tocava o Padre daqui.

MOCINHA   Ele não ia poder fazer isso.

FLORO   Ia. E até com apoio do Bispo. Não se esqueça de que o Padre está suspenso de ordens e que já esteve até ameaçado de excomunhão. O prestígio do Padre é muito incômodo, tanto pra Igreja como pros políticos. E nem um nem outro ia perder essa oportunidade de se ver livre dele.

PADRE   E supondo que levemos isso até o fim, não acabaremos, afinal de contas, antipatizados, odiados pelo povo?

FLORO   Não se vencermos. Não se liquidarmos o Boi e nada nos acontecer, nenhuma desgraça cair sobre nós ou sobre Juazeiro, como apregoam por aí.

PADRE   O doutor acha que isso será suficiente para fazê-los entender?...

FLORO   Claro, padre. Será que o senhor ainda não compreendeu que essa é a única maneira de provar a essa gente que Deus está conosco e não com o Boi?

MOCINHA   Eles não duvidam que Deus esteja com o Padrinho. Duvidam que esteja com o doutor, isso sim.

FLORO   Pois verão que está comigo também. E apesar de todas as precauções que tomei, o mais certo é que o povo assista calmamente à execução do Boi. Os cabeças da revolta eram Mateus e Bastião. Um já "embarcou" e o outro está no xadrez: a revolta está terminada.

MOCINHA   (*Surdamente.*) O senhor é que pensa! O senhor é que não sabe... O senhor é que não sente... A cidade inteira murmura... A revolta vem agora de baixo da terra! E vai explodir na hora em que matarem o Boi!

FLORO   Pois veremos.

PADRE   Talvez fosse melhor... dar outro fim ao Boi... sem precisar matá-lo.

FLORO   Não, o fim tem que ser esse. Precisamos provar que o Boi não é santo, nem tem qualquer poder sobrenatural. Que é um cornípede como todos os outros. Vamos matar o Boi e comê-lo.

MOCINHA   Comê-lo?! O senhor tem coragem?!

FLORO   E por que não? E faço questão de que toda a cidade fique sabendo.

MOCINHA   Padre, o senhor é o Prefeito, é a maior autoridade aqui. O senhor pode proibir essa barbaridade!

PADRE   Proibir?

MOCINHA   Sim, proibir que o Dr. Floro, ou qualquer outra pessoa, toque no animal. O senhor pode fazer isso!

PADRE   Sim, claro que posso.

MOCINHA   Pode e ninguém vai ter coragem de lhe desobedecer. Quanto mais que todo o povo ia ficar do seu lado, Padre!

PADRE   (*Seu delírio de grandeza amortecido aviva-se, por um momento.*) O povo sempre esteve do meu lado e sempre me obedeceu. E nunca se fez nada em Juazeiro que não fosse a vontade de Deus, traduzida na minha vontade.

MOCINHA   Pois então, padre, imponha a vontade de Deus e a sua vontade, que é uma só: salve Juazeiro da maldição do céu!

                Há uma pausa, o PADRE *parece disposto a enfrentar.*

FLORO (*Lentamente, em tom quase patético.*) O senhor vai fazer isso, Padre? Vai desmoralizar aquele que tem sido sempre seu amigo, seu defensor, seu conselheiro? Vai arruiná-lo politicamente, a ele que sempre foi seu porta-voz na Câmara Estadual e que pode ser agora na Câmara Federal? Vai se colocar contra ele, quando o que ele quer é restabelecer a sua autoridade, o seu prestígio? (*Pausa.*) O senhor vai fazer isso, Padre?

PADRE (*Hesita, evitando o olhar angustiado de* MOCINHA. *Por fim, sucumbe.*) Quando vai ser o sacrifício?

FLORO Amanhã, de manhãzinha, no Largo da Cadeia.

PADRE Vou rezar para que Deus nos inspire e nos proteja. (*Sai.*) (*Batem na porta.*)

MOCINHA Vou rezar também... por sua alma! (*Sai.*)

FLORO *ri. Novas batidas na porta.* FLORO *vai abrir. Entra* ZABELINHA.

ZABELINHA (*Na porta.*) Posso falar com o senhor?

FLORO (*O tom de voz de* ZABELINHA *o deixa um tanto intrigado.*) Pode...

ZABELINHA *avança com a altivez dos mártires.*

FLORO Se veio pedir pelo Bastião, perde tempo.

ZABELINHA Não venho pedir, venho oferecer.

FLORO Oferecer?

ZABELINHA (*Cabeça erguida, sem fitá-lo.*) Nossa Senhora das Dores apareceu ao Beato da Cruz e disse que eu fui escolhida pra salvar o santo Boi, livrando meu povo da vingança divina.

FLORO (*Perplexo.*) Escolhida... como?

ZABELINHA O doutor falou na promessa que ia fazer ao Boi. Fez?

FLORO (*Sorri.*) Não, porque não acredito no Boi. Mas fiz a Nossa Senhora das Dores...

ZABELINHA — (*Olha-o pela primeira vez, impressionada.*) Fez mesmo? Pediu a ela?

FLORO — Pedi...

ZABELINHA — Será por isso que ela apareceu ao Beato?

FLORO — Com toda certeza. Que foi que ela disse ao Beato?

ZABELINHA — Falou no meu nome... (*Como que repetindo as palavras do* BEATO.) E disse que eu devia fazer o sacrifício de minha honra pra deter a mão assassina. Mandou que eu fosse à procura do Anticristo...

FLORO — Anticristo sou eu...

ZABELINHA — Foi o que a Santa disse. Que eu fosse à procura do Anticristo e me oferecesse. E eu vim.

FLORO *sente-se um tanto inibido pela atitude messiânica de* ZABELINHA. *Há uma pausa.*

ZABELINHA — (*Repete.*) E eu vim.

FLORO — Sim, estou vendo.

ZABELINHA — Então. Agora é a sua vez de falar.

FLORO — Que é que você quer que eu diga?

ZABELINHA — O senhor não sabe?

FLORO — Confesso que não.

ZABELINHA — Em primeiro lugar, que aceite as condições.

FLORO — Que condições?

ZABELINHA — Soltar Bastião e o santo Boi.

FLORO — Em troca?...

ZABELINHA — Isso hoje, e amanhã tou em minha casa, preparada pro sacrifício.

FLORO — Bastião sabe desse... sacrifício?

ZABELINHA — Sabe. O Beato convenceu ele de se sacrificar também, pra salvar Juazeiro da maldição e do castigo do céu.

FLORO — (*Pensa um pouco.*) Eu aceito, mas tenho também uma condição. Vou à sua casa hoje e cumpro o prometido amanhã.

ZABELINHA — Não. O prometido tem que ser cumprido antes.

FLORO — Você não confia em mim? Dou minha palavra.

ZABELINHA — Palavra de Anticristo não merece fé. Prometido hoje, sacrifício amanhã.

FLORO — E quem me garante que amanhã você não vai roer a corda?

ZABELINHA — Pro senhor é fácil: manda de novo prender Bastião e matar o Boi. Tem força pra isso. Ao passo que eu não vou poder anular o sacrifício...

FLORO — (*Tenta enlaçá-la.*) Garanto que não vai ser sacrifício...

ZABELINHA — Não me toque! E respeite a casa do Padrim!

BASTIÃO *entra pelo quintal. Hesita ao ver os* SOLDADOS, *esconde-se.*

FLORO — (*Irritado.*) Afinal, menina, o que foi que você veio fazer aqui? Veio se divertir às minhas custas?

ZABELINHA — Já disse o que vim fazer.

FLORO — (*Desconfiado.*) Você está muito bem instruída... Quem mandou você aqui?

ZABELINHA — (*Messiânica.*) Minha Mãe das Dores.

FLORO — Diga a verdade! (*Segura-a pelo pulso.*) Não foi Zé Pinheiro? Não foi aquele cachorro?

ZABELINHA — (*Liberta-se com esforço.*) O senhor tá sabendo que não. Nem dez Zé Pinheiro me faziam vir aqui me oferecer. Somente um mandado do céu era capaz.

FLORO *ri.*

ZABELINHA	O senhor ri, mas o castigo há de cair sobre todos.
FLORO	Se o meu castigo é você... (*Aproxima-se novamente de* ZABELINHA *e tenta acariciá-la. Ela cerra os olhos e consente, como um sacrifício.*)
BASTIÃO	(*Verifica que os* SOLDADOS *estão dormindo, avança cautelosamente em direção à casa. No momento, porém, em que vai entrar, o* BOI *levanta-se e coloca-se à sua frente.*) Que é isso, meu santo? Tá me estranhando? Sou eu, Bastião... (*Tenta passar, mas o* BOI *continua a barrar-lhe a passagem.*) Me deixe passar. Zabelinha tá lá dentro com o doutor... tá correndo perigo! Meteram na cabeça dela que Deus tinha escolhido ela pra isso... Mas eu não acredito. Não posso acreditar que Deus ande arranjando mulher pro doutor. E principalmente a mulher que você me deu, meu santo. Deus tem mais o que fazer e não ia se dedicar a esse ofício. FLORO *abraça* ZABELINHA *e tenta beijá-la. Ela não permite.*
ZABELINHA	Não!
FLORO	Por quê? Foi Nossa Senhora das Dores quem mandou...
ZABELINHA	Decida primeiro.
BASTIÃO	(*Faz nova tentativa para entrar na casa e o* BOI *investe decididamente contra ele, que recua, apavorado.*) Meu boibim! É possível que você esteja contra mim? Contra mim que tenho enfrentado até bala por sua causa?! É possível que tenha passado pro lado do doutor, boi da peste?
FLORO	Olhe, depois que eu me livrar desse Boi, se você quiser, posso fazer Bastião ir passar uns tempos na cadeia de Fortaleza. Não sou santo, mas posso fazer esse milagre. Quer?
BASTIÃO	(*No quintal, diante do* BOI.) Quer, fazemos um negócio. Me deixe passar e eu juro que não conto pra

ninguém que você comeu o capim sagrado. Sim, porque, se eu contar, ninguém mais vai acreditar em você. Era uma vez a sua santidade. Quer?

FLORO — Responda: quer?

ZABELINHA — Quero que o senhor solte Bastião e poupe a vida do santo Boi.

BASTIÃO *tenta passar novamente e o* BOI *arremete contra ele, dando-lhe uma chifrada e atirando-o ao chão.*

FLORO — (*Bruscamente.*) E me desmoralize. E dê de mão beijada uma cadeira de deputado ao candidato do Coronel Costa Lima. E troque quatro anos no Rio, com boas mulheres, bons negócios, por uma noite na cama com Zabelinha. (*Ri.*)

BASTIÃO — (*Revoltado.*) Boi do inferno! Agora é que eu tou vendo... Você nunca foi santo! Santo não se presta a um papel desses! Não defende quem vendeu a alma ao Cão.

ZABELINHA — (*Decepcionada, humilhadíssima.*) O senhor... não aceita?

FLORO — Não sou nenhum idiota. Depois de eleito deputado, terei todas as mulheres do mundo.

BASTIÃO — Santo não protege safadeza.

ZABELINHA — (*Quase chorando.*) E agora, o que é que eu faço?... O Beato não vai acreditar que o senhor não quis... ninguém vai acreditar! Vão achar que fui eu, eu que não me esforcei...

FLORO — (*Acercando-se novamente.*) Bem, na verdade, você não se esforçou muito. Como missionária, acho que você devia entregar-se com mais entusiasmo à sua missão... (*Abraça-a.*) E então, quem sabe?... Você é uma enviada do céu, Zabelinha... é uma santa...

ZABELINHA *entrega-se.* FLORO *a beija.*

BASTIÃO	Santo ou demônio, ou você sai da minha frente ou eu lhe racho ao meio!

FIM DO DÉCIMO TERCEIRO QUADRO

DÉCIMO QUARTO QUADRO

Largo da Cadeia. ROMEIROS e SOLDADOS *cercam o palanque, ainda vazio,* VENDEDOR DE ORAÇÕES, BEATA, VAQUEIRO, BEATO DA CRUZ, FANÁTICO, ROMEIRO, ROMEIRO 2, ROMEIRO 3, ROMEIRO 4, MENINO, MENINO 2, *estão entre os presentes.*

VENDEDOR	Vigie, moço, vossoria que vem de longe, fique com essa lembrancinha do nosso santo Juazeiro.
ROMEIRO 3	Que é?
VENDEDOR	Um pedaço do chifre do nosso Boi santo, que o Anticristo quer sacrificar.
ROMEIRO 3	Quanto é?
VENDEDOR	Cinco mil-réis. Mas é uma raridade e uma defesa contra tudo quanto é moléstia. E juro pelo meu Padrim, só existe este pedaço em todo Juazeiro.

ROMEIRO 3 *paga.* VENDEDOR *vai a* ROMEIRO 4.

VENDEDOR	Vossoria que vem de longe, fique com essa lembrancinha do nossa santo Juazeiro. É um pedaço do chifre do nosso Boi santo, o único pedaço que existe em todo Juazeiro...

ROMEIRO 4 *recusa com um gesto.*

ROMEIRO	Quando vão trazer o Boi?
ROMEIRO 4	Tão demorando.
ROMEIRO	Disseram que era de manhãzinha.
ROMEIRO 4	E o Sol já vai alto.
VENDEDOR	Será que o doutor desistiu de matar meu Boi?

BEATA	Sei não. Só quem pode saber é Zabelinha.
VAQUEIRO	E ela?...
BEATA	Sumiu.
BEATO DA CRUZ	(*Aponta dramaticamente.*) Olhem o céu! Olhem o céu!
FANÁTICO	Uma nuvem negra!
TODOS	(*Supersticiosos.*) Uma nuvem! Uma nuvem!
VAQUEIRO	Nuvem nesse tempo!
BEATA	Nunca vi!
BEATO	É o castigo! O castigo vem na nuvem! Vem do céu!
BEATA	Valha-me Santa Bárbara!
VAQUEIRO	Valha-me Santa Luzia!
MENINO	Mamãe, eu tou com medo!
BEATA	Cala a boca, menino!
MENINO	Vamos embora, mãe!
BEATA	Vamos esperar o Boi. Você não queria ver o Boi?
MENINO	Quero ver mais nada não. Quero é ir pra casa.
ROMEIRO	Espia! A nuvem tá tomando forma!
ROMEIRO 2	Forma de um bicho!
VAQUEIRO	De um boi!
BEATO	É o fim do mundo! Se matarem o Boi santo, o mundo vai se acabar em fogo! O fogo vai vir do céu! E vai varrer a terra — e aí está o fim do mundo!
	Há um começo de pânico na praça. Entram FLORO, PADRE *e* MOCINHA. *Os dois primeiros sobem ao palanque.*
PADRE	Meus filhos, é chegada a hora de reconhecer e corrigir nosso erro. É chegada a hora do arrependimento.

	Que Deus misericordioso se compadeça de nós e nos perdoe a grande heresia que se cometeu nesta terra.
FLORO	(*Grita:*) Tragam o Boi!
VAQUEIRO	Vão mesmo matar o meu Boi!
BEATO	Zabelinha não cumpriu a missão divina. Ai de nós!
BEATA	Nunca tive confiança naquela sujeitinha.
BEATO	Ai de nós! Ai de nós!
VENDEDOR	Agora a gente compreende por que o Capitão Boca-Mole deu no pé...
BEATO	Ai de nós! Ai de nós!
BEATA	Também por que foram escolher justamente a ela, que nunca foi capaz de uma penitência?
PADRE	Não tenham medo. Deus está conosco, como sempre esteve, e aprova o que estamos fazendo.
FLORO	Onde está o Cabo com o Boi?
	Entra ZABELINHA.
BEATA	Aí está ela, a imprestável!
BEATO	Podia ter salvado o Boi e a todos nós!
ROMEIRO	Egoísta!
ROMEIRO 2	Orgulhosa!
BEATA	Perdida! Perdida!
	Todos cercam ZABELINHA, *em atitudes agressivas.*
ZABELINHA	Eu não tenho culpa! Deus é testemunha! Eu não tenho culpa!
BEATO	Deixem! A hora do juízo se aproxima. Ela será julgada.
	Entra o CABO *correndo.*
CABO	Padrim! Seu doutor! (*Sobe ao palanque.*)

FLORO	Que houve, Cabo? Cadê o Boi? Está atrasado.
PADRE	Seu doutor me desculpe, eu me atrasei porque... aquele excomungado do Bastião fugiu e...
FLORO	Fugiu?!
CABO	Fugiu e me trancou no xadrez!
FLORO	Que vergonha, Cabo! Um homem só...
CABO	Só uma conversa, seu doutor. Mais de cem! Mais de cem romeiros atacaram a cadeia. Tive que lutar sozinho contra todos.
FLORO	Bem, depois eu lhe arranjo uma promoção. Mas e o Boi?
CABO	Meus homens vêm com ele aí. Mas o Boi tá muito esquisito, seu doutor.
FLORO	Esquisito, como?
CABO	Não houve jeito de fazer o bicho levantar. Tivemos que trazer ele carregado.

Entram dois SOLDADOS *trazendo o* BOI *numa rede. Sobem ao palanque e depositam a rede no chão.*

CABO	Acho bom seu doutor examinar... Esse boi não tá bom, não.
FLORO	É capaz de ser manha. É um bicho manhoso. Com certeza já sabe que seu dia é hoje...

Faz-se silêncio na praça. FLORO *debruça-se sobre o* BOI *e ausculta-lhe o coração.*

FLORO	Está frio... Está morto!

Uma exclamação de assombro percorre a praça.

VAQUEIRO	(*Grita, desesperado.*) O meu boi morreu! Que será de mim?!
TODOS	Nosso boi morreu! Que será de nós!

FLORO Como foi isso, Cabo? O boi está morto. Quem foi que matou?

CABO Sei não senhor. Tinha dois homens montando guarda. Ninguém podia ter entrado lá. Não sei como foi. Até parece arte do Cão!

FLORO (*Reflete um instante.*) Foi Deus! Deus quis, Ele mesmo, mostrar com quem está a verdade. Destruiu o falso ídolo pra que todos entendessem que é o seu verdadeiro emissário. Foi Deus quem matou o Boi.

Quase todos os ROMEIROS *caem de joelhos.*

PADRE O doutor tem razão, foi a vontade de Deus. Devemos reconhecer, humildemente, que erramos e pedir perdão pela heresia que praticamos. Deus provou que está conosco. Que esteja sempre conosco.

MOCINHA Amém!

PADRE Aqueles que esperavam um castigo do céu receberam uma lição. O Boi está morto, e o céu, mais limpo que nunca. Deus espera nossas orações. (*Sai, seguido de* MOCINHA.)

FLORO Deus espera vocês também. E não deve estar nada satisfeito... Aproveitem, sigam o Padrinho, peçam perdão a ele de tudo que fizeram. Está provado agora que o Padrinho é o único santo de Juazeiro.

Os ROMEIROS *iniciam a saída.*

FLORO Cabo, deixe aqui o Boi, pra que toda a cidade veja que está morto e bem morto. Quando escurecer, dê um sumiço nele; quero o palanque limpo pro comício de amanhã.

CABO Seu doutor não acha que... já que foi Deus quem matou o Boi, a gente devia fazer um enterro decente pro infeliz?

FLORO Ao contrário, Cabo, Deus ia ficar ofendido e era capaz de mandar rebaixar você a soldado raso. (*Sai.*)

Saem todos, lentamente, alguns depois de se aproximarem do palanque e lançarem um olhar temeroso ao BOI. *Somente* ZABELINHA *permanece imóvel. Depois que todos se retiram, avança até o palanque.*

ZABELINHA   Meu Boizim... me desculpe, mas não teve jeito. Eu até que me esforcei... mas não teve jeito.

Entra BASTIÃO.

ZABELINHA   Bastião!

BASTIÃO   Onde você andou? Procurei o dia todo.

ZABELINHA   No Horto, Bastião, pedindo perdão a Nossa Mãe das Dores pelo meu fracasso.

BASTIÃO   Fracasso mesmo?

ZABELINHA   (*Mostra o* BOI.) Tá vendo não?

BASTIÃO   Tou vendo o corpo de um traidor.

ZABELINHA   Bastião! Não diga isso!

BASTIÃO   Que foi que o doutor disse?

ZABELINHA   Que foi Deus quem matou.

BASTIÃO   (*Ri.*) Deus... (*Ri nervosamente.*) Deus!... (*Continua rindo, alucinadamente.*)

ZABELINHA   Bastião! Que é que você tem? Perdeu o juízo, Bastião? Foi a surra que lhe deram, com certeza!

BASTIÃO   (*Saca do sabre, sobe ao palanque, gritando.*) Eu sou Deus, Zabelinha! Eu sou Deus!

CAI O PANO

FIM

o bem-amado

PERSONAGENS

Chico Moleza
Dermeval
Mestre Ambrósio
Zelão
Odorico
Dorotéa
Judicéa
Dulcinéa
Dirceu Borboleta
Neco Pedreira
Vigário
Zeca Diabo
Ernesto
Hilário Cajazeira

AÇÃO: *Sucupira,
pequena cidade do litoral baiano*

PRIMEIRO QUADRO

Pequena praça de uma cidadezinha de veraneio do litoral baiano. Há uma grande árvore, um coreto e uma venda. Sob a árvore, sentado no chão, CHICO MOLEZA *dedilha molemente o violão. Em frente à vendola,* SEU DERMEVAL *remenda uma rede de pescar. É um mulato gordo e bonachão, de idade já avançada.*

Passa-se meio minuto. Entram MESTRE AMBRÓSIO *e* ZELÃO *carregando um defunto numa rede. O enterro é acompanhado apenas por uma beata, velhinha, enrugada como um jenipapo, e um cachorro, um magro vira-lata, que vem amarrado à rede.* MESTRE AMBRÓSIO *é um velho pescador de tez moreno-avermelhada, curtido do sol. Musculatura batida, chapelão de palha, calças de algodão branco, sua figura infunde respeito.* ZELÃO *é um negro reluzente, mais moço do que* MESTRE AMBRÓSIO, *pescador como ele. Traz vários amuletos no pescoço e um bom humor constante. A velha reza baixinho enquanto os dois pescadores avançam até ao centro da cena, com o passo não muito firme, e aí depositam o féretro.* MOLEZA *para de tocar e descobre-se, em sinal de respeito. O apelido o define bem: gestos lentos, descansados, fala mole, é ele um retrato vivo da cidade, onde a vida passa sem pressa.*

MESTRE AMBRÓSIO	Vamos molhar um pouco a goela na venda de seu Dermeval, Zelão.
ZELÃO	É bom.
DERMEVAL	(*Indicando o defunto.*) Mestre Leonel?
MESTRE AMBRÓSIO	É. Embarcou, coitado.
DERMEVAL	(*Dirige-se à venda.*) No mar?
MESTRE AMBRÓSIO	Qui-o-quê. Janaína quis saber dele não. Esticou em terra mesmo.
ZELÃO	É de hoje que não entrava num saveiro. Mal aguentava com um caniço. Quase cem anos no costado, sabe como é.

MESTRE AMBRÓSIO — Tava que nem saveiro velho, cheio de ostra pelo casco, fazendo água por todo lado. Precisava mesmo ir pro estaleiro.

DERMEVAL — Também entornava um bocado.

MESTRE AMBRÓSIO — Pra esquecer. Sabe o que é um mestre de saveiro respeitado como ele foi chegar ao fim da vida tendo quase que pedir esmolas?

ZELÃO — A gente sempre dava para ele as sobras da pescaria: pititinga, chicharro, peixe miúdo.

MESTRE AMBRÓSIO — Morreu sem ter dinheiro nem pro caixão.

DERMEVAL — Tinha parente não?

MESTRE AMBRÓSIO — Ter, tinha. Botou um bocado de filho no mundo, o falecido, que a terra lhe seja leve. Mas tudo levantou âncora. Uns foram pra Salvador, outros pra São Paulo. Por aqui só aparecia mesmo, de vez em quando, a filha mais nova. Uma que caiu na vida.

ZELÃO — E que pedaço de mau caminho, seu mano! Tenho uma sede nela!

MESTRE AMBRÓSIO — Oxente, Zelão, respeita o defunto!

ZELÃO — Que o finado me desculpe, mas é mesmo. E um dia eu ainda pesco um cação de três metros, boto o dinheiro no bolso e vou me afogar naquelas águas. (*Ri.*)

MESTRE AMBRÓSIO — Dá mais um porongo.

DERMEVAL enche os dois copos. Eles bebem de um trago. DERMEVAL *torna a enchê-los. Enquanto isso,* MOLEZA *levanta-se com a sua característica lentidão, aproxima-se do defunto, descobre-o.*

MOLEZA — Coisa besta é a vida; ontem tava vivo, hoje tá morto. Que merda!

ZELÃO	Vem tomar um mata-bicho, Moleza.
MOLEZA	(*Vai à venda.*) Como foi?
	DERMEVAL *serve uma cachaça.*
MESTRE AMBRÓSIO	A gente voltava da pescaria, hoje de manhã, eu mais Zelão, encontramos ele estendido na praia, o cachorro lambendo a cara.
MOLEZA	Lambendo a cara, Mestre Ambrósio?
MESTRE AMBRÓSIO	E chorava. Chorava de correr lágrima.
MOLEZA	O cachorro?
MESTRE AMBRÓSIO	Oxente, gente, já viu defunto chorar?
MOLEZA	Nem defunto nem cachorro.
MESTRE AMBRÓSIO	Quero que esta luz me cegue, se não é verdade.
ZELÃO	Verdade, sim. O bicho parecia que sabia que o velho tinha espichado. Chorava como gente.
MESTRE AMBRÓSIO	De cortar o coração, seu Moleza.
DERMEVAL	(*Referindo-se à velha.*) E a velha?
MESTRE AMBRÓSIO	Sei lá. Nós viemos, ela veio atrás.
DERMEVAL	Será que ela e o velho...?
	ZELÃO *solta uma gargalhada imoral.*
MESTRE AMBRÓSIO	Capaz. Quando era moço, de saia mesmo mestre Leonel só respeitava padre e santo de andor. (*Todos riem.*) Vamos se chegando, Zelão, que ainda temos três léguas pela proa.

DERMEVAL — Três léguas. Quando chegarem lá, em vez de um defunto vão ter dois pra enterrar.

MESTRE AMBRÓSIO — Isto é uma terra infeliz, que nem cemitério tem. Pra se enterrar um defunto é preciso ir a outra cidade.

MOLEZA — Não era melhor jogar o corpo no mar?

MESTRE AMBRÓSIO — Pra quê? Pra vir dar na praia de manhã?

MOLEZA — Jogava bem longe, em alto-mar. Fazia de conta que tinha morrido afogado. Mestre Leonel, que era pescador, ia se sentir até melhor acomodado.

MESTRE AMBRÓSIO — Vinha dar na praia do mesmo jeito. Não vê que se dona Janaína não quis ele quando era moço, não ia querer agora? Janaína gosta é de gente nova, sadia.

DERMEVAL — Falar em Janaína, sabe do caso do sujeito que se encontrou com a mãe-d'água no meio do mar?

ZELÃO — Sei não. Como é?

DERMEVAL — Quando ele viu aquele mulherão pela frente, toda nua, mulher do umbigo pra cima e peixe do umbigo pra baixo, perguntou: "Siá dona, será que vosmicê não tem uma irmã que seja ao contrário?"

Todos riem exageradamente. Estão já bastante bêbedos. MOLEZA *dedilha o violão.*

MOLEZA — (*Canta:*) Dona Janaína princesa que é
Filha das águas do Abaité
Dona Janaína i nanã ê

MESTRE AMBRÓSIO, DERMEVAL E ZELÃO — (CORO:) I nanã ê
I nanã ê

ODORICO *entra, suando por todos os poros. Não é propriamente um belo homem, mas não se lhe pode negar certo magnetismo pessoal. Demagogo, bem-falante, teatral no mau sentido, sua palavra prende, sua figura impressiona e convence. Veste um terno branco, chapéu-panamá.*

ODORICO — Ah, lá estão! Ainda cheguei a tempo.

DERMEVAL — Bom dia, Coronel Odorico.

ODORICO — Bom dia, minha gente.

Ao verem ODORICO, MESTRE AMBRÓSIO *e* ZELÃO *deixam o balcão.* MOLEZA *para de tocar.*

MESTRE AMBRÓSIO — Bom dia, Coronel. Fizemos uma parada rápida, pra molhar a goela. Vamos ter que gramar três léguas.

ODORICO — Três léguas. Pra se enterrar um defunto é preciso andar três léguas.

DERMEVAL — Um vexame!

MOLEZA — Vexame pro defunto, ter que viajar tanto depois de morto.

ODORICO — E uma humilhação para a cidade, uma humilhação para todos nós, que aqui nascemos e que aqui não podemos ser enterrados.

MOLEZA — Muito bem dito.

Entram DOROTÉA *e* JUDICÉA. *A primeira é professora do grupo escolar, de maneiras pouco femininas, com qualidades evidentes de liderança. Paradoxalmente,* ODORICO *exerce sobre ela terrível fascínio. Também sobre* JUJU *esse fascínio se faz sentir. E isso poderia ser explicado por diferentes tipos de frustração.*

ODORICO — Quem ama sua terra deseja nela descansar. Aqui, nesta cidade infeliz, ninguém pode realizar esse sonho, ninguém pode dormir o sono eterno no seio da terra em que nasceu. Isto está direito, minha gente?

TODOS — Está não!

ODORICO — Merecem os nossos mortos esse tratamento?

DOROTÉA E JUJU	Merecem não.
	Entram DULCINÉA *e* DIRCEU BORBOLETA, *este com uma vara de caçar borboletas e uma sacola.* ODORICO *exerce sobre ela o mesmo fascínio que sobre suas irmãs* JUDICÉA *e* DOROTÉA. *Quanto a ele, é um tipo fisicamente frágil, de óculos, com ar desligado.*
ODORICO	(*Já passando a um tom de discurso:*) Vejam este pobre homem: viveu quase oitenta anos neste lugar. Aqui nasceu, trabalhou, teve filhos, aqui terminou seus dias. Nunca se afastou daqui. Agora, em estado de defuntice compulsória, é obrigado a emigrar; pegam seu corpo e vão sepultar em terra estranha, no meio de gente estranha. Poderá ele dormir tranquilamente o sono eterno? Poderá sua alma alcançar a paz?
TODOS	Não. Claro que não.
	Populares são atraídos pelo discurso de ODORICO, *que se empolga, sobe ao coreto.*
ODORICO	Meus conterrâneos, vim de branco para ser mais claro. Esta cidade precisa ter um cemitério.
TODOS	Muito bem! Apoiado!
DOROTÉA	Uma cidade que não respeita seus mortos não pode ser respeitada pelos vivos!
ODORICO	Diz muito bem dona Dorotéa Cajazeira, dedicada professora do nosso grupo escolar. É incrível que esta cidade, orgulho do nosso estado pela beleza de sua paisagem, por seu clima privilegiado, por sua água radioativa, pelo seu azeite de dendê, que é o melhor do mundo, até hoje ainda não tenha onde enterrar seus mortos. Esse Prefeito que aí está...
DOROTÉA, DULCINÉA E JUJU	(*Vaiam.*) Uuuuuu!

ODORICO — Esse Prefeito que aí está, que fez até hoje para satisfazer o maior anseio do povo desta terra?

DIRCEU — Só pensa em construir hotéis para veranistas!

DULCINÉA — Engarrafar água para vender aos veranistas!

ODORICO — Tudo para os veranistas, pessoas que vêm aqui passar um mês ou dois e voltam para suas terras, onde, com toda a certeza, não falta um cemitério. Mas aqui também haverá! Aqui também haverá um cemitério!

JUJU — (*Grita histericamente:*) Queremos o nosso cemitério!

DOROTÉA, JUJU, DIRCEU E DULCINÉA — Queremos o cemitério! Queremos o cemitério!

ODORICO — E haveremos de tê-lo. Cidadãos sucupiranos! Se eleito nas próximas eleições, meu primeiro ato como Prefeito será ordenar a construção imediata do cemitério municipal.

TODOS — (*Aplausos.*) Muito bem! Muito bem!

Uma faixa surge no meio do povo.

VOTE NUM HOMEM SÉRIO
E GANHE SEU CEMITÉRIO

ODORICO — Bom governante, minha gente, é aquele que governa com o pé no presente e o olho no futuro. E o futuro de todos nós é o campo-santo.

MOLEZA — O campo-santo.

DULCINÉA — Que homem!

DIRCEU — (*Repreende-a:*) Du, tenha modos!

ODORICO — É preciso garantir o depois de amanhã, para ter paz e tranquilidade no agora. Quem é que pode viver em paz mormentemente sabendo que, depois de morto, defunto, vai ter que defuntar três léguas pra ser enterrado?

MOLEZA   É mesmo um pecado!

ODORICO   Uma vergonha! Mas eu, Odorico Paraguaçu, vou acabar com essa vergonha.

MESTRE AMBRÓSIO   Seu doutor me disculpe, mas desde pequenininho que eu escuto falar nessa história de cemitério. E a coisa fica sempre na conversa. Todo mundo acha que deve fazer, mas ninguém faz.

ZELÃO   Lá isso é.

Entra NECO PEDREIRA. *É o dono do jornaleco da cidade,* A Trombeta. *Jovem combativo, algo esclarecido, afora uma certa dose de charlatanismo, é um indivíduo positivo, um pouco acima da mentalidade da cidade. E a consciência disso lhe produz certa frustração.*

ODORICO   Mas eu vou fazer. Os que votaram em mim para vereador sabem que cumpro o que prometo. Prometi acabar com o futebol no largo da igreja e acabei. Prometi acabar com o namorismo e o sem-vergonhismo atrás do forte e acabei. Agora prometo acabar com essa humilhação para a nossa cidade, que é ter que pedir a outro município licença pra enterrar lá quem morre aqui. E vou cumprir.

NECO PEDREIRA *disfarçadamente acende um "espanta-moleque" e o atira no meio da praça. As mulheres gritam, histericamente. O povo corre.*

DOROTÉA   É ele! Não podia ser outro!

JUJU   Neco Pedreira!

DULCINÉA   Cafajeste!

NECO   Quem morreu fedeu, Odorico.

JUJU   Minha Nossa Senhora, que heresia!

DOROTÉA   Com certeza vai escrever isso na sua imunda gazeta.

ODORICO   Eu sei que há muita gente que não respeita os mortos nem acredita em Deus. Não é para esses ateístas despenitentes que vamos construir o nosso cemitério.

NECO   Muito obrigado. Espero que você seja o primeiro a fazer uso dele.

ODORICO   (*Para os pescadores:*) Vamos seguir com o enterro.

MESTRE AMBRÓSIO   Vamos lá, Zelão. Pega na proa que eu vou no leme.

ZELÃO *e* AMBRÓSIO *voltam a carregar o defunto.*

MESTRE AMBRÓSIO   Tava pesado assim quando a gente veio, Zelão?

ZELÃO   Tava não, Mestre Ambrósio.

MESTRE AMBRÓSIO   Então o finado engordou.

ZELÃO   Acho que sim.

MOLEZA   Diz que surra de chicote é bom: a alma sai e o defunto fica mais leve.

ZELÃO   Também já ouvi dizer.

MESTRE AMBRÓSIO   Vamos indo. Na estrada a gente arranja um cipó e dá um chá de vara nele.

DIRCEU   Você vai, Du?

DULCINÉA   Claro. Você não percebe que é importante, Dirceu? Minhas irmãs também vão.

DIRCEU   Eu vou pra casa.

DULCINÉA   Fazer o quê?

DIRCEU   Deixei as borboletas secando na janela, tenho medo dos gatos...

DULCINÉA *faz uma cara de fastio e une-se ao grupo que vai acompanhar o enterro.*

O cortejo se movimenta. O defunto vai à frente, zigue-zagueando em sua rede, por mais esforço que façam ZELÃO *e* AMBRÓSIO *para caminhar em linha reta. O cão segue, amarrado à rede. E, mais atrás, a* VELHA, ODORICO, DOROTÉA, JUJU *e* MOLEZA, *que tira acordes no violão.*

VELHA — Ave Maria, cheia de graça, o Senhor é convosco, bendita sois vós entre as mulheres, bendito é o fruto do vosso ventre, Jesus.

OS ACOMPA-NHANTES — Santa Maria, mãe de Deus, rogai por nós, pecadores, agora e na hora de nossa morte, amém. (*Saem.*)

DERMEVAL — Se ele prometer fazer o cemitério aqui em frente da venda, meu voto é dele.

DIRCEU — Qual seu interesse nisso?

DERMEVAL — Ora, seu Dirceu, gente de velório bebe muito. Pegou muita borboleta hoje?

DIRCEU — Só esta. (*Mostra.*) Veja.

DERMEVAL — É bonita.

DIRCEU — É rara. Raríssima. É uma Morpho Deidâmea. (*Sai.*)

DERMEVAL — Homem que vive caçando borboleta, a mulher acaba virando mariposa... (*Ri e volta a remendar sua rede.*)

NECO — (*Vai à venda.*) Seu Dermeval, me bota aí um engasga-gato.

DERMEVAL — (*Larga a rede, vai servir a cachaça.*) Como vai a gazeta, dr. Neco?

NECO — Mal, seu Dermeval, mal. Numa cidade atrasada, onde não há crimes, desastres, roubos, onde nem mesmo as mulheres corneiam os maridos, como é que pode haver imprensa?

SEGUNDO QUADRO

Uma sala da Prefeitura. O ambiente é modesto. Durante a mutação, ouve-se um dobrado e vivas a ODORICO, *"viva o Prefeito" etc. Estão em cena* DOROTÉA, JUJU, DIRCEU, DULCINÉA, VIGÁRIO *e* ODORICO. *Este último, à janela, discursa.*

ODORICO	Povo sucupirano! Agoramente já investido no cargo de Prefeito, aqui estou para receber a confirmação, a ratificação, a autenticação e, por que não dizer, a sagração do povo que me elegeu.
	Aplausos vêm de fora.
ODORICO	Eu prometi que o meu primeiro ato como Prefeito seria ordenar a construção do cemitério.
	Aplausos, aos quais se incorporam as personagens em cena.
ODORICO	(*Continuando o discurso:*) Botando de lado os entretantos e partindo pros finalmente, é uma alegria poder anunciar que prafrentemente vocês já poderão morrer descansados, tranquilos e desconstrangidos, na certeza de que vão ser sepultados aqui mesmo, nesta terra morna e cheirosa de Sucupira. E quem votou em mim basta dizer isso ao padre na hora da extrema-unção, que tem enterro e cova de graça, conforme o prometido.
	Aplausos. Vivas. Foguetes. A banda volta a tocar. ODORICO *acena para o povo sorridente, depois deixa a janela e é imediatamente cercado pelos presentes, que o cumprimentam.*
DOROTÉA	Parabéns. Foi ótimo o seu discurso.
JUJU	Disse o que precisava dizer.
ODORICO	Obrigado, obrigado.
DIRCEU	De um homem assim é que a gente precisa; vai direto à questão.

DULCINÉA	Formidável.
ODORICO	Obrigado, obrigado. Conto com vocês.
DOROTÉA	Pode contar. Comigo e com minhas irmãs. Queríamos convidar o Prefeito pra tomar um licorzinho conosco lá em casa esta noite.
ODORICO	Licor? De quê?
JUJU	De jenipapo.
ODORICO	Jenipapo é bom. Sou um jenipapista juramentado.
DOROTÉA	Podemos esperá-lo?
ODORICO	Podem... vamos comemorar a posse com uma jenipapação.
JUJU	(*Tem um risinho histérico, que corta de súbito ante o olhar severo de* DOROTÉA.)
DOROTÉA	Então, até mais logo. Você vem, Dulcinéa?
DULCINÉA	Dirceu...?
DIRCEU	Eu vou ter que ficar. Agora sou secretário do Prefeito... Me espere em casa, bem... não demoro.
	DOROTÉA, JUJU *e* DULCINÉA *saem*.
ODORICO	Seu Dirceu, o senhor viu todos aqueles processos que eu pedi?
DIRCEU	Estão todos separados.
ODORICO	Então, vá buscar. Vamos trabalhar.
DIRCEU	Um instante só. (*Sai.*)
VIGÁRIO	O senhor já vai começar a trabalhar?
ODORICO	Já. Não sou homem de perder tempo. E vou tratar de assunto de seu interesse: a construção do cemitério.
VIGÁRIO	Sabia que o senhor não ia esquecer as promessas feitas ao eleitorado.

ODORICO — Na próxima vez que o senhor vier aqui, já quero lhe falar da inauguração. Aliás, a Igreja devia ajudar. É uma obra cristã, e que, entrementemente, vai render dividendos para a paróquia. Benzemento de corpo, encomendação de alma...

O VIGÁRIO se esquiva.

VIGÁRIO — Sabe, Coronel... o teto da igreja está ameaçando de vir abaixo. Vou ter que fazer umas quermesses para arranjar dinheiro...

Entra DIRCEU, com vários processos.

DIRCEU — Está tudo aqui. O senhor vai examinar agora?

ODORICO — Vou. Quero saber logo se há alguma verba para dar início à construção do cemitério.

DIRCEU — (*Coloca os processos sobre a mesa.*) Nem um tostão. Só déficit.

ODORICO — (*Folheia os processos.*) Não é possível.

DIRCEU — A Prefeitura tem um terreno...

ODORICO — O terreno só não resolve, é preciso dinheiro para o muro, as alamedas, a capela.

DIRCEU — (*Examinando um processo:*) Parece que há um restinho de verba da água.

ODORICO — Da água?

DIRCEU — É, para consertar os canos.

ODORICO — Diz isso aí?

DIRCEU — Não, aqui só fala em obras públicas de urgência.

ODORICO — O cemitério também é uma obra pública de urgência. É ou não é? (*Irônico.*) De muita urgência.

DIRCEU — Há um restinho, pouca coisa...

ODORICO — (*Anima-se.*) Não tem importância, um restinho com mais um restinho, já se faz um cemiteriozinho.

DIRCEU   É da luz. Para aumentar a força.

ODORICO   Para que aumentar a força?

VIGÁRIO   A luz anda muito fraca, Coronel, quase não se consegue ler.

ODORICO   Mas para que ler de noite? Pode-se ler de dia. E depois, uma cidade de veraneio deve ter luz bem fraca, para que se possa apreciar bem o luar... A cidade é muito procurada pelos namorados... O senhor Vigário me perdoe.

DIRCEU   Só que esse desvio de verba...

ODORICO   É para o bem do município. Tenho certeza que Deus vai aprovar tudo.

VIGÁRIO   Quem sabe?... As intenções são boas... E como Deus não é um burocrata...

ODORICO   Então vamos escolher o terreno.

DIRCEU   A Prefeitura só tem um, mas está ocupado.

ODORICO   Ocupado? Por quem?

DIRCEU   Pelo circo.

ODORICO   Ora, o circo que se mude. Chega das palhaçadas de antigamente. Prafrentemente, vamos tratar de coisas sérias. Pode levar isso daqui.

                     DIRCEU *sai com os processos.*

ODORICO   Quero ver agora o que vão dizer os que acusavam de oportunista, de demagogista. Quando virem os pedreiros levantando os muros, construindo a capela, calçando as alamedas, vão ficar com cara de Sinhá Mariquinha-cadê-o-frade.

VIGÁRIO   Quando o senhor espera inaugurar esse cemitério?

ODORICO   Dentro de três meses, com o primeiro enterro, que será custeado pela municipalidade. (*Surge-lhe uma ideia.*) Podíamos até... Oh, não, oferecer um prêmio não ficava bem. Mas custear os funerais e dar certa pompa, isso era mais do que justo. Banda de música, marcha fúnebre. E uma inscrição no mausoléu também, assinalando o pioneirismo do defunto, o primeiro a ser sepultado em terras de Sucupira.

DULCINÉA (*Entra e se assusta com a presença do* VIGÁRIO.) Desculpe... pensei que o Prefeito estivesse sozinho...

VIGÁRIO Não está, mas vai ficar. O Prefeito vai me dar licença...

ODORICO Obrigado por sua presença, seu Vigário.

DULCINÉA Sua bênção, seu Vigário.

VIGÁRIO Deus lhe abençoe. (*Sai.*)

DULCINÉA *espera o* VIGÁRIO *sair, está muito nervosa.*

ODORICO Você voltou...

DULCINÉA Onde está meu marido?

ODORICO Dirceu... está lá pra dentro...

DULCINÉA Preciso muito falar com você... Eu não lhe disse nada... mas estava apavorada...

ODORICO Com quê? Seu marido!...

DULCINÉA Pior... Pensei que estivesse grávida! Mas era rebate falso...

DIRCEU *entra nesse momento e* ODORICO *procura disfarçar.*

ODORICO Sinto muito, dona Dulcinéa, mas seu Dirceu agora é funcionário da Prefeitura, tem que cumprir o expediente.

DIRCEU Du... que houve? Não lhe disse pra me esperar em casa?

DULCINÉA Está bem... é que eu pensei... Desculpe... (*Sai.*)

DIRCEU Ela veio pedir pro senhor deixar eu sair mais cedo?

ODORICO   É, veio... Mas o senhor compreende, mesmo sendo seu padrinho de casamento, tenho que botar de lado esses considerandos...

DIRCEU   Claro... É que ela, coitadinha, se sente muito só quando não está comigo.

ODORICO   Já percebi isso... Mas muito em breve ela não vai sentir mais essa solitude... Quando começarem a nascer os filhos...

DIRCEU *faz uma pausa, constrangido.*

DIRCEU   Filhos?...

ODORICO   É... filhos. Aliás, já está em tempo...

DIRCEU   Nós não vamos ter filhos.

ODORICO   Oxente, por quê?

DIRCEU   Vou lhe confessar uma coisa, Coronel... Porque o senhor é meu padrinho... e padrinho é como um segundo pai.

ODORICO   Claro...

DIRCEU   Eu... eu sou irmão oblato... Fiz voto de castidade.

ODORICO   Voto de castidade?! E ela sabe disso?... Bom, tem que saber...

DIRCEU   Casamos com essa condição. De manter o meu voto.

TERCEIRO QUADRO

ODORICO *lê um exemplar de* A Trombeta, *o jornaleco local. Seu rosto revela profunda indignação.*

ODORICO   (*Resmunga, enquanto lê.*) Patife! Canalha! (*Amarrota o jornal violentamente e atira-o ao chão. Põe-se a andar nervosamente de um lado para o outro, e por fim senta-se à sua mesa, parecendo a ponto de ter um colapso.*)

DOROTÉA — (*Entra quase marcialmente.*) Bom dia, senhor Prefeito.

ODORICO — Bom dia. (*Levanta-se de um salto.*) A senhora já leu a gazeta?

DOROTÉA — Ainda não.

ODORICO — Esse patifento desse Neco Pedreira me chama de demagogo esbanjador dos dinheiros públicos... me xinga de tudo quanto é nome. (*Apanha o jornal.*) Leia a senhora mesma, leia.

DOROTÉA — Que retrato é esse que ele botou na primeira página?

ODORICO — É um retrato que tiraram de mim durante a construção do cemitério. Tem um ano já.

DOROTÉA — (*Lendo.*) "Odorico, o pastor de urubus."

ODORICO — Que é que eu faço com um mau-caratista como esse, dona Dorotéa? Que é que eu faço? Já pensei em arranjar dois jagunços e mandar dar uma surra...

DOROTÉA — Isso me parece contraproducente; vai fazer dele um herói e aumentar a venda do pasquim. Além do mais, o senhor teria que mandar surrar muita gente. A oposição está ganhando terreno dia a dia. E o que Neco escreveu n'*A Trombeta* é mais ou menos o que os nossos inimigos dizem por aí.

ODORICO — Eu sei. É um movimento subversivo procurando me intrigar com a opinião pública e criar problemas à minha administração. Sei, sim. É uma conspiração. Eles não queriam o cemitério. Desde o princípio foram contra. E agora que o cemitério está pronto caem de pau em cima de mim, me chamam de demagogo, de tudo, somentemente, porque aconteceu o que não devia acontecer. Ou melhor: só porque não aconteceu o que devia acontecer. Como se eu tivesse culpa!

DOROTÉA — Seja como for, é uma situação horrível, que precisa ser resolvida.

ODORICO   Mas resolvida como?

DOROTÉA   O senhor sabe que pode contar comigo para tudo. Apesar... apesar de minha situação pessoal não ser também das melhores. Há seis meses que não recebo e o grupo está sem dinheiro até para comprar material escolar.

ODORICO   E todo mundo acha que a culpa é do cemitério. É verdade que a receita municipal baixou um pouco. Não obstantemente, estamos agora livres da humilhação de enterrar nossos mortos no cemitério dos outros.

DOROTÉA   Acho que o senhor só tem uma saída: inaugurar o cemitério.

ODORICO   Inaugurar como? Se há um ano não morre ninguém nesta terra?!

DOROTÉA   Inaugure sem defunto mesmo.

ODORICO   Era uma desmoralização. Depois da gente ter anunciado aos quatro ventos que a inauguração ia ser com o primeiro enterro, era passar o recibo de inutilidade do cemitério; era dar razão à oposição, que diz que é dinheiro jogado fora. Não, inaugurar campo-santo sem defunto é o mesmo que batizar navio em terra firme. Não tem graça.

DOROTÉA   Menos graça tem ainda o que a Câmara Municipal está preparando.

ODORICO   Que é?

DOROTÉA   Soube hoje que vão pedir esse tal de *impeachment*.

ODORICO   Já me disseram. Querem votar o meu impedimento. Mas isso eles não vão conseguir. Não vão conseguir.

DOROTÉA   Acho que só há um meio de evitar: arranjar um defunto qualquer e inaugurar o cemitério. Não se podia comprar um?

ODORICO	Já pensei nisso. Mandar buscar em Salvador. Lá se vendem cadáveres para estudo na Faculdade de Medicina.
DOROTÉA	Pois então! É a solução!
ODORICO	Mas muito perigosa. A oposição ia descobrir, com toda a certeza. E nem é bom imaginar o que iam dizer de nós.
DOROTÉA	Não há ninguém doente na cidade?
ODORICO	Em estado de dar esperança, parece que ninguém. Em todo caso, mandei o coveiro fazer uma verificação.
DOROTÉA	Quase todo ano há sempre um veranista que morre afogado.
ODORICO	Este ano o mar está que é uma lagoa. Nunca vi tanto azar.
DOROTÉA	Então, que vamos fazer?
ODORICO	Sei lá, dona Dorotéa, sei lá. Passo dia e noite pensando nisso e não encontro jeito. É uma situação deverasmente embaraçante.

Entra MOLEZA.

MOLEZA	Dá licença?
ODORICO	Como é, seu Moleza? Alguma esperança?
MOLEZA	Nenhuma, seu Prefeito, nenhuma. Andei a cidade toda, perguntei a todo mundo. Ninguém sabe de ninguém que esteja pra espichar.
ODORICO	Será possível! Ninguém adoece nesta cidade!
MOLEZA	Perguntei pro doutor...
ODORICO	Esse vive de receitar água e dar remédio pra dor de barriga.
MOLEZA	Foi o que ele disse: que morrer aqui só se morre mesmo de velho e desarranjo. Mas custa. No ano atrasado, não sabe...

ODORICO — Não me interessa o ano atrasado, interessa este. Precisamos inaugurar o cemitério o quanto antes. Não é possível esperar mais.

MOLEZA — Está muito difícil, seu Coronel. Há uma carência muito grande de defunto. O jeito é ter paciência e fé em Deus.

ODORICO — É, pra você é muito fácil ter paciência. Está há um ano ganhando como coveiro sem trabalhar.

MOLEZA — Mas não recebo...

ODORICO — Receba ou não receba, o senhor é um parasita do município. Se fosse um funcionário equipado de bom caráter e amor-próprio, já tinha procurado resolver essa situação e tornar-se um cidadão útil à comunidade. O senhor é uma vergonha e um mau exemplo para o funcionalismo municipal. Tenho ou não tenho razão, dona Dorotéa?

DOROTÉA — Inteira. O cidadão coveiro é, inclusive, um perigo para a comunidade.

MOLEZA — Perigo, eu?

DOROTÉA — Perigo pela sua inatividade, que além de ser imoral é mais um motivo para os nossos inimigos nos atacarem.

MOLEZA — Mas que culpa tenho eu, se não me dão serviço?

DOROTÉA — Aliás, se o senhor Prefeito tivesse investigado os antecedentes do cidadão coveiro, antes de nomeá-lo, teria visto que ele nunca foi de fazer força. Haja vista o apelido que lhe puseram: Moleza.

ODORICO — Bem, eu pretendi, com essa nomeação, premiá-lo pelo seu trabalho na minha campanha. Esperava que isso fosse também um estímulo e ele se compenetrasse de que agora precisava desconfirmar o apelido. Mas de nada adiantou. É um caso perdido.

MOLEZA   Injustiça. Vosmicês estão fazendo uma injustiça. Há um ano que todo dia de manhãzinha eu preparo uma cova bem preparadinha, limpo a cruz bem limpinha...

ODORICO   E depois?

MOLEZA   Depois pego o violão e fico esperando pelo dono. Não vem, eu me deito na cova e durmo.

ODORICO   Dorme! Dorme, enquanto que eu não durmo há meses.

MOLEZA   Porque vosmicê não fica o dia inteiro pensando na morte, como eu; dá uma moleza...

JUJU   (*Entra muito excitada.*) Dá licença? (*Nota a presença de* MOLEZA.) Oh, desculpe, pensei que estivesse só...

DOROTÉA   Que é isso, Juju, que aconteceu?

JUJU   Chegou um telegrama de tia Clotilde!

ODORICO   É particular, dona Juju?

JUJU   É não. É até sobre o cemitério mesmo, mas...

ODORICO   Então pode falar na frente do nosso coveiro; é pessoa de confiança.

JUJU   O senhor se lembra daquela conversa sobre nosso primo Ernesto, primo em segundo grau?

ODORICO   Que tem seu primo Ernesto, primo em segundo grau?

JUJU   Que tem? Ele vem aí. Chegou um telegrama de Salvador dizendo que ele embarca hoje.

ODORICO   Vem pra cá?

DOROTÉA   O primo Ernesto?

ODORICO   Vai ficar na casa de vocês?

JUJU   Eu não achava muito conveniente... O senhor sabe, somos duas moças solteiras e moramos sozinhas. Mas como não vai ser por muito tempo, se Deus quiser,

	estou disposta a arriscar a minha reputação pela nossa causa. A menos que o senhor faça questão de hospedar o primeiro em nome da municipalidade.
ODORICO	Eu não, não faço nenhuma questão.
JUJU	Mas com toda a certeza o Prefeito vai mandar o carro da Prefeitura buscar ele na ponte; por isso eu vim depressa avisar.
ODORICO	Dona Juju, a senhora me desculpe, mas eu acho que não fica bem. Diga a seu primo que ele é muito bem-vindo, que eu estou aqui às ordens, mas mandar o fordeco da Prefeitura buscar ele eu não posso. A senhora não vê que a oposição está de olho em tudo que a gente faz? Vão dizer que é favoritismo, que eu estou gastando a gasolina comprada com o dinheiro do povo em passeios com os meus amigos. Não, a senhora me desculpe, mas o exemplo deve vir de cima. Seu primo vai ter de ir para casa no calcanho.
DOROTÉA	Mas ele não pode!
ODORICO	Não pode? A casa de vocês fica tão perto da ponte!
DOROTÉA	Ele está doente, desenganado pelos médicos!
ODORICO	Desenganado?!

DIRCEU entra.

JUJU	Nas últimas! O senhor não se lembra? Eu lhe disse...
ODORICO	Ah, seu primo é aquele que a senhora falou que estava muito mal, em Salvador.
DOROTÉA	Pneumonia galopante, coitado.
JUJU	O senhor me pediu para escrever à família, sugerindo que mandassem ele para cá, que a Prefeitura pagava todas as despesas; médicos, remédios, tudo que ele precisasse.
ODORICO	Mas é claro, a Prefeitura paga tudo!

JUJU	Eu escrevi e ele veio. Está chegando.
ODORICO	Estamos salvos! Estamos salvos!
DIRCEU	Arrumaram um defunto?
JUJU	Defunto, não; ele ainda está vivo.
ODORICO	Mas morre na certa, não?
JUJU	É o que dizem os médicos.
ODORICO	Está agonizante!
JUJU	É capaz de morrer na viagem.
ODORICO	Morrer na viagem?! Não pode! Tem de morrer aqui! Por que a senhora não me avisou antes?
JUJU	Recebi o telegrama agora.
ODORICO	Eu teria tomado providências, mandando um médico para vir com ele. Morrer durante a viagem, não. Podem mandar o corpo de volta!
MOLEZA	Era o cúmulo da urucubaca.
JUJU	Vamos rezar para que isso não aconteça.
ODORICO	Não, agora não há mais tempo para rezar. O vapor está chegando. (*Para* DIRCEU:) Me faça um favor, avise o Vigário. E diga ao maestro Filó que reúna o pessoal da banda e volte a ensaiar a *Marcha fúnebre*. (*Para* JUJU:) Nós vamos receber seu primo com todas as excelências.
JUJU	No carro da Prefeitura?
ODORICO	Oxente, um hóspede importante como ele!
MOLEZA	E eu, seu Prefeito, que faço?
ODORICO	Você volta pro cemitério e vai preparando a cova. Capricha, que o inquilino vem aí.

QUARTO QUADRO

Em casa das solteironas. Enquanto, no quarto, o PRIMO ERNESTO *agoniza, na sala* ODORICO *decora a oração fúnebre.*

ODORICO ... que fique para sempre gravada nesta lápide... lápide...

Em volta do leito do moribundo, o VIGÁRIO, DOROTÉA, JUJU *e* DIRCEU BORBOLETA. DIRCEU *acende a vela que está na mão de* ERNESTO.

JUJU Que coisa, hein?... Um homem moço, inteirinho... desperdiçado. Os vermes vão comer...

DOROTÉA (*Lança a* JUJU *um olhar de repreensão.*) Juju!

ODORICO (*Na sala.*) Que fique pra sempre gravada nesta lápide... o nome desse bandeirante da morte, desse pioneiro do além...

DOROTÉA *sai do quarto e passa à sala.*

ODORICO Já?!...

DOROTÉA Continua agonizante.

ODORICO Três dias já?! Nunca vi tanta vocação pra agonizante. É um agonizantista praticante.

DOROTÉA Acho que vou pro meu quarto dormir um pouco.

ODORICO (*Chega-se a ela, insinuante.*) Tá todo mundo preocupado com o moribundo... a gente podia...

DOROTÉA Não, Odorico! Hoje, não!... É pecado... O primo está morrendo...

DIRCEU (*Entrando na sala.*) Apagou!

ODORICO Quem?! O primo?

DIRCEU Não, a vela. Não tenho mais fósforos...

ODORICO (*Dando sua caixa de fósforos.*) Toma... Nunca vi defunto pra gastar tanta vela...

DIRCEU *volta ao quarto e torna a acender a vela, enquanto* DOROTÉA *sai.* ODORICO *volta a ensaiar o discurso.*

ODORICO — Meus concidadãos! Este momento há de ficar para sempre gravado nos anais e menstruais da História de Sucupira!

QUINTO QUADRO

Na Prefeitura. DULCINÉA *e* DOROTÉA *esperam* ODORICO.

DULCINÉA — Você acha que devemos dizer a ele toda a verdade?

DOROTÉA — É nossa obrigação, Dudu. Se não denunciarmos, seremos cúmplices. Que horas são?

DULCINÉA — Quase dez horas.

DOROTÉA — O fato é que ele também já está encostando o corpo. No primeiro dia, chegou aqui às seis horas da manhã.

DULCINÉA — Você é injusta, Dó, ele é um homem, não é uma máquina.

Entra DIRCEU.

DULCINÉA — (*Estranhando.*) Dirceu... Você por aqui?

DIRCEU — Trabalho aqui. Sabia não?

DULCINÉA — Mas você só pega às 11...

DIRCEU — (*Um pouco ressabiado.*) E você, por que saiu tão cedo?

DULCINÉA — Você estava dormindo, e eu tinha um encontro marcado.

DIRCEU — Com quem?

DULCINÉA — Com Dorotéa. Para virmos falar com o Prefeito.

DIRCEU — É, eu vi... quer dizer, vi vocês entrarem aqui.

DULCINÉA — Deu agora pra me seguir, é?

DIRCEU   Não, é que essa história de mulher se meter em política... Não falo por mal... mas sabe como é esse povo...

DOROTÉA   Ora, seu Dirceu, será possível que o senhor ainda tenha desses preconceitos? Hoje em dia, a mulher é igual ao homem.

DIRCEU   Numa cidade grande, pode ser. Mas aqui... essa gente dá de falar... dá de escrever carta anônima...

DULCINÉA   Carta anônima?

DIRCEU   Quer dizer... podem escrever. Há gente pra tudo... você sabe... estou só falando... só falando... (*Sai.*)

DOROTÉA   Que é que seu marido tem?

DULCINÉA   E eu sei? De uns dias para cá, anda esquisito, desconfiado, deu pra andar me seguindo... nem tem ido caçar borboletas!

DOROTÉA   Por isso é que eu não me caso: ter que dar conta da minha vida a um homem todo dia.

ODORICO   (*Entra.*) Bom dia.

DULCINÉA E DOROTÉA   Bom dia, senhor Prefeito.

ODORICO   Novidades?

DOROTÉA   Algumas...

ODORICO   E o defunto? Quero dizer, o doente, coitado. Faz três meses que chegou e está nessa agonia. A Lira já está cansada de ensaiar a *Marcha fúnebre*. O discurso que escrevi já está fora de época.

DOROTÉA   Senhor Prefeito, prepare-se para ter um grande desgosto.

ODORICO   (*Adivinhando.*) Quê?! Não me diga que...

DOROTÉA   O primo está completamente restabelecido.

ODORICO — Não é possível! Baixou aqui desenganado pelos médicos!

DULCINÉA — Os médicos...

ODORICO — Veio agonizante. Como é que de repentemente...

DOROTÉA — O ar da cidade...

DULCINÉA — A água da cidade...

DOROTÉA — O clima da cidade...

DULCINÉA — Está com mais saúde que qualquer um de nós.

ODORICO — Mas isso não é coisa que se faça! Tudo pronto há três meses. *Marcha fúnebre* ensaiada, mandei caiar de novo o muro do cemitério, apagar os palavrões, mandei até buscar um carro fúnebre em Salvador, tanto sacrifício... Eu bem que já desconfiava. Dona Juju desapareceu, há um mês que sumiu. Por isso. Ficou envergonhada do papelão que o sem-vergonhista do primo fez.

DOROTÉA *e* DULCINÉA *trocam um olhar significativo.*

DOROTÉA — Ela deve estar escabreada, sim, mas não é só por isso, não.

ODORICO — É não?

DOROTÉA — A verdade é que Juju nos traiu.

ODORICO — Traiu como?

DOROTÉA — Claro, não foi só o ar da cidade.

DULCINÉA — A água da cidade.

DOROTÉA — O clima da cidade.

ODORICO — Que foi mais?

Entra JUJU. *Operou-se nela uma transformação surpreendente: seu rosto tem um ar de gozo permanente, embora dissimulado por um certo sentimento de culpa; vê-se logo, porém, que ela realizou-se como mulher. Nota-se também que está um pouco mais gorda.*

DULCINÉA — Veja o senhor mesmo.

DOROTÉA — Aí está ela. A traidora.

ODORICO — (*Investe para* JUJU *acusadoramente.*) Dona Judicéa, eu estou deverasmente bestificado... (*Interrompe a frase quando a vê fazer um sinal para alguém que está fora.*)

JUJU — Entre, Netinho, pode entrar. Tenha acanhamento não.

Entra ERNESTO. *Alto, forte, rosado, sua aparência é escandalosamente saudável.*

ERNESTO — Com licença.

JUJU — Coronel Odorico, eu queria apresentar... meu primo Ernesto.

ERNESTO — (*Aperta a mão de* ODORICO *com vigor.*) Prazer.

JUJU — Dorotéa e Dulcinéa já devem ter dito ao senhor... Ele ficou bom.

ODORICO — Está-se vendo.

JUJU — Ninguém acreditava, nem os médicos. Mas ele foi melhorando, melhorando...

ODORICO — E deu nisso.

JUJU — Parece um milagre.

ERNESTO — O ar da cidade.

JUJU — A água.

ERNESTO — O clima. Ser Prefeito de uma cidade como esta deve ser uma felicidade. O senhor está de parabéns.

ODORICO — (*Está a ponto de estourar.*) Muito obrigado.

ERNESTO	Quando chegar em Salvador vou fazer uma propaganda danada disso aqui. E do senhor também. É a única maneira que eu tenho de pagar o que o senhor fez por mim. (*Abraça* JUJU *carinhosamente.*) Por nós.

JUJU *corresponde ao olhar apaixonado de* ERNESTO *ante a indignação de* DULCINÉA *e* DOROTÉA.

ERNESTO	A verdade é que ninguém no mundo teria feito o que o senhor fez, assim desinteressadamente.
JUJU	O Coronel Odorico é um homem de grande coração. Quando soube do seu estado ficou tão aflito! Botou logo todos os recursos do município à disposição.
ODORICO	Todos. E se, por infelicidade, o senhor não se curasse, já estava tudo preparado: enterro de primeira classe, com banda de música e carro fúnebre, tudo pago pela municipalidade.
ERNESTO	Já estava preparado?
ODORICO	Nós aqui somos previdentes, seu Ernesto.
ERNESTO	De qualquer maneira, eu lhe agradeço; embora não tenha sido preciso, felizmente.
ODORICO	Sim, felizmente.
JUJU	(*Preocupada com o rumo da conversa.*) Vamos pra casa, Netinho.
ERNESTO	Que é? Está sentindo alguma coisa? Tonturas de novo? Ela desde ontem que está com tonturas.

DOROTÉA, DULCINÉA *e* ODORICO *trocam olhares significativos.*

ODORICO	Espero que não ponham a culpa disso também no ar da cidade...
DULCINÉA	Na água da cidade.
DOROTÉA	No clima da cidade.

JUJU *e* ERNESTO *saem.*

ODORICO   E ele veio com a condição de morrer aqui! Falta de palavra!...

DOROTÉA   Isso é uma indecência. Nunca pensei que Juju viesse um dia a ter um procedimento tão revoltante.

ODORICO   Agora até mesmo os meus correligionários começam a me trair. Já nem sei mais com quem devo contar.

DULCINÉA   O senhor sabe que pode contar com a nossa solidariedade.

ODORICO   Eu não preciso de solidariedade, dona Dulcinéa, preciso de um defunto. Um defunto! Também, uma terra onde não há crimes, não há desastres... Há não sei quantos anos que não há um assassinato.

DULCINÉA   Deve ser atraso... subdesenvolvimento.

ODORICO   Ontem fui visitar a cadeia. Nas celas, onde devia prender criminosos, o delegado cria galinhas, até papagaio. Só havia um preso: um jegue.

DULCINÉA   O jegue que deu um coice no filho do Zé Peixeiro. Foi julgado e condenado a seis meses de prisão.

ODORICO   Se ao menos o coice tivesse pegado de jeito, a gente já estava hoje com o cemitério inaugurado.

DULCINÉA   Não, só deu para aleijar.

ODORICO   O mal desta terra é que todo mundo é bom, pacato. Esse pacatismo é a nossa desgraça. Talvez seja a água... ou o azeite de dendê... deve ter alguma substância calmante, sei lá. O fato é que ninguém mata, ninguém morre e nós estamos há mais de um ano esperando um defunto para inaugurar o cemitério.

MESTRE AMBRÓSIO   (*Surge na porta.*) Vosmecês dão licença?

ODORICO   Mestre Ambrósio.

MESTRE AMBRÓSIO   Se o doutor tá ocupado, eu volto mais logo.

ODORICO — Não, não, pode se chegar.

MESTRE AMBRÓSIO — Tou vindo do Norte.

ODORICO — Fez boa viagem?

MESTRE AMBRÓSIO — Peguei um temporalzinho na volta. Vim de Maceió até aqui com um nordeste brabo. Mas, com a graça de Nosso Senhor, chegamos bem. O homem veio comigo.

ODORICO — (*Vivamente interessado.*) Veio?

MESTRE AMBRÓSIO — Deu um trabalho danado pra convencer o bicho. Tava desconfiado, pensando que era uma arapuca. Me disse quando cheguei lá: "Caio nessa patota não, seu mestre. Os macacos devem estar me esperando." Dei a minha palavra, jurei — olhe que eu sou compadre dele —, não adiantou. Só quando mostrei a carta do Prefeito e que ele deu a uma pessoa de confiança pra ler foi que a coisa começou a melhorar.

ODORICO — (*Impaciente.*) Bem, mas... ele acabou vindo.

MESTRE AMBRÓSIO — Tá aí fora. Vim saber primeiro se vosmincê quer falar com ele.

ODORICO — Quero, sim. Vá buscar o homem.

MESTRE AMBRÓSIO — Volto já. (*Sai.*)

ODORICO — Agora, sim. Vamos resolver o nosso problema. Temos o homem de que precisamos.

DOROTÉA — Que homem?

ODORICO — O homem que vai dar a esta cidade o que está faltando a ela. Eu já estava cansado de esperar pela morte do primo Ernesto. Decidi pôr em prática um outro plano, para o caso desse falhar.

DULCINÉA — Será que o senhor mandou buscar outro doente?

ODORICO	Nada disso. Nem doente nem defunto. O que mandei buscar foi um fazedor de defuntos.
DOROTÉA	Fazedor de defuntos?
ODORICO	Pelo menos tem fama disso. Dizem que já fez mais de trezentos.
DULCINÉA	Um bandido?
DOROTÉA	Um cangaceiro?
ODORICO	Zeca Diabo, o terror do Nordeste.
DOROTÉA E DULCINÉA	Zeca Diabo?!
DULCINÉA	Um assassino que mata velho e crianças!
DOROTÉA	Que não respeita nem moça donzela!
ODORICO	Fique tranquila, dona Dorotéa, pela honra das donzelas juramentadas de Sucupira respondo eu. Zeca Diabo não vai tocar em nenhuma delas... não obstantemente isso vá ser uma deceptude pra algumas...

Entra MESTRE AMBRÓSIO *seguido de* ZECA DIABO. *Este tem o olhar desconfiado, gestos lentos, como cobra sempre preparada para dar o bote. Veste um terno de brim claro, sandálias de couro cru e chapéu de vaqueiro. Mas, à primeira vista, não justifica o medo que inspira. Fala macio, delicado, e sua voz adocicada está em completo contraste com a lenda.*

MESTRE AMBRÓSIO	Tá aqui o homem, seu Prefeito.
ODORICO	Capitão Zeca Diabo, seja bem-vindo. Já conheço o senhor, de fama. Sei que nasceu aqui e foi obrigado a sair por motivos... motivos que não vêm ao caso. Por isso, mandei Mestre Ambrósio convidar o senhor para voltar. Como Prefeito, não posso admitir que um cidadão de nossa terra esteja proibido de retornar a ela.

ZECA DIABO	(*Lançando um olhar desconfiado a* DOROTÉA *e* DULCINÉA.) Rabo de saia.
ODORICO	(*Para as mulheres, constrangido:*) Esperem na outra sala.
	Saem DOROTÉA *e* DULCINÉA.
ZECA	Agora, sim. Seu Dotô-Coroné-Prefeito pode dizer o que quer de mim.
ODORICO	Quero nada. Quero só que volte a morar aqui, na sua terra natal. Um dos principalmente de minha plataforma política é a pacificação da família sucupirana.
ZECA	Vosmincê sabe que eu saí daqui?
ODORICO	Sei. Parece que o senhor teve um desaguisado com o finado Coronel Lidário... Mas o acontecido pratrasmente não conta. O que vale é o que o cidadão possa fazer prafrentemente.
ZECA	Coroné Lidário mandou surrar um irmão meu, um menor de catorze anos. O corneta tinha roubado um cavalo. Surraram ele até matar.
MESTRE AMBRÓSIO	Seu Prefeito sabe disso. Sabe que você vingou seu irmão.
ZECA	Liquidei toda a raça do Coronel. Ele, a mulher, três filhos e a sogra, de quebra.
ODORICO	Seis cadáveres. Seis enterros. Tempos de fartura!
ZECA	Fugi pra não ser preso.
ODORICO	Mas agora pode ficar tranquilo. Ninguém vai incomodar o senhor nem por esse nem por qualquer outro motivo... E se incomodarem, reaja. Não é preciso exagerar, mas reaja, que é disso que precisamos: alguém com sangue nas veias.
MESTRE AMBRÓSIO	Seu Prefeito é um homem justo. Sabe que você era um homem bom, se matou foi pra fazer justiça. Mas se

tudo for esquecido, como seu Prefeito prometeu, você vai voltar a ser o homem bom e pacato de antigamente.

ODORICO Também não há necessidade de tanta pacatice. Homem que leva desaforo pra casa não é homem.

ZECA E honra só se lava com sangue.

ODORICO Isso, sangue!

ZECA Não sou o que dizem por aí, seu dotô. Nunca fiz mal a uma donzela. Meu Padim Pade Ciço, que tá lá em cima acocadinho do lado direito de Deus Nosso Sinhô, sabe que até hoje só matei em defesa da honra ou da vida.

ODORICO Dizem que foram mais de trezentos, é verdade?

ZECA Maledicência, seu dotô. Não chegou nem à terça parte. E a maioria morreu porque tava no caminho da bala, não que eu quisesse, que eu nunca quis matar ninguém. Não se falando da raça do Coroné Lidário. Dessa, se eu soubesse que ainda restava algum, mesmo parente distante, pode crer que eu ia buscar nem que fosse no inferno, debaixo do penico de Satanás.

ODORICO Será que não resta mesmo?...

ZECA Resta não, tenho certeza.

ODORICO Olhe aqui, Capitão Zeca Diabo, eu tive uma ideia. O senhor é um homem com tanto espírito de justiça que eu vou lhe dar uma prova de confiança. Pra que o senhor se sinta perfeitamente tranquilo e à vontade nesta terra, vou nomear o senhor para um alto posto da administração municipal.

ZECA Seu dotô tá falando sério?

ODORICO Nunca falei tão sério em minha vida! Conheço os homens, Capitão. E tenho certeza de que o senhor não vai me causar deceptude.

ZECA	Vou não. Se vosmincê me der essa oportunidade de me reabilitar, pode crer que tem um amigo pra toda a vida. E quando Zeca Diabo é amigo, é amigo mesmo.
ODORICO	Pois muito bem. De hoje em diante, Capitão Zeca Diabo, o senhor vai ser meu delegado.
ZECA	Delegado? Delegado de polícia?
ODORICO	Com carta branca pra sacudir a marreta.
ZECA	E vou ter que me vestir de macaco?
MESTRE AMBRÓSIO	Não, homem, delegado não veste farda.
ZECA	Ah, bom, se não precisa vestir farda de macaco, vosmincê pode contar comigo.
ODORICO	Vou falar com o governador pra demitir o delegado atual, que é um inútil, não prende ninguém, e o senhor assume o posto.
MESTRE AMBRÓSIO	Também, prender quem? Esta é uma terra que não dá ladrão.
ODORICO	Dá coisa pior. (*Apanha um jornal.*) O senhor sabe ler?
ZECA	De carreirinha, não, mas soletrando, vai.
ODORICO	Pois eu quero que depois o senhor soletre esta gazeta de ponta a ponta. Neco Pedreira o senhor conhece?
ZECA	Conheço não sinhô.
ODORICO	É o dono do jornal. Elemento perigoso. Sua primeira missão como delegado é dar uma batida na redação dessa gazeta subversiva e sacudir a marreta em nome da lei e da democracia. Sabe onde é a redação?
ZECA	Pode deixar por minha conta. Amanhã mesmo vou tratar do causo.
ODORICO	Se quiser, pode levar toda a Força Pública.
ZECA	Força Pública?

ODORICO	Um cabo e dois meganhas.
ZECA	Não, eu sozinho dou conta do recado.
ODORICO	(*Estende a mão a* ZECA DIABO.) Confio no senhor.
ZECA	Não vou lhe dar desgosto.
	Saem ZECA DIABO *e* MESTRE AMBRÓSIO. *Entram* DOROTÉA *e* DULCINÉA *logo a seguir.*
ODORICO	As senhoras ouviram?
DULCINÉA	Tudo.
DOROTÉA	O senhor perdeu a cabeça?
DULCINÉA	Fazer de um cangaceiro um delegado!
DOROTÉA	Quando a oposição souber!
DULCINÉA	Que prato pra Neco Pedreira!
ODORICO	E tomara que Neco se sirva bem dele. Tomara que chame Zeca Diabo de cangaceiro, assassino, quanto mais xingar, melhor.
DOROTÉA	O senhor não acha que se excedeu?
ODORICO	Em política, dona Dorotéa, os finalmentes justificam os não obstantes.

SEXTO QUADRO

Prefeitura. Dias após. ODORICO, *na janela, olha com a ajuda de um binóculo.*

DULCINÉA	É mesmo verdade?
ODORICO	Verdade o quê?
DULCINÉA	Estão dizendo que o cangaceiro invadiu a redação d'*A Trombeta*.
ODORICO	Não se refira assim ao delegado. É um homem decente, que quer impor ordem na cidade, coibir abusos.

DULCINÉA   E foi logo invadindo *A Trombeta*.

ODORICO   Não mandei Maneco botar na primeira página: "Odorico nomeia cangaceiro". (*Pega um jornal e lê.*) "Assassino sanguinário, vergonha da espécie humana é o novo delegado de Sucupira." Agora aguenta o repuxo.

DULCINÉA   Dizem que faz mais de três horas que ele entrou na redação e até agora não saiu.

ODORICO   É, desde de manhã.

DULCINÉA   Que está acontecendo? Por que aquela gente toda defronte da gazeta?

ODORICO   Não vejo nada. Parece que encostaram a janela que dá pra rua.

DULCINÉA   Quem viu diz que o delegado parecia uma fera, com a gazeta na mão, espumando de raiva, dizendo que ia fazer Neco engolir a gazeta pedacinho a pedacinho.

ODORICO   Então é isso. Está explicado a demora. Zeca Diabo está obrigando Neco Pedreira a engolir o que escreveu. Mas isso só não resolve.

DULCINÉA   Não resolve?

ODORICO   Não, isso pode dar uma dor de barriga naquele gazetista, nada mais.

Ouvem-se dois tiros, distantes.

DULCINÉA   Tiros!

ODORICO   (*Assesta o binóculo.*) Agora sim que começou o fuzuê.

DULCINÉA   Começou... ou terminou?

ODORICO   Sim, é mais provável que tenha terminado. Zeca Diabo esperou Neco engolir a última letra do artigo e botou um ponto final.

DULCINÉA   Tenho medo.

ODORICO   Medo de quê?

DULCINÉA   Muita gente gosta de Neco Pedreira. E morrendo assim vai virar mártir.

ODORICO   Tem importância não! Despacho Zeca Diabo daqui e faço o enterro de Neco com todas as honras. Faço até discurso na beira da cova.

DULCINÉA   Talvez não dê tempo de Zeca Diabo fugir. O povo pode se enfurecer.

ODORICO   Melhor, assim teremos dois defuntos para inaugurar o cemitério. Ninguém mais vai dizer que é coisa inútil, que eu esbanjo dinheiro do povo. E a oposição perde duas vezes: perde Neco Pedreira e perde o assunto.

NECO   (*Entrando.*) Ainda não vai ser desta vez, Odorico.

ODORICO   (*Volta-se surpreso.*) Você... então...

DULCINÉA   Ele... ele matou Zeca Diabo!

ODORICO   Não é possível!

NECO   (*Ri.*) Também servia, não é, Odorico? O que você quer, afinal, é um defunto, não faz questão da qualidade.

ODORICO   Que brincadeira é essa? Veio aqui pra mangar de mim?

NECO   Vim, não, pelo contrário. Vim lhe dar a honra de ser o primeiro a ler a gazeta de amanhã. Trouxe a primeira prova, saída da máquina agora, fresquinha pra você. (*Entrega o jornal a* ODORICO.)

ODORICO   (*Lê.*) "A Vida de Zeca Diabo contada por ele mesmo. De cangaceiro a delegado. Exclusividade de *A Trombeta*." Que história é essa?

NECO   Muito simples: Zeca Diabo é agora meu colaborador. Comprei os direitos da vida dele, cada dia sairá um capítulo.

ODORICO   Você não pode fazer isso.

NECO	E por que não? Sou um jornalista. E Zeca Diabo é notícia. Vai ver como vou vender jornal. Graças a você. Nunca esquecerei essa ajuda fraternal. Creio, aliás, que estou prestando um serviço à municipalidade, publicando a biografia de um dos seus filhos mais ilustres.
ODORICO	Onde está essa besta?
NECO	Você se refere ao delegado? Ficou lá tirando fotografias para ilustrar os próximos capítulos.
DULCINÉA	E os tiros?
NECO	É que eu pedi um retrato de trabuco na mão. E ele resolveu dar uns tiros pela janela, pro retrato ficar mais realista. Que foi que imaginaram? Que tinha havido um assassinato? (*Ri.*) Eu e o Capitão Zeca Diabo nos entendemos muito bem.

Entra ZECA DIABO *lendo um jornal.*

NECO	É ou não é, Capitão?
ZECA	O quê?
NECO	(*Pousando o braço no ombro de* ZECA DIABO.) O Prefeito não acredita que a ordem e a imprensa possam ser boas amigas.
ODORICO	O que eu não acredito é que Capitão Zeca Diabo tenha consentido nessa infâmia.
ZECA	Infâmia por quê, seu Prefeito? O que o moço tá escrevendo da minha vida é pura verdade, fui eu que contei a ele. E nunca pensei que ficasse tão bonito.
NECO	Lamento é não ser poeta, Capitão, sua vida é pra ser cantada em versos.
ZECA	Modéstia à parte, já foi, numa beleza de abecê. (*Declama:*) Agora vou eu falar, adisculpe a pretensão,

>   de um cabra que foi maior
>   bem maior que Lampião,
>   seu nome é Zeca Diabo,
>   o terror deste sertão.

ODORICO — Seu Neco, se o senhor não se ofender, eu queria ter uma prosa de pé de ouvido com o delegado.

NECO — Ora, à vontade, Odorico. Tenho mesmo que voltar à redação.

ZECA — Quando ficam prontos aqueles retratos?

NECO — Mais logo.

ZECA — Mais logo eu passo lá.

NECO — Passe, passe, que assim nós aproveitamos e já escrevemos o segundo capítulo. (*Volta-se da porta:*) Ah, uma informação somente, senhor Prefeito, para satisfazer a curiosidade de centenas de leitores: quando será inaugurado o cemitério?

ODORICO — Tanto a imprensa sadia quanto a doentia serão informadas com antecedência.

ZECA — Obrigado. (*Sai.*)

ODORICO — Capitão Zeca Diabo, não estou entendendo.

ZECA — É que o moço escreve meio floreado.

ODORICO — É isso não. O que eu não entendo é o seu procedimento. O senhor sai daqui pra sacudir a marreta nesse filho duma égua e volta abraçado com ele?

ZECA — É que não havia razão pra sacudir a marreta, seu dotô.

ODORICO — Como não havia? Não leu o que ele escreveu ontem de nós?

ZECA — Tá no seu direito.

ODORICO — Que direito?

ZECA Direito que a lei garante. E eu, como representante da lei...

ODORICO Que história é essa, Capitão? Então o senhor é representante da lei contra mim?

ZECA Seu dotô, como delegado eu tenho que ser justo. Fui lá mesmo com gana de fazer o moço engolir o que disse. Mas ele me fez sentar e conversar. Me mostrou a lei que garante a ele dizer o que quiser. Lei feita pelos deputados, não sei se vosmincê conhece.

ODORICO Claro que conheço. A lei diz que cada um tem a liberdade de dizer e escrever o que quiser; mas diz também que nós temos o direito de sacudir a marreta quando alguém escrever contra nós.

ZECA Isto não está na lei que o moço me mostrou.

ODORICO Porque o senhor não leu tudo com atenção.

ZECA Não li, mas fiz ele ler pra mim.

ODORICO E além do mais, Capitão, eu não estou precisando aqui de um doutor em leis. Estou precisando de um homem decidido, de pouca conversa, um homem de ação. Pela sua fama, pensei que esse homem fosse o senhor. Me disseram que o senhor tinha despachado trezentos; mas estou vendo que o senhor não é de despachar ninguém.

ZECA Fui, seu dotô, agora tou regenerado.

ODORICO Não podia esperar um pouco?

ZECA Podia não. Eu não aguentava mais aquela vida, sempre fugindo dos macacos, matando pra viver, matando pra não morrer. Tava cansado, seu dotô. Ontem fui tomar a bênção do Seu Vigário e prometi a ele ser um homem de bem, como já tinha prometido a meu Padim Pade Ciço.

ODORICO Sabe o que eu acho? Que o senhor virou pamonha.

ZECA	(*Sente a ofensa.*) Não fale assim comigo, seu Dotô--Coroné-Prefeito.
ODORICO	Pra que foi que eu acoitei o senhor aqui, me arriscando, arriscando meu cargo? Foi pro senhor vir dar essa de Madalena arrependida?

ZECA *se contém a custo.*

ZECA	Seu Dotô-Coroné-Prefeito não fale assim comigo que eu posso esquecer o respeito e a estima que tenho pelo senhor...
ODORICO	O senhor, Capitão, não é de nada! Como matador, o senhor é a vergonha da classe!

ZECA DIABO *sente o sangue subir à cabeça, agarra* ODORICO *pela gola do paletó.*

ZECA	Chega, seu Coroné, chega! (*Saca do revólver.*)

DULCINÉA *corre para um canto, apavorada, sem fala.*

ZECA	Eu prometi a meu Padim contar até dez antes de matar um home... É um... é dois... é três, é quatro, é cinco... é seis, é sete... me acode aqui, meu Padim!... é oito, é nove, é dez!

ZECA DIABO *se acalma, solta* ODORICO, *que está quase desmaiando, suando frio.* ZECA *ergue os olhos para o alto.*

ZECA	'brigado, meu Padim... 'brigado por tê segurado meu braço e impedido de quebrá meu juramento. (*Guarda o revólver e sai.*)

DULCINÉA *corre em socorro de* ODORICO.

DULCINÉA	Odorico!... Você tá bem?
ODORICO	(*Procurando se refazer do susto.*) Estou...
DULCINÉA	Pensei que ele fosse matar você! O pai do meu filho!
ODORICO	Filho?!

DULCINÉA   É... Vim pra te dizer isso... Desta vez tenho certeza!

ODORICO   Mas isso é hora de dar uma notícia dessas!...

DULCINÉA   Desculpe...

ODORICO   Já não basta a decepção que acabo de ter... Dei a mão a esse homem, perdoei os crimes que ele cometeu, fiz ele meu delegado... e ele se junta com Neco Pedreira pra me desmoralizar.

DULCINÉA   Isso de Neco escrever uma novela da vida dele...

ODORICO   Isso eu não posso deixar. Nem que tenha de entrar em acordo com aquele gazetista patifento. Vamos ver o que é que ele quer pra parar com isso.

DULCINÉA   Então é preciso andar depressa, antes que ele imprima os jornais.

ODORICO   Você podia me fazer esse favor, ir à redação e pedir a esse badernista pra vir cá. Sei que ele sempre teve uma certa queda por você...

DULCINÉA   Mas eu nunca lhe dei confiança. E só vou lá por sua causa.

ODORICO   Então, vá. Faça isso por mim.

DULCINÉA   Só que Dirceu está me esperando... Marquei encontro com ele aqui. Ele anda muito desconfiado...

ODORICO   De quê?! Do seu estado?...

DULCINÉA   Não! Se ele souber disso, é capaz de me matar. Ele fez voto de castidade, sabia?

ODORICO   Ele me disse. Depois a gente cuida disso.

DULCINÉA   Está bem. (*Sai.*)

ODORICO   (*Apanha o jornal que* NECO *deixou e lê.*) "Zeca Diabo já fez perto de trezentos defuntos; Odorico tem esperança de que ele faça alguns para inaugurar o seu cemitério." (*Amarrota o jornal, furioso, e atira-o ao chão, no momento em que entra* DIRCEU.)

DIRCEU — Com licença, seu Prefeito?

ODORICO — Ah, pode entrar.

DIRCEU — Minha mulher esteve aqui?

ODORICO — Mandou você esperar. Esse Neco Pedreira é um cachorro.

DIRCEU — Aonde ela foi?

ODORICO — Foi atrás dele.

DIRCEU — Atrás de Neco?

ODORICO — É, na redação d'*A Trombeta*.

DIRCEU — Minha senhora com Neco, na redação d'*A Trombeta*... O senhor não está enganado?

ODORICO — Enganado por quê?

DIRCEU — O senhor não está querendo insinuar... Não, com certeza o senhor não disse com essa intenção... Eu é que ando cismado. Essas cartas anônimas...

ODORICO — Cartas anônimas?

DIRCEU — É... já recebi três.

ODORICO — Falando de dona Dulcinéa?

DIRCEU — A princípio, eu não liguei. Sempre confiei nela. Mas agora... toda semana chega uma carta... Eu já não sei o que pensar...

ODORICO — E... essas cartas falam também... de outra pessoa?

DIRCEU — Não. E foi por isso que quando o senhor disse que ela estava atrás de Neco Pedreira... A maneira como o senhor falou...

ODORICO (*Calculadamente, resolve reforçar a desconfiança de* DIRCEU.) Bem, você me desculpe, eu falei sem pensar. Não quero mesmo me meter nessa história.

DIRCEU Que história, seu Prefeito?

ODORICO Sei não. De minha boca você não arranca uma palavra. Pergunte a outra pessoa qualquer. A cidade inteira sabe.

DIRCEU A cidade inteira?!

ODORICO É, me admira até que você... Bem, eu não disse nada.

DIRCEU Não disse, mas vai fazer o favor de dizer.

ODORICO Você compreende, é muito desagradável. Dona Dulcinéa é minha correligionária... Isto, aliás, é que torna a questão ainda mais delicada. Sabe, Neco é nosso inimigo político; é uma dupla traição.

DIRCEU Dupla traição.

ODORICO Mas não pense que é ela a culpada. Não, é ele, ele é que a persegue. Ela bem que resistiu, a princípio, mas...

DIRCEU Mas?

ODORICO Eu só estou lhe dizendo isso porque já é um caso público. Mais cedo ou mais tarde você ia saber.

DIRCEU Caso público. Por isso me mandaram esta carta anteontem. (*Tira uma carta do bolso, lê.*) "Seu pamonha, mulher só se mete em política quando tem falta de homem na cama. Veja se contenta a sua, antes que outros tratem disso." Não tem assinatura.

ODORICO Eu não estou dizendo? Caiu na boca do povo.

DIRCEU E o pior não é isso... (*Tira do bolso outro envelope.*)

ODORICO Outra carta anônima?

DIRCEU Não... um teste de gravidez.

ODORICO   Eu imagino seu sofrimento. É duro um golpe desses, é duro. Mas você não tem que ficar assim nesse desconsolo. Tem é que reagir, como homem.

DIRCEU   O senhor disse que ela está com ele agora, na redação d'*A Trombeta*?

ODORICO   Está, tenho certeza.

DIRCEU   Vou lá.

ODORICO   Espere. Tenha calma. Eu sei que numa hora dessas não adianta dar conselhos. Se eu estivesse no seu lugar também perdia a cabeça e passava fogo nesse destruidor de lares. Mas é que a coisa talvez pudesse ser resolvida sem morte. Já sei o que você vai dizer, que é uma questão de honra. E honra só se lava com sangue. Está bem. Vá e resolva. O que puder fazer depois para lhe dar fuga, pode ficar certo de que farei. (*Estende a mão a* DIRCEU.) Você está armado?

DIRCEU   Estou não.

ODORICO   (*Apanha um revólver.*) Tome. Só lhe peço que devolva depois de usar, porque é uma arma de estimação.

DIRCEU   Está bem... eu... de qualquer maneira... Minha Nossa Senhora... (*Sai bruscamente, atordoado, e esbarra em* DOROTÉA, *que entra.*)

DOROTÉA   Caçando borboletas com revólver?

ODORICO   Não, a mulher.

DOROTÉA   Dulcinéa?!

ODORICO   Andaram enchendo a cabeça do coitado...

DOROTÉA   Contra o senhor?

ODORICO   Não, ele sabe que eu não misturo política com safadagem. Veio se aconselhar. Eu procurei botar uns panos quentes. Mas o homenzinho está zoró. É capaz de fazer uma besteira.

DOROTÉA	Não entendo é com quem minha irmã...
ODORICO	A senhora vai ficar de queixo caído quando souber.
DOROTÉA	Quem?
ODORICO	Neco Pedreira.
DOROTÉA	Não pode ser!
ODORICO	Também acho que a suspeita é desprocedente. Mas ele diz que tem provas.
DOROTÉA	Espantoso!
ODORICO	Mas é bem feito. Homem que passa a vida caçando borboletas, a mulher acaba caçando homem.
DOROTÉA	Coronel!
ODORICO	Desculpe.
	Ouvem-se seis tiros.
ODORICO	(*Contando os tiros.*) Três... quatro... cinco... seis. Que exagero!
DOROTÉA	Será que foi ele?!
ODORICO	(*Corre até a janela.*) Foi ele, sim. Veja quanta gente está correndo para a redação do jornal.
DOROTÉA	E lá vem ele correndo como um louco. Parece que vem pra cá!
ODORICO	Ele deve ter boa pontaria, a senhora não acha? É caçador...
DOROTÉA	Caçador de borboletas.
ODORICO	Sim, é verdade. Mas seis tiros, não é possível que tenha errado todos. Um ao menos deve ter acertado.
DIRCEU	(*Entra, correndo, transtornado, sem óculos, com o revólver.*) Me escondam! Querem me linchar!
ODORICO	Espere, conte primeiro, que aconteceu?

DIRCEU   Não sei... os óculos caíram na hora... a vista escureceu... não vi nada... mas acho que matei!

DOROTÉA   Matou quem?

ODORICO   Neco Pedreira? Aquele ativista dos maus costumes?

DIRCEU   Sei não... Me esconda! Eles querem me pegar!

ODORICO   Vá por aqui e saia pelos fundos. Pule o muro que dá pro quintal da igreja. Fale com o Vigário que fui eu que mandei. Que ele esconda você lá.

DIRCEU   E se ele não quiser?

ODORICO   Diga que você acaba de prestar um grande serviço à municipalidade. Espere, o revólver... (*Toma o revólver.*)

                Ouvem-se vozes: "Pega! Ele entrou na Prefeitura! Matou a mulher!"

DIRCEU   (*Sai correndo, volta.*) Olhe, se alguma coisa me acontecer, a minha coleção de borboletas fica para a Prefeitura. (*Sai correndo.*)

ODORICO   Agradeço, em nome do município.

                As vozes aumentam em quantidade e volume.

ZECA DIABO   (*Entra.*) Entrou aqui um cabra espavorido?...

ODORICO   Por quê?

ZECA   Ele deu seis tiros numa dona.

DOROTÉA   Minha irmã!

ODORICO   Matou?

ZECA   Se matou? A dona ficou que nem paliteiro.

ODORICO   E o senhor, como delegado, que faz que não prende o assassino?

ZECA   Tou no piso dele. Diz que entrou aqui.

ODORICO	Vi não. Mas se entrou, só pode ter saído por ali, pulado o muro do quintal e se escondido na igreja.
ZECA	Deixe ele comigo. (*Sai de revólver em punho.*)
DOROTÉA	O senhor fez bem em delatar. É monstruoso o que ele fez!
ODORICO	E ela, afinal de contas, além de sua irmã era nossa companheira de lutas. (*Arruma-se para sair. Tem um ar triunfante.*) Vamos, quero ver o cadáver.

SÉTIMO QUADRO

No dia seguinte, à tarde. Vê-se uma parte do caixão, que se acha exposto à visitação na sala ao lado. VIGÁRIO, JUJU, ERNESTO, MOLEZA, DERMEVAL, *a* VELHA BEATA, *entre outros populares, fazem a sentinela.*

MOLEZA	Seis tiros mesmo?
DERMEVAL	Seis.
MOLEZA	Oxente, nunca pensei que Dirceu Borboleta fosse capaz de dar um tiro, quanto mais meia dúzia.
JUJU	Um rapaz tão delicado.
MOLEZA	Vivia caçando borboletas...
DERMEVAL	Deve ter endoidecido.
ERNESTO	Juju, você não devia ficar tanto tempo aqui. Pode lhe fazer mal.
JUJU	Não, quero ficar.
VELHA	(*Ergue um pouco a voz, em meio a uma oração.*)... pelas chagas de Cristo... (*Continua, sussurrando.*)
	Entra NECO PEDREIRA, *vai até a beira do caixão, olha demoradamente. Ao vê-lo,* JUJU *cutuca* ERNESTO. *Todos se entreolham, como se a presença de* NECO *junto à defunta fosse algo pornográfico.*

JUJU	É muita coragem ainda vir aqui, depois de tudo.
ERNESTO	Cala a boca.
JUJU	A cidade inteira sabe que Dirceu encontrou ela nos braços dele!
NECO	Onde está Odorico?
VIGÁRIO	Por aí, tratando dos preparativos do enterro.
NECO	Hoje é dia de festa para ele. Vai, enfim, inaugurar o seu cemitério.
VIGÁRIO	Graças ao senhor.
NECO	Isso é que dá mais raiva: eu fui uma das pedras do jogo. Justiça seja feita, Odorico é um grande jogador.
VIGÁRIO	Que está insinuando?
NECO	Fui à cadeia falar com Dirceu, não me deixaram. Está incomunicável. Essa aí nunca mais vai falar...
VIGÁRIO	Que é que você queria falar com Dirceu?
NECO	Odorico sabe. Pode ser que eu me engane, mas tenho um pressentimento de que ele sabe. Tanto que deu ordem para não deixarem.
	Entra DOROTÉA. *Ao passar por* NECO *tem um olhar de extrema curiosidade, como se o visse pela primeira vez, e vai reunir-se ao grupo que vela a defunta.*
NECO	As mulheres devem estar me achando hoje o homem mais fascinante da cidade.
VIGÁRIO	Pelo menos não há nenhum outro que desperte ideias tão obscenas.
NECO	Por isso mesmo.
DOROTÉA	(*Junto ao caixão.*) É incrível, esse homem!...
JUJU	(*Idem.*) Tio Hilário?...

DOROTÉA	Mandei um portador à fazenda dele. Deve estar chegando.
VELHA	(*Elevando a voz, no meio de uma oração, como uma censura.*)... rogai por nós, pecadores... (*Continua num sussurro.*)
	Entram MESTRE AMBRÓSIO *e* ZELÃO, *descobrem-se, respeitosamente, e acercam-se do caixão.*
NECO	Há cinco anos que faço jornal e é a primeira vez que acontece alguma coisa que merece ser noticiada.
VIGÁRIO	Você vai noticiar?
NECO	Não noticiar é uma confissão de culpa.
MESTRE AMBRÓSIO	(*Junto ao caixão.*) Tenho sessenta anos, com a graça de Deus, e posso garantir que aqui nunca houve coisa igual. A não ser quando Zeca Diabo liquidou com a raça do Coronel Lidário. Assim mesmo, deu só um tiro em cada um.
ZELÃO	(*Idem.*) Isso é crime de cidade grande.
MOLEZA	(*Idem.*) Prova de que nós tamos crescendo. Tamos virando metrópole.
	Ouve-se a banda de música ensaiando a Marcha fúnebre *de Chopin.*
MOLEZA	A banda já tá aí.
NECO	A banda e toda a população da cidade. Até o comércio fechou. Odorico decretou feriado municipal. E se fosse verdade o que dizem por aí, seria o único feriado no mundo que comemora um adultério. (*Sai.*)
	DERMEVAL *e* MESTRE AMBRÓSIO *se afastam do caixão.*
MESTRE AMBRÓSIO	Veio prevenido, meu camarada?

DERMEVAL	Ora... (*Passa a* MESTRE AMBRÓSIO *uma pequena garrafa.* MESTRE AMBRÓSIO, *disfarçadamente, toma um trago.*)
	Entra ODORICO. *Veste um terno preto bastante apropriado à ocasião.*
ODORICO	É incrível essa banda há quase dois anos que ensaia a *Marcha fúnebre* e ainda desafina.
MOLEZA	(*Vem ao encontro de* ODORICO.) Seu Prefeito...
ODORICO	Que é que você está fazendo aqui, seu Moleza? O enterro está pra sair, seu lugar é no cemitério.
MOLEZA	Vim só fazer um pouco de sentinela.
ODORICO	Vá fazer uma sentinela junto da cova. Vá ver se está tudo em ordem. A semana passada passei por lá e vi um jegue pastando.
MOLEZA	Era o jegue do Melchior. Ele pediu, não sabe?
ODORICO	Nem Melchior nem meio Melchior. Aquilo é um cemitério, um campo-santo.
MOLEZA	É que até agora estava sem serventia.
ODORICO	Sem serventia! Me admira o senhor, o coveiro, dizer uma coisa dessas. E justamente quando vai ficar provado que o cemitério era a obra mais urgente desta cidade.
DOROTÉA	Apesar das más línguas da oposição dizerem o contrário.
ODORICO	Queria ver agora, se não tivéssemos o cemitério, toda essa gente pernear seis léguas atrás do caixão.
MOLEZA	Lá isso é verdade, ia ser uma dureza.
DOROTÉA	Certas pessoas deviam ser obrigadas a isso, como castigo pelos danos morais que causaram à nossa cidade.

ODORICO — Ande, vá para o seu posto. E fique de olho, que a oposição é capaz de sabotar o enterro.

MOLEZA — Tenha cuidado não, que pelo meu lado vai correr tudo bem, seu Prefeito. Só quando eu penso em jogar aquele monte de terra em cima da pobrezinha me dá um frio na barriga.

DOROTÉA — Oxente!

MOLEZA — Acho que é falta de costume.

ODORICO — Claro. Mais alguns defuntos e o frio passa. Vá, vá para o seu posto.

MOLEZA — Já tou indo. (*Sai.*)

ODORICO — E a senhora, providenciou tudo?

DOROTÉA — Tudo que me competia. Os meus alunos já estão aí fora, vão acompanhar o enterro. Tive de ir à casa de um por um, porque há um mês que a escola está fechada por falta de verba, como o senhor sabe.

ODORICO — (*Alegre.*) Sei, sei. Mas agora tudo vai mudar. Vamos esquecer os anteontem e pensar nos depois de amanhã. Com a inauguração do cemitério, a oposição sofreu uma derrota tremenda. Amanhã eu volto a ter maioria na Câmara dos Vereadores. O povo que está envenenado por Neco Pedreira e outros volta a me apoiar. Basta olhar pela janela: a rua está repleta, não ficou uma só pessoa em casa. A inauguração do cemitério vai ser uma apoteose.

DOROTÉA — Quanto a isso, não há dúvida. A inauguração do cemitério é uma grande vitória, ainda que tenha custado a vida a um dos nossos.

ODORICO — As obras que vencem o tempo são sempre construídas com lágrimas e sangue... Assim começa o meu discurso. (*Apalpa o bolso.*) O discurso, onde está o discurso? Será que perdi? Levei a noite toda escrevendo. (*Encontra o manuscrito.*) Ah, está aqui. Vai ser uma bomba.

Entra ZECA DIABO.

ODORICO Tudo em ordem, delegado?

ZECA Tudo, seu doutor. O cabra tá trancafiado, com dois macacos de tocaia.

ODORICO Deu ordem pra não deixar ninguém falar com o preso?

ZECA Dei. Só que o cabo, não sabe, pediu pra acompanhar o enterro.

ODORICO O senhor deixou?

ZECA Deixei. Ele alegou que nesta cidade quase não tem diversão.

ODORICO Está bem. A Força Pública precisa mesmo estar representada.

O CORONEL HILÁRIO CAJAZEIRA *entra. É um velho fazendeiro já de idade avançada, mas ainda rijo, como bom sertanejo. Ao verem-no,* DOROTÉA *e* JUDICÉA *vão ao seu encontro.*

JUJU É tio Hilário, Dó!

DOROTÉA Estava com medo que não chegasse pro enterro.

Elas abraçam o CORONEL, *emocionadas.*

HILÁRIO Como foi isso?...

DOROTÉA Uma desgraça, tio Hilário, uma desgraça.

ODORICO *vai ao encontro do* CORONEL CAJAZEIRA.

ODORICO Coronel Cajazeira... meus pêsames... sinto tanto quanto o senhor...

HILÁRIO	Quando recebi a notícia da tragédia, me lembrei de uma carta que meu finado irmão deixou pra mim... Não sei se vocês estão lembradas dessa carta...
DOROTÉA	Não me lembro...
HILÁRIO	A carta contém as derradeiras vontades do pai de vocês... (*Ele tira uma carta do bolso.*)... Eu queria que vocês lessem... O Prefeito dá licença... uma reunião de família...
ODORICO	Pois não...
DOROTÉA	Vamos pra outra sala...

DOROTÉA, JUJU *e o* CORONEL CAJAZEIRA *saem.* ODORICO *consulta o relógio.*

ODORICO	Isso é hora de fazer reunião de família? Em cima da hora do enterro.
VIGÁRIO	É, já devíamos estar saindo...
ODORICO	Acho que enquanto eles conversam, a gente já podia partir pros finalmentes, não, seu Vigário?
VIGÁRIO	O senhor é quem manda.
ODORICO	Ajudem aqui...

MESTRE AMBRÓSIO *e* DERMEVAL *ajudam* ODORICO *a colocar a tampa no caixão e fechá-lo.* NECO PEDREIRA *entra com uma máquina fotográfica.*

ODORICO	A primeira alça é minha, faço questão.

ODORICO *empurra* ERNESTO *e pega na primeira alça.*

ODORICO	Capitão Zeca Diabo, pega na outra.
ZECA	Eu também?
ODORICO	Claro, o senhor é autoridade.

NECO   Posso bater uma chapa?

ODORICO   Excelente ideia. Este é um momento histórico. (*Faz pose, sorridente.*)

VIGÁRIO   Não acha que não fica bem sorrir? Afinal de contas, é um enterro.

ODORICO   É, de fato, não fica bem. (*Posa, triste, compungido.*)

A *banda ataca a* Marcha fúnebre.

NECO   Atenção. (*Bate a chapa.*)

ODORICO   Vamos. Desta vez, vamos.

Entram DOROTÉA, JUJU *e o* CORONEL CAJAZEIRA.

HILÁRIO   Esperem! Um momento!

ODORICO   Estamos esperando vocês...

HILÁRIO   Esse enterro não pode ser realizado.

ODORICO   Como é?! O senhor tá querendo fazer humor preto numa hora dessas?!

HILÁRIO   O corpo tem que seguir pro mausoléu da família, no Cemitério de Jaguatirica, conforme a vontade do meu finado irmão, pai da falecida.

DOROTÉA   Mostre a carta ao Coronel Odorico, tio Hilário.

HILÁRIO *mostra a carta a* ODORICO.

HILÁRIO   Foi uma carta que ele ditou e assinou, pouco antes de entregar a alma ao Criador. Leia este pedaço.

ODORICO   (*Lê.*)... desejo ser enterrado com minha mulher no mausoléu da família, em Jaguatirica. Desejo também que minhas três filhas, quando o Senhor as chamar, sejam sepultadas no mesmo lugar, a fim de que de novo possamos estar reunidos na vida eterna.

JUJU	O senhor entende?...
DOROTÉA	Era vontade dele...
	ODORICO *reage violentamente.*
ODORICO	Uma ova! Vai ser enterrada aqui é agora!
	ODORICO *atira a carta em cima de* HILÁRIO *e pega na alça do caixão.*
ODORICO	Essa, não! Essa eu enterro de qualquer jeito!
HILÁRIO	De qualquer jeito, não! Você não é dono da defunta! Você não é nem parente!
VIGÁRIO	Coronel, esse é um assunto que cabe aos parentes mais próximos da falecida decidirem. As irmãs.
	ODORICO *olha patético, para* DOROTÉA *e* JUDICÉA.
ODORICO	Dona Dorotéa, dona Judicéa... as senhoras não vão fazer isso comigo!
	JUJU *baixa os olhos.*
DOROTÉA	Sinto muito, Coronel...
JUJU	Nosso pai quis assim...
	ODORICO, *num desespero crescente, vai se distanciando da realidade.*
ODORICO	Eu nunca podia esperar isso de vocês! Uma traição! Mas não pensem que me entrego facilmente. Vou para as ruas, vou fazer comícios, vou lutar de armas na mão, mas esse defunto ninguém me tira!
	Desatinado, ODORICO *vai até a janela e fala ao povo.*
ODORICO	Meus concidadãos! Querem roubar à nossa terra o direito de enterrar seus próprios mortos! Mas eu, Odorico Paraguaçu, filho de Eleutério e neto de Firmino

Paraguaçu, não permitirei que o corpo desta infeliz concidadã saia desta casa senão pra fertilizar com suas virtudes a terra morna e cheirosa que a viu nascer!

Ouvem-se vozes fora: "Viva o Coronel Odorico!... Viva!... Muito bem!"

ODORICO É o Direito, é a Liberdade, é a Civilização Cristã que estão em jogo! Ou enterramos dona Dulcinéa, ou nos enterramos!

OITAVO QUADRO

No dia seguinte. Amanhece. ODORICO *cochila numa cadeira. O defunto continua no mesmo lugar, velado pela* VELHA BEATA *e por* MOLEZA, *que dorme a sono solto.* MOLEZA *acorda, dirige-se à janela e, ao passar por* ODORICO, *este desperta, sobressaltado.*

ODORICO Quem foi? O caixão?!...

MOLEZA Tá no mesmo lugar.

ODORICO Já amanheceu...

MOLEZA (*Olhando pela janela.*) A redação d'*A Trombeta* esteve de luz acesa a noite toda... Neco anda trabalhando muito.

ODORICO A noite toda, é?...

MOLEZA É...

ODORICO Cadê as irmãs Cajazeira? Dona Dorotéa, dona Juju?...

MOLEZA Foram embora há muito tempo.

ODORICO Mas o povo... (*Chega até a janela, olha.*) Muita gente passou a noite lá fora, solidária comigo. Afinal, isto é como uma guerra. Precisamos resistir todos juntos.

Entra o VIGÁRIO.

ODORICO   Falou com eles?

VIGÁRIO   Passei a noite tentando convencê-los.

ODORICO   Conseguiu?

VIGÁRIO   Nada. Fincaram pé. Vão levar o cadáver pra Jaguatirica mesmo.

ODORICO   Só se levarem o meu também.

VIGÁRIO   Infelizmente, eles têm meios de nos obrigar a ceder.

ODORICO   Que meios?

VIGÁRIO   Os Cajazeira requereram ao juiz autorização para levar o corpo.

ODORICO   O juiz é um homem de bem, justo, honesto, honrado, cristão, não vai dar...

VIGÁRIO   Já deu.

ODORICO   Juiz patifento. Safado! Sempre desconfiei desse juiz.

VIGÁRIO   Há outra coisa também contra nós...

ODORICO   Todas as coisas estão contra nós. Tudo está contra nós!

VIGÁRIO   Temo que o defunto também fique.

ODORICO   Como?

VIGÁRIO   Fedendo. Com este calor, daqui a pouco vai começar a exalar mau cheiro.

MOLEZA   Aliás já tá.

VIGÁRIO   Ninguém vai aguentar.

ODORICO   Temos então de embalsamar o corpo.

VIGÁRIO   Aqui não há ninguém que faça isso.

ODORICO — Mas podia-se arranjar um pouco de perfume... para quando começasse a feder muito.

VIGÁRIO — Isso não vai impedir a decomposição do corpo.

ODORICO — Mas que Diabo, o senhor só inventa dificuldades!

VIGÁRIO — Eu não invento nada; são leis dos homens e leis da natureza.

ODORICO — Será possível que todas as leis tenham se voltado contra mim, que sou o Prefeito?

ZECA DIABO *entra seguido de* DOROTÉA, JUJU *e* HILÁRIO.

ZECA — Seu Prefeito?

ODORICO — Que é que há? Vocês...

ZECA — Trago aqui uma ordem. (*Mostra um papel.*)

ODORICO — De quem?

ZECA — Do juiz.

VIGÁRIO — Não disse?

ODORICO — O senhor recebe ordens minhas, não do juiz.

ZECA — É não.

ODORICO — Não?

ZECA — Fui falar com o juiz e ele me explicou: esta ordem anula a sua. É lei.

HILÁRIO — Leia pra ele ouvir.

ZECA — (*Começa a ler com dificuldade.*) Ex... ce... lentíssimo se... nhor...

VIGÁRIO — Quer que eu leia?

ZECA — É melhor... leitura não é o meu forte...

VIGÁRIO	(*Toma o papel e lê.*) ... considerando que o marido da falecida está preso; considerando que as senhoritas Dorotéa e Judicéa Cajazeira são os parentes mais próximos da defunta em condições de opinar; considerando...
ODORICO	Seu Vigário, vamos botar de lado os considerandos e partir pros finalmentes. Quem o meritíssimo acha que está com a razão?
VIGÁRIO	Eles.
ODORICO	Pois se é essa a decisão da Justiça, data vênia, digam ao meritíssimo juiz que não aceito.
JUJU	Mas é o juiz!
HILÁRIO	Você não pode se recusar a cumprir uma decisão da Justiça!
ODORICO	Também tenho jurisprudência firmada sobre o assunto. O defunto é meu e ninguém me tira!
HILÁRIO	Delegado, a Polícia tem que garantir o cumprimento da ordem judicial.
ZECA	Pode deixar.
ODORICO	Quem vai garantir?
ZECA	Eu mesmo.
ODORICO	E quem é você?
ZECA	O delegado, oxente!
ODORICO	(*Apanha um papel sobre a mesa.*) Está demitido! *Espera uma reação violenta de* ZECA DIABO.
ZECA	(*Muito chocado, sua reação é infantil, como menino que foi expulso do brinquedo.*) Demitido... mas eu não fiz nada... eu só queria cumprir a lei... meu Padim Pade

	Ciço é testemunha... Vosmincê não está satisfeito comigo?
ODORICO	Com você, muito; não estou satisfeito é com a lei.
ZECA	E agora o que é que eu vou fazer?
ODORICO	Acho bom sair da cidade, se não quer ser preso.
ZECA	Preso? Mas vosmincê deu a sua palavra...
ODORICO	Minha palavra não vale nada, o que vale é a lei. E você agora está fora da lei.
ZECA	(*Extremamente confuso e aborrecido.*) A lei... fora da lei... Seu Dotô-Prefeito não podia fazer isso comigo... não podia...
HILÁRIO	Isso é um absurdo! Vou falar com o juiz!
DOROTÉA	O senhor vai e nós ficamos velando o corpo. (HILÁRIO *sai.* DOROTÉA *e* JUJU *vão para junto do caixão.*)
VIGÁRIO	O senhor fez bem em demiti-lo; o passado desse homem não o recomendava para o posto.
ODORICO	Há dois dias que estou com a demissão dele na gaveta.
VIGÁRIO	E a ordem do juiz?
ODORICO	Que tem?
VIGÁRIO	O senhor mediu bem as consequências de seu gesto?
ODORICO	Padre, eu levei quase dois anos para arranjar um defunto; dois anos a oposição malhando nas minhas costas; e agora que o defunto está aqui, preparado, prontinho para ser despachado, o senhor acha que eu vou entregá-lo assim de mão beijada? Nunca. Pode o juiz mandar trinta ordens. Daqui o defunto só sai comigo.
VIGÁRIO	O juiz pode requisitar força estadual para fazer cumprir a ordem.

ODORICO   Que mande, que mande um batalhão. Melhor até, porque isso vai ferir os brios da população. E aí, com o povo do meu lado, eu vou enterrar o defunto na marra.

VIGÁRIO   Bem, eu fiz o que pude para solucionar a questão pacificamente. Já que há intransigência de parte a parte, eu me retiro para a minha igreja. Aguardarei lá a solução.

ODORICO   Julguei que o senhor estava comigo.

VIGÁRIO   Eu continuo, intimamente, com o senhor. Para efeitos exteriores, porém, acho melhor aparentar uma certa neutralidade. Compreende, quando dois poderes se digladiam, o Executivo e o Judiciário, é prudente que a Igreja não tome partido.

ODORICO   Muito sábia a sua posição.

VIGÁRIO   Obrigado. Com licença. (*Sai.*)

ODORICO   Claro, assim, vença quem vencer, ele está sempre de cima.

NECO   (*Entrando.*) Odorico, preciso falar com você.

ODORICO   Pode falar.

DOROTÉA *e* JUJU *ficam atentas ao diálogo entre* NECO *e* ODORICO.

NECO   Estive na cadeia, Odorico.

ODORICO   Devia ter ficado lá, é um bom lugar pra você.

NECO   Talvez você não responda com tanto espírito quando souber que eu entrevistei Dirceu Borboleta.

ODORICO   Subornou os soldados, com certeza.

NECO   Foi preciso não. Mas ainda que fosse, meu crime era bem menor do que o seu.

ODORICO	Que foi que aquele borboletista lhe disse?
NECO	Tudo. Tudo como se passou. Você vai ler na minha gazeta.

NECO *mostra um exemplar do jornal.*

ODORICO	(*Arrebata o jornal das mãos de* NECO.) Isso é uma gazeta que se lava e enxágua no calunismo. Que foi que você escreveu aí?
NECO	A pura verdade. Que foi você que mandou dona Dulcinéa à redação do jornal; foi você quem inventou que ela era minha amante; foi você quem emprestou o revólver; foi você quem delatou Dirceu, depois de ter mandado ele se esconder na igreja.

DOROTÉA, MOLEZA *e* JUJU *ouvem tudo, perplexos.*

ODORICO	Não acreditem; tudo isso é mentira. (*Amarrota o jornal e atira-o ao chão.*) Essa imprensa marronzista...

JUJU *apanha o jornal e põe-se a ler com* DOROTÉA. ERNESTO *entra e reúne-se a elas.*

ODORICO	Dirceu Borboleta está meio gira. O que ele fez já é uma prova de desmiolamento. Matar a mulher, que era uma santa, com seis tiros, só um louco faz isso. Além do mais, vocês sabem, ele tinha a mania de caçar borboletas. Era um borboletista juramentado. Passava o dia todo com aquela rede, pelos matos, borboletando, nem ligava pra mulher. De repentemente... vocês não acham que tudo isso são sintomas de loucura? Vou chamar um especialista da capital e vocês vão ver.
DOROTÉA	Especialista pra quem? Você ou Dirceu?
NECO	Vamos ver quem o especialista vai achar mais louco: o caçador de borboletas ou o caçador de defuntos. (*Inicia a saída.*)

ODORICO Vou mandar apreender toda a edição desse pasquim!

Ouve-se um jornaleiro, fora, apregoando: "A Trombeta! Vai ler A Trombeta*!"*

NECO (*Detém-se na porta, sorri.*) Agora é tarde... (*Sai.*)

DOROTÉA Nem consigo acreditar!

JUJU É monstruoso!

ZELÃO *e* MESTRE AMBRÓSIO *entram, lendo o jornal; têm para* ODORICO *um olhar de acusação e espanto.*

ODORICO Por que me olham assim? Não era ela, juro, não era ela o defunto que eu queria, era Neco Pedreira!

JUJU Tudo mentira! Não havia nada entre eles!

ERNESTO E ele ainda delatou Dirceu! (*Com horror.*) E era padrinho deles, de casamento!

DOROTÉA Como pode um homem só enganar tantos, durante tanto tempo!

MOLEZA Coitadinha! Que judiação!

JUJU *e* ERNESTO *iniciam a saída, horrorizados.*

ODORICO Aonde vocês vão? Esperem! O enterro vai sair. Tudo isso será explicado depois. É preciso que vocês confiem em mim. Tudo será explicado. O importante é fazer o enterro, inaugurar o cemitério.

ERNESTO Nós preferimos esperar lá fora. (*Sai com* JUJU.)

ODORICO (*Volta-se para* DOROTÉA:) Será possível que ninguém mais confie em mim! Até as pessoas que...

DERMEVAL *e* MOLEZA *aproveitam a fala de* ODORICO *para sair.* ODORICO *pressente, volta-se e não mais os vê.*

ODORICO Todos... todos! (*Vai até a janela. Ouve-se o jornaleiro: "Vai ler* A Trombeta*!* ODORICO *matou* DULCINÉA *para* *inaugurar o cemitério! Vai ler* A Trombeta*!"*) Todos... (*Grita para a rua.*) Não leiam essa gazeta demagogista! Não leiam! Tudo isso é mentira! Caluniamento! (*Desamparado.*) Parece que agora estão todos contra mim! Todos fogem de mim!

ZELÃO, AMBRÓSIO *e a* VELHA *saem sorrateiramente.*

DOROTÉA	Eu ainda estou aqui.
ODORICO	Desculpe... com você eu sei que posso contar até o fim. (*Segura-a pelos braços, num gesto fraternal.*) Sempre soube, Dorotéa. (*Num impulso repentino, aperta-a de encontro ao peito.*) Você sempre me compreendeu.
DOROTÉA	(*Afasta-o, lentamente, com leve repulsa.*) Acho que não. E não acredito que você consiga sair dessa enrascada.
ODORICO	Você não acredita que eu ainda possa me recuperar?
DOROTÉA	Acredito não. Com essa, você está liquidado.
ODORICO	É... era preciso que alguma coisa acontecesse...
DOROTÉA	O quê?
ODORICO	Sei não... alguma coisa que colocasse o povo do meu lado novamente.
DOROTÉA	Por exemplo?
ODORICO	Por exemplo... um atentado.
DOROTÉA	Contra quem?
ODORICO	Contra mim.
DOROTÉA	É, podia ser que desse resultado. Principalmente se você morresse.
ODORICO	Oxente, espera lá! Morrendo, não adiantava nada.

DOROTÉA   E creio é que a gente ia saber que eles não iam lhe matar?

ODORICO   Eles quem?

DOROTÉA   Quem praticasse o atentado.

ODORICO   Mas nós é que vamos praticar o atentado. Nós mesmos. E depois vamos dizer que foi a Oposição. Assim eu passo de réu a vítima.

Entra ZECA DIABO. *Para na porta, olhos cravados em* ODORICO.

ODORICO   Está aí o homem de que eu preciso! Capitão Zeca Diabo! Dou minha palavra que o senhor vai ter um fim de vida tranquilo, como deseja, com a minha proteção e a minha ajuda. Lhe dou até uma fazendinha pro senhor criar suas galinhas.

ZECA   E pra quê, seu Dotô-Coroné-Prefeito?

ODORICO   Pro senhor me ajudar. Estão querendo acabar comigo, Capitão. Esses badernistas conseguiram botar o povo contra mim. E é preciso que aconteça alguma coisa que vire o jogo, o senhor está entendendo? Um atentado, por exemplo. Um atentado covarde, brutal, que revoltasse todo mundo! Um atentado simulado, é claro... E quem melhor pra isso que Zeca Diabo? Vamos imaginar que o senhor entrasse aqui agora, de trabuco em punho, mandando bala pra tudo quanto é lado. Eu finjo que me defendo, faço uma laúza dos diabos, o senhor foge no seu cavalo e a gente bota a culpa na Oposição, que contratou o senhor pra fazer isso!

ZECA   Quando vai ser isso?

ODORICO   Agora! Agora mesmo... Dona Dorotéa, telefone pros jornais de Salvador, exagere, diga que morri, que estou crivado de balas... e acuse logo a Oposição! Vamos virar umas cadeiras, quebrar umas coisas... pra dar uma aparência de luta...

ODORICO *fala e vai virando as cadeiras, espalhando papéis pelo chão.* ZECA DIABO *continua imóvel, impassível, olhar duro cravado nele.*

ZECA — Era bom vosmincê pegar também o revólver...

ODORICO — Ah, sim... Eu também tenho que dar uns tiros... pra fingir que resisti.

ODORICO *abre a gaveta da escrivaninha e apanha o revólver.*

ODORICO — Bem, agora o senhor dá uns tiros pra cima e sai correndo.

ZECA DIABO *puxa o revólver, lento.*

ZECA — Seu Dotô-Coroné-Prefeito, eu mandei vosmincê pegar no revólver não foi pra dar tiro pra cima, foi pra se defender, porque eu vou lhe matar.

ODORICO *sente que ele está falando sério. Apavora-se.*

ODORICO — Oxente... que brincadeira é essa?!

ZECA — Não é brincadeira, não, seu Dotô-Coroné-Prefeito. Traidor não merece viver, tanto mais traidor de moça donzela. Se tem bala nesse revólver, atire em mim, que meu Padim Pade Ciço é testemunha que eu nunca matei ninguém que antes não quisesse me matar. Afora a raça de Coronel Lidário, que isso não conta. Vamos, atire!

ODORICO *sua frio.*

ODORICO — Não vou fazer isso com o senhor... não tenho nada contra o senhor...

ZECA	Mas eu tenho contra vosmincê. Vou contar até três. Ou vosmincê atira, ou morre assim mesmo.
ODORICO	E o seu juramento?
ZECA	É um...
ODORICO	O senhor jurou não matar mais ninguém!
ZECA	É dois...
ODORICO	Padre Cícero vai lhe castigar!
ZECA	É três!

Apagam-se os refletores. Ouvem-se vários tiros, dos dois revólveres. A seguir, durante a mutação, a Marcha fúnebre *de Chopin, executada pela lira de Sucupira.*

NONO QUADRO

Na boca de cena, o portão do cemitério, encimado pela inscrição: "Revertere ad locum tuum." De costas para o público, cercando o túmulo oculto pelas coroas, o VIGÁRIO, DOROTÉA, JUDICÉA, ERNESTO, HILÁRIO CAJAZEIRA, DERMEVAL, MESTRE AMBRÓSIO, ZELÃO, *a* VELHA BEATA *e populares. De frente para a plateia, ao fundo, em plano mais elevado,* NECO PEDREIRA. *A seu lado,* MOLEZA *com a sua pá de coveiro.* NECO *discursa.*

NECO	Odorico Paraguaçu, aqui estamos para o último adeus a ti que foste um exemplo para todos nós. Exemplo de probidade e caráter, de perseverança e lealdade, de justiça e amor ao próximo.
	Uma garrafa de cachaça corre de mão em mão, disfarçadamente. DERMEVAL, ZELÃO, AMBRÓSIO, *cada um toma um gole, sob o olhar de reprovação de* DOROTÉA *e* JUJU.
DOROTÉA	Devia haver mais respeito, apesar de tudo.

JUJU   Afinal, ele era uma autoridade.

NECO   Só tu, Odorico, mais ninguém, podias merecer a subida honra de inaugurar este campo-santo, que foi a grande obra do seu governo, o grande sonho de sua vida, afinal realizado! Adeus, Odorico, o Grande, o Pacificador, o Desbravador, o Honesto, o Bravo, o Leal, o Magnífico, o Bem-Amado...

FIM